Millennium

STIEG LARSSON

Mænd der hader kvinder, 2005
Pigen der legede med ilden, 2006

STIEG LARSSON

Mænd der hader kvinder

Oversat af Ellen Boen

FORLAGET MODTRYK

MÆND DER HADER KVINDER
Oversat fra svensk efter: MÄN SOM HATAR KVINNOR

Udgivet af Norstedts Förlag, Stockholm 2005
Published by agreement with Pan Agency
Omslag: Henrik Koitzsch
Tryk: Nørhaven Paperback A/S
2. udgave, 6. oplag 2007

ISBN-10: 87-7394-996-5
ISBN-13: 978-87-7394-996-2

www.modtryk.dk

Statistik på side 11, 127, 267 og 427 er citeret fra *Slagen dam – Mäns våld mot kvinnor i jämnställda Sverige, en omfångsundersökning* af Eva Lundgren, Gun Heimer, Jenny Westerstrand og Anne-Marie Kalliokoski (Brottsoffermyndigheten i Umeå og Uppsala Universitet, 2001)

Prolog

Fredag den 1. november

DET VAR BLEVET en årligt tilbagevendende begivenhed. Modtageren af blomsten fyldte nu toogfirs år. Da blomsten var ankommet, åbnede han kuverten og fjernede gavepapiret. Derefter løftede han telefonrøret og tastede nummeret til en tidligere kriminalkommissær, som efter sin pensionering havde bosat sig ved Siljan-søen. De to mænd var ikke blot jævnaldrende, de var født samme dato – hvilket i sammenhængen måtte betragtes som temmelig pudsigt. Kommissæren, der vidste, at opringningen ville komme efter postomdelingen ved ellevetiden om formiddagen, drak kaffe, mens han ventede. Dette år ringede telefonen allerede halv elleve. Han løftede røret og sagde hallo uden at præsentere sig.

"Den er kommet."

"Hvad er det i år?"

"Jeg ved ikke, hvad det er for en blomst. Jeg vil få den identificeret. Den er hvid."

"Intet brev, formoder jeg?"

"Nej, ikke andet end blomsten. Rammen er den samme som i fjor. En af de der billige rammer, man selv monterer."

"Poststempel?"

"Stockholm."

"Håndskrift?"

"Som altid, skrevet med versaler. Lodrette og nydelige bogstaver."

Dermed var emnet udtømt, og i nogle minutter sad de tavse i hver sin ende af forbindelsen. Den pensionerede kommissær lænede sig tilbage ved bordet i køkkenet og bakkede på sin pibe. Han vidste dog, at det ikke længere blev forventet, at han stillede nogen opklarende eller knivskarpe spørgsmål, der kunne kaste nyt lys over sagen. Den tid var forbi for år tilbage, og samtalen mellem de to aldrende mænd havde nærmest karakter af et ritual omkring et mysterium, som intet andet menneske i hele verden havde den mindste interesse i at løse.

DENS LATINSKE NAVN var *Leptospermum (Myrtaceae) rubinette.* Det var en lidet imponerende buskvækst med små lyngagtige blade og en to centimeter stor hvid blomst med fem kronblade. Den var omkring tolv centimeter høj.

Planten var hjemmehørende i Australiens slettelandskaber og bjergområder, hvor den var at finde i kraftige tuer. I Australien blev den kaldt *Desert Snow.* Senere kunne en ekspert ved en botanisk have i Uppsala konstatere, at det var en usædvanlig plante, som sjældent blev dyrket i Sverige. I sin udtalelse skrev botanikeren, at planten var beslægtet med *myrten*, og at den ofte blev forvekslet med den betydeligt mere almindelige slægtning *Leptospermum scoparium*, der var meget udbredt i New Zealand. Ifølge eksperten bestod forskellen i, at *Rubinette* havde nogle få mikroskopisk små, lyserøde prikker på spidsen af kronbladene, hvilket gav blomsten et svagt rosa skær.

Rubinette var i det hele taget en forbløffende beskeden blomst. Den var uden kommerciel værdi. Den havde ingen kendte medicinske egenskaber, og den kunne ikke fremkalde hallucinatoriske oplevelser. Den kunne ikke spises, den var uanvendelig som krydderi og værdiløs til fremstilling af plantefarver. Derimod havde den en vis betydning for Australiens urbefolkning, aboriginerne, der traditionelt betragtede området og floraen omkring Ayers Rock som hellig. Blomstens eneste formål i tilværelsen syntes således at være at behage omgivelserne med sin lunefulde skønhed.

I sin udtalelse konstaterede Uppsala-botanikeren, at hvis *Desert Snow* var usædvanlig i Australien, så var den decideret sjælden i Skandinavien. Selv havde hun aldrig set noget eksemplar, men efter at have rådspurgt kolleger vidste hun, at der var blevet gjort forsøg på at introducere planten i et haveanlæg i Göteborg, og at det kunne tænkes, at den blev dyrket privat forskellige steder af blomsterentusiaster og amatørbotanikere med egne, mindre drivhuse. Grunden til, at den var så vanskelig at dyrke i Sverige, var, at den krævede et mildt og tørt klima og skulle tilbringe vinterhalvåret inden døre. Den trivedes ikke i kalkholdig jord og krævede vanding nedefra, direkte til roden. Den krævede det rette håndelag.

DEN KENDSGERNING, AT det var en sjælden blomst i Sverige, burde teoretisk set gøre det lettere at spore netop dette eksemplars oprindelse, men i praksis var det en umulig opgave. Der var ingen registre, man kunne slå op i, eller importtilladelser, man kunne studere. Der var ingen, der vidste, hvor mange privatpersoner der overhovedet havde givet sig i kast med at forsøge at dyrke en så krævende plante – det kunne dreje sig om alt fra nogle få til flere hundrede blomsterentusiaster med adgang til frø eller planter. Disse kunne være købt privat eller via postordre fra en eller anden gartner eller botanisk have hvor som helst i Europa. Planten kunne sågar være hjembragt i forbindelse med en rejse til Australien. At identificere lige præcis denne blomsterdyrker blandt de millioner af svenskere, der har et lille drivhus eller en potteplante i dagligstuevinduet, var med andre ord en håbløs opgave.

Den var blot én i rækken af gådefulde blomster, der altid ankom i en foret kuvert den 1. november. Arten varierede fra år til år, men det var smukke og som oftest relativt sjældne blomster. Som altid var blomsten presset, omhyggeligt monteret på akvarelpapir og anbragt bag glas i en enkel ramme i formatet 29 x 16 centimeter.

MYSTERIET MED BLOMSTERNE havde aldrig været kendt i massemedierne eller i offentligheden, men kun inden for en snæver kreds. Tre årtier tidligere havde blomstens årlige ankomst været genstand for analyser – på Statens Kriminaltekniske Laboratorium, hos fingeraftrykseksperter og grafologer, hos kriminalpolitiet og en gruppe af modtagerens slægtninge og venner. Nu bestod dramaets aktører kun af tre personer: det aldrende fødselsdagsbarn, den pensionerede politimand og så naturligvis den ukendte person, der havde sendt gaven. Eftersom i hvert fald de to førstnævnte havde nået en så fremskreden alder, at det var på høje tid at forberede sig på det uafvendelige, ville kredsen af interesserede desuden snart blive indskrænket.

Den pensionerede politimand var en hærdet veteran. Han ville aldrig glemme sin allerførste pågribelse, der bestod i at anholde en voldelig og stærkt beruset lokomotivfører, inden denne gjorde skade på sig selv eller andre. I løbet af sin karriere havde han fået buret adskillige mennesker inde: krybskytter, hustrumishandlere, svindlere, biltyve og spritbilister. Han havde mødt indbrudstyve, bankrøvere, pushere, voldtægtsmænd og mindst én mere eller mindre sindssyg dynamit-freak. Han havde deltaget i ni mord- eller drabsefterforskninger. Fem af disse havde været af den type, hvor drabsmanden selv havde ringet til politiet og angerfuldt tilstået, at han havde slået sin kone eller bror eller en anden pårørende ihjel. Tre efterforskninger havde drejet sig om mord; de to var blevet opklaret efter et par døgn, det tredje efter to år og med hjælp fra rigspolitiets rejsehold.

Det niende var teknisk opklaret, det vil sige, at efterforskerne vidste, hvem morderen var, men bevisførelsen stod så svagt, at anklageren havde besluttet at henlægge sagen. Til kommissærens ærgrelse var sagen på et tidspunkt blevet forældet. Men alt i alt kunne han se tilbage på en imponerende karriere og burde føle sig tilfreds med det, han havde udrettet.

Han var alt andet end tilfreds.

For kommissæren var *Sagen om de pressede blomster* en vedvarende torn i kødet – den tilbageværende, uopklarede og frustrerende sag, som han uden sammenligning havde brugt mest tid på.

Situationen var ekstra irriterende, fordi han efter bogstavelig talt tusinder af timers grublerier både i og uden for tjenesten ikke engang med sikkerhed kunne afgøre, om der overhovedet var begået noget kriminelt.

Begge mændene vidste, at den person, der havde monteret blomsten, havde brugt handsker, og at der ikke ville være nogen fingeraftryk hverken på rammen eller glasset. De vidste, at det ville være umuligt at spore afsenderen. De vidste, at rammen kunne købes i fotohandler eller boghandler over hele verden. Der var ganske enkelt ingen spor, der kunne lægges til grund for en efterforskning. Og poststemplet havde vekslet; oftest var det fra Stockholm, men tre gange fra London, to fra Paris, to fra København, en gang fra Madrid, en fra Bonn og en gang, hvilket var det mest mystificerende, fra Pensacola, USA. Mens alle de andre byer var kendte hovedstæder, havde Pensacola været så ukendt, at kommissæren havde været nødt til at slå byen op i et atlas.

DA DE HAVDE sagt farvel, sad det toogfirsårige fødselsdagsbarn stille i lang tid og betragtede den smukke, men uanselige australske blomst, som han endnu ikke kendte navnet på. Så løftede han blikket og kiggede på væggen over for skrivebordet. Der hang treogfyrre pressede blomster bag glas og ramme i fire rækker med plads til ti blomster i hver samt en femte række med kun fire billeder. I den øverste række manglede et billede. Plads nummer ni var tom. *Desert Snow* skulle blive billede nummer fireogfyrre.

For første gang skete der dog noget, som brød mønstret fra tidligere år. Helt pludseligt og uden forvarsel begyndte han at græde. Han blev selv overrasket over dette pludselige følelsesudbrud efter næsten fyrre år.

Del 1

INCITAMENT

20. december til 3. januar

18 procent af alle svenske kvinder
er på et eller andet tidspunkt blevet truet af en mand

KAPITEL 1

Fredag den 20. december

RETSSAGEN VAR UIGENKALDELIGT forbi, og alt, hvad der kunne siges, var allerede blevet sagt. At han ville tabe sagen, havde han ikke betvivlet et sekund. Den skriftlige domsafsigelse var blevet offentliggjort klokken ti fredag morgen, og nu resterede der blot en opsummering til de journalister, som ventede på gangen uden for retssalen.

Mikael Blomkvist så dem fra døråbningen og tøvede et par sekunder på dørtrinnet. Han ønskede ikke at diskutere domsafsigelsen, som han netop havde hentet, men spørgsmålene var uundgåelige, og han – om nogen – vidste, at de skulle stilles og besvares. *Sådan føles det at være kriminel*, tænkte han. *På den forkerte side af mikrofonen.* Han nærmede sig modvilligt og prøvede at fremtvinge et smil. Journalisterne smilede tilbage og nikkede venligt og næsten genert til ham.

"Lad mig se ... *Aftonbladet, Expressen, Radioavisen,* TV4 og ... hvor er du fra? Javel, ja, *Dagens Industri.* Jeg må være blevet en kendt person," konstaterede Mikael Blomkvist.

"Lad os få en kommentar, *Kalle Blomkvist*," sagde journalisten fra det ene formiddagsblad.

Mikael Blomkvist, hvis fuldstændige navn tilfældigvis var Carl Mikael Blomkvist, tvang sig som altid til ikke at rulle med øjnene, da han hørte kælenavnet. Engang tyve år tidligere, da han var treogtyve år gammel og lige begyndt at arbejde som journalist på sit første sommervikariat, var han helt uforvarende kommet til at afsløre en liga af bankrøvere, som over en periode på omkring to år havde begået fem bemærkelsesværdige røverier. At det var den samme bande, der havde været på spil i samtlige tilfælde, herskede der ingen tvivl om; deres speciale var at køre ind i en mindre by og med militær præcision plyndre en eller to banker ad gangen. De var maskeret med latexmasker forestillende Disney-figurer og blev med en ikke helt uforståelig politilogik døbt Anders And-banden. Aviserne omdøbte dem dog til Bjørnebanden, hvilket lød lidt mere seriøst i betragtning af, at de ved to tilfælde hensynsløst og tilsyneladende uden at bekymre sig om andre menneskers ve og vel havde affyret varselsskud og truet forbipasserende eller alt for nysgerrige tilskuere.

Det sjette røveri skete mod en bank i Östergötland midt på sommeren. En reporter fra lokalradioen opholdt sig tilfældigvis i banken, da røveriet fandt sted, og reagerede lige efter bogen. Så snart røverne havde forladt banken, gik han hen til en telefonboks og ringede til redaktionen, så nyheden kunne sendes direkte.

Mikael Blomkvist tilbragte nogle dage sammen med en kvindelig bekendt i dennes forældres sommerhus i nærheden af Katrineholm. Helt nøjagtig hvorfor han koblede tingene sammen, kunne han ikke forklare, end ikke da politiet spurgte ham, men i samme øjeblik han hørte nyhederne, kom han i tanker om fire fyre i et sommerhus nogle hundrede meter derfra. Han havde set dem et par dage forinden, hvor de havde spillet badminton ude i haven, og han var spadseret forbi med sin veninde på vej til en iskiosk.

Det eneste, han havde set, var fire lyshårede og veltrænede unge mænd iført shorts og med nøgen overkrop. De var tydeligvis bodybuildere, og der havde været noget ved de badmintonspillende unge mænd, der havde fået ham til at kigge en ekstra gang – muligvis skyldtes det, at kampen foregik i bagende sol med noget, han opfattede som voldsomt fokuseret energi. Det lignede ikke almindeligt tidsfordriv, og det havde fået Mikael til at lægge mærke til dem.

Der var ikke nogen rationel grund til at mistænke dem for at være bankrøvere, men ikke desto mindre var han gået sig en tur og havde slået sig ned på en lille bakke, hvorfra han havde udsigt til sommerhuset, og hvor han kunne konstatere, at der lige nu virkede menneketomt. Det varede omkring fyrre minutter, før fyrene kom kørende ind på grunden og parkerede en Volvo. Flokken syntes at have travlt og slæbte på hver sin sportstaske, hvilket i sig selv ikke behøvede at betyde, at de havde foretaget sig andet end at bade et eller andet sted. Men en af dem gik tilbage til bilen og hentede en genstand, som han hurtigt dækkede med en vindjakke, og selv fra sin relativt fjerne observationspost kunne Mikael konstatere, at det var en vaskeægte AK4 af præcis samme slags, som han selv for nylig havde været gift med under et års militærtjeneste. Følgelig ringede han til politiet og fortalte om sin iagttagelse. Det blev optakten til en tre døgn lang og intensivt medieovervåget belejring af sommerhuset, med Mikael på første parket og med et klækkeligt freelancehonorar fra den ene formiddagsavis. Politiet etablerede sit hovedkvarter i en campingvogn på grunden til det sommerhus, hvor Mikael boede.

Bjørnebandens fald gav Mikael lige netop den stjernestatus, han som ung journalist havde brug for i branchen. Berømmelsens bagside var, at den anden formiddagsavis ikke kunne nære sig for at trykke overskriften *Kalle Blomkvist opklarede sagen.* Den spøgefulde brødtekst var skrevet af en ældre kvindelig klummeskriver og indeholdt adskillige henvisninger til Astrid Lindgrens unge detektiv. Avisen havde oven i købet illustreret artiklen med et kornet billede, hvor Mikael med halvåben mund og løftet pegefinger syntes at give en uniformeret betjent instrukser af en slags. I virkeligheden havde han udpeget vejen til sommerhusets udendørslokum.

DET BETØD INGENTING, at Mikael Blomkvist aldrig i hele sit liv havde kaldt sig Carl eller nogensinde underskrevet en artikel med navnet Carl Blomkvist. Fra dette øjeblik var han til sin fortvivlelse kendt blandt journalistkolleger som *Kalle Blomkvist* – et tilnavn udtalt ironisk drillende, ikke uvenligt, men heller ikke helt venligt. Ikke et ondt ord om Astrid Lindgren – han elskede bøgerne, men hadede kælenavnet. Det tog ham flere år og langt mere tungtvejende journalistiske meritter, før han så småt slap af med tilnavnet, og det gippede stadig i ham, hver gang navnet blev brugt i hans nærvær.

Så han smilede fredsommeligt og kiggede formiddagsavisen i øjnene.

"Nja, find bare på noget. Du plejer jo alligevel altid at opdigte dine historier."

Tonen var ikke ubehagelig. De kendte alle hinanden mere eller mindre godt, og Mikaels værste kritiker havde undladt at møde op. Han havde tidligere arbejdet sammen med en af dem, og ved en fest nogle år forinden var det næsten lykkedes ham at komme i bukserne på en anden – Hende fra TV4.

"Du fik en ordentlig én over næsen derinde," konstaterede *Dagens Industri*, som tydeligvis havde sendt en ung vikar.

"Det tør siges," medgav Mikael. Han kunne næppe påstå andet.

"Hvordan føles det?"

Trods sagens alvor kunne hverken Mikael eller de ældre journalister dy sig for at trække på smilebåndet ad spørgsmålet. Mikael vekslede et blik med TV4. *Hvordan føles det*, det spørgsmål, som Seriøse Journalister til alle tider har påstået er det eneste, som Åndsforladte Sportsjournalister nogensinde har været i stand til at stille den Forpustede Idrætsmand på den anden side af målstregen. Men derefter blev han alvorlig igen.

"Jeg kan selvfølgelig kun beklage, at domstolen ikke nåede frem til en anden afgørelse," svarede han lidt formelt.

"Tre måneders fængsel og 150.000 i erstatningskrav. Det kan mærkes," sagde Hende fra TV4.

"Jeg overlever nok."

"Vil du sige undskyld til Wennerström? Give ham hånden?"

"Nej, det kan jeg ikke forestille mig. Min opfattelse af hr. Wennerströms forretningsmoral har ikke ændret sig nævneværdigt."

"Så du hævder fortsat, at han er en bandit?" spurgte *Dagens Industri* hurtigt.

Der lå en artikel med en potentielt ødelæggende overskrift bag spørgsmålet, og Mikael kunne være gledet i bananskrællen, hvis ikke journalisten havde signaleret faren ved lidt for ivrigt at stikke mikrofonen frem. Han overvejede svaret i nogle sekunder.

Domstolen havde netop fastslået, at Mikael Blomkvist havde krænket finansmanden Hans-Erik Wennerströms ære. Han var blevet dømt for bagvaskelse. Retssagen var afsluttet, og han havde ingen planer om at anke kendelsen. Men hvad ville der ske, hvis han uforsigtigt gentog sine påstande allerede uden for retsbygningen? Mikael besluttede, at han ikke ønskede at kende svaret.

"Jeg mente, at jeg havde gode grunde til at publicere de oplysninger, jeg var i besiddelse af. Domstolen mente noget andet, og jeg må selvfølgelig acceptere, at retten har talt. Nu vil vi diskutere dommen grundigt på redaktionen, før vi beslutter os for, hvad vi vil gøre. Mere er der ikke at tilføje."

"Men du glemte, at man som journalist faktisk skal have belæg for sine påstande," sagde Hende fra TV4 med en antydning af noget skarpt i stemmen. Argumentet kunne næppe tilbagevises. De havde været gode venner. Hendes ansigtsudtryk var neutralt, men Mikael syntes, han fornemmede en antydning af skuffet afstandtagen i hendes blik.

Mikael Blomkvist blev stående yderligere nogle pinefulde minutter og besvarede spørgsmål. Det spørgsmål, der lå uudtalt i luften, fordi ingen af journalisterne kunne få sig til at stille det – måske fordi det var så irriterende ufatteligt – var, hvordan Mikael havde kunnet skrive en artikel, der var så fuldstændig blottet for substans. De tilstedeværende reportere, med undtagelse af vikaren fra *Dagens Industri*, var alle veteraner med bred erhvervserfaring. For dem lå svaret på spørgsmålet hinsides det forståeliges grænser.

TV4 trak ham uden for indgangen til domhuset og stillede sine spørgsmål, mens kameraet rullede. Hun var venligere, end han fortjente, og der kom tilpas mange oplysninger frem til at gøre alle journalister tilfredse. Historien ville skabe overskrifter – det var uundgåeligt – men han tvang sig til at huske på, at det faktisk ikke var årets største mediebegivenhed. Journalisterne havde fået, hvad de kom efter, og trak sig tilbage til deres respektive redaktioner.

HAN HAVDE TÆNKT sig at forlade domhuset til fods, men det var en blæsende decemberdag, og han var allerede blevet gennemkold under interviewet. Da han var blevet alene på domhustrappen, løftede han blikket og så William Borg stige ud af sin bil, hvor han havde siddet, mens interviewet fandt sted. Deres øjne mødtes, hvorefter William Borg smilede.

"Det var værd at tage herhen bare for at se dig med det der stykke papir i hånden."

Mikael svarede ikke. William Borg og Mikael Blomkvist havde kendt hinanden i femten år. De havde engang arbejdet sammen som vikarierende erhvervsjournalister på et dagblad. Det skyldtes måske dårlig kemi, men det var der, et livslangt uvenskab blev grundlagt. Borg havde i Mikaels øjne været en elendig journalist og et irriterende, småligt og hævngerrigt menneske, der generede sine omgivelser med åndssvage vittigheder og udtalte sig nedsættende om ældre, og følgelig mere erfarne, journalister. Han syntes at nære en særlig modvilje mod ældre kvindelige journalister. På et tidspunkt havde de haft et skænderi, der efterfulgtes af yderligere mundhuggeri, indtil modsætningsforholdet var blevet personligt.

Mikael og William Borg var gennem årene raget uklar med jævne mellemrum, men det var først i slutningen af 1990'erne, at de var blevet rigtigt uvenner. Mikael havde skrevet en bog om økonomisk journalistik og heri flittigt citeret en række tåbelige artikler, der havde Borgs signatur. Ifølge Mikael var Borg en vigtigper, der totalt havde misforstået de allerfleste fakta og skrevet hyldestartikler om it-firmaer, som kort efter havde måttet dreje nøglen om. Borg havde ikke brudt sig om Mikaels analyse, og under et tilfældigt møde på et værtshus på Söder var det næsten udartet til håndgemæng. Borg havde herefter forladt journalistikken, og han arbejdede nu som informationschef, og til en væsentlig højere hyre, i et firma, som – for at det ikke skulle være løgn – indgik i industrimanden Hans-Erik Wennerströms interessesfære.

De kiggede længe på hinanden, før Mikael drejede om på hælen og gik sin vej. Det var så typisk for Borg at køre hen til domhuset bare for at stille sig op og hovere.

Netop da han var begyndt at gå, standsede bus 40, og han steg på, mest for at slippe væk. Han stod af ved Fridhemsplan og blev stående ubeslutsomt ved stoppestedet, stadig med domsudskriften i hånden. Til sidst besluttede han sig for at spadsere hen til *Kafé Anna* ved garagenedkørslen til politigården.

Mindre end et halvt minut efter, at han havde bestilt en caffe latte og en sandwich, begyndte middagsnyhederne i radioen. Historien kom på en tredjeplads efter et selvmordsbombeattentat i Jerusalem og nyheden om, at regeringen havde nedsat en kommission til at efterforske en påstået ny karteldannelse inden for byggebranchen.

> Journalisten Mikael Blomkvist fra tidsskriftet *Millennium* blev torsdag morgen idømt tre måneders fængsel for grov bagvaskelse af industrimanden Hans-Erik Wennerström. I en meget omtalt artikel tidligere på året om den såkaldte Minos-affære hævdede Blomkvist, at Wennerström havde brugt statsbevillinger, der var beregnet til industriinvesteringer i Polen, til våbenhandel. Mikael Blomkvist dømtes endvidere til at betale en erstatning på 150.000 kroner. I en kommentar siger Wennerströms advokat Bertil Camnermarker, at hans klient er tilfreds med dommen. Der er tale om ualmindelig grov bagvaskelse, siger han.

Dommen fyldte seksogtyve sider. Den redegjorde for baggrunden for, at Mikael blev fundet skyldig i femten tilfælde af grov bagvaskelse af forretningsmanden Hans-Erik Wennerström. Mikael kunne konstatere, at hvert af de anklagepunkter, han var fundet skyldig i, kostede ti tusind kroner og seks dages fængsel. Eksklusive sagsomkostninger og hans eget advokatsalær. Han orkede ikke engang at begynde at spekulere på, hvor stor den endelige regning ville blive, men konstaterede også, at det kunne have været værre; retten havde valgt at frikende ham for syv anklagepunkter.

I takt med, at han læste formuleringerne i dommen, indfandt der sig en stadigt tungere og mere og mere ubehagelig følelse i maveregionen. Det overraskede ham. Allerede da retssagen gik i gang, havde han været klar over, at medmindre der indtraf et mirakel, ville han blive dømt. På det tidspunkt havde der ikke hersket nogen tvivl om den sag, og han havde forsonet sig med tanken. Han havde temmelig ubekymret fulgt de to dages procedure i retssalen, og han havde heller ikke følt noget særligt de efterfølgende elleve dage, hvor han havde ventet på, at domstolen skulle tænke færdig og formulere den tekst, han nu holdt i hånden. Det var først nu, da retsprocessen var overstået, at ubehaget skyllede ind over ham.

Da han tog en bid af brødet, syntes det at svulme op i munden på ham. Han havde svært ved at synke og skubbede sandwichen fra sig.

Det var første gang, Mikael Blomkvist var blevet dømt for noget kriminelt – første gang, han overhovedet havde været mistænkt eller sigtet for noget. Selve anklagen var forholdsvis bagatelagtig. En forbrydelse i letvægtsklassen. Der var trods alt ikke tale om væbnet røveri, mord eller voldtægt. Økonomisk set var dommen imidlertid til at tage og føle på. *Millennium* var ikke medieverdenens flagskib og havde ikke ubegrænsede midler – tidsskriftet levede på marginalerne – men dommen indebar dog heller ikke nogen økonomisk katastrofe. Problemet var, at Mikael ikke blot var medejer af *Millennium*, men – idiotisk nok – også både skribent og tidsskriftets ansvarshavende redaktør. Erstatningen på de 150.000 havde Mikael tænkt sig at betale ud af egen lomme, hvilket praktisk taget ville lænse hele hans opsparing. Bladet ville betale sagsomkostningerne. Hvis de holdt fornuftigt hus med pengene, skulle det nok ordne sig.

Han overvejede muligheden af at sælge sin ejerlejlighed, hvilket ville gøre pokkers ondt. I slutningen af de glade firsere og i en periode, hvor han faktisk havde haft et fast job og en relativt god indkomst, havde han set sig om efter en permanent bolig. Han havde fartet rundt til lejlighedsbesigtigelser og afvist det meste, men var så snublet over et loftsrum på 65 m^2 øverst på Bellmansgatan. Den forrige ejer var gået i gang med at gøre det beboeligt, men havde pludselig fået arbejde i et eller andet IT-firma i udlandet, og Mikael havde kunnet købe renoveringsobjektet billigt.

Mikael havde droppet indretningsarkitektens tegninger og selv afsluttet arbejdet. Han brugte pengene på at indrette badeværelse og køkken og gav pokker i resten. I stedet for at lægge parketgulv og opføre skillevægge, så der opstod den planlagte toværelses lejlighed, afhøvlede han plankegulvet, kalkede de oprindelige, rustikke vægge hvide og dækkede de værste huller med et par akvareller af Emanuel Bernstone. Resultatet blev en helt åben planløsning med en soveafdeling bag en bogreol og spiseplads og dagligstue i forbindelse med et lille tekøkken. Lejligheden havde to ovenlysvinduer og et gavlvindue med udsigt over tagryggene mod Riddarfjärden og Gamla Stan. Han kunne se en stribe vand ved Slussen og havde udsigt til Rådhuset. I dag ville han ikke have råd til at anskaffe sig sådan en lejlighed, og han ville gerne beholde den.

Men at han måske risikerede at miste lejligheden, var for intet at regne sammenlignet med, at han i arbejdsmæssig henseende havde fået en gevaldig lussing, hvis skadevirkninger det ville tage lang tid at reparere. Hvis de overhovedet kunne repareres.

Det handlede om tillid. I en overskuelig fremtid ville mange redaktører tøve med at publicere en historie med hans byline. Han havde stadig tilstrækkelig med venner i branchen, der ville acceptere, at han havde været offer for uheld og tilfældigheder, men han havde ikke længere råd til at begå den mindste fejltagelse.

Det, der sved mest, var dog ydmygelsen.

Han havde haft alle trumfer på hånden, men havde ikke desto mindre tabt spillet til en halvgangster i Armani-jakkesæt. En slyngel af en børsspekulant. En yuppie med en stjerneadvokat, der havde grinet sig gennem hele retssagen.

Hvordan fanden kunne det gå så galt?

WENNERSTRÖM-SAGEN VAR BEGYNDT så lovende i cockpittet på en gul Mälar-30 midsommeraften halvandet år forinden. Det hele havde været lidt af en tilfældighed og skyldtes, at en tidligere journalistkollega, som nu var ansat som informationsmedarbejder i amtsrådet, ønskede at imponere sin nye kæreste og ubetænksomt havde lejet en Scampi til et par dages improviseret, men romantisk skærgårdssejlads. Kæresten, der for nylig var flyttet fra Hallstahammar for at studere i Stockholm, havde efter nogen tøven ladet sig overtale på den betingelse, at hendes søster og dennes kæreste også måtte tage med. Ingen i trioen fra Hallstahammar havde nogensinde før siddet i en sejlbåd. Problemet var bare, at endog informationsmedarbejderen var mere entusiastisk end erfaren udi sejlsporten. Tre dage før afrejsen havde han desperat ringet til Mikael og overtalt ham til at tage med som femte, og navigationskyndige, besætningsmedlem.

Mikael havde først været afvisende over for forslaget, men var faldet til føje ved løftet om nogle dages afslapning i skærgården med, som det hed, god mad og hyggeligt selskab. Disse løfter blev dog ikke indfriet, og sejladsen havde udviklet sig til en langt værre katastrofe, end han havde kunnet forestille sig. De havde tilbagelagt den smukke, men lidet dramatiske rute fra Bullandö og op gennem Furusund-sejlrenden med en vindstyrke på knap fem sekundmeter, men alligevel var informationsmedarbejderens nye kæreste øjeblikkelig blevet søsyg. Hendes søster var begyndt at skændes med sin kæreste, og ingen af dem viste nogen interesse for at lære det mindste om sejlads. Det stod snart klart, at det var Mikael, der forventedes at tage sig af båden, mens de øvrige kom med velmenende, men for det meste ubrugelige råd. Efter den første overnatning i en vig på Ängsö havde han været parat til at lægge til i Furusund og tage bussen hjem. Det var kun informationsmedarbejderens desperate tryglen, der havde fået ham til at blive om bord.

Ved tolvtiden næste dag – såpas tidligt, at der stadig ville være få ledige pladser – havde de fortøjet båden i gæstehavnen på Arholma. De havde lavet mad og netop spist frokost, da Mikael lagde mærke til en gul M-30 i plastfiber, der gled ind i vigen med kun storsejlet hejst. Båden drejede lydløst op mod vinden, mens skipperen spejdede efter en kajplads. Mikael kastede et blik rundt og konstaterede, at mellemrummet mellem deres Scampi og en H-båd på styrbords side formentlig var den eneste åbning, og at der lige præcis ville være plads til den smalle M-30. Han stillede sig i agterstavnen og pegede; skipperen i M-30'eren løftede hånden som tak og drejede hen mod molen. En enlig sejler, der ikke gad have besværet med at starte motoren, noterede Mikael sig. Han hørte ankerkæden rasle, og nogle sekunder efter blev storsejlet strøget, mens skipperen vimsede rundt som en skoldet skid for at få roret på plads og samtidig gøre et reb klar i stævnen.

Mikael trådte op på rælingen og rakte hånden frem for at markere, at han kunne tage imod. Den nyankomne foretog en sidste kursændring og gled i en perfekt vinkel hen mod Scampiens agterstavn, næsten uden fart. Det var først i det øjeblik, hvor den nyankomne rakte Mikael tovenden, at de genkendte hinanden og smilede begejstret.

"Hej, Robban," sagde Mikael. "Hvorfor bruger du ikke motoren, så du undgår at skrabe malingen af alle de andre både i havnen?"

"Hej, Micke. Jeg syntes nok, der var noget bekendt ved dig. Jeg ville såmænd godt bruge motoren, hvis jeg ellers kunne få den startet. Lortet opgav ævred ude ved Rödlöga for to dage siden."

De gav hånd hen over rælingen.

En evighed tidligere, på Kungsholmens Gymnasium i 1970'erne, havde Mikael Blomkvist og Robert Lindberg været venner, oven i købet meget gode venner. Som det så tit sker med skolekammerater, var venskabet blevet afbrudt efter eksamen. De var gået hver til sit og havde kun truffet hinanden en halv snes gange i løbet af de sidste tyve år. Da de mødtes nu i Arholmas havn, havde de ikke set hinanden i syv-otte år. Nu studerede de nysgerrigt hinanden. Robert var solbrændt med filtret hår og to uger gamle skægstubbe.

Mikael følte sig pludselig i betragtelig bedre humør. Da informationsmedarbejderen og hans enfoldige rejseledsagere var gået op for at danse rundt om majstangen ved landhandlen på den anden side af øen, var han blevet siddende med sild og snaps i cockpittet på M-30'eren og hygget sig med sin gamle skolekammerat.

Ud på aftenen, efter at de havde opgivet kampen mod de berygtede Arholma-myg og var rykket ned i kahytten, og efter ikke så få snapse, havde samtalen forvandlet sig til et gemytligt mundhuggeri om moral og etik i forretningsverdenen. De havde begge valgt karrierer, som i en eller anden forstand fokuserede på rigets finanser. Robert Lindberg var fortsat fra gymnasiet til Handelshøjskolen og videre ind i bankverdenen. Mikael Blomkvist var havnet på Journalisthøjskolen og havde brugt en stor del af sit arbejdsliv på at afsløre tvivlsomme forretninger inden for netop bank- og forretningsverdenen. Samtalen begyndte at kredse om det moralsk acceptable i visse gyldne håndtryk, der var blevet givet i 1990'erne. Efter tappert at have forsvaret nogle af de mest omdiskuterede fratrædelsesordninger havde Lindberg stillet glasset fra sig og modvilligt medgivet, at der nok gemte sig en og anden slyngel i forretningsverdenen, trods alt. Han havde kigget på Mikael med et pludselig alvorligt blik.

"Du, der laver opsøgende journalistik og beskæftiger dig med økonomisk kriminalitet, hvorfor skriver du ikke noget om Hans-Erik Wennerström?"

"Jeg var ikke klar over, at der var noget at skrive om ham."

"Bor. Bor, for helvede. Hvor meget ved du om SIB-projektet?"

"Tja, det var en slags bistandsprojekt i 1990'erne, der skulle hjælpe industrien i de tidligere øststater med at komme på fode. Det blev nedlagt for et par år siden. Det er ikke noget, jeg har skrevet om."

"SIB stod for Styrelsen for Industriel Bistand og var et projekt, der blev bakket op af regeringen, og som blev styret af repræsentanter for en halv snes store svenske virksomheder. SIB fik statslige garantier til en række projekter, der blev valgt efter aftale med regeringerne i Polen og de baltiske lande. LO var også repræsenteret som garant for, at arbejderbevægelsen i øst ville blive styrket gennem den svenske model. Formelt set var det et bistandsprojekt, der byggede på princippet om hjælp til selvhjælp, og som skulle give regimerne i øst en mulighed for at sanere deres økonomi. I praksis handlede det dog om, at svenske virksomheder modtog statsstøtte for at gå ind og etablere sig som medejere af firmaer i øststaterne. Ham den der forbandede kristne minister var en varm tilhænger af SIB. Det drejede sig om opførelse af en papirfabrik i Krakow, modernisering af et stålværk i Riga, anlæggelsen af en cementfabrik i Tallinn, og så fremdeles. Pengene blev fordelt af SIB's bestyrelse, der bestod af lutter sværvægtere fra bank- og industriverdenen."

"Altså skattepenge?"

"Omkring 50 procent var statslige bidrag, resten hostede bankerne og industrien op med. Men der var næppe tale om altruisme. Bankerne og virksomhederne regnede med at score kassen. Ellers havde de fandeme ikke været interesseret."

"Hvor mange penge drejede det sig om?"

"Vent nu lige lidt og hør efter. SIB bestod hovedsagelig af hæderlige svenske virksomheder, der godt ville have foden indenfor i Østeuropa. Det var tunge selskaber som ABB og Skanska og den slags. Ikke nogen spekulationsfirmaer, med andre ord."

"Vil du påstå, at Skanska ikke giver sig af med spekulation? Var det ikke deres administrerende direktør, der blev fyret, fordi han havde ladet en af sine drenge formøble en halv milliard ved hurtige aktiehandler? Og hvad med deres spektakulære huskøb i London og Oslo?"

"Ja ja, der er idioter i alle firmaer overalt i verden, men du ved godt, hvad jeg mener. Det er virksomheder, som i hvert fald producerer noget. Rygraden i svensk industri og alt det der."

"Hvor kommer Wennerström ind i billedet?"

"Wennerström er jokeren i spillet. Vi har at gøre med en fyr, der dukker op ud af det blå, som ikke har nogen baggrund i den tunge industri, og som egentlig ikke har noget at gøre i de her sammenhænge. Men han har skrabt en kolossal formue til sig på børsen og investeret i stabile foretagender. Han er så at sige kommet ind ad bagdøren."

Mikael skænkede Reimersholms Brännvin i sit glas og lænede sig tilbage i kahytten, mens han tænkte over, hvad han vidste om Wennerström. Hvilket i virkeligheden ikke var ret meget. Født et sted i Norrland, hvor han grundlagde et investeringsfirma i 1970'erne. Han tjente en net sum penge og flyttede til Stockholm, hvor han gjorde kometkarriere i de glade firsere. Han stiftede Wennerströmsgruppen, som skiftede navn til *Wennerstroem Group*, da der blev etableret kontorer i London og New York, og foretagendet begyndte at blive omtalt i samme artikler som Beijer. Han handlede med aktier og optioner, satsede på hurtige forretninger og optrådte i sladderspalterne som en af vores talrige nye milliardærer med atelierlejlighed på Strandvägen, imponerende sommervilla på Värmdö og en 23 meter lang lystyacht, som han havde købt af en tidligere tennisstjerne, der var erklæret insolvent. Et finansgeni, javist, men 1980'erne var finansgeniernes og boligspekulanternes årti, og Wennerström havde ikke gjort sig mere bemærket end andre. Snarere tværtimod: Han var vedblevet med at stå i skyggen af De Store Drenge. Han manglede Stenbecks bramfrihed og store armbevægelser og lod sig ikke udstille i pressen som Barnevik. Han holdt sig fra ejendomsmarkedet og foretog i stedet massive investeringer i den tidligere østblok. Da luften var gået ud af ballonen i 1990'erne, og den ene direktør efter den anden blev tvunget til at tage imod et gyldent håndtryk, havde Wennerströms virksomhed klaret sig overraskende godt. Ingen antydning af skandale. *A Swedish success story*, som selveste *Financial Times* havde formuleret det.

"Det var i 1992. Wennerström henvendte sig pludselig til SIB og meddelte, at han ville have penge. Han præsenterede en plan – angivelig forankret blandt lokale interessenter i Polen – der drejede sig om etableringen af en fabrik, der skulle fremstille emballage til levnedsmiddelindustrien."

"Altså en konservesdåsefabrik."

"Ikke helt, men noget i den retning. Jeg har ingen anelse om, hvem han kendte i SIB, men det lykkedes ham uden videre at rage 60 millioner kroner til sig."

"Det her begynder at lyde spændende. Lad mig gætte: Det var sidste gang, nogen så de penge."

"Forkert," sagde Robert Lindberg. Han smilede polisk, inden han styrkede sig med nogle dråber snaps.

"Det, der herefter skete, er et klassisk eksempel på kreativ bogføring. Wennerström etablerede virkelig en emballagefabrik i Polen, nærmere bestemt i Lodz, ved navn Minos. SIB modtog nogle entusiastiske rapporter i løbet af 1993, derefter tavshed. I 1994 klaskede Minos pludselig sammen."

ROBERT LINDBERG STILLEDE det tomme snapseglas fra sig med et smæld for at markere, hvordan virksomheden var kollapset.

"Problemet med SIB var, at der ikke var nogen egentlige retningslinjer for, hvordan projekterne skulle evalueres. Du husker nok tidsånden. Alle var så optimistiske, da Berlinmuren faldt. Der skulle indføres demokrati, truslen om atomkrig var forsvundet, og bolsjevikkerne skulle blive rigtige kapitalister fra den ene dag til den anden. Regeringen ville cementere demokratiet i øst. Samtlige kapitalister ville med på vognen og være med til at opbygge det nye Europa."

"Jeg var ikke klar over, at kapitalister var så ivrige efter at udøve velgørenhed."

"Tro mig, det var kapitalistens våde drøm. Rusland og øststaterne var, næst efter Kina, måske det største marked i verden, der endnu kunne erobres. Industrien havde ingen problemer med at hjælpe regeringen, ikke mindst fordi virksomhederne kun behøvede at stå for en brøkdel af udgifterne. Sammenlagt slugte SIB godt 30 milliarder skattekroner. Pengene skulle komme tilbage i form af fremtidige gevinster. Formelt var SIB regeringens initiativ, men industriens indflydelse var så stor, at SIB-bestyrelsen i praksis arbejdede selvstændigt."

"Jeg er helt med. Er der også en god historie i det her?"

"Små slag, tak. Da projektet gik i gang, var der ingen problemer med finansieringen. Sverige var endnu ikke blevet ramt af rentechokket. Regeringen var henrykt over med SIB at kunne vise, hvilken stor svensk indsats der blev ydet for demokratiet i øst."

"Dette foregik vel at mærke under den borgerlige regering."

"Lad være med at blande politik ind i det her. Det handler om penge, og skide være med, om det er socialdemokrater eller konservative, der udpeger ministrene. Det kørte altså derudad med fuld fart, så fik vi valutaproblemerne, og derefter begyndte nogle tovlige nydemokrater – du husker vel Nyt Demokrati? – at skabe sig over, at offentligheden manglede indsigt i, hvad SIB rendte rundt og lavede. Et af deres kvikke hoveder havde forvekslet SIB med SIDA og troede, det drejede sig om et eller andet skide *do gooder*-bistandsprojekt ligesom det i Tanzania. I foråret 1994 blev der nedsat et udvalg, der skulle kigge SIB efter i sømmene. På det tidspunkt var der blevet sat spørgsmålstegn ved flere SIB-projekter, men et af de første, der blev gransket, var Minos."

"Og Wennerström kunne ikke redegøre for, hvad pengene var blevet brugt til."

"Tværtimod. Wennerström fremlagde et helt igennem nydeligt regnskab, der gik ud på, at der var blevet investeret godt 54 millioner kroner i Minos, men at det havde vist sig, at der var alt for store infrastrukturelle problemer i det tilbagestående Polen, til at en moderne emballageindustri kunne fungere, og at deres emballagefabrik praktisk taget var blevet udkonkurreret af et lignende tysk projekt. Tyskerne var i fuld gang med at opkøbe hele Østblokken."

"Du sagde, han havde fået 60 millioner kroner."

"Lige netop. SIB-pengene fungerede som rentefrie lån. Tanken var angivelig, at virksomhederne skulle betale en del af pengene tilbage i løbet af en vis årrække, men Minos havde ikke klaret skærene, og projektet mislykkedes, hvilket Wennerström ikke kunne klandres for. Her trådte de statslige garantier til, og Wennerström blev holdt skadesløs. Han behøvede ganske enkelt ikke tilbagebetale de penge, der var gået tabt, da Minos røg på røven, og han kunne også påvise, at han havde mistet et tilsvarende beløb af sin egen kapital."

"Lad mig se, om jeg har forstået det her ret. Regeringen stillede milliarder af skattekroner til rådighed samt servicerede med diplomater, der åbnede døre. Industrien fik pengene og brugte dem til at investere i *joint ventures*, som de siden hen scorede en fed profit på. Lidt ligesom det plejer at foregå, med andre ord. Nogle vinder, og nogle betaler regningen, og vi ved, hvem der spiller hvilke roller."

"Nu er du kynisk. Lånene skulle betales tilbage til staten."

"Du sagde, de var rentefri. Det betyder altså, at skatteborgerne ikke fik noget som helst udbytte af at hoste op med slanterne. Wennerström fik 60 millioner, hvoraf de 54 blev investeret. Hvad skete der med de resterende 6 millioner?"

"I samme øjeblik det kom for en dag, at SIB-projekterne ville blive genstand for en nøjere granskning, sendte Wennerström en check på 6 millioner til SIB som tilbagebetaling af differencen. Dermed var sagen rent juridisk ude af verden."

ROBERT LINDBERG TAV og sendte Mikael et udfordrende blik.

"Det lyder, som om Wennerström formøblede en smule af SIB's penge, men sammenlignet med den halve milliard, der forsvandt fra Skanska, eller med historien om ham ABB-direktørens gyldne håndtryk på godt en milliard – det var noget, der virkelig fik folks pis i kog – så virker det her ikke specielt spændende at skrive om," havde Mikael sagt. "Dagens læsere er ved at være overfodret med artikler om inkompetente og oversmarte forretningsmænd, også selvom det drejer sig om skattekroner. Er der mere i historien?"

"Den bliver bedre og bedre."

"Hvorfra ved du alt det her om Wennerströms transaktioner i Polen?"

"I 1990'erne arbejdede jeg i Handelsbanken. Hvem tror du analyserede regnskaberne for bankens repræsentant i SIB?"

"Javel ja. Fortsæt."

"Altså ... lad mig sammenfatte: SIB fik en forklaring af Wennerström. Papirer blev udfærdiget. Resterende penge blev tilbagebetalt. Lige præcis det der med, at seks millioner kom retur, var kløgtigt. Hvis nogen står i døren med en masse penge, han godt vil give dig, så tror man jo for fanden, at manden har rent mel i posen."

"Kom til sagen."

"Men kæreste Blomkvist, det er jo det her, der er sagen. SIB var tilfreds med Wennerströms regnskab. En investering var røget i vasken, men der kunne ikke sættes en finger på den måde, hvorpå den var blevet håndteret. Vi kiggede på fakturaer og pengeoverførsler og diverse dokumenter. Alt var yderst nydeligt bogført. Jeg troede på det. Min chef troede på det. SIB troede på det, og regeringen havde intet at tilføje."

"Hvad er problemet så?"

"Det er nu, historien begynder at blive prekær," sagde Lindberg og så pludselig forbløffende ædru ud. "Da du nu er journalist, er det her *off the record*."

"Gider du lige. Du kan ikke sidde her og fortælle mig alt muligt og så komme bagefter og sige, at jeg ikke må bringe det videre."

"Vel kan jeg så. Det, jeg har fortalt indtil nu, er offentlig tilgængeligt. Du kan slå regnskabet op, hvis du har lyst. Resten af historien – det, jeg ikke har fortalt – må du godt skrive om, men du skal behandle mig som en anonym kilde."

"Javel, men ifølge gængs terminologi betyder *off the record*, at jeg har fået noget at vide i fortrolighed, som jeg ikke må skrive om."

"Jeg vil skide på terminologien. Skriv, hvad fanden du vil, men jeg er din anonyme kilde. Er vi enige om det?"

"Selvfølgelig," svarede Mikael.

Set i bakspejlet havde hans svar selvfølgelig været en fejltagelse.

"Godt. Den der historie om Minos udspillede sig altså for ti år siden, lige efter at muren var faldet, og bolsjevikkerne begyndte at blive hæderlige kapitalister. Jeg var en af de personer, der tjekkede Wennerström, og jeg syntes hele tiden, der var noget satans skummelt ved hele affæren."

"Hvorfor sagde du så ikke noget, da du efterforskede sagen?"

"Jeg diskuterede det med min chef, men humlen var, at der ikke var noget at gribe fat i. Alle papirer var okay. Jeg kunne ikke gøre andet end sætte mit navn på regnskabet. Men hver gang jeg siden hen er stødt på Wennerströms navn i pressen, har jeg tænkt på Minos."

"Aha."

"Sagen er den, at min bank nogle år senere, i midten af 1990'erne, lavede nogle forretninger med Wennerström. Nogle temmelig store forretninger, faktisk. Det gik ikke så godt."

"Han tog røven på jer?"

"Nej, helt så groft var det ikke. Begge parter tjente på det. Det var snarere sådan, at ... jeg ved ikke rigtig, hvordan jeg skal forklare det. Nu er jeg inde på at tale om min arbejdsgiver, og det ønsker jeg ikke. Men det, der slog mig – det efterfølgende og generelle indtryk, som man siger – var ikke positivt. I medierne bliver Wennerström fremstillet som et veritabelt økonomisk mirakel. Det er det, han lever på. Det er hans tillidskapital."

"Jeg ved, hvad du mener."

"Mit indtryk var, at manden simpelthen var varm luft. Han var overhovedet ikke nogen speciel økonomisk begavelse. Jeg opfattede ham tværtimod som ufattelig overfladisk i visse henseender. Han havde nogle virkelig kvikke *young warriors* som rådgivere, men jeg syntes rigtig dårligt om ham som person."

"Okay."

"For et års tid siden tog jeg ned til Polen i et helt andet ærinde. Jeg og mine ledsagere spiste middag sammen med nogle investorer i Lodz, og jeg kom tilfældigvis til at sidde ved samme bord som borgmesteren. Vi snakkede om, hvor svært det var at få Polens økonomi på fode, og al den slags, og – uvist af hvilken grund – kom jeg til at nævne Minos-projektet. Et øjeblik så borgmesteren ganske uforstående ud – som om han aldrig havde hørt om Minos – men kom derefter i tanker om, at det var en eller anden lorteforretning, der aldrig var blevet til noget. Han affærdigede den med et grin og sagde – og jeg citerer ordret – at hvis det var alt, hvad svenske investorer havde at byde på, så ville vores land snart gå bankerot. Kan du følge mig?"

"Udtalelsen antyder, at borgmesteren i Lodz er en begavet fyr, men fortsæt."

"Den der sætning lå og kværnede i baghovedet på mig. Dagen efter havde jeg et møde om morgenen, men resten af dagen var fri. Nu havde jeg fået blod på tanden og tog ud og kiggede på Minos' nedlagte fabrik i en lille landsby lige uden for Lodz med en kro i en lade og lokum i gården. Den store Minos-fabrik var et faldefærdigt skur. En gammel lagerbygning af bølgeblik, som Den Røde Armé havde opført engang i halvtredserne. På grunden mødte jeg en vagt, der kunne lidt tysk, og fik at vide, at en af hans fætre havde arbejdet på Minos. Fætteren boede lige ved siden af, og vi gik hjem til ham. Vagten tog med og tolkede. Er du interesseret i at høre, hvad han sagde?"

"Jeg kan næsten ikke vente."

"Minos åbnede i efteråret 1992. Der var højst femten ansatte, de fleste af dem gamle koner. Lønnen var godt 150 kroner om måneden. I starten var der ingen maskiner, så de ansatte blev sat til at gå rundt og rydde op i barakken. I begyndelsen af oktober ankom tre kartonmaskiner, der var indkøbt i Portugal. De var gamle og slidte og totalt umoderne. Skrotværdien kan ikke have været mere end nogle tusindlapper. Maskinerne fungerede ganske vist, men gik i stykker hele tiden. Der manglede naturligvis reservedele, så Minos blev ramt af det ene produktionsstop efter det andet. Som oftest var det en af de ansatte, der sprang til og reparerede maskinen provisorisk."

"Det her begynder at ligne en historie," medgav Mikael. "Hvad fremstillede de egentlig på Minos?"

"I 1992 og første halvdel af 1993 fremstillede de ganske almindelige papkartoner til vaskepulver og æg og den slags. Derefter producerede de papirposer. Men fabrikken var konstant i bekneb for råvarer, og nogen større produktion blev der aldrig tale om."

"Det her lyder ikke ligefrem som nogen kæmpeinvestering."

"Jeg regnede lidt på det. Den samlede lejeudgift lå på 15.000 for to år. Lønningerne kan være løbet op til maksimalt 150.000 – og det er højt sat. Indkøb af maskiner og distribuering ... en varevogn, der transporterede æggebakkerne ... jeg vil gætte på 250.000. Læg hertil ekspeditionsomkostninger, lidt rejseaktivitet frem og tilbage – der var tydeligvis kun én person fra Sverige, der besøgte landsbyen ved et par lejligheder. Tja, lad os sige, at hele operationen beløb sig til under en million. En dag i sommeren 1993 kom værkføreren ned til fabrikken og sagde, at den var nedlagt, og kort tid efter kom en ungarsk lastbil og hentede maskinparken. Exit Minos."

UNDER RETSSAGEN HAVDE Mikael ofte tænkt tilbage på den midsommeraften. Samtaletonen havde det meste af aftenen været kammeratlig, og de havde småskændtes i al venskabelighed, nøjagtig som i skolen. Som teenagere havde de delt de byrder, man bærer på i den alder. Som voksne var de i virkeligheden fremmede for hinanden, i bund og grund meget forskellige mennesker. I løbet af aftenen havde Mikael reflekteret over, at han egentlig ikke helt kunne huske, hvorfor de havde været så gode venner i gymnasiet. Han huskede Robert som en stille og reserveret dreng, utrolig genert over for piger. Som voksen var han en succesrig ... ja, en fremadstormende person i bankverdenen. Mikael tvivlede ikke et øjeblik på, at hans kammerat havde synspunkter, der gik stik imod hans eget verdensbillede.

Mikael drak sig sjældent fuld, men det tilfældige møde havde vendt en mislykket sejlads til en behagelig aften, hvor niveauet i snapseflasken hastigt sank. Netop fordi samtalen var foregået i en kammeratlig atmosfære, havde han i begyndelsen ikke taget Roberts beretning om Wennerström alvorligt, men langt om længe var hans journalistiske instinkter blevet vakt til live. Pludselig havde han lyttet opmærksomt til Roberts beretning, og de logiske indvendinger havde indfundet sig.

"Lige et øjeblik," bad Mikael. "Wennerström er jo et topnavn blandt børsspekulanterne. Hvis jeg ikke tager helt fejl, må han være milliardær ..."

"Wennerstroem Group antages at være god for omkring 200 milliarder. Du har tænkt dig at spørge, hvorfor en milliardær overhovedet skulle gide svindle sig til nogle lommepenge på sølle 50 millioner."

"Nja, det undrer mig snarere, at han ville risikere alt for et åbenlyst svindelnummer."

"Jeg ved ikke, om man kan sige, at svindlen ligefrem er åbenlys; en enig SIB-bestyrelse, bankfolk, regeringen samt Rigsdagens revisorer har godtaget Wennerströms regnskab."

"Uanset hvad drejer det sig om småpenge."

"Sandt nok, men tænk lige efter: Wennerstroem Group er et investeringsselskab, der handler med alt, der kan give hurtig profit – værdipapirer, optioner, valuta ... *you name it.* Wennerström kontaktede SIB i 1992, netop da bunden var ved at gå ud af markedet. Kan du huske efteråret 1992?"

"Om jeg kan. Jeg havde flexlån i min lejlighed, da diskontoen røg op med 500 procent i oktober. Jeg måtte trækkes med en rentesats på 19 procent i et år."

"Mmm, det var tider," sagde Robert smilende. "Selv mistede jeg en helvedes masse penge det år. Og Hans-Erik Wennerström

– og det gjaldt også de andre aktører på markedet – sloges med samme problem. Virksomheden havde milliarder bundet i papirer af forskellig slags, men forbløffende få likvider. Lige pludselig kunne de ikke længere låne nye fantasibeløb. Det almindelige i en sådan situation er, at man realiserer et par ejendomme og slikker sårene efter tabet – men i 1992 var der lige pludselig ingen, der gad købe nogle skide ejendomme. Og desuden havde Wennerström jo ingen ejendomme af betydning"

"*Cash-flow problem.*"

"Præcis. Og Wennerström var ikke ene om at have den slags problemer. Hver eneste forretningsmand ..."

"Vær rar ikke at kalde dem forretningsmænd. Kald dem, hvad du vil, men at kalde dem forretningsmænd er at forulempe et seriøst erhverv."

"Jamen så lad os kalde dem børsspekulanter. De havde i hvert fald *cash-flow*-problemer ... Lad os anskue det sådan her: Wennerström modtog 60 millioner kroner. Han betalte seks millioner tilbage, men først tre år efter. Udgifterne til Minos kan ikke have beløbet sig til mere end omkring en million. Alene renten af 60 millioner over tre år er en hel del. Afhængigt af, hvordan han investerede pengene, kan han have fordoblet eller tidoblet SIB-pengene. Og nu snakker vi ikke længere om peanuts. Og skål, for resten."

KAPITEL 2

Fredag den 20. december

DRAGAN ARMANSKIJ VAR seksoghalvtreds år og født i Kroatien. Hans far var armensk jøde fra Hviderusland. Hans mor var bosnisk muslim med græske aner. Hun havde stået for hans kulturelle opdragelse, og som følge heraf befandt han sig som voksen i den store heterogene gruppe, som af massemedierne defineres som muslimer. Integrationsministeriet registrerede ham sært nok som serber. Hans pas fastslog, at han var svensk statsborger, og pasfotoet viste et firkantet ansigt med kraftigt kæbeparti, mørke skægstubbe og grå tindinger. Han blev ofte kaldt *araberen*, skønt han ikke havde det mindste arabiske islæt i sin baggrund. Derimod var han et genetisk gadekryds af den slags, som racebiologiske fjolser med stor sandsynlighed ville beskrive som underlegent menneskemateriale.

Hans udseende mindede svagt om den stereotype rolle som lokal underboss, man møder i amerikanske gangsterfilm. I virkeligheden var han hverken narkosmugler eller gorilla for mafiaen. Han var en begavet virksomhedsøkonom, der var begyndt som regnskabsassistent i sikkerhedsfirmaet Milton Security i starten af 1970'erne og tre årtier senere avanceret til administrerende direktør og operativ chef for firmaet.

Interessen for sikkerhedsspørgsmål var vokset undervejs og havde forvandlet sig til fascination. Det var som et strategispil – at identificere mulige trusselsscenarier, udvikle modstrategier og hele tiden være et skridt foran industrispioner, pengeafpressere og tyve. Det begyndte med, at han opdagede, hvordan et dygtigt udført bedrageri mod en kunde havde fundet sted ved hjælp af kreativ bogføring. Han kunne bevise, hvem i en gruppe på en halv snes personer der stod bag, og tredive år senere kunne han endnu huske, hvor målløs han var blevet, da han blev klar over, at hele underslæbet havde været muligt, fordi omtalte virksomhed havde overset nogle mindre huller i sikkerhedsrutinerne. Selv blev han forvandlet fra regnemaskine til medspiller i firmaets udvikling samt ekspert i økonomisk bedrageri. Efter fem år blev han indlemmet i virksomhedens ledelse, og efter yderligere ti år blev han – ikke uden modstand – administrerende direktør. Nu var modstanden for længst ophørt. I løbet af sine år i firmaet havde han forvandlet Milton Security til et af Sveriges mest kompetente og mest benyttede sikkerhedsfirmaer.

Milton Security havde tre hundrede firs fuldtidsansatte medarbejdere og yderligere godt tre hundrede pålidelige freelancere, der blev honoreret pr. udført opgave. Det var således en lille virksomhed sammenlignet med Falck eller Svensk Overvågningstjeneste. Da Armanskij var nyansat, hed firmaet stadig Johan Fredrik Miltons Almene Overvågning A/S og havde en kundekreds bestående af indkøbscentre, der havde brug for butiksdetektiver og muskelsvulmende vagter. Under hans ledelse havde firmaet skiftet navn til det internationalt mere gangbare Milton Security og satset på højteknologi. Medarbejderstaben var blevet udskiftet, afdankede nattevagter, uniformsfetichister og fritidsarbejdende gymnasieelever var blevet erstattet af mennesker med seriøs kompetence. Armanskij ansatte ældre tidligere politifolk som operative chefer, statsvidenskabelige kandidater med indsigt i international terrorisme, personbeskyttelse og virksomhedsspionage, og frem for alt teleteknikere og computereksperter. Firmaet flyttede fra Solna til nye standsmæssige lokaler i nærheden af Slussen, midt inde i Stockholm.

I begyndelsen af 1990'erne var Milton Security rustet til at tilbyde en helt ny form for tryghed til en eksklusiv skare kunder, hovedsagelig mellemstore virksomheder med ekstremt høj omsætning og velbjergede privatpersoner – nyrige rockstjerner, børsspekulanter og IT-direktører. En stor del af foretagendet fokuserede på at tilbyde livvagtbeskyttelse og sikkerhedsløsninger til svenske firmaer i udlandet, primært i Mellemøsten. Denne del af virksomheden stod efterhånden for næsten 70 procent af firmaets omsætning. I Armanskijs tid var omsætningen steget fra godt 40 millioner årlig til næsten 2 milliarder. At sælge sikkerhed var en ekstremt lukrativ branche.

Virksomheden fordelte sig på tre hovedområder: *sikkerhedskonsultationer*, der bestod i at identificere tænkelige eller indbildte farer; *nødforanstaltninger*, der som regel bestod i installering af kostbare overvågningskameraer, tyveri- eller brandalarmer, elektroniske låseanordninger og computerudstyr; og endelig *personbeskyttelse* af privatpersoner eller firmaer, der oplevede en eller anden form for virkelige eller indbildte trusler. Sidstnævnte marked var mere end fyrredoblet på ti år, og inden for de seneste år var der kommet en ny kundegruppe til bestående af temmelig velstillede kvinder, der ønskede beskyttelse mod tidligere kærester eller ægtefæller eller mod anonyme mandspersoner, der havde set dem i fjernsynet og var fikseret på deres stramme bluser eller farven på deres læbestift. Milton Security var desuden samarbejdspartner med lignende velrenommerede virksomheder i andre europæiske lande og USA samt håndterede sikkerheden for diverse udenlandske gæster på besøg i Sverige; for eksempel en kendt amerikansk skuespiller, der opholdt sig i Trollhättan i to måneder under indspilningen af en film, og hvis agent mente, hendes status var af en sådan art, at hun havde brug for livvagter, når hun en sjælden gang spadserede en tur rundt om hotellet.

Et fjerde, betydeligt mindre område, som kun beskæftigede nogle få medarbejdere, bestod i det, der blev kaldt PU eller P-Und, i intern jargon *pundere*, der betød personundersøgelser.

Armanskij var ikke udelt begejstret for den del af virksomheden. Den var budgetmæssigt mindre lukrativ og derudover et besværligt område, der stillede større krav til medarbejderens dømmekraft og dygtighed end vedkommendes kendskab til teleteknik eller installering af diskret overvågningsapparatur. Personundersøgelser var acceptable, når det drejede sig om enkle kreditoplysninger, baggrundskontrol i forbindelse med en ansættelse eller for at undersøge mistanker om, at en ansat lækkede firmaoplysninger eller var involveret i kriminelle aktiviteter. I sådanne tilfælde var *punderne* en del af den operative virksomhed.

Men alt for ofte kom hans erhvervskunder slæbende med private problemer, der havde en tendens til at skabe uvelkomment besvær. *Jeg ønsker at vide, hvad det er for en sjover, min datter kommer sammen med ... Jeg tror, min kone er mig utro ... Knægten er god nok, men han er kommet i dårligt selskab ... Jeg bliver udsat for pengeafpresning ...* Armanskij sagde som regel blankt nej. Hvis datteren var voksen, havde hun lov til at komme sammen med alle de sjovere, hun havde lyst til, og han mente, at utroskab var noget, ægtefæller måtte klare indbyrdes. Skjult i alle den slags forespørgsler lå der faldgruber, som potentielt kunne føre til skandaler og skabe juridiske problemer for Milton Security. Dragan Armanskij holdt derfor et vågent øje med disse opgaver, selvom de kun genererede lommepenge i forhold til firmaets totale omsætning.

MORGENENS EMNE VAR desværre netop en personundersøgelse, og Dragan Armanskij rettede på pressefolderne, før han lænede sig tilbage i sin bekvemme kontorstol. Han betragtede mistroisk sin toogtredive år yngre medarbejder Lisbeth Salander og konstaterede for tusinde gang, at der næppe var noget menneske, der ville forekomme mere malplaceret i en prestigefyldt sikkerhedsvirksomhed end netop hende. Hans mistro var både klog og irrationel. I Armanskijs øjne var Lisbeth Salander uden sammenligning den mest kompetente researcher, han var stødt på i løbet af alle sine år i branchen. I de fire år, hun havde arbejdet for ham, havde hun ikke kvajet sig med én eneste opgave eller afleveret én eneste middelmådig rapport.

Tværtimod – hendes arbejde var i en klasse for sig. Armanskij var overbevist om, at Lisbeth Salander havde en unik gave. Hvem som helst kunne fremskaffe kreditoplysninger eller forhøre sig hos kongens foged, men Salander havde fantasi og kom altid tilbage med noget helt andet end forventet. Han havde aldrig helt forstået, hvordan hun bar sig ad, og til tider forekom hendes evne til at finde oplysninger at være den rene magi. Hun var ekstremt fortrolig med bureaukratiske arkiver og kunne med lethed finde frem til de mest obskure mennesker. Frem for alt havde hun en evne til at komme ind under huden på den person, hun undersøgte. Hvis der eksisterede noget snavs at grave frem, så zoomede hun ind på det som et varmesøgende missil.

Det måtte simpelthen være noget medfødt.

Hendes rapporter kunne betyde en ødelæggende katastrofe for den person, der røg ind på hendes radar. Armanskij fik stadig sved på panden, når han tænkte tilbage på dengang, han i forbindelse med et firmaopkøb havde bedt hende foretage en rutinekontrol af en forsker i medicinalbranchen. Der var sat en uge af til jobbet, men det trak ud. Efter fire ugers tavshed og flere henstillinger, som hun havde ignoreret, vendte hun tilbage med en rapport, der dokumenterede, at den pågældende forsker var pædofil og ved mindst to lejligheder havde købt sex af en trettenårig barneprostitueret i Tallinn, samt at der var visse tegn på, at han nærede en usund interesse for sin daværende samlevers datter.

Salander havde egenskaber, der sommetider bragte Armanskij på fortvivlelsens rand. Da hun havde opdaget, at manden var pædofil, havde hun ikke grebet telefonen og advaret Armanskij eller var kommet stormende ind på hans kontor og havde bedt om en samtale. Tværtimod – uden med ét ord at signalere, at rapporten indeholdt sprængstof af nærmest nukleare dimensioner, havde hun en aften lagt den på Armanskijs skrivebord, netop da han skulle til at slukke lyset og gå hjem. Han havde taget rapporten med sig og først åbnet den sent om aftenen, mens han afslappet delte en flaske vin med sin kone foran fjernsynet i dagligstuen i villaen på Lidingö.

Rapporten var som altid næsten videnskabeligt grundig med fodnoter, citater og nøjagtige kildehenvisninger. De første sider gjorde rede for personens baggrund, uddannelse, karriere og økonomiske situation. Først på side 24, i et underafsnit, havde Salander ladet bomben springe om turene til Tallinn i samme saglige tonefald, som da hun redegjorde for, at han boede i en villa i Sollentuna og kørte i en mørkeblå Volvo. For at bestyrke sine påstande henviste hun til dokumentationen i det omfangsrige bilagsmateriale, heriblandt fotografier af den trettenårige pige i selskab med undersøgelsens genstand. Billedet var taget på et hotel i Tallinn, og han havde hånden under hendes sweater. På en eller anden måde var det desuden lykkedes Lisbeth Salander at opstøve bemeldte pige og få hende til at indtale hændelsesforløbet på et kassettebånd.

Rapporten havde afstedkommet præcis det kaos, Armanskij ønskede at undgå. Først havde han været nødt til at tage et par af de mavesårstabletter, som hans læge havde ordineret. Dernæst havde han indkaldt kunden til en hurtig og ubehagelig samtale. Endelig havde han – trods kundens spontane modvilje – været nødt til omgående at udlevere materialet til politiet. Sidstnævnte indebar, at Milton Security risikerede at blive inddraget i et virvar af anklager og modanklager. Hvis dokumentationen ikke holdt vand, eller manden blev frikendt, kunne virksomheden risikere sigtelse for bagvaskelse. Det var den rene elendighed.

DET VAR DOG ikke Lisbeth Salanders bemærkelsesværdige følelseskulde, der gik ham mest på. Det var i høj grad et spørgsmål om image. Miltons image var konservativ stabilitet. Med det billede for øje var Salander lige så malplaceret som en gravemaskine på en bådemesse.

Armanskij havde svært ved at forlige sig med, at hans stjerneresearcher var en bleg og anorektisk mager pige med karseklippet hår og piercet næse og øjenbryn. Hun havde en to centimeter lang tatovering af en hveps på halsen, en tatoveret løkke rundt om venstre overarm og en anden rundt om anklen. De gange, hun havde været iført ærmeløs T-shirt, havde Armanskij også observeret en tatoveret drage på skulderbladet. Hendes naturlige hårfarve var rød, men hun havde farvet håret kulsort. Hun så ud, som om hun lige var vågnet efter et ugelangt orgie sammen med et slæng rockere af værste skuffe.

Hun havde ikke – det var Armanskij overbevist om – nogen egentlige spiseforstyrrelser; hun syntes tværtimod at konsumere enhver tænkelig form for junkfood. Hun var simpelthen født mager med en spinkel knoglebygning, der gjorde hende lillepigeagtig med små hænder, smalle fødder og bryster, der knap var synlige under tøjet. Hun var fireogtyve år, men lignede en på fjorten.

Hun havde en bred mund, lige næse og høje kindben, der gav

hendes udseende et lettere orientalsk anstrøg. Hendes bevægelser var hurtige og edderkoppeagtige, og når hun arbejdede ved en computer, fløj hendes fingre nærmest manisk hen over tasterne. Hendes krop udelukkede hende fra en karriere i modelbranchen, men med den rigtige makeup ville et nærbillede af hendes ansigt kunne begå sig i en hvilken som helst reklame. Inde bag sminken – nu og da brugte hun for øvrigt en afskyelig sort læbestift – og tatoveringerne og piercingerne i næse og øjenbryn var hun ... hmm ... tiltrækkende. På en helt igennem uforståelig måde.

At Lisbeth Salander i det hele taget arbejdede for Dragan Armanskij, var i sig selv forbløffende. Hun var ikke den type kvinde, som Armanskij normalt kom i kontakt med, og endnu mindre overvejede at tilbyde et job.

Hun var blevet ansat som en slags piccoline på kontoret, efter at Holger Palmgren – en delvis pensioneret advokat, der tog sig af gamle J.F. Miltons private anliggender – havde meddelt ham, at Lisbeth Salander var *en skarpsindig pige med en noget aparte opførsel.* Palmgren havde bønfaldet Armanskij om at give hende en chance, hvilket han modvilligt havde lovet. Palmgren var en mand af den type, der ville opfatte et nej som en opmuntring til at fordoble sine anstrengelser, så det var nemmere bare at sige ja med det samme. Armanskij vidste, at Palmgren beskæftigede sig med vanskelige unge og anden social øllebrødsbarmhjertighed, men at han trods alt havde et godt ry.

Han havde fortrudt i samme øjeblik, han traf Lisbeth Salander.

Hun ikke blot *virkede* aparte – i hans øjne var hun synonym med begrebet. Hun havde ikke fået folkeskolens afgangsbevis, havde aldrig sat sine ben i gymnasiet og manglede enhver form for højere uddannelse.

De første måneder havde hun arbejdet fuldtids, nå ja, næsten fuldtids, hun var i hvert fald dukket op på arbejdspladsen nu og da. Hun havde lavet kaffe, hentet post og passet kopimaskinen. Problemet var, at hun gav pokker i normale kontortider og arbejdsrutiner.

Derimod havde hun et stort talent for at irritere firmaets medarbejdere. Hun blev kendt som *pigen med de to hjerneceller*, den ene styrede åndedrættet, den anden sørgede for, at hun kunne holde sig oprejst. Hun talte aldrig om sig selv. Medarbejdere, der prøvede at tale med hende, fik sjældent nogen respons og opgav hurtigt. Forsøg på at lave sjov med hende faldt aldrig i god jord – enten betragtede hun spøgefuglen med store, udtryksløse øjne, eller hun reagerede med tydelig irritation.

Desuden fik hun ry for pludselige, dramatiske humørskift, hvis hun følte, at nogen tog gas på hende, hvilket indgik som en naturlig del af jargonen på arbejdspladsen. Hendes attitude opmuntrede hverken til fortrolighed eller venskab, og hun blev hurtigt en særling, der vimsede rundt på Miltons gange som en herreløs kat. Hun blev betragtet som fuldstændig håbløs.

Efter en måned med idelige problemer havde Armanskij kaldt hende ind på sit kontor i den hensigt at fyre hende. Hun havde lyttet passivt til hans opremsning af hendes forsyndelser, uden indvendinger og uden så meget som at løfte et bryn. Først da han havde præket færdigt om, at hun ikke havde den *rette indstilling*, og gik i gang med at forklare, at det nok var en god idé, hvis hun fandt et andet firma, der *bedre kunne gøre brug af hendes evner*, havde hun afbrudt ham midt i en sætning. For første gang ytrede hun mere end enstavelsesord.

"Hør lige her, hvis det er en tjener, du er ude efter, kan du gå ned på arbejdsformidlingen og hente en. Jeg kan finde ud af hvad som helst om hvem som helst, og hvis du ikke vil bruge mig til andet end at sortere post, er du sgu for dum."

Armanskij kan stadig huske, hvordan han havde siddet totalt målløs af vantro vrede, mens hun ubekymret fortsatte:

"Du har en stodder ansat, der har brugt tre uger på at skrive en fuldkommen ubrugelig rapport om ham der yuppien, de har tænkt sig at rekruttere til bestyrelsesformand i det der IT-firma. Jeg kopierede lorterapporten for ham i aftes, og jeg kan se, at den ligger foran dig på skrivebordet."

Armanskij havde kastet et blik på rapporten, og mod sædvane hævede han stemmen.

"Det er ikke meningen, at du skal læse fortrolige rapporter."

"Formodentlig ikke, men sikkerhedsrutinerne i dit firma har

visse mangler. Ifølge dine direktiver skal han kopiere den slags selv, men han smed rapporten ind til mig i går, før han gik på værtshus. Og for resten fandt jeg hans forrige rapport inde i kantinen for et par uger siden."

"Hvad gjorde du?" havde Armanskij chokeret udbrudt.

"Slap af. Jeg lagde den ind i hans boks."

"Har han givet dig kombinationen til sit private dokumentskab?" havde Armanskij gispet.

"Nej, det kan man ikke sige, men han har skrevet den på et stykke papir, der ligger under skriveunderlaget sammen med passwordet til hans computer. Men pointen er altså, at din nar af en privatdetektiv har lavet en helt ubrugelig PU. Han har overset, at fyren har en enorm spillegæld og sniffer kokain som en støvsuger, og at hans kæreste for øvrigt måtte søge beskyttelse på et krisecenter, efter at han havde banket hende sønder og sammen."

Derefter holdt hun inde. Armanskij havde siddet tavs et par minutter og bladret den omtalte rapport igennem. Den var udformet efter forskrifterne, skrevet i et nydeligt sprog og var fuld af kildehenvisninger og udtalelser om den pågældende person fra venner og bekendte. Til sidst havde han løftet blikket og fremsagt to ord: "Bevis det."

"Hvor lang tid får jeg?"

"Tre dage. Hvis du ikke kan bevise dine påstande fredag eftermiddag, ryger du ud."

TRE DAGE SENERE havde hun uden et ord overrakt ham en rapport, der med lige så udførlige kildehenvisninger havde forvandlet den tilsyneladende sympatiske unge yuppie til en upålidelig skiderik. Armanskij havde læst hendes rapport flere gange i løbet af weekenden og tilbragt en del af mandagen med halvhjertet at dobbelttjekke nogle af hendes påstande. Allerede inden han begyndte tjekket, var han klar over, at hendes information ville vise sig at være korrekt.

Armanskij var forvirret og irriteret på sig selv over, at han åbenbart havde fejlbedømt hende. Han havde opfattet hende som dum, måske oven i købet lettere mentalt retarderet. Han havde ikke ventet, at en pige, der havde sjoflet folkeskolen i et sådant omfang, at hun ikke engang fik et afgangsbevis, ville kunne skrive en rapport, som ikke blot var sproglig korrekt, men derudover indeholdt iagttagelser og information, han ikke havde den fjerneste anelse om, hvordan hun var kommet i besiddelse af.

Han var overbevist om, at ingen anden på Milton Security ville have været i stand til at fremskaffe og citere uddrag af en fortrolig lægejournal på et krisecenter for voldsramte kvinder. Da han spurgte hende, hvordan hun havde båret sig ad, fik han et undvigende svar. Hun havde ikke tænkt sig at røbe sine kilder, hævdede hun. Lidt efter lidt stod det Armanskij klart, at Lisbeth Salander under ingen omstændigheder agtede at diskutere sine arbejdsmetoder, hverken med ham eller nogen anden. Dette foruroligede ham – men ikke nok til at modstå fristelsen til at teste hende.

Han grundede over sagen i nogle dage.

Han mindedes Holger Palmgrens ord, da denne havde anbefalet hende. *Alle mennesker fortjener en chance.* Han grublede over sin egen muslimske opdragelse, der havde belært ham om, at det var hans pligt over for Gud at stå de udstødte bi. Ganske vist troede han ikke på Gud og havde ikke sat sine ben i en moské, siden han var teenager, men han opfattede Lisbeth Salander som et menneske med behov for håndfast hjælp og støtte. Han havde så sandelig ikke gjort meget for at indfri denne pligt i de forgangne årtier.

I STEDET FOR at fyre hende havde han indkaldt Lisbeth Salander til en privat samtale, hvor han havde forsøgt at komme under vejr med, hvordan denne besynderlige pige var skruet sammen. Han blev bestyrket i sin overbevisning om, at hun led af en eller anden alvorlig mental forstyrrelse, men han opdagede også, at der bag hendes aparte fremtoning gemte sig et intelligent menneske. Han oplevede hende som skrøbelig og irriterende, men begyndte også – til sin store overraskelse – at synes om hende.

I de måneder, der fulgte, tog Armanskij Lisbeth Salander under sine vinger. Hvis han skulle være helt ærlig over for sig selv, tog han sig af hende, som var det et lille, socialt hobbyprojekt. Han gav hende enkle researchopgaver og prøvede at give hende tips om, hvordan hun skulle gebærde sig. Hun lyttede tålmodigt, begav sig derpå af sted og udførte sin opgave helt efter sit eget hoved. Han bad Miltons tekniske chef give hende et grundkursus i computerbrug; Salander sad pligtskyldigst på skolebænken en hel eftermiddag, hvorefter den tekniske chef noget befippet rapporterede tilbage, at hun allerede så ud til at have en større basisviden om computere end flertallet af firmaets øvrige medarbejdere.

Armanskij blev snart opmærksom på, at Lisbeth Salander på trods af udviklingssamtaler, tilbud om internetkurser og andre fristelser ikke havde i sinde at tilpasse sig Miltons normale kontorrutiner. Det stillede ham i et vanskeligt dilemma.

Hun vedblev med at være et irritationsmoment for firmaets medarbejdere. Armanskij var klar over, at han ikke ville have accepteret, at nogen anden medarbejder kom og gik, som vedkommende lystede, og at han under normale omstændigheder ville have stillet et ultimatum med krav om bedring. Han fornemmede også, at hvis han stillede Lisbeth Salander over for et ultimatum eller truede med fyring, så ville hun trække på skuldrene. Som følge heraf var han enten nødt til at skaffe sig af med hende eller acceptere, at hun ikke fungerede som normale mennesker.

ET ENDNU STØRRE problem for Armanskij var, at han ikke kunne blive klog på sine egne følelser for den unge kvinde. Hun var som en kløe, irriterende og samtidig fristende. Det var ikke en seksuel tiltrækning, det mente Armanskij i hvert fald ikke. De kvinder, han plejede at sende lange blikke, var blonde og yppige med fyldige læber, der appellerede til hans fantasi, og desuden havde han i tyve år været gift med en finsk kvinde ved navn Ritva, der stadig som midaldrende i rigeligt mål opfyldte alle disse krav. Han havde aldrig været hende utro, eller nå ja, der var måske foregået noget i ny og næ, som hans kone ville have misforstået, hvis hun havde haft kendskab til det, men ægteskabet var lykkeligt, og han havde to døtre på Salanders alder. Uanset hvad var han ikke interesseret i fladbrystede piger, som på afstand kunne forveksles med spinkle drenge. Det var ikke hans smag.

Ikke desto mindre var han begyndt at gribe sig selv i upassende dagdrømme om Lisbeth Salander, og han måtte tilstå for sig selv, at han ikke var ganske uberørt af hendes nærvær. Men tiltrækningen, mente Armanskij, bestod i, at Salander var som et fremmedartet væsen. Han kunne lige så godt have forelsket sig i et maleri af en oldgræsk nymfe. Salander repræsenterede et uvirkeligt liv, der fascinerede ham, men som han ikke kunne tage del i – og som hun under alle omstændigheder forbød ham at tage del i.

På et tidspunkt havde Armanskij siddet på en udendørscafé på Stortorget i Gamla Stan, da Lisbeth Salander var kommet slentrende og havde slået sig ned ved et bord på den modsatte side af serveringsdisken. Hun fulgtes med tre piger og en ung fyr, som alle var næsten ens klædt. Armanskij havde betragtet hende nysgerrigt. Hun virkede lige så reserveret som på jobbet, men havde rent faktisk næsten smilet ad noget, som en pige med lilla hår havde fortalt.

Armanskij spekulerede på, hvordan Salander ville reagere, hvis han en dag mødte op på arbejde med grønt hår, slidte cowboybukser og en overmalet læderjakke med nitter. Ville hun acceptere ham som jævnbyrdig? Måske – hun så ud til at acceptere alt omkring sig med en attitude af *not my business*. Det mest sandsynlige var dog, at hun simpelthen ville grine ad ham.

Hun havde siddet med ryggen til og ikke vendt sig om én eneste gang og var tilsyneladende helt uvidende om, at han var til stede. Han følte sig sært påvirket af hendes nærvær, og da han lidt efter rejste sig for at liste af i al ubemærkethed, havde hun pludselig drejet hovedet og kigget direkte på ham, som om hun hele tiden havde været bevidst om, at han sad der, og havde haft ham på sin radar. Hendes blik var kommet så pludseligt, at det føltes som et angreb, og han havde foregivet ikke at have set hende og forladt cafeen med hurtige skridt. Hun havde ikke hilst, men fulgt ham med blikket, og først da han var drejet om hjørnet, var det holdt op med at brænde ham i ryggen.

Hun lo sjældent eller aldrig. Armanskij mente dog nok, at han efterhånden bemærkede en vis opblødning fra hendes side. Hun havde, mildt sagt, en tør humor, som indimellem kunne resultere i et skævt, ironisk smil.

Sommetider følte Armanskij sig så provokeret af hendes mangel på følelsesmæssig respons, at han havde lyst til at gribe fat i hende og ruske hende og trænge ind under hendes skal for at vinde hendes venskab eller i det mindste hendes respekt.

En enkelt gang, da hun havde arbejdet for ham i ni måneder, havde han forsøgt at diskutere disse følelser med hende. Det skete ved Milton Securitys julefrokost en aften i december, og han havde mod sædvane været beruset. Der var ikke sket noget upassende – han havde blot prøvet at fortælle, at han faktisk syntes om hende. Mest af alt havde han villet forklare, at han nærede en slags beskytterinstinkt over for hende, og at hun – hvis hun trængte til hjælp med noget – trygt kunne betro sig til ham. Han havde sågar prøvet at give hende et knus. I al venskabelighed, selvfølgelig.

Hun havde trukket sig fri af hans kluntede omfavnelse og forladt festen. Derefter var hun ikke mødt op på arbejde og havde ikke svaret på mobiltelefonen. Dragan Armanskij havde oplevet hendes fravær som tortur – næsten som en personlig afstraffelse. Han havde ingen at diskutere sine følelser med, og for første gang havde han med forfærdende klarsyn forstået, hvilken ødelæggende magt Lisbeth Salander havde fået over ham.

TRE UGER SENERE, da Armanskij en sen januaraften arbejdede over for at gennemgå årsregnskabet, var Salander vendt tilbage. Hun var kommet ind på hans kontor lige så umærkeligt som et spøgelse, og han havde pludselig opdaget, at hun stod i mørket et stykke inden for døren og betragtede ham. Han havde ingen anelse om, hvor længe hun havde stået der.

"Vil du have kaffe?" havde hun spurgt. Hun havde lukket døren og rakt ham et krus fra espressomaskinen i kantinen. Han havde taget imod kruset uden et ord og følt både lettelse og frygt, da hun skubbede døren i med foden, tog plads i stolen over for ham og så ham ind i øjnene. Derefter havde hun stillet det forbudte spørgsmål på en måde, som hverken kunne slås hen med en spøgefuld bemærkning eller ignoreres.

"Dragan, vil du i bukserne på mig?"

Armanskij havde siddet som paralyseret, mens han desperat spekulerede på, hvad han skulle svare. Hans første indskydelse havde været forurettet at benægte alt. Så havde han set hendes blik og indset, at hun for første gang nogensinde havde stillet et personligt spørgsmål. Det var alvorligt ment, og hvis han prøvede at lave sjov med det, ville hun opfatte det som en personlig fornærmelse. Hun ville snakke med ham, og han spekulerede på, hvor længe hun havde været om at mobilisere det fornødne mod til at stille spørgsmålet. Han havde langsomt lagt sin pen fra sig og lænet sig tilbage i stolen. Til sidst havde han slappet af.

"Hvad får dig til at tro det?" spurgte han.

"Sådan som du kigger på mig, og sådan som du ikke kigger på mig. Og de gange, du har været lige ved at række hånden ud og røre ved mig, men har taget dig i det."

Han smilede pludselig til hende.

"Jeg har en følelse af, at du ville bide hånden af mig, hvis jeg så meget som rørte dig med en finger."

Hun smilede ikke. Hun ventede.

"Lisbeth, jeg er din chef, og selvom jeg skulle være tiltrukket af dig, ville jeg aldrig gøre noget ved det."

Hun ventede stadig.

"Mellem os to – ja, der har været situationer, hvor jeg har følt mig draget mod dig. Jeg kan ikke forklare det, men sådan forholder det sig. Af en eller anden grund, som jeg ikke selv forstår, kan jeg vældig godt lide dig. Men jeg vil ikke i bukserne på dig."

"Godt. For det kommer du heller aldrig."

Armanskij havde pludselig leet. Salander havde for første gang sagt noget personligt til ham, selvom det var den mest negative besked, en mand kunne ønske sig. Han prøvede at finde nogle passende ord.

"Lisbeth, jeg forstår godt, at du ikke er interesseret i en ældre herre på over halvtreds."

"Jeg er ikke interesseret i en ældre herre på over halvtreds, *der er min chef.*" Hun havde holdt en hånd i vejret. "Vent, lad mig tale ud. Du kan indimellem være dum og irriterende bureaukratisk, men du er faktisk også en tiltrækkende mand, og ... jeg kan også føle mig ... Men du er min chef, og jeg har mødt din kone, og jeg ønsker at beholde jobbet hos dig, så det dummeste, jeg kunne gøre, ville være at bolle med dig."

Armanskij sad tavs og turde knap nok trække vejret.

"Jeg er udmærket klar over, hvad du har gjort for mig, og jeg er ikke utaknemmelig. Jeg påskønner, at du faktisk viste dig at være større end dine fordomme og har givet mig en chance her. Men jeg vil ikke have dig som elsker, og du er ikke min far."

Hun tav stille. Lidt efter sukkede Armanskij hjælpeløst. "Hvad vil du egentlig have mig til?"

"Jeg vil fortsætte med at arbejde for dig. Hvis det er okay med dig."

Han havde nikket og derefter svaret hende så ærligt, han kunne. "Jeg vil meget gerne have, at du arbejder for mig, men jeg vil også have dig til at føle en form for venskab og tillid til mig."

Hun nikkede.

"Du er ikke et menneske, der opmuntrer til venskab," havde han pludselig udbrudt. Hun havde fået noget mørkt i blikket, men han fortsatte ufortrødent. "Jeg har forstået, at du ikke ønsker, nogen blander sig i dit liv, og det skal jeg prøve at lade være med. Men er det okay, hvis jeg bliver ved med at kunne lide dig?"

Salander havde grundet over det i lang tid. Så havde hun svaret ved at rejse sig, gå rundt om bordet og give ham et knus. Han var blevet totalt overrumplet. Først da hun slap ham, greb han hendes hånd.

"Kan vi være venner?" spurgte han.

Hun nikkede kort.

Det var den eneste gang, hun havde vist ham nogen ømhed, og den eneste gang, hun overhovedet havde rørt ved ham. Det var et øjeblik, som Armanskij mindedes med varme.

Efter fire år havde hun stort set endnu ikke afsløret noget om sit privatliv eller sin baggrund over for Armanskij. Han havde på et tidspunkt indviet hende i sin egen viden om kunsten at foretage *pundere*. Han havde også haft en lang samtale med advokat Holger Palmgren – som ikke virkede overrasket over at se ham – og det, han til sidst fandt ud af, bidrog ikke til at øge hans tillid til hende. Han havde aldrig med ét ord diskuteret sagen med hende eller ladet hende forstå, at han havde snaget i hendes privatliv. I stedet skjulte han sin bekymring og forstærkede sin vagtsomhed.

INDEN DEN MÆRKELIGE aften var forbi, havde Salander og Armanskij indgået en overenskomst. I fremtiden skulle hun udføre researchopgaver for ham på freelancebasis. Hun blev garanteret en mindre månedlig indtægt, uanset om hun påtog sig opgaver eller ej; den egentlige løn udgjordes af det, hun debiterede ham pr. opgave. Hun fik lov til at anvende sine egne arbejdsmetoder, mod at hun til gengæld forpligtede sig til aldrig at gøre noget, der kunne skade ham eller skandalisere Milton Security.

For Armanskij var dette en praktisk løsning, der gavnede både ham, virksomheden og Salander selv. Han reducerede den problematiske PU-afdeling til en enkelt fastansat, en ældre medarbejder, der på udmærket vis påtog sig diverse rutineopgaver samt indhentede kreditoplysninger. Alle besværlige og tvivlsomme opgaver overlod han til Salander og nogle få andre freelancere, der – hvis firmaet virkelig røg ind i problemer – i praksis var selvstændige erhvervsdrivende, som Milton Security ikke havde noget egentligt ansvar for. Eftersom han ofte gjorde brug af hende, oppebar hun en anstændig løn. Den kunne have været væsentlig højere, men hun arbejdede kun, når hun havde lyst, og hendes indstilling var, at hvis Armanskij ikke syntes om det, måtte han fyre hende.

Armanskij accepterede hende, som hun var, men hun fik ikke lov til at møde kunderne. Undtagelserne fra denne regel var sjældne, og dagens sag var desværre en af dem.

LISBETH SALANDER VAR i dagens anledning iført en sort T-shirt med et billede af ET med hugtænder og teksten *I am also an alien*. Derudover var hun iført en sort nederdel, der var gået op i sømmen, en slidt, sort, taljekort læderjakke, bælte med nitter, kraftige Doc Marten-støvler og knæstrømper med grønne og røde tværstriber. Hun havde lagt makeup i en farveskala, der antydede, at hun muligvis var farveblind. Hun var med andre ord ualmindelig nydelig.

Armanskij sukkede og flyttede blikket til den tredje person i lokalet – den konservativt klædte gæst med de tykke brilleglas. Advokat Dirch Frode var otteogtres år gammel og havde insisteret på at møde og stille spørgsmål til den medarbejder, der havde forfattet rapporten. Armanskij havde forsøgt at afværge mødet med diverse udflugter såsom, at Salander var forkølet, ude at rejse eller begravet i andet arbejde. Frode havde letsindigt svaret, at det skam ikke gjorde noget – det havde ingen hast, og han kunne sagtens vente nogle dage. Armanskij havde bandet for sig selv, men til sidst var der ingen anden udvej end at føre dem sammen, og nu sad advokat Frode og gloede på Lisbeth Salander med tydelig fascination. Salander gloede tilbage med en mine, der ikke antydede nogen varmere følelser.

Armanskij sukkede endnu en gang og kiggede på den mappe, hun havde lagt på hans skrivebord, og som havde titlen CARL MIKAEL BLOMKVIST. Navnet efterfulgtes af et personnummer, der var anført med nydelig skrift uden på chartekket. Han udtalte navnet højt. Advokat Frode blev vækket af sin fortryllelse og rettede blikket mod Armanskij.

"Så hvad kan I fortælle om Mikael Blomkvist?" spurgte han.

"Ja, det her er altså frøken Salander, der har udarbejdet rapporten." Armanskij tøvede et sekund og fortsatte derpå med et smil, der skulle forestille at være forbindtligt, men fremstod som hjælpeløst undskyldende: "Lad dig ikke narre af hendes unge alder. Hun er vores absolut bedste researcher."

"Det betvivler jeg ikke," svarede Frode i et tørt tonefald, der antydede det modsatte. "Fortæl, hvad hun er nået frem til."

Det var tydeligt, at advokat Frode ikke havde nogen anelse om, hvordan han skulle forholde sig til Lisbeth Salander, og derfor tyede til mere velkendt territorium ved at rette spørgsmålet til Armanskij, som om hun overhovedet ikke var til stede i lokalet. Salander greb chancen og lavede en stor boble med sit tyggegummi. Før Armanskij havde nået at svare, henvendte hun sig til sin chef, som om Frode ikke eksisterede.

"Gider du spørge kunden, om han vil have en lang eller en kort version?"

Advokat Frode forstod øjeblikkelig, at han havde jokket i spinaten. Der opstod en kort, pinlig tavshed, før han til sidst vendte sig om mod Lisbeth Salander og prøvede at udbedre skaden ved at anslå en venlig, onkelagtig tone.

"Jeg ville være taknemmelig, hvis den unge dame kunne give mig en mundtlig sammenfatning af det, I er nået frem til."

Salander lignede et ondskabsfuldt nubisk rovdyr, der overvejede at prøvesmage Dirch Frode til frokost. Blikket var så overraskende hadsk, at det rislede Frode koldt ned ad ryggen. Lige så hurtigt mildnedes hendes ansigtsudtryk. Frode spekulerede på, om blikket lige før var ren indbildning. Da hun begyndte at tale, lød hun som en statslig embedsmand.

"Lad mig indledningsvis sige, at det ikke har været nogen specielt kompliceret opgave, om end selve opgaveformuleringen var temmelig vag. I ville vide 'alt, der kunne graves frem' om ham, men kom ikke med nogen antydninger af, om der var noget specielt, I var ude efter. Derfor er det blevet lidt af et katalog over hans liv. Rapporten er på 193 sider, men godt 120 af dem er faktisk blot kopier af artikler, han har skrevet, eller presseklip, hvori han selv er omtalt. Blomkvist er en offentlig person med få hemmeligheder og ikke ret meget at skjule."

"Men han har altså hemmeligheder?" spurgte Frode.

"Alle mennesker har hemmeligheder," svarede hun neutralt. "Det handler blot om at finde frem til dem."

"Lad mig høre."

"Mikael Blomkvist er født den 18. januar 1960 og er med andre ord treogfyrre år gammel. Han er født i Borlänge, men har aldrig boet der. Hans forældre, Kurt og Anita Blomkvist, var midt i trediverne, da de fik børn, og begge er døde nu. Hans far var maskinmontør og flyttede en del omkring. Hans mor var, så vidt jeg har kunnet se, aldrig andet end hjemmegående husmor. Han har en tre år yngre søster, der hedder Annika og er advokat. Han har endvidere nogle onkler og fætre og kusiner. Hvad med noget kaffe?"

Den sidste replik var henvendt til Armanskij, som skyndte sig at åbne låget på den termokande, han havde bestilt til mødet. Han gav tegn til Salander om at fortsætte.

"I 1966 flyttede familien til Stockholm. De boede på Lilla Essingen. Blomkvist gik først i skole i Bromma og kom derefter på Kungsholmen Gymnasium. Han fik en flot studentereksamen - over 10 i gennemsnit; der ligger en kopi af eksamensbeviset i mappen. I gymnasieårene helligede han sig musik og spillede bas i et rockband, der hed *Bootstrap* og faktisk udgav en single, som blev spillet i radioen sommeren 1979. Efter gymnasiet arbejdede han som billetkontrollør i tunnelbanen, sparede penge op og rejste til udlandet. Han var væk i et år og synes mest at have fartet rundt i Asien - Indien, Thailand og et smut ned til Australien. Han begyndte at læse til journalist i Stockholm, da han var enogtyve, men afbrød studierne efter første år for at aftjene sin værnepligt i jægerkorpset i Kiruna. Det var en eller anden machoenhed, og han har nogle flotte soldaterpapirer. Efter militærtjenesten afsluttede han sin journalistuddannelse og har arbejdet siden da. Hvor detaljeret vil du have mig til at være?"

"Fortæl det, du synes er væsentligt."

"Okay. Han fremstår som lidt af en duksedreng. Indtil i dag har han været en succesrig journalist. I 1980'erne havde han en masse vikariater, først ved provinsblade og derefter i Stockholm. Der er vedlagt en fortegnelse. Gennembruddet kom med historien om Bjørnebanden - den der bankrøverliga, han afslørede."

"*Kalle Blomkvist*."

"Han hader det kælenavn, hvad man godt kan forstå. Nogen ville få sig et blåt øje, hvis jeg blev kaldt Pippi Langstrømpe på en spiseseddel."

Hun sendte et dystert blik til Armanskij, der gjorde en synkebevægelse. Han havde mere end én gang tænkt på Lisbeth Salander som netop Pippi Langstrømpe og takkede sin gode dømmekraft for, at han aldrig havde bragt det på bane. Han gjorde tegn til, at hun skulle fortsætte.

"En kilde oplyser, at han inden da ville være kriminalreporter - og han har vikarieret som en sådan på et formiddagsblad

– men det, han er blevet kendt for, er sit arbejde med politisk stof og erhvervsjournalistik. Han har hovedsagelig arbejdet som freelancer og har kun haft en enkelt fast stilling på en formiddagsavis sidst i firserne. Han sagde op i 1990, hvor han var med til at grundlægge månedsmagasinet *Millennium*. Tidsskriftet begyndte som en ren outsider og manglede et stærkt forlag, der kunne tage det under sine vinger. Oplaget er vokset og ligger i dag på 21.000. Redaktionen holder til på Götgatan kun nogle gader herfra."

"Et venstreorienteret blad."

"Det afhænger af, hvordan man definerer begrebet venstreorienteret. *Millennium* betragtes formentlig generelt som samfundskritisk, men jeg vil gætte på, at anarkisterne anser det for at være et småborgerligt lorteblad i stil med *Arena* eller *Ordfront*, mens Moderata Studentförbundet formodentlig tror, redaktionen består af bolsjevikker. Der er intet, der tyder på, at Blomkvist nogensinde har været politisk aktiv, ikke engang under venstrebølgen, da han gik i gymnasiet. Da han læste på Journalisthøjskolen, boede han sammen med en pige, som på det tidspunkt var aktiv i Syndikalisterne, og som i dag er indvalgt i Rigsdagen for Venstrepartiet Kommunisterne. Det virker, som om venstreorienteret-stemplet primært kommer sig af, at han som erhvervsjournalist har specialiseret sig i afslørende reportager om korruption og lyssky affærer inden for erhvervslivet. Han har leveret nogle ødelæggende portrætter af direktører og politikere – der garanteret har været velfortjente – og fremtvunget en række fratrædelser og retslige efterspil. Det kendteste eksempel er Arboga-sagen, der resulterede i, at en borgerlig politiker måtte gå af, og en tidligere kommunal regnskabschef fik et års fængsel for underslæb. At påtale kriminalitet kan dog næppe betragtes som udtryk for venstreorientering."

"Jeg forstår, hvad du mener. Hvad ellers?"

"Han har skrevet to bøger. En bog om Arboga-sagen og en om erhvervsjournalistik med titlen *Tempelridderne*, der udkom for tre år siden. Jeg har ikke læst bogen, men efter anmeldelserne at dømme ser den ud til at have været kontroversiel. Den forårsagede en del debat i medierne."

"Penge?" spurgte Frode.

"Han er ikke rig, men han sulter ikke. Rapporten er vedlagt selvangivelser. Han har godt 250.000 i banken, dels placeret i en pensionsopsparing, dels i værdipapirer. Han har en kassekredit på omkring 100.000, som han bruger til løbende udgifter, rejser og den slags. Han har en ejerlejlighed, der er betalt – 65 kvadratmeter på Bellmansgatan – og han har ingen lån eller gæld."

Salander holdt en finger i vejret.

"Han ejer endnu et aktiv – en ejendom i Sandhamn. Det er en fiskerhytte på 30 kvadratmeter, der er omdannet til sommerhus og ligger ved vandet, midt inde i den mest attraktive del af fiskerlejet. Det var åbenbart en onkel, der købte den i 1940'erne, da den slags stadig var muligt for almindelige dødelige, og siden er sommerhuset gennem arv endt hos Blomkvist. De delte arven, så hans søster fik forældrenes lejlighed på Lilla Essingen, og Mikael Blomkvist fik sommerhuset. Jeg ved ikke, hvad det kan være værd i dag – sikkert nogle millioner – men det ser på den anden side ikke ud til, at han vil sælge, og han plejer at være ude i Sandhamn temmelig ofte."

"Indkomster?"

"Han er som sagt medejer af *Millennium*, men trækker kun godt 12.000 ud i løn hver måned. Resten får han ind på freelanceopgaver – det samlede beløb kan variere. Den største indkomst havde han for tre år siden, hvor han arbejdede for en række medier og tjente næsten 450.000. I fjor tjente han kun 120.000 på freelancejob."

"Han skal betale 150.000 i skadeserstatning plus advokatsalær med mere," konstaterede Frode. "Lad os gætte på, at det endelige beløb bliver temmelig stort, og derudover mister han indtægter, mens han afsoner fængselsstraffen."

"Det betyder, at han bliver blanket grundigt af," bemærkede Salander.

"Er han hæderlig?" spurgte Dirch Frode.

"Det er så at sige hans varemærke. Hans image er at optræde som en prægtig moralens vogter over for erhvervslivet, og han bliver ganske ofte bedt om at kommentere forskellige sager i tv."

"Det varemærke er nok temmelig blakket efter dommen i

dag," sagde Dirch Frode tankefuldt.

"Jeg vil ikke påstå, at jeg ved, hvilke krav der helt præcist stilles til en journalist, men efter denne lussing varer det formentlig længe, før *Mesterdetektiven Blomkvist* får Den Store Journalistpris. Han har virkelig kvajet sig," konstaterede Salander nøgternt. "Hvis jeg må komme med en personlig betragtning ..."

Armanskij spærrede øjnene op. I de år, Lisbeth Salander havde arbejdet for ham, var hun aldrig kommet med en personlig betragtning i forbindelse med en personundersøgelse. For hende var det kun tørre kendsgerningerne, der talte.

"Det har ikke været en del af min opgave at se nærmere på Wennerström-sagen, men jeg har fulgt retssagen, og jeg må tilstå, at jeg faktisk blev temmelig forbløffet. Hele affæren føles forkert, og det er simpelthen ... *out of character* af Mikael Blomkvist at publicere noget, der ser ud til at være i dén grad langt ude."

Salander kløede sig på halsen. Frode ventede tålmodigt. Armanskij spekulerede på, om han tog fejl, eller om Salander virkelig var usikker på, hvordan hun skulle fortsætte. Den Salander, han kendte, var *aldrig* usikker eller tvivlrådig. Til sidst syntes hun at bestemme sig.

"Det her er uden for referat, om jeg så må sige ... Jeg har ikke sat mig rigtigt ind i Wennerström-sagen, men jeg tror faktisk, at Kalle Blomkvist ... undskyld, at Mikael Blomkvist er blevet fuppet. Jeg tror, der ligger noget helt andet i den historie, end hvad domsafsigelsen lader antyde."

Nu var det Dirch Frodes tur til pludselig at rette sig op i stolen. Advokaten granskede Salander med et forskende blik, og Armanskij noterede sig, at kunden for første gang, siden hun gik i gang med sin redegørelse, udviste mere end høflig interesse. Han gjorde et mentalt notat om, at Wennerström-sagen tydeligvis havde en vis interesse for Frode. *Rettelse,* tænkte Armanskij straks. *Frode var ikke interesseret i Wennerström-sagen – det var, da Salander antydede, at Blomkvist var blevet fuppet, at Frode reagerede.*

"Hvad mener du egentlig?" spurgte Frode interesseret.

"Det er ren gisning fra min side, men jeg er ret overbevist om, at nogen har narret ham."

"Og hvad får dig til at tro det?"

"Hele Blomkvists baggrund viser, at han er en meget forsigtig journalist. Alle kontroversielle afsløringer, han tidligere er kommet med, har været veldokumenterede. Jeg var til stede en af dagene under retssagen. Han kom ikke med nogen modargumenter og syntes at have givet op helt uden kamp. Det rimer meget dårligt med hans karakter. Hvis vi skal tro domstolen, så har han fantaseret sig til en historie om Wennerström uden at have skygge af bevis og publiceret den som en eller anden journalistisk selvmordsbombemand – det er simpelthen ikke Blomkvists stil."

"Så hvad tror du, der skete?"

"Jeg kan kun gætte. Blomkvist troede på sin historie, men der skete et eller andet undervejs, og informationen viste sig at være falsk. Det betyder, enten at kilden var en, han stolede på, eller at nogen helt bevidst havde forsynet ham med fejlagtig information – hvilket lyder usandsynlig indviklet. Alternativet er, at han blev udsat for en så alvorlig trussel, at han kastede håndklædet i ringen og hellere ville fremstå som en inkompetent idiot end tage kampen op. Men det er som sagt rent gætteri."

DA SALANDER GJORDE tilløb til at fortsætte fremlæggelsen, holdt Dirch Frode hånden i vejret. Han sad tavs et stykke tid og trommede eftertænksomt med fingrene på armlænet, inden han tøvende henvendte sig til hende igen.

"Hvis vi skulle finde på at engagere dig til at grave sandheden frem i denne Wennerström-sag ... hvor stor chance er der så for, at du finder noget?"

"Det kan jeg ikke svare på. Der er måske ikke noget at finde."

"Men ville du påtage dig at gøre et forsøg?"

Hun trak på skuldrene. "Det er ikke noget, jeg bestemmer. Jeg arbejder for Dragan Armanskij, og han beslutter, hvilke job han vil sætte mig på. Derudover afhænger det af, hvilken type information du er ude efter."

"Lad mig udtrykke det sådan her ... Jeg går ud fra, at denne samtale er fortrolig?" Armanskij nikkede. "Jeg kender ikke noget til denne sag, men det er hævet over enhver tvivl, at Wennerström har været uhæderlig i andre sammenhænge. Wennerström-sagen har i allerhøjeste grad påvirket Mikael Blomkvists liv, og jeg er interesseret i at vide, om der ligger noget i dine gisninger."

Samtalen havde taget en uventet drejning, og Armanskij var straks på vagt. Det, Dirch Frode foreslog, var, at Milton Security skulle påtage sig at rode op i en allerede afsluttet straffesag, hvor Mikael Blomkvist muligvis havde været udsat for en alvorlig trussel, og hvor Milton kunne risikere at kollidere med Wennerströms imperium af advokater. Armanskij fandt ikke den fjerneste fornøjelse ved tanken om at slippe Lisbeth Salander løs som et ukontrollabelt krydsermissil i en sådan sammenhæng.

Det havde ikke kun noget at gøre med hensynet til firmaet. Salander havde med al tydelighed markeret, at hun ikke ville have Armanskij til at spille rollen som den urolige faderskikkelse, og efter deres overenskomst havde han taget sig i agt for ikke at optræde som en sådan, men inderst inde ville han aldrig holde op med at bekymre sig for hende. Sommetider greb han sig i at sammenligne Salander med sine egne døtre. Han betragtede sig selv som en god far, der ikke unødigt blandede sig i sine døtres privatliv, men han vidste, at han aldrig ville acceptere, at de opførte sig som Salander eller levede hendes liv.

Dybt i sit kroatiske – eller muligvis bosniske eller armenske – hjerte havde han aldrig kunnet frigøre sig fra den overbevisning, at Salanders liv havde direkte kurs mod en katastrofe. I hans øjne inviterede hun til at blive det perfekte offer for en, der ville hende ondt, og han frygtede for den morgen, hvor han ville blive vækket af nyheden om, at nogen havde gjort hende fortræd.

"Sådan en undersøgelse kan blive kostbar," sagde Armanskij forsigtigt afskrækkende for at pejle sig ind på, hvor alvorligt Frodes forslag var ment.

"Vi må jo nok sætte et loft," replicerede Frode nøgternt. "Jeg forlanger ikke det umulige, men det er tydeligt, at din medarbejder, nøjagtig som du bedyrede, er kompetent."

"Salander?" spurgte Armanskij med et løftet øjenbryn.

"Jeg er ikke i gang med andet lige nu."

"Okay. Men vi skal være enige om, hvordan opgaven skal udformes. Lad mig høre resten af din rapport."

"Der er ikke så meget mere ud over detaljer fra privatlivet. I 1986 giftede han sig med en kvinde, der hedder Monica Abrahamsson, og sammen fik de en datter, der hedder Pernilla. Hun er seksten år nu. Ægteskabet blev ikke langvarigt; de blev skilt i 1991. Abrahamsson er gift igen, men de er tydeligvis stadig venner. Datteren bor hos sin mor og ser ikke Blomkvist særlig tit."

FRODE BAD OM noget mere kaffe og henvendte sig atter til Salander.

"Du indledte med at antyde, at alle mennesker har hemmeligheder. Har du fundet nogen?"

"Jeg mente, at alle mennesker har ting, de opfatter som private og ikke ligefrem skilter med. Blomkvist er tydeligvis et hit hos damerne. Han har haft flere kærester og en masse tilfældige forbindelser. Kort fortalt – han har et rigt sexliv. Én person har dog i mange år været en tilbagevendende figur i hans liv, og det er et ret så usædvanligt forhold."

"På hvilken måde?"

"Han har et seksuelt forhold til Erika Berger, chefredaktør på *Millennium*; overklassedulle, svensk mor, belgisk far bosat i Sverige. Berger og Blomkvist har kendt hinanden siden Journalisthøjskolen og har siden da haft et forhold med diverse afbrydelser."

"Det lyder da ikke så usædvanligt," bemærkede Frode.

"Nej, såmænd ikke. Men Erika Berger er også gift med kunstneren Greger Beckman – en halvcelebritet, der har lavet en masse rædselsfulde ting i offentlige bygninger."

"Så hun er med andre ord sin mand utro."

"Nej. Beckman kender til deres forhold. Det er en *ménage à trois*, som tydeligvis bliver accepteret af alle berørte parter. Nogle gange sover hun hos Blomkvist, andre gange hos sin mand. Jeg er ikke helt klar over, hvordan det fungerer, men det var formentlig en medvirkende årsag til, at Blomkvists ægteskab med Abrahamsson gik i stykker."

KAPITEL 3

Fredag den 20. december – lørdag den 21. december

ERIKA BERGER HÆVEDE øjenbrynene, da en tydeligt frustreret Mikael Blomkvist sent om eftermiddagen kom ind på redaktionen. *Millenniums* redaktion holdt til i en kontorbygning midt på Götgatan og havde lokaler lige over Greenpeace. Lejen var egentlig en anelse for dyr for tidsskriftet, men Erika, Mikael og Christer var alligevel enige om at beholde lokalerne.

Hun skævede til uret. Klokken var ti minutter over fem, og mørket havde for længst sænket sig over Stockholm. Hun havde ventet ham tilbage omkring frokost.

"Undskyld," sagde han, før hun nåede at sige noget. "Jeg blev hængende efter domsafsigelsen og havde ikke lyst til at snakke med nogen. Jeg har gået en lang tur og spekuleret."

"Jeg hørte om kendelsen i radioen. Hende fra TV4 ringede og ville have en kommentar fra mig."

"Hvad sagde du?"

"Nogenlunde det, vi var blevet enige om; at vi vil læse kendelsen grundigt igennem, før vi udtaler os. Jeg sagde med andre ord ingenting. Og min mening er uforandret – jeg tror, det er en forkert strategi. Vi fremstår som svage og mister støtte i medierne. Vi skal nok regne med at blive omtalt i tv i aften."

Blomkvist nikkede og så dyster ud.

"Hvordan har du det?"

Mikael trak på skuldrene og satte sig i sin yndlingslænestol henne ved vinduet i Erikas kontor. Hendes arbejdsværelse var spartansk møbleret med et skrivebord, funktionelle bogreoler og billige kontormøbler. Hele møblementet var fra Ikea, bortset fra de to magelige og ekstravagante lænestole og et lille sidebord – en indrømmelse til min opdragelse, plejede hun spøgefuldt at sige. Når hun blev træt af skrivebordet, sad hun som regel med benene oppe og læste i en af lænestolene. Mikael kiggede ned på Götgatan, hvor mennesker hastede forbi i mørket. Julehandlen var inde i slutspurten.

"Jeg kan forestille mig, at det går over," sagde han, "men lige nu føles det, som om jeg har fået et ordentligt lag tæsk."

"Ja, det kan man roligt kalde det. Og det har vi alle sammen. Janne Dahlman tog tidligt fri i dag."

"Jeg går ud fra, at han ikke var begejstret for kendelsen."

"Han er jo ikke det mest positive menneske."

Mikael rystede på hovedet. Janne Dahlman havde været redaktionssekretær på *Millennium* i ni måneder. Han var begyndt, netop da Wennerström-sagen var gået i gang, og havnet på en redaktion i krise. Mikael prøvede at komme i tanker om, hvordan han og Erika havde ræsonneret, da de besluttede sig for at ansætte ham. Han var for så vidt kompetent nok og havde arbejdet som vikar både for telegrambureauerne, formiddagsbladene og radioavisen. Men han trivedes åbenbart ikke i modvind. I løbet af det forgangne år havde Mikael ofte i tavshed angret, at de ansatte Dahlman, som havde en enerverende evne til at se alting i det mest negative lys.

"Har du hørt fra Christer?" spurgte Mikael uden at slippe gaden med blikket.

Christer Malm var billedredaktør og layouter på *Millennium* og sammen med Erika og Mikael medejer af tidsskriftet, men i øjeblikket var han i udlandet sammen med sin kæreste.

"Han har ringet. Jeg skulle hilse."

"Det må blive ham, der overtager posten som ansvarshavende redaktør."

"Styr dig lige, Micke. Som ansvarshavende redaktør må man regne med at få et hak i tuden en gang imellem. Det indgår i jobbeskrivelsen."

"Ja, sandt nok, men det var tilfældigvis mig, der skrev den artikel, som blev publiceret i et tidsskrift, hvor jeg også er ansvarshavende redaktør. Det sætter tingene i et andet perspektiv. Så handler det om dårlig dømmekraft."

Erika Berger mærkede, at den uro, hun havde båret på hele

dagen, var ved at bryde ud i lys lue. I de seneste uger før retssagen var Mikael vandret omkring i en mørk sky, men hun havde ikke oplevet ham så dyster og modløs, som han virkede nu i nederlagets time. Hun gik rundt om skrivebordet og satte sig overskrævs på hans skød og lagde armene om hans hals.

"Mikael, hør nu her. Både du og jeg ved præcis, hvordan det her gik til. Jeg er lige så ansvarlig som dig. Vi må ride stormen af."

"Der er ikke nogen storm at ride af. Dommen betyder, at jeg har fået et nakkeskud som mediemenneske. Jeg kan ikke fortsætte som ansvarshavende redaktør for *Millennium*. Det drejer sig om tidsskriftets troværdighed. Om at begrænse skadens omfang. Det ved du lige så godt som jeg."

"Hvis du tror, jeg har i sinde at lade dig påtage dig skylden helt alene, så har du ikke lært en skid om mig i løbet af alle disse år."

"Jeg ved nøjagtig, hvordan du fungerer, Ricky. Du er hundrede procent loyal over for dine medarbejdere. Hvis du får valget, vil du slås med Wennerströms advokater, indtil også din troværdighed er gået fløjten. Vi må være smartere end som så."

"Og du mener, det er en smart plan, at du forlader *Millennium* og får det til at se ud, som om det er mig, der har fyret dig?"

"Vi har talt om det her hundrede gange. Hvis *Millennium* skal overleve, så hænger det på dig nu. Christer er alle tiders og en flink fyr, der kan noget med billeder og layout, men ikke ved en skid om slagsmål med milliardærer. Det er ikke hans boldgade. Et stykke tid fremover er jeg nødt til at forsvinde fra *Millennium*, som udgiver, journalist og bestyrelsesmedlem; du overtager min andel. Wennerström ved, at jeg ved, hvad han har gjort, og jeg er overbevist om, at så længe jeg er knyttet til *Millennium*, vil han forsøge at få tidsskriftet ned med nakken. Det har vi ikke råd til."

"Men hvorfor ikke offentliggøre, hvad der skete? Og lade det briste eller bære?"

"Fordi vi ikke kan bevise en skid, og fordi jeg lige nu ikke har nogen troværdighed. Wennerström vandt denne runde. Det er slut. Giv slip på det."

"Okay, så bliver du fyret. Hvad vil du lave i stedet?"

"Jeg har brug for en pause, simpelthen. Jeg føler mig fuldstændig udbrændt, er ved at ramme muren, som det hedder for tiden. Jeg vil hellige mig mig selv for en tid. Så må vi se bagefter."

Erika lagde armene om Mikael og trak hans hoved ind mod sit bryst. Hun omfavnede ham hårdt. De sad tavse sådan i flere minutter.

"Vil du have selskab i aften?" spurgte hun.

Mikael nikkede.

"Godt. Jeg har allerede ringet til Greger og sagt, at jeg sover hos dig i nat."

Den eneste lyskilde i værelset var gadebelysningen, der blev reflekteret i vinduesnichen. Da Erika faldt i søvn lidt over to om natten, lå Mikael vågen og studerede hendes profil i halvmørket. Dynen var krøbet ned til taljen, og han kiggede på hendes bryst, der langsomt hævede og sænkede sig. Han var afslappet, og den angstfyldte knude i mellemgulvet havde opløst sig. Erika havde den virkning på ham. Det havde hun altid haft. Og han vidste, at han havde nøjagtig samme virkning på hende.

Tyve år, tænkte han. Så længe havde han og Erika haft et forhold. Hvis han kunne bestemme, skulle de fortsætte med at have sex med hinanden i tyve år mere. Mindst. De havde aldrig for alvor prøvet at holde deres forhold skjult, selv ikke når det havde givet anledning til umådeligt vanskelige situationer i forbindelse med deres forhold til andre. Han vidste, at der blev snakket om dem i bekendtskabskredsen, og at folk spekulerede over, hvad for et forhold de egentlig havde til hinanden; både han og Erika gav gådefulde svar og ignorerede kommentarerne.

De havde mødt hinanden til en fest hos nogle fælles bekendte. Både han og Erika var i gang med andet år på Journalisthøjskolen og var hver især engageret i et fast forhold. I løbet af aftenen var de begyndt at provokere hinanden, mere end passende var. Flirten var måske begyndt i sjov – han var ikke sikker – men før de skiltes, havde de udvekslet telefonnumre. De vidste begge, at de ville ende med at gå i seng med hinanden, og inden der var gået en uge, realiserede de planerne bag ryggen på deres respektive.

Mikael var sikker på, at det ikke handlede om kærlighed – i

det mindste ikke kærlighed af den traditionelle slags, der fører til fælles bolig, banklån, juletræ og børn. Et par gange i løbet af firserne, hvor de ikke havde haft andre forhold at tage hensyn til, havde de talt om at flytte sammen. Han havde ønsket det, men Erika var altid bakket ud i sidste øjeblik. Hun sagde, det ikke ville fungere, og at de ikke burde risikere at ødelægge forholdet ved også at gå hen og blive forelskede i hinanden.

De var enige om, at deres forhold handlede om sex eller muligvis seksuelt vanvid, og Mikael havde tit spekuleret på, om man kunne begære en kvinde mere vildt og inderligt, end han begærede Erika. Det forholdt sig ganske enkelt sådan, at de fungerede godt sammen. De havde et forhold, der var lige så vanedannende som heroin.

Sommetider mødtes de så tit, at det føltes, som om de var et par, sommetider kunne der gå uger og måneder imellem. Men ligesom alkoholikere efter en tørlagt periode drages mod flasken, vendte de altid tilbage til hinanden for at få mere.

Det gik selvfølgelig ikke. Et sådant forhold var som skabt til at forvolde smerte. Både han og Erika havde hensynsløst efterladt sig brudte løfter og opløste forhold – hans eget ægteskab var kuldsejlet, fordi han ikke kunne holde sig fra Erika. Han havde aldrig løjet om forholdet til Erika over for sin kone Monica, men hun havde troet, det ville gå over, da de var blevet gift og datteren født, og Erika næsten samtidig giftede sig med Greger Beckman. Det havde han også troet, og i ægteskabets første år havde han kun mødt Erika i arbejdsmæssig sammenhæng. Så havde de startet *Millennium*, og en uges tid efter var alle gode forsætter faldet på gulvet, og en sen aften havde de haft heftig sex på hendes skrivebord. Herefter fulgte en pinefuld periode, hvor Mikael ønskede at leve sammen med sin familie og se sin datter vokse op og samtidig blev draget hjælpeløst mod Erika, som om han ikke kunne kontrollere sine handlinger. Hvilket han selvfølgelig havde kunnet, hvis han havde villet. Præcis som Lisbeth Salander havde gættet, var det hans konstante utroskab, der fik Monica til at forlade ham.

Underligt nok syntes Greger Beckman helt og holdent at acceptere deres forhold. Erika havde altid været åben omkring sit tidligere forhold til Mikael, og hun havde straks fortalt det, da de genoptog forbindelsen. Måske skulle der en kunstnersjæl til for at klare den slags, et menneske, der var så optaget af sin egen kreativitet, eller muligvis bare så selvoptaget, at han ikke reagerede på, at hans kone sov hos en anden mand – ja, oven i købet delte ferien op, så hun kunne tilbringe en uge eller to med sin elsker i dennes sommerhus i Sandhamn. Mikael brød sig ikke specielt meget om Greger og havde aldrig forstået Erikas kærlighed til ham. Men han var glad for, han accepterede, at hun kunne elske to mænd på samme tid.

Desuden havde han en mistanke om, at Greger oplevede sin kones forhold til Mikael som et ekstra krydderi i deres ægteskab. Men de havde aldrig diskuteret sagen.

MIKAEL KUNNE IKKE falde i søvn, og ved firetiden gav han op. Han satte sig i køkkenet og læste endnu en gang kendelsen fra ende til anden. Som han sad der med facit i hånden, havde han en følelse af, at der næsten havde været noget skæbnebestemt over mødet på Arholma. Han var aldrig kommet på det rene med, om Robert Lindberg blot havde afsløret Wennerströms svindel for at fortælle en god historie i festligt lag, eller om han virkelig havde ønsket, at den blev offentliggjort.

Helt spontant hældede Mikael til den første mulighed, men det kunne lige så vel forholde sig sådan, at Robert af højst private eller forretningsmæssige grunde ønskede at skade Wennerström og simpelthen greb chancen, nu da han havde fået en medgørlig journalist om bord. Robert havde ikke været mere beruset, end at han i det afgørende øjeblik i sin beretning havde fastholdt Mikaels blik og fået ham til at udtale de magiske ord, der betød, at Robert blev forvandlet fra sludrechatol til anonym kilde. Herefter kunne Robert fortælle hvad som helst; Mikael ville aldrig kunne røbe sin kildes identitet.

Én ting var Mikael dog helt på det rene med: Hvis mødet på Arholma havde været arrangeret af en konspirator med det formål at fange Mikaels opmærksomhed, så kunne Robert ikke have spillet rollen bedre. Men mødet på Arholma havde været en tilfældighed.

Robert havde intet kendskab til omfanget af Mikaels foragt for mennesker som Hans-Erik Wennerström. Efter mangeårige studier af emnet var Mikael overbevist om, at der ikke eksisterede én eneste bankdirektør eller kendt virksomhedsleder, som ikke også var en slyngel.

Mikael havde aldrig hørt om Lisbeth Salander og var lykkeligt uvidende om hendes afrapportering tidligere på dagen, men hvis han havde hørt den, ville han have nikket samtykkende, da hun fastslog, at hans udtalte afsky for finansgenier ikke var et udslag af nogen radikalt venstreorienteret politisk holdning. Mikael interesserede sig skam for politik, men han betragtede politiske ismer med den største mistro. Ved det eneste rigsdagsvalg, hvor han havde stemt – i 1982 – havde han med kun liden overbevisning valgt socialdemokraterne af den simple grund, at intet i hans øjne kunne være værre end yderligere tre år med Gösta Bohman som finansminister og Thorbjörn Fälldin, eller muligvis Ola Ullsten, som statsminister. Som følge heraf havde han uden den store entusiasme stemt på Olof Palme og i stedet fået et statsministermord, en Bofors-skandale samt Ebbe Carlsson.

Mikaels foragt for erhvervsjournalister skyldtes noget, efter hans egen mening, så basalt som moral. Ligningen var i hans øjne enkel. En bankdirektør, der formøbler hundrede millioner på tåbelige spekulationer, skal ikke kunne beholde sit job. En virksomhedsleder, der opretter skuffeselskaber, skal bures inde. En husejer, der tvinger unge mennesker til at betale penge under bordet for en etværelses med lokum i gården, skal hænges ud til spot og spe i pressen.

Mikael Blomkvist mente, det var erhvervsjournalistens opgave at kulegrave og afsløre de finanshajer, der forårsagede rentekriser og formøblede småspareres kapital med deres spekulationer i vanvittige it-eventyr. Han mente, den journalistiske opgave i bund og grund handlede om at granske virksomhedsledere med samme ubarmhjertige nidkærhed, som politiske reportere overvåger ministres og rigsdagsmedlemmers mindste fejltrin. Det ville aldrig falde en politisk reporter ind at give en partileder ikonstatus, og Mikael kunne ikke for sin død fatte, hvorfor så mange erhvervsjournalister på landets vigtigste massemedier behandlede middelmådige gulddrenge, som om de var rockstjerner.

DENNE I ERHVERVSJOURNALISTERNES verden temmelig egensindige holdning havde gang på gang bragt ham i højlydt konflikt med mediekolleger, hvoraf ikke mindst William Borg var blevet en uforsonlig fjende. Mikael havde stukket næsen frem og kritiseret sine kolleger for at svigte deres opgave og gå gulddrengenes ærinde. Rollen som samfundskritiker havde ganske vist givet Mikael status og forvandlet ham til en besværlig gæst i tv-sofaer – det var ham, der blev inviteret til at kommentere sagen, når en eller anden direktør blev grebet med et gyldent håndtryk i milliardklassen – men det havde også skaffet ham en trofast skare bitre fjender.

Mikael havde ikke svært ved at forestille sig, at der var sprunget champagnepropper på visse redaktioner den foregående aften.

Erika havde samme indstilling til journalistens rolle som han, og sammen havde de allerede på Journalisthøjskolen moret sig med i fantasien at skabe en avis med den profil.

Erika var den bedste chef, Mikael kunne ønske sig. Hun var en organisator, der kunne håndtere medarbejdere med varme og tillid, men som samtidig ikke var bange for konfrontationer og om nødvendigt kunne skrue bissen på. Frem for alt havde hun en eminent fingerspidsfornemmelse, når det gjaldt beslutninger om indholdet af kommende numre. Hun og Mikael havde tit forskellige synspunkter og kunne tage et livligt skænderi, men de havde også en urokkelig tillid til hinanden, og sammen havde de udgjort et uovervindeligt team. Han tog sig af det grove arbejde og fandt frem til historien, hun pakkede den ind og markedsførte den.

Millennium var deres fælles frembringelse, men ville aldrig være blevet til virkelighed uden hendes talent for at finde finansieringsmuligheder. Det var arbejderknægten og overklassepigen i skøn forening. Erika havde penge med hjemmefra. Hun havde selv bidraget med startkapitalen og havde overtalt sin far samt diverse bekendte til at investere betydelige beløb i projektet.

Mikael havde ofte spekuleret over, hvorfor Erika havde satset på *Millennium*. Hun var ganske vist medejer – oven i købet med majoritet – og chefredaktør for sit eget tidsskrift, hvilket gav hende prestige og en publicistisk frihed, som hun næppe kunne have fået på en anden arbejdsplads, men til forskel fra Mikael havde hun satset på tv efter Journalisthøjskolen. Hun var skrap, så uforskammet godt ud på skærmen og kunne hævde sig i konkurrencen. Desuden havde hun gode kontakter inden for bureaukratiet. Hvis hun var fortsat, ville hun nu uden tvivl have haft en betydeligt bedre lønnet chefstilling på en eller anden tv-kanal. I stedet havde hun helt bevidst valgt at hoppe fra og satse på *Millennium*, et højrisikoprojekt, der var begyndt i et trangt og lurvet kælderlokale i Midsommarkransen, men havde klaret sig så godt, at de først i 1990'erne kunne flytte til rummeligere og hyggeligere lokaler i Götgatsbacken på Södermalm.

Erika havde også overtalt Christer Malm til at blive medejer af tidsskriftet. Han var en ekshibitionistisk bøsse-celebritet, der fra tid til anden lod sig udstille sammen med sin kæreste i diverse hjemme hos-reportager og ofte figurerede i sladderspalterne. Medieinteressen for ham var opstået, da han flyttede sammen med Arnold Magnusson, kaldet Arn, en skuespiller med baggrund på Dramaten, som først for alvor var slået igennem, da han havde indvilliget i at spille sig selv i en reality-tv-serie. Christer og Arn var herefter blevet en medieføljeton.

I en alder af seksogtredive var Christer Malm en eftertragtet fotograf og designer, der forsynede *Millennium* med et moderne og attraktivt grafisk layout. Han havde sit eget firma med kontor på samme etage som *Millenniums* redaktion og arbejdede deltids med layoutet en uge hver måned.

Derudover bestod *Millennium* af to fuldtidsansatte medarbejdere, skiftende praktikanter og tre deltidsansatte. Det var et tidsskrift af den type, hvor årsregnskabet aldrig gik op, men som var prestigefyldt og havde medarbejdere, der elskede deres job.

Millennium var ikke nogen lukrativ forretning, men bladet havde kunnet betale sine regninger, og både oplag og annonceindtægter var steget støt. Helt frem til nu havde bladet haft en profil som rapkæftet og pålidelig sandhedsapostel.

Nu ville situationen efter al sandsynlighed ændre sig. Mikael gennemlæste den korte pressemeddelelse, som han og Erika havde formuleret tidligere på aftenen, og som hurtigt var blevet til et Ritzau-telegram, der allerede var lagt ud på *Aftonbladet*s netavis.

JOURNALIST FORLADER MILLENNIUM EFTER DOM

Stockholm (Ritzaus Bureau). Journalisten Mikael Blomkvist forlader posten som ansvarshavende redaktør for tidsskriftet *Millennium*, oplyser chefredaktør og hovedaktionær Erika Berger.

Mikael Blomkvist forlader *Millennium* efter eget ønske. Han er træt efter den seneste tids dramatik og har brug for en hvilepause, siger Erika Berger, der selv overtager rollen som ansvarshavende redaktør.

Mikael var en af stifterne af tidsskriftet *Millennium* i 1990. Erika Berger tror ikke, at den såkaldte Wennerström-affære vil påvirke tidsskriftets fremtid. Bladet udkommer som planlagt i næste måned, siger Erika Berger. Mikael Blomkvist har haft stor betydning for tidsskriftets udvikling, men nu vender vi et blad.

Erika Berger oplyser, at hun betragter Wennerström-affæren som resultatet af en række uheldige omstændigheder. Hun beklager de ubehageligheder, Wennerström har været udsat for. Det har ikke været muligt at få en kommentar fra Mikael Blomkvist.

"Jeg synes, det er forfærdeligt," havde Erika sagt, da de havde mailet pressemeddelelsen. "De fleste vil konkludere, at du er en inkompetent idiot og jeg en iskold satan, der udnytter chancen for at dolke dig i ryggen."

"Der er jo i forvejen så mange rygter i omløb om os, og nu får vennerne i det mindste noget nyt at sladre om," havde Mikael sagt i et forsøg på at lave sjov. Hun havde ikke fundet det spor morsomt.

"Jeg har ikke nogen plan B, men jeg tror, vi begår en fejltagelse."

"Det er den eneste løsning," havde Mikael svaret. "Hvis tidsskriftet ryger på røven, har alt vores slid været forgæves. Du ved, at vi allerede nu har mistet store indtægter. Hvordan gik det for resten med det der computerfirma?"

Hun havde sukket. "Jo tak, de meddelte i morges, at de ikke ønsker at annoncere i januarnummeret."

"Og Wennerström har en velvoksen aktiepost i firmaet. Det er ikke nogen tilfældighed."

"Nej, men vi kan støve nye annoncører op. Wennerström er måske nok finansmogul, men han ejer ikke alt her i verden, og vi har også vores kontakter."

Mikael havde lagt armen om Erika og trukket hende ind til sig.

"En dag vil vi få skovlen under Hans-Erik Wennerström, så det kan mærkes helt ovre i Wall Street. Men ikke i dag. *Millennium* skal ud af fokus. Vi kan ikke risikere, at tilliden til tidsskriftet helt havarerer."

"Alt det der ved jeg godt, men jeg fremstår som en led kælling, og du bliver stillet i en prekær situation, hvis vi lader, som om det er kommet til et brud mellem os."

"Ricky, så længe du og jeg stoler på hinanden, har vi en chance. Vi må spille efter gehør, og lige nu er tiden inde til retræte."

Hun havde modvilligt medgivet, at der lå en dyster logik i hans konklusioner.

KAPITEL 4

Mandag den 23. december – torsdag den 26. december

ERIKA VAR BLEVET hos Mikael weekenden over. De havde praktisk taget kun forladt sengen for at gå på toilettet og lave mad, men de havde ikke udelukkende elsket; de havde også ligget med hovedet i hver sin ende af sengen i timevis og diskuteret fremtiden, vejet konsekvenser, muligheder og odds op mod hinanden. Da mandag morgen gryede, var det dagen før juleaften, og Erika havde kysset ham farvel – *until next time* – og var taget hjem til sin mand.

Mikael tilbragte mandagen med først at vaske op og gøre rent i lejligheden og derefter spadsere hen på redaktionen for at rydde sit kontor. Han havde ikke et øjeblik tænkt sig at bryde med bladet, men han havde til sidst overbevist Erika om, at det i et stykke tid var vigtigt at adskille Mikael Blomkvist fra tidsskriftet *Millennium*. Indtil videre ville han arbejde fra sin lejlighed hjemme på Bellmansgatan.

Han var alene på redaktionen. Der var julelukket, og medarbejderne var over alle bjerge. Han var i færd med at lægge papirer og bøger i en flyttekasse, da telefonen ringede.

"Jeg vil godt tale med Mikael Blomkvist," sagde en håbefuld, men ukendt stemme i den anden ende.

"Det er mig."

"Undskyld, jeg forstyrrer her lillejuleaften. Mit navn er Dirch Frode." Mikael noterede automatisk navn og klokkeslæt. "Jeg er advokat og repræsenterer en klient, som meget gerne vil tale med dig."

"Jamen så bed din klient ringe til mig."

"Han ønsker at møde dig personligt."

"Okay, så lad os aftale en tid, så han kan komme hen på kontoret. Men du må skynde dig, for jeg er ved at tømme mit skrivebord."

"Min klient ville sætte stor pris på, at du kom hjem til ham. Han bor i Hedestad – det tager kun tre timer med tog."

Mikael slap, hvad han havde i hænderne. Massemedier har en evne til at lokke alle mulige vanvittige mennesker frem, der ringer ind med sindssyge tips. Hver eneste avisredaktion i verden får opringninger fra ufologer, grafologer, scientologer, paranoikere og alskens konspirationsteoretikere.

Mikael havde på et tidspunkt overværet et foredrag af forfatteren Karl Alvar Nilsson i AOF-huset i forbindelse med årsdagen for mordet på statsminister Olof Palme. Foredraget var helt igennem seriøst, og blandt publikum befandt Lennart Bodström og andre af Palmes gamle venner sig. Men også et forbløffende stort antal privatdetektiver havde indfundet sig. En af dem var en kvinde i fyrrerne, som – da den obligatoriske spørgerunde var gået i gang – havde grebet mikrofonen og derefter sænket stemmen til en knap hørlig hvisken. Allerede dette varslede en interessant udvikling, og ingen blev specielt overrasket, da kvinden indledte med at fastslå: "*Jeg ved, hvem der myrdede Palme.*" Fra scenen foreslog en eller anden en anelse ironisk, at hvis kvinden var i besiddelse af denne højst interessante information, ville det være ønskeligt, at hun snarest indviede Palme-efterforskningen i sin viden. Hun havde hurtigt repliceret, igen med en knap hørlig hvisken: "*Det kan jeg ikke – det er for farligt!*"

Mikael spekulerede på, om Dirch Frode var endnu en i rækken af besjælede sandsigere, der havde i sinde at afsløre det hemmelige sindssygehospital, hvor Säpo foretog eksperimenter med hjernevask.

"Jeg tager ikke på hjemmebesøg," svarede han kort for hovedet.

"I så fald håber jeg, jeg kan overtale dig til at gøre en undtagelse. Min klient er over firs år, og for ham er det en anstrengende rejse at tage ned til Stockholm. Hvis du insisterer, kan vi sikkert få noget i stand, men sandt at sige ville det være at foretrække, hvis du ville være så elskværdig at ..."

"Hvem er din klient?"

"En person, som jeg tror, du har hørt om gennem dit arbejde. Henrik Vanger."

Mikael lænede sig overrumplet tilbage. Henrik Vanger – ja, vist havde han hørt om ham. Industrileder og tidligere administrerende direktør for Vangerkoncernen, som engang havde været synonym med savværker, skov, minedrift, stål, metalindustri, tekstiler, fremstilling og eksport. Henrik Vanger havde været en af de virkelig tunge drenge i sin tid med ry for at være en hæderlig, gammeldags patriark, der ikke var så let at slå af pinden. Han indgik i grundkurset i svensk næringsliv, en af den gamle skoles kæmper på linje med folk som Matts Carlgren fra MoDo og Hans Werthén fra det gamle Electrolux. Rygraden i *folkhemmets* industri, og så fremdeles.

Men Vangerkoncernen, der stadig var et familieforetagende, havde de seneste femogtyve år været ramt af strukturrationaliseringer, børskriser, rentekriser, konkurrence fra Asien, dalende eksport og andre vederstyggeligheder, der sammenlagt havde skubbet navnet Vanger ud i periferien. Virksomheden blev i dag ledet af Martin Vanger, hvis navn Mikael associerede med en velpolstret mand med en kraftig hårmanke, som engang var flagret forbi på tv-skærmen, men som han ikke havde noget videre kendskab til. Henrik Vanger havde været ude af billedet i omkring tyve år, og Mikael havde ikke engang været klar over, at han stadig levede.

"Hvorfor vil Henrik Vanger tale med mig?" var det naturlige følgespørgsmål.

"Jeg beklager. Jeg har været Henrik Vangers advokat i mange år, men han må selv fortælle, hvad han vil. Jeg kan derimod sige så meget, at Henrik Vanger vil diskutere et eventuelt arbejde til dig."

"Arbejde? Jeg har ikke den fjerneste lyst til at begynde at arbejde for Vangerfirmaet. Står I og mangler en pressesekretær?"

"Det er ikke helt den slags arbejde, der tænkes på. Jeg ved ikke, hvordan jeg skal udtrykke det ud over, at Henrik Vanger er yderst opsat på at møde dig og konsultere dig i et privat anliggende."

"Du er ualmindelig tvetydig."

"Det må du undskylde, men er der nogen mulighed for at overtale dig til at tage til Hedestad? Vi betaler naturligvis rejsen og et fornuftigt honorar."

"Du ringer lidt ubelejligt. Jeg har en del om ørerne ... ja, jeg går ud fra, at du har set overskrifterne om mig det sidste par dage."

"Wennerström-sagen?" Dirch Frode lo pludselig klukkende i den anden ende af forbindelsen. "Ja, den har haft en vis underholdningsværdi, og sandt at sige var det netop opmærksomheden omkring retssagen, der fik Henrik Vanger til at lægge mærke til dig."

"Jaså? Og hvornår ville Henrik Vanger have mig til at komme?" spurgte Mikael.

"Så snart som muligt. I morgen er det jo juleaften, og jeg formoder, du godt vil holde fri. Hvad siger du til anden juledag? Eller engang mellem jul og nytår?"

"Det haster med andre ord. Jeg er ked af det, men hvis jeg ikke får en rimelig ledetråd til, hvad besøget drejer sig om, så ..."

"Altså, jeg forsikrer dig, at invitationen er helt igennem seriøs. Henrik Vanger vil konsultere lige netop dig og ingen anden. Han vil tilbyde dig en freelanceopgave, hvis du ellers er interesseret. Jeg er blot budbringeren. Hvad sagen går ud på, må han selv forklare."

"Det her en af de mest vanvittige opringninger, jeg har fået længe. Lad mig tænke over sagen. Hvordan kan jeg få fat i dig?"

DA MIKAEL HAVDE lagt røret på, blev han siddende og betragtede rodet på skrivebordet. Han kunne for sin død ikke begribe, hvorfor Henrik Vanger ville tale med ham. Mikael var egentlig ikke særlig interesseret i at tage til Hedestad, men det var lykkedes advokat Frode at vække hans nysgerrighed.

Han tændte for sin computer, gik ind på Google og søgte på Vangervirksomheden. Han fik hundredvis af henvisninger – Vangerkoncernen befandt sig i periferien, men blev stadig omtalt i medierne så godt som daglig. Han gemte en halv snes artikler, der analyserede foretagendet, og søgte derefter på henholdvis Dirch Frode, Henrik Vanger og Martin Vanger.

Martin Vanger optrådte flittigt i sin egenskab af nuværende administrerende direktør for koncernen. Advokat Dirch Frode holdt lav profil, han var bestyrelsesmedlem i Hedestads golfklub og blev nævnt i forbindelse med Rotary. Henrik Vanger optrådte på én undtagelse nær kun i forbindelse med tekster, der opridsede koncernens baggrund. Lokalavisen *Hedestads-Kuriren* havde dog hædret den tidligere industrimagnat på hans firsårsdag to år tidligere, og reporteren havde lavet et kortfattet portræt. Mikael printede nogle af de tekster, der så ud til at have en vis substans, og fik samlet en mappe på omkring halvtreds sider. Derefter ryddede han resten af sit skrivebord, pakkede flyttekasserne og tog hjem. Han var ikke sikker på, hvornår eller om han ville vende tilbage.

LISBETH SALANDER TILBRAGTE juleaftten på Äppelvikens Plejehjem i Upplands-Väsby. Hun medbragte julegaver i form af en eau de toilette fra Dior og en engelsk julekage fra Åhléns. Hun drak kaffe og betragtede den seksogfyrreårige kvinde, som med kluntede fingre prøvede at binde knuden op på båndet omkring julegaven. Salander havde ømhed i blikket, men hun ophørte aldrig med at undre sig over, at den fremmede kvinde foran hende var hendes mor. Hvor meget hun end forsøgte, kunne hun ikke spore den mindste lighed i hverken udseende eller personlighed.

Moderen opgav til sidst sine anstrengelser og kiggede hjælpeløst på pakken. Det var ikke en af hendes bedre dage. Lisbeth skubbede til saksen, der hele tiden havde ligget synligt fremme på bordet, og moderen lyste pludselig op, som om hun vågnede.

"Du må jo tro, jeg er dum."

"Nej, mor. Du er ikke dum. Men livet er uretfærdigt."

"Har du set din søster?"

"Det er længe siden."

"Hun besøger mig aldrig."

"Jeg ved det, mor. Hun besøger heller ikke mig."

"Har du arbejde?"

"Ja, mor. Jeg klarer mig fint."

"Hvor bor du henne? Jeg ved ikke engang, hvor du bor."

"Jeg bor i din gamle lejlighed på Lundagatan. Jeg har boet der i flere år. Jeg overtog lejekontrakten."

"Til sommer kan jeg måske besøge dig."

"Ja da. Til sommer."

Moderen fik omsider pakket julegaven op og snuste henrykt til duften. "Tak, Camilla," sagde hun.

"Lisbeth. Det er mig, der er Lisbeth. Camilla er min søster."

Moderen så flov ud. Lisbeth foreslog, at de gik ind i fjernsynsstuen.

MIKAEL BLOMKVIST TILBRAGTE Disney-timen juleaften sammen med sin datter Pernilla, som han besøgte hos sin ekskone Monica og dennes nye mand i villaen i Sollentuna. Han havde en julegave med til Pernilla: Efter at han og Monica havde diskuteret sagen, var de blevet enige om at give datteren en iPod, en mp3-spiller, der ikke var meget større end en tændstikæske, men kunne rumme hele Pernillas cd-samling, som var temmelig omfattende. Det blev en ret så dyr gave.

Far og datter tilbragte en time i hinandens selskab inde på hendes værelse på første sal. Mikael og Pernillas mor var blevet skilt, da hun kun var fem år, og hun havde fået en ny far, da hun var syv. Det var ikke sådan, at Mikael havde undgået kontakt; Pernilla havde besøgt ham cirka en gang om måneden og tilbragt ugelange ferier i sommerhuset i Sandhamn. Det var heller ikke sådan, at Monica havde prøvet at forhindre kontakten, eller at Pernilla ikke trivedes sammen med sin far – tværtimod: De var som regel kommet godt ud af det med hinanden, når de var sammen. Men Mikael havde været mest tilbøjelig til at lade datteren bestemme, hvor ofte hun ville se ham, specielt efter at Monica havde giftet sig igen. Der havde været nogle år i begyndelsen af puberteten, hvor kontakten næsten helt var ophørt, og det var først inden for de seneste to år, hun havde ytret ønske om at se mere til ham.

Datteren havde fulgt hans retssag med den faste overbevisning, at det forholdt sig, som Mikael forsikrede: Han var uskyldig, men kunne ikke bevise det.

Hun fortalte om en mulig kæreste i en parallelklasse i gymnasiet og overraskede ham ved at afsløre, at hun var blevet medlem af et lokalt kirkesamfund og opfattede sig selv som troende. Mikael undlod at kommentere det.

Han blev inviteret til at blive til middag, men afslog; han havde allerede aftalt at tilbringe juleaften sammen med sin søster og hendes familie i villaen i yuppiereservatet ved Stäket.

Om morgenen var han også blevet tilbudt at holde jul sammen med Erika og hendes mand i Saltsjöbaden. Han havde takket nej i forvisning om, at der måtte være en grænse for Greger Beckmans velvillige indstilling til trekantsdramaer, og han havde intet ønske om at finde ud af, hvor den grænse gik. Erika havde indvendt, at det faktisk var hendes mand, der havde foreslået invitationen, og drillede ham, fordi han ikke turde være med på en rigtig trekant. Mikael havde leet – Erika vidste, han var inkarneret heteroseksuel, og at tilbuddet ikke var alvorlig ment – men beslutningen om ikke at tilbringe juleaften sammen med sin elskerindes ægtefælle havde været urokkelig.

Som følge heraf bankede han i stedet på hos sin søster Annika Blomkvist, gift Giannini, da hendes italienskfødte mand, to børn samt en mindre deling af hendes ægtefælles familie netop var i gang med at skære juleskinken for. Under middagen besvarede han spørgsmål om retssagen og modtog diverse velmenende, men fuldstændig uanvendelige råd.

Den eneste, der ikke kommenterede dommen, var Mikaels søster – men hun var på den anden side også den eneste advokat i stuen. Annika havde spurtet gennem jurastudiet og arbejdet som jurist og advokatfuldmægtig i nogle år, før hun sammen med nogle venner dannede sit eget advokatfirma med kontorer på Kungsholmen. Hun havde specialiseret sig i familieret, og uden at Mikael egentlig havde bemærket, hvordan det var gået til, var hans lillesøster begyndt at dukke op i aviser og paneldiskussioner i fjernsynet som kendt feminist og kvinderetsadvokat.

Hun repræsenterede ofte kvinder, der blev truet eller forfulgt af ægtemænd og tidligere kærester.

Da Mikael hjalp hende med at lave kaffe, lagde hun hånden på hans arm og spurgte, hvordan han havde det. Han fortalte, at han havde det ad helvede til.

"Få dig en ordentlig advokat næste gang," sagde hun.

"I dette tilfælde ville det nok ikke have hjulpet, uanset hvem der havde været min advokat."

"Hvad skete der egentlig?"

"Vi tager det en anden gang, søs."

Hun gav ham et knus og kyssede ham på kinden, før de gik ind i stuen med julekage og kaffekopper.

Hen på aftenen undskyldte Mikael sig og bad om at måtte låne telefonen i køkkenet. Han ringede til Dirch Frode og kunne høre en brusen af stemmer i baggrunden.

"God jul," sagde Frode. "Har du besluttet dig?"

"Jeg har ingen presserende opgaver, og det er lykkedes dig at vække min nysgerrighed. Jeg tager derop anden juledag, hvis det passer jer."

"Glimrende, glimrende. Du drømmer ikke om, hvor meget det glæder mig. Undskyld, men jeg har børn og børnebørn på besøg og kan knap høre et ord. Kan jeg ringe til dig i morgen og aftale nærmere?"

Mikael Blomkvist fortrød sin beslutning, allerede inden aftenen var gået, men da føltes det for pinligt at melde afbud, og om morgenen anden juledag satte han sig i et nordgående tog. Mikael havde kørekort, men havde aldrig gidet anskaffe sig en bil.

Frode havde ret i, at det ikke var nogen lang tur. Han passerede Uppsala, og derefter fulgte som perler på snor en række små industribyer langs Norrlandskysten. Hedestad var en af de mindre, lidt over en times kørsel nord for Gävle.

Natten til anden juledag havde det sneet voldsomt, men nu var det klaret op, og luften var iskold, da Mikael steg ud på stationen. Det gik øjeblikkelig op for ham, at han ikke var klædt på til vejrliget så langt nordpå, men Dirch Frode vidste, hvordan han så ud, indfangede ham godmodigt på perronen og førte ham hurtigt ind i varmen i en ventende Mercedes. Inde i Hedestad var snerydningen i fuld gang, og Frode manøvrerede forsigtigt mellem høje snedriver. Sneen føltes som en eksotisk kontrast til Stockholm, næsten som en fremmed verden. Og dog var han ikke mere end tre timer fra Sergels Torg. Mikael skævede til advokaten; et firskårent ansigt med tyndt, hvidt og kortklippet hår og kraftige briller på en kødfuld næse.

"Første gang i Hedestad?" spurgte Frode.

Mikael nikkede.

"Gammel industriby med havn. Ikke mere end 24.000 indbyggere. Men folk trives her. Henrik bor i Hedeby – det er lige ved den sydlige indfaldsvej til byen."

"Bor du også her?" spurgte Mikael.

"Såmænd. Jeg er født i Skåne, men begyndte at arbejde for Vanger lige efter min eksamen i 1962. Jeg er virksomhedsjurist, og som årene gik, blev Henrik og jeg venner. Jeg er egentlig gået på pension, og Henrik er min eneste tilbageværende klient. Han er selvsagt også pensionist og har ikke brug for mine tjenester så tit."

"Kun til at opstøve journalister med et skamferet ry."

"Nu skal du ikke undervurdere dig selv. Du er ikke den eneste, der har tabt en kamp mod Hans-Erik Wennerström."

Mikael skævede til Frode, usikker på, hvordan han skulle tolke replikken.

"Har den her invitation noget at gøre med Wennerström?" spurgte han.

"Nej," svarede Frode, "men Henrik Vanger tilhører ikke ligefrem Wennerströms vennekreds, og han har fulgt retssagen med interesse. Han ønsker at tale med dig i en helt anden anledning."

"Som du ikke vil fortælle om."

"Som det ikke er op til mig at fortælle om. Vi har arrangeret det sådan, at du kan overnatte hjemme hos Henrik Vanger. Hvis du ikke ønsker det, kan vi skaffe dig et værelse på Stadshotellet inde i byen."

"Nja, jeg tager nok aftentoget tilbage til Stockholm."

Ved afkørslen til Hedeby var der endnu ikke sneryddet, og Frode baksede bilen frem ad frosne hjulspor. Langs Den Botniske Bugt fandtes en kerne af gamle træhuse fra byens storhedstid som fabriksområde. Udenfor lå der større og mere moderne villaer. Landsbyen begyndte på fastlandet og strakte sig hen over en bro til en bakket ø. På fastlandssiden var der opført en lille hvid stenkirke ved brohovedet, og lige overfor blinkede en gammeldags lysreklame med ordene *Susannes Brokafé og Bageri*. Frode fortsatte lige ud omkring hundrede meter og drejede derpå til venstre ind på en ryddet gårdsplads og op foran en murstensbygning. Gården var for lille til at kunne kaldes en herregård, men var betydeligt større end den øvrige bebyggelse, og den signalerede med al ønskelig tydelighed, at dette var herremandens domæne.

"Dette er Vangergården," sagde Dirch Frode. "Engang var der liv og glade dage her, men nu er den kun beboet af Henrik og en husholderske. Der er masser af gæsteværelser."

De steg ud af bilen. Frode pegede mod nord.

"Traditionelt er det ham, der styrer Vangerkoncernen, som bor her, men Martin Vanger ville have noget mere moderne og opførte villaen for enden af odden."

Mikael så sig omkring og spekulerede på, hvilken vanvittig impuls han havde fulgt ved at tage imod Frodes invitation. Han besluttede, at han om muligt ville vende tilbage til Stockholm allerede samme eftermiddag. En stentrappe førte op til indgangen, men før de var nået så langt, blev døren åbnet. Mikael genkendte straks Henrik Vanger fra internettet.

På billederne havde han været yngre, men han så forbløffende energisk ud af en toogfirsårig at være: en senet krop med et barsk og vejrbidt ansigt og kraftigt, tilbagestrøget gråt hår, som antydede, at skaldethed ikke lå i hans gener. Han var iført velstrøgne, mørke bukser, hvid skjorte og en slidt, brun hverdagstrøje. Han havde et tyndt overskæg og stålindfattede briller.

"Det er mig, der er Henrik Vanger," sagde han. "Tak, fordi du ville besøge mig."

"Goddag. Det var en overraskende invitation."

"Kom ind i varmen. Jeg har gjort et gæsteværelse klar. Vil du gøre dig i stand først? Vi spiser middag lidt senere. Det her er Anna Nygren, som går mig til hånde."

Mikael gav hurtigt hånd til en lille kvinde i tresserne, som tog hans frakke og hængte den ind i et skab. Hun tilbød ham nogle hjemmesko som beskyttelse mod trækken ved gulvet.

Mikael takkede og henvendte sig derpå til Henrik Vanger: "Jeg er ikke sikker på, jeg bliver til middagen. Det afhænger lidt af, hvad den her leg går ud på."

Henrik Vanger vekslede et blik med Dirch Frode. Der var en indforståethed mellem de to mænd, som Mikael ikke kunne tyde.

"Jeg tror, tiden er inde til at forlade jer," sagde Dirch Frode. "Jeg må hjem og holde børnebørnene i ørerne, inden de river huset ned."

Han henvendte sig til Mikael.

"Jeg bor til højre ovre på den anden side af broen. Du kan gå derhen på fem minutter. Det er neden for konditoriet og tredje villa ud mod vandet. Og får I brug for mig, er det bare at ringe."

Mikael sørgede for at stikke hånden ned i frakkelommen og tænde en båndoptager. *Paranoid? Jeg?* Han havde ingen anelse om, hvad Henrik Vanger ville ham, men efter det forløbne års ballade med Hans-Erik Wennerström ønskede han en nøjagtig dokumentation af alle de besynderlige ting, der foregik omkring ham, og en pludselig indbydelse til Hedestad hørte helt afgjort ind under den kategori.

Den tidligere industrimand klappede Dirch Frode på skulderen til farvel og lukkede hoveddøren, før han rettede sin interesse mod Mikael.

"I så fald vil jeg gå lige til sagen. Det er ikke nogen leg. Jeg vil snakke med dig, men det, jeg har at fortælle, kræver en længere samtale. Jeg vil bede dig lytte til, hvad jeg har at sige, og først derefter tage en beslutning. Du er journalist, og jeg ønsker at engagere dig til en freelanceopgave. Anna har serveret kaffe på mit arbejdsværelse ovenpå."

HENRIK VANGER VISTE vej, og Mikael fulgte efter. De kom ind i et aflangt arbejdsværelse på omkring 40 kvadratmeter i gavlsiden af huset. Den ene væg var domineret af en 10 meter lang bogreol fra gulv til loft med en imponerende blanding af skønlitteratur, biografier, bøger om historie, fagbøger om handel og industri samt A4-mapper. Bøgerne var placeret uden nogen synlig orden. Det lignede en bogsamling, der blev brugt, og Mikael drog den slutning, at Henrik Vanger var et læsende menneske. Væggen overfor var domineret af et skrivebord i mørkt egetræ, der var placeret på en sådan måde, at den, der sad ved bordet, havde ansigtet vendt ud mod lokalet. Væggen var behængt med en stor samling pressede blomster i nydelige rækker.

Fra vinduet i gavlen havde Henrik Vanger udsigt over broen og kirken. Der var en sofagruppe med tilhørende bord, hvor Anna havde stillet service, termokande, hjemmebagte boller og kager.

Henrik Vanger gjorde tegn til Mikael om at sætte sig, men han lod, som om han ikke bemærkede det. I stedet gik han nysgerrigt rundt og studerede først bogreolen og dernæst væggen med billederne. Skrivebordet var ryddet bortset fra en enkelt stak papirer. Længst ude på bordet stod et indrammet fotografi af en ung mørkhåret pige, køn, men med et drilagtigt blik; *en ung dame, der godt kan blive farlig*, tænkte Mikael. Billedet var tydeligvis et konfirmationsportræt, som var falmet og formentlig havde stået der i mange år. Mikael blev pludselig bevidst om, at Henrik Vanger iagttog ham.

"Husker du hende, Mikael?" spurgte han.

"Husker?" Mikael løftede øjenbrynene.

"Ja, du har mødt hende. Du har faktisk befundet dig i dette værelse før."

Mikael så sig omkring og rystede på hovedet.

"Nej, hvordan skulle du kunne huske det. Jeg kendte din far. Jeg brugte Kurt Blomkvist som montør og maskintekniker flere gange i halvtredserne og tresserne. Han var en velbegavet fyr. Jeg prøvede at overtale ham til at læse videre til ingeniør. Du var her hele sommeren 1963, hvor vi udskiftede maskinparken på papirfabrikken her i Hedestad. Det var svært at finde en bolig til din familie, og vi løste det ved at indlogere jer i den lille træbygning på den anden side af vejen. Du kan se huset her fra vinduet."

Henrik Vanger gik hen til skrivebordet og tog portrættet op.

"Det her er Harriet Vanger, min bror Richard Vangers barnebarn. Hun passede dig adskillige gange den sommer. Du var to år og på vej til tre. Eller måske var du allerede fyldt tre – det kan jeg ikke huske. Hun var tolv år."

"Du må undskylde, men jeg husker ikke noget som helst af det, du fortæller." Mikael var ikke engang sikker på, at Henrik Vanger talte sandt.

"Det forstår jeg godt. Men jeg kan faktisk huske dig. Du løb rundt overalt her på gården med Harriet i hælene. Jeg kunne høre dine skrig, hver gang du snublede. Jeg husker, at jeg engang forærede dig et stykke legetøj, en gul bliktraktor, som jeg selv havde leget med som barn, og som du blev utrolig glad for. Jeg tror, det skyldtes farven."

Mikael blev pludselig kold indeni. Han kunne faktisk godt huske den gule traktor. Da han blev større, havde den stået til pynt på en hylde på hans værelse.

"Kan du huske det? Kan du huske traktoren?"

"Ja, jeg kan godt huske den. Og jeg kan for øvrigt fortælle, at traktoren eksisterer endnu. Den befinder sig på Legetøjsmuseet ved Mariatorget i Stockholm, som jeg skænkede den til, da de for ti år siden efterlyste gammelt, originalt legetøj."

"Det siger du ikke?" Henrik Vanger klukkede henrykt. "Nu skal du bare se ..."

Den gamle mand gik hen til bogreolen og tog et fotoalbum ud af en af de nederste hylder. Mikael bemærkede, at han åbenbart havde svært ved at bøje sig og var nødt til at støtte sig til reolen, da han skulle rette sig op igen. Henrik Vanger gjorde tegn til Mikael om at tage plads i sofagruppen, mens han bladrede i albummet. Han vidste, hvad han ledte efter, og lagde straks albummet på sofabordet. Han pegede på et sort-hvidt amatørbillede, hvor fotografens skygge kunne ses forneden. I forgrunden stod en lille lyshåret dreng i korte bukser; han stirrede ind i kameraet med et betuttet og lettere ængsteligt ansigtsudtryk.

"Det her er dig den sommer. Dine forældre sidder i havemøblerne i baggrunden. Harriet er lidt skjult bag din mor, og drengen til venstre for din far er Harriets bror, Martin Vanger, som står i spidsen for Vangerkoncernen i dag."

Mikael havde ingen problemer med at genkende sine forældre. Hans mor var synligt gravid – hans søster var altså på vej. Han betragtede billedet med blandede følelser, mens Henrik Vanger skænkede kaffe og skubbede fadet med boller hen til ham.

"Jeg ved, at din far er død. Lever din mor?"

"Nej," svarede Mikael. "Hun døde for tre år siden."

"Det var en rar kvinde. Jeg husker hende tydeligt."

"Men jeg er overbevist om, at du ikke har inviteret mig herop for at udveksle gamle minder om mine forældre."

"Det har du helt ret i. Jeg har forberedt det, jeg vil sige til dig, i flere dage, men nu da jeg endelig har dig foran mig, ved jeg ikke rigtig, hvor jeg skal begynde. Jeg formoder, at du har læst dig til et og andet om mig, før du tog herop. I så fald ved du, at jeg engang havde stor indflydelse på svensk industri og arbejdsmarked. I dag er jeg en gammel knark, der sandsynligvis snart skal dø, og døden er måske et glimrende udgangspunkt for denne samtale."

Mikael tog en mundfuld sort kaffe – *kogekaffe* – og spekulerede på, hvor historien ville føre hen.

"Jeg har ondt i hoften og svært ved at gå lange ture. En dag vil du selv opdage, hvordan kræfterne slipper op, når man bliver gammel, men jeg er hverken morbid eller senil. Jeg er med andre ord ikke besat af døden, men jeg har nået den alder, hvor jeg må acceptere, at min tid er ved at rinde ud. Der kommer et tidspunkt, hvor man ønsker at gøre status og få styr på det, der er uafsluttet. Forstår du, hvad jeg mener?"

Mikael nikkede. Henrik Vanger talte med tydelig og fast stemme, og Mikael havde allerede forstået, at den gamle hverken var senil eller irrationel. "Jeg er mest nysgerrig efter at vide, hvorfor jeg er her," gentog han.

"Jeg har inviteret dig, fordi jeg vil bede dig hjælpe mig med at gøre det regnskab op, jeg talte om. Jeg har nogle ting, der er uopklarede."

"Hvorfor lige mig? Jeg mener ... hvad får dig til at tro, at jeg vil kunne hjælpe dig?"

"Fordi dit navn blev aktuelt under Wennerström-sagen, netop som jeg begyndte at overveje at engagere nogen. Jeg vidste jo, hvem du var. Og måske fordi du sad på mit skød, da du var en lille purk." Han viftede afværgende med hånden. "Nej, misforstå mig ikke. Jeg regner ikke med, at du vil hjælpe mig af sentimentale grunde. Jeg forklarer bare, hvorfor jeg fik den indskydelse at kontakte lige netop dig."

Mikael lo venligt. "Det er i hvert fald et skød, jeg ikke har den fjerneste erindring om, at jeg har siddet på. Men hvordan kunne du vide, hvem jeg var? Det her foregik jo i begyndelsen af tresserne."

"Undskyld, men jeg har vist ikke udtrykt mig klart nok. I flyttede til Stockholm, da din far fik arbejde som værkfører på Zarinders Maskinfabrik. Det var en af de mange virksomheder, der indgik i Vangerkoncernen, og det var mig, der skaffede ham jobbet. Han havde ikke den fornødne uddannelse, men jeg vidste jo, hvad han kunne. Jeg mødte din far flere gange gennem årene, når jeg havde et ærinde hos Zarinders. Vi var måske ikke ligefrem nære venner, men vi fik os altid en sludder. Sidste gang, jeg mødte ham, var året, før han døde, og da fortalte han, at du var kommet ind på Journalisthøjskolen. Han var overmåde stolt. Kort efter blev du jo landskendt i forbindelse med den der røverbande – *Kalle Blomkvist* og alt det der. Jeg har fulgt dig og læst mange af dine artikler gennem årene. Jeg læser faktisk *Millennium* temmelig tit."

"Okay, så er jeg med, men helt nøjagtig hvad er det, du godt vil have mig til?"

HENRIK VANGER KIGGEDE ned på sine hænder et kort øjeblik og nippede derefter til kaffen, som om han havde brug for en lille pause, før han endelig kunne begynde at nærme sig sit ærinde.

"Mikael, inden jeg kommer ind på det, vil jeg godt indgå en aftale med dig. Jeg vil bede dig om to ting. Den ene er et skalkeskjul, og den anden er mit virkelige ærinde."

"Hvad for en aftale?"

"Jeg vil fortælle dig en historie i to dele. Den ene del handler om familien Vanger. Det er skalkeskjulet. Det er en lang og grum historie, men jeg vil prøve at holde mig til den usminkede sandhed. Den anden del af historien handler om mit egentlige ærinde. Jeg tror, at du indimellem vil opleve min fortælling som ... det rene vanvid, så jeg vil bede dig høre min historie til ende – høre, hvad jeg vil have dig til at gøre, og hvad jeg tilbyder – før du beslutter dig for, om du vil påtage dig opgaven eller ej."

Mikael sukkede. Det var tydeligt, at Henrik Vanger ikke havde i sinde kortfattet og præcist at fremlægge sit ærinde, så han kunne nå tilbage med eftermiddagstoget. Mikael havde en klar fornemmelse af, at hvis han ringede til Dirch Frode og bad ham køre sig til stationen, så ville bilen nægte at starte i kulden.

Den gamle måtte have brugt en masse tid på at fundere over, hvordan han skulle få ham på krogen. Mikael fik en følelse af, at alt det, der var foregået, siden han trådte ind i lokalet, var nøje iscenesat: den første overraskende oplysning om, at han havde mødt Henrik Vanger som barn, billedet af forældrene i fotoalbummet og understregningen af, at Mikaels far og Henrik Vanger havde været venner, den smigrende oplysning om, at den gamle vidste, hvem Mikael Blomkvist var, og at han havde fulgt hans karriere på afstand gennem årene ... alt sammen havde formodentlig en fast kerne af sandhed, men det var også helt elementær psykologi. Henrik Vanger var med andre ord en dygtig manipulator, som i årevis havde været vant til at håndtere betydeligt skrappere personer i diverse bestyrelser. Han var ikke blevet en af Sveriges førende industrimagnater ved en tilfældighed.

Mikaels konklusion var, at Henrik Vanger ville have ham til at foretage sig noget, som han formentlig ikke havde den mindste lyst til. Det eneste, der nu manglede, var at lokke ud af ham, hvad sagen drejede sig om, og dernæst afslå. Og muligvis nå eftermiddagstoget.

"Beklager," svarede Mikael. Han kiggede på uret. "Jeg har været her i tyve minutter. Jeg giver dig præcis tredive minutter til at fortælle, hvad du vil have mig til. Derefter ringer jeg efter en taxa og tager hjem."

Et øjeblik faldt Henrik Vanger ud af rollen som ædelmodig patriark, og Mikael skimtede den hensynsløse industrileder i dennes velmagtsdage, når han blev ramt af modgang eller var nødt til at tage en eller anden genstridig bestyrelsesgrønskolling under behandling. Hans mund fortrak sig i et hurtigt, bistert smil.

"Jeg er med."

"Det hele er såre enkelt. Du behøver ikke pakke tingene ind. Sig, hvad du vil have mig til, så jeg kan afgøre, om jeg er interesseret eller ej."

"Hvis jeg ikke kan overtale dig på tredive minutter, vil jeg heller ikke kunne gøre det på tredive dage, mener du?"

"Noget i den retning."

"Men min fortælling er faktisk lang og kompliceret."

"Så forkort den og gør den mere enkel. Det gør vi inden for journalistikken. Niogtyve minutter."

Henrik Vanger holdt en hånd i vejret. "Udmærket, tak. Jeg har forstået din pointe, men det er aldrig god psykologi at overdrive. Jeg har brug for et menneske, der kan forske og tænke kritisk, men som også har integritet. Det tror jeg, du har, og det er ikke tom smiger. En god journalist bør besidde disse egenskaber, og jeg læste din bog *Tempelridderne* med stor interesse. Og det passer, at jeg valgte dig, fordi jeg kendte din far, og fordi jeg ved, hvem du er. Hvis jeg er korrekt orienteret, er du blevet fyret fra dit tidsskrift efter Wennerström-sagen – eller du har i hvert fald taget din afsked. Det betyder, at du lige nu ikke er ansat nogen steder, og det kræver ikke nogen større matematisk begavelse at regne ud, at du formodentlig er økonomisk på spanden."

"Så nu griber du chancen og udnytter min situation, mener du?"

"Det kan der måske være noget om, men Mikael – må jeg kalde dig Mikael? – jeg har ikke i sinde at lyve for dig eller finde på usande undskyldninger. Den slags er jeg blevet for gammel til. Hvis du ikke bryder dig om det, jeg har at fortælle, så skal du bare sige til. I så fald må jeg finde en anden, der vil arbejde for mig."

"Okay, hvad er det så for et job, du vil tilbyde mig?"

"Hvor meget ved du om familien Vanger?"

Mikael slog ud med hænderne. "Tja, sådan omtrent det, jeg har nået at læse på nettet, efter at Frode ringede til mig i mandags. I din tid var Vanger en af Sveriges betydeligste industrikoncerner, i dag er virksomheden betragteligt reduceret. Martin Vanger er administrerende direktør. Okay, jeg ved en hel del mere, men hvor vil du hen med spørgsmålet?"

"Martin er ... han er et fint menneske, men han går ikke i dybden. Han har på ingen måde format til at lede en koncern i krise. Han ønsker at modernisere og specialisere – hvilket er klogt tænkt – men han har svært ved at føre sine ideer ud i livet og endnu sværere ved at klare finansieringen. For femogtyve år siden var Vangerkoncernen en alvorlig konkurrent til Wallenberg. Vi havde omkring 40.000 ansatte i Sverige. Det gav beskæftigelse, arbejdspladser og indtjening til hele landet. I dag befinder de fleste af disse arbejdspladser sig i Korea og Brasilien. Nu har vi godt 10.000 ansatte, og om et år eller to – medmindre Martin får luft under vingerne – vil vi være nede på måske 5000 ansatte, primært i små produktionsvirksomheder. Med andre ord: Vanger er på vej til historiens losseplads."

Mikael nikkede. Det, Henrik Vanger fortalte, var nogenlunde det, han selv var kommet frem til efter en søgning på nettet.

"Vanger er fortsat et af landets få rendyrkede familieforetagender med godt tredive familiemedlemmer placeret som minoritetsparthavere rundt omkring i divisionerne. Dette har altid været koncernens styrke, men også vores største svaghed."

Henrik Vanger gjorde en kunstpause, og hans tonefald var højtideligt. "Mikael, du kan stille spørgsmål senere, men jeg beder dig tro mig på mit ord, når jeg siger, at jeg afskyr de fleste af medlemmerne i familien Vanger. Min familie består for størstedelen af tyveknægte, gniere, bøller og tumper. Jeg ledede foretagendet i femogtredive år og var næsten konstant involveret i uforsonlige stridigheder med diverse familiemedlemmer. Det var dem og ikke konkurrerende virksomheder eller staten, der var mine værste fjender."

Han gjorde en pause.

"Jeg sagde, jeg vil engagere dig til at gøre to ting. Jeg vil bede dig forfatte en historisk fremstilling eller biografi om familien Vanger. For enkelhedens skyld kan vi kalde det min selvbiografi. Det vil ikke blive nogen opbyggelig historie, der maner til andagt, men en fortælling om had og familiekiv og umådelig gerrighed. Jeg stiller alle mine dagbøger og arkiver til din rådighed. Du får fri adgang til mine inderste tanker, og du kan uden forbehold offentliggøre alt det svineri, du finder. Jeg tror, den historie vil få Shakespeare til at fremstå som familievenlig triviallitteratur."

"Hvorfor?"

"Hvorfor jeg vil offentliggøre en skandalehistorie om familien Vanger? Eller hvad mit motiv er til at bede dig skrive historien?"

"Begge dele, formoder jeg."

"I virkeligheden er det mig ret ligegyldigt, om bogen bliver udgivet eller ej. Men jeg mener faktisk, at historien bør nedfældes og i det mindste én kopi udleveres til Det Kongelige Bibliotek. Jeg ønsker, at min historie skal være tilgængelig for eftertiden, når jeg dør. Mit motiv til dette er det enkleste, som tænkes kan – hævn."

"Hvem vil du hævne dig på?"

"Du behøver ikke tro mig, men jeg har forsøgt at være et hæderligt menneske, endog som kapitalist og virksomhedsleder. Jeg er stolt over, at mit navn er ensbetydende med en mand, der har holdt sit ord og indfriet sine løfter. Jeg har aldrig spillet politiske rænkespil. Jeg har aldrig haft problemer med at forhandle med fagforeninger. Selv Tage Erlander havde respekt for mig i sin tid. For mig drejede det sig om etik; jeg havde ansvar for tusinder af menneskers levebrød, og mine ansattes velfærd lå mig på sinde. Pudsigt nok har Martin samme indstilling, selvom han er en helt anden mennesketype. Han har også forsøgt at gøre det rigtige. Det er måske ikke altid lykkedes os, men i det store og hele er der kun få ting, jeg skammer mig over.

Desværre er jeg og Martin nok nogle sjældne undtagelser i vores familie," fortsatte Henrik Vanger. "Der er mange grunde til, at Vanger i dag hænger i en tynd tråd, men en af de vigtigste er den kortsynede griskhed, som mange af mine slægtninge repræsenterer. Hvis du påtager dig opgaven, vil jeg forklare helt nøjagtig, hvordan min familie har båret sig ad med at skyde koncernen i sænk."

Mikael tænkte sig om et øjeblik.

"Okay, jeg vil heller ikke lyve over for dig. At skrive sådan en bog vil lægge beslag på flere måneder. Jeg har hverken lyst eller kræfter til at kaste mig ud i det."

"Jeg tror, jeg kan overtale dig."

"Det tvivler jeg på. Men du sagde, du ville bede mig gøre to ting. Det her var altså skalkeskjulet. Hvad er dit egentlige formål?"

HENRIK VANGER REJSTE sig, også nu med besvær, og hentede fotografiet af Harriet Vanger fra skrivebordet. Han stillede det foran Mikael.

"Når jeg beder dig skrive en biografi om familien Vanger, skyldes det, at jeg ønsker, du skal kortlægge individerne med en journalists øjne. Det giver dig også et alibi til at grave i familiens historie. Det, jeg i virkeligheden vil have dig til, er at løse en gåde. Det er din opgave."

"En gåde?"

"Harriet var som sagt min bror Richards sønnedatter. Vi var fem brødre. Richard var ældst, født 1907. Jeg var yngst og født 1920. Om jeg begriber, hvordan Gud kunne skabe denne børneflok, som ..."

I nogle sekunder mistede Henrik Vanger tråden og syntes hensunken i egne tanker. Derpå henvendte han sig til Mikael med ny beslutsomhed i stemmen.

"Lad mig fortælle dig om min bror Richard Vanger. Det er også en smagsprøve på den slægtshistorie, jeg vil have dig til at skrive."

Han skænkede kaffe til sig selv og tilbød Mikael noget mere.

"I 1924, sytten år gammel, var Richard fanatisk nationalist og jødehader og meldte sig ind i Svenska Nationalsocialistiska Frihetsförbundet, en af Sveriges allerførste nazigrupper. Er det ikke fascinerende, at det altid lykkes nazister at anbringe ordet *frihed* i deres propaganda?"

Henrik Vanger fandt endnu et fotoalbum frem og bladrede hen til den rigtige side.

"Her er Richard sammen med dyrlæge Birger Furugård, der hurtigt blev leder af den såkaldte Furugårdbevægelse, som var den helt store nazigruppe først i trediverne. Men Richard blev ikke hos ham. Kun et års tid efter blev han medlem af Sveriges Fascistiska Kamporganisation, SFKO. Der lærte han Per Engdahl og andre individer at kende, som med årene skulle gå hen og blive en politisk skamplet på nationen."

Han bladrede en side frem i albummet. Richard Vanger i uniform.

"I 1927 meldte han sig til militæret – mod vores fars vilje – og i løbet af trediverne plejede han omgang med de fleste nazigrupper i landet. Hvis der fandtes en syg, konspiratorisk sammenslutning, kunne man være overbevist om, at hans navn var på medlemslisten. I 1933 blev Lindholmbevægelsen stiftet, det vil sige Nationalsocialistiska Arbetarpartiet. Hvor velbevandret er du i den svenske nazismes historie?"

"Jeg er ikke historiker, men jeg har dog læst et par bøger."

"I 1939 startede Anden Verdenskrig og i 1940 Den Finske Vinterkrig. En masse aktivister fra Lindholmbevægelsen lod sig hverve som Finlands-frivillige, og Richard var en af dem. På det tidspunkt var han kaptajn i den svenske hær. Han faldt i februar 1940, lige før fredstraktaten med Sovjetunionen. Han opnåede martyrstatus inden for nazistbevægelsen og fik en kampdeling opkaldt efter sig. Den dag i dag er der nogle tåber, der mødes på en kirkegård i Stockholm for at mindes Richard Vanger på årsdagen for hans død."

"Javel ja."

"I 1926, da han var nitten år, kom han sammen med en kvinde ved navn Margareta, som var datter af en skolelærer i Falun. De mødte hinanden i politisk sammenhæng og havde et forhold, der resulterede i en søn, Gottfried, der blev født i 1927. Richard giftede sig med Margareta, da sønnen blev født. I første halvdel af 1930'erne havde min bror placeret sin kone og sit barn her i

Hedestad, mens han selv var stationeret ved regimentet i Gävle. I fritiden rejste han rundt og missionerede for nazismen. I 1936 havde han et alvorligt sammenstød med vores far, hvilket resulterede i, at denne inddrog enhver økonomisk understøttelse af Richard. Herefter måtte han klare sig på egen hånd. Han flyttede med familien til Stockholm og levede i relativ fattigdom."

"Havde han ikke sine egne penge?"

"Hans arv i koncernen var båndlagt. Han kunne ikke sælge til nogen uden for familien. Det hører med til historien, at Richard var en brutal hustyran med kun få forsonende træk. Han slog sin kone og tugtede sit barn. Gottfried voksede op som en kuet og forknyt dreng. Han var tretten år, da Richard faldt; jeg tror, det var Gottfrieds lykkeligste dag. Min far forbarmede sig over enken og barnet og bragte dem herop til Hedestad, hvor han indlogerede dem i en lejlighed og sørgede for, at Margareta fik en tålelig tilværelse.

Hvis Richard havde repræsenteret familiens mørke og fanatiske side, så repræsenterede Gottfried dens dvaske side. Da han var omkring atten, tog jeg mig af ham – han var trods alt min afdøde brors søn – men du må lige huske på, at aldersforskellen ikke var stor. Jeg var kun syv år ældre. Allerede på det tidspunkt sad jeg i koncernens ledelse, og det stod klart, at jeg skulle tage over efter min far, mens Gottfried nærmest blev betragtet som en fremmed i familien."

Henrik Vanger sad grublende et øjeblik.

"Min far vidste ikke rigtig, hvordan han skulle gebærde sig over for sin sønnesøn, og det var mig, der insisterede på, at der måtte gøres noget. Jeg gav ham arbejde inden for koncernen. Det var efter krigen. Han gjorde formentlig sit bedste for at udrette et anstændigt stykke arbejde, men han havde svært ved at koncentrere sig. Han var sjusket, en charmør, altid oplagt til fest og ballade, han havde kvindetække, og der var perioder, hvor han drak for meget. Jeg har vanskeligt ved at beskrive mine følelser for ham ... han var ikke uduelig, men han var alt andet end pålidelig og gjorde mig ofte dybt skuffet. Han blev mere og mere alkoholiseret, som årene gik, og i 1965 omkom han ved en drukneulykke. Det skete her på den anden side af Hedeby-øen, hvor han havde fået opført et sommerhus, som han plejede at trække sig tilbage til for at drikke."

"Han er altså Harriets og Martins far?" spurgte Mikael og pegede på billedet på sofabordet. Mod sin vilje måtte han indrømme, at den gamles fortælling var interessant.

"Korrekt. Sidst i fyrrerne mødte Gottfried en kvinde ved navn Isabella Koenig, et tyskerbarn, der var kommet til Sverige efter krigen. Isabella var faktisk en skønhed – ja, jeg vil mene, at hun var lige så smuk som Greta Garbo og Ingrid Bergman. Harriet slægtede nok mere Isabella end Gottfried på. Som du kan se på fotografiet, var hun meget smuk allerede som fjortenårig."

Både Mikael og Henrik Vanger betragtede fotografiet.

"Men lad mig fortsætte. Isabella er født i 1928 og lever endnu. Hun var elleve, da krigen brød ud, og du kan forestille dig, hvordan det var at være teenager i Berlin, mens bomberne faldt. Jeg kan i hvert fald forestille mig, at hun oplevede Sverige som et sandt paradis, da hun steg i land. Desværre lignede hun Gottfried alt for meget; hun var ødsel og festede i tide og utide, og sommetider virkede hun og Gottfried mere som drikkefæller end som ægtefæller. Hun fartede også flittigt rundt i Sverige og i udlandet og manglede i det hele taget ansvarsfølelse. Det gik selvfølgelig ud over børnene. Martin blev født i 1948 og Harriet i 1950. Deres opvækst var kaotisk med en mor, som aldrig var der, og en far, som var på vej ind i alkoholisme.

I 1958 greb jeg ind. Gottfried og Isabella boede på det tidspunkt inde i Hedestad – jeg tvang dem til at flytte herud. Jeg havde fået nok og besluttede mig for at prøve at bryde den onde cirkel. Martin og Harriet skulle ikke længere leve for lud og koldt vand, om jeg så må sige."

Henrik Vanger kiggede på uret.

"Mine tredive minutter er næsten gået, men jeg er ved at nærme mig slutningen på historien. Tillader du mig lidt ekstra tid?"

Mikael nikkede. "Fortsæt."

"Jamen så vil jeg fatte mig i korthed. Jeg var barnløs – en iøjnefaldende kontrast til mine brødre og øvrige familiemedlemmer, som syntes at være besat af et primitivt behov for at mangfoldiggøre Vangerslægten. Gottfried og Isabella flyttede herud, men ægteskabet sang på sidste vers. Allerede et år efter flyttede Gottfried ud i sit sommerhus. Han boede derude alene i lange perioder og flyttede ind til Isabella, når der blev for koldt. Selv tog jeg mig af Martin og Harriet, og de blev på mange måder de børn, jeg aldrig fik.

Martin var ... sandt at sige var der i hans ungdom en tid, hvor jeg frygtede, at han ville gå i sin fars fodspor. Han var veg og indadvendt og grublende, men han kunne også være charmerende og entusiastisk. Han havde nogle vanskelige teenageår, men han rettede sig, da han begyndte på universitetet. Han er ... ja, han er trods alt administrerende direktør for resterne af Vangerkoncernen, og det må vel betragtes som bestået eksamen."

"Og Harriet?" spurgte Mikael.

"Harriet blev min øjesten. Jeg prøvede at give hende tryghed og selvtillid, og vi støttede os til hinanden. Jeg opfattede hende som min egen datter, og hun kom til at stå mig langt nærmere, end hun stod sine egne forældre. Harriet var ganske særegen, skal du vide. Hun var indadvendt – som sin bror – og som teenager sværmede hun for religion og skilte sig dermed ud fra alle andre i vores familie. Men hun havde helt afgjort evner og var utrolig intelligent. Hun havde både moral og rygrad. Da hun var femten år, var jeg helt overbevist om, at hun – når jeg sammenlignede med hendes bror og middelmådige fætre og kusiner – var den person, som en dag skulle lede Vangerkoncernen eller i det mindste spille en central rolle i virksomheden."

"Så hvad skete der?"

"Vi er nu nået til den egentlige grund til, at jeg vil engagere dig. Jeg vil bede dig finde ud af, hvem i familien der myrdede Harriet Vanger, og som herefter har brugt snart fyrre år på at forsøge at drive mig til vanvid."

KAPITEL 5

Torsdag den 26. december

FOR FØRSTE GANG, siden Henrik Vanger havde indledt sin monolog, var det lykkedes den gamle mand at overrumple ham. Mikael måtte bede ham gentage det, han lige havde sagt, for at forvisse sig om, at han havde hørt rigtigt. Intet i de udklip, han havde læst, antydede, at der skulle være begået et mord i Vangerfamiliens midte.

"Det var den 22. september 1966. Harriet var seksten år og netop begyndt i 2. g. Det var en lørdag, og det blev den værste dag i mit liv. Jeg har gennemgået hændelsesforløbet så mange gange, at jeg tror, jeg kan redegøre for hvert minut af det, der skete den dag – bortset fra det vigtigste."

Han gjorde en fejende bevægelse med hånden.

"En stor del af min slægt var samlet her i huset. Det var et årligt tilbagevendende, vederstyggeligt middagsselskab, hvor medejerne i Vangerkoncernen mødtes for at diskutere familiens forretninger. Det var en tradition, min farfar indførte i sin tid, og som oftest resulterede i mere eller mindre afskyelige scener. Traditionen ophørte i firserne, hvor Martin simpelthen besluttede, at alle diskussioner om firmaet skulle foregå på regulære bestyrelsesmøder i firmaregi. Det er den bedste beslutning, han nogensinde har taget. Familien har ikke været samlet til sådan et træf i tyve år."

"Du sagde, at Harriet blev myrdet ..."

"Vent lidt, og lad mig fortælle, hvad der skete. Det var altså en lørdag. Det var også en festdag med Barnets Dag-optog, der blev arrangeret af idrætsforeningen i Hedestad. Harriet havde været inde i byen og kigget på optoget sammen med nogle skolekammerater. Hun vendte tilbage til Hedeby-øen klokken to om eftermiddagen; middagsselskabet skulle begynde klokken fem, og man forventede, at hun deltog sammen med de andre af slægtens unge."

Henrik Vanger rejste sig og gik hen til vinduet. Han gjorde tegn til Mikael om at komme derhen, hvorefter han pegede.

"Klokken 14.15, nogle minutter efter at Harriet var kommet hjem, skete der en dramatisk ulykke på broen derude. En mand ved navn Gustav Aronsson, bror til en bonde på Östergården – en gård længere inde på øen – drejede op på broen og kolliderede frontalt med en tankbil, som var på vej herover med fyringsolie. Det blev aldrig opklaret, hvordan ulykken helt præcis gik til – der er godt udsyn fra begge sider – men begge kørte for hurtigt, og det, der burde have været et mindre trafikuheld, endte med en katastrofe. Chaufføren i tankbilen prøvede at undgå sammenstødet og flåede formentlig instinktivt i rattet. Han kørte ind i brorækværket og væltede; tankbilen lagde sig på tværs hen over broen med bagenden hængende langt ud over kanten på den anden side ... En jernstolpe borede sig som et spyd ind i tanken, og brandfarlig fyringsolie begyndte at sprøjte ud. Samtidig sad Gustav Aronsson fastklemt i sin bil og skreg uafbrudt af smerte. Tankbilens fører var også kommet til skade, men det lykkedes ham at kravle ud ved egen hjælp."

Den gamle holdt en tænkepause og satte sig igen.

"Ulykken havde egentlig ikke noget med Harriet at gøre, men den fik betydning på en ganske speciel måde. Der opstod totalt kaos, da tililende mennesker prøvede at hjælpe. Brandfaren var overhængende, og der blev slået alarm. Politi, ambulancer, Falck, brandbiler, journalister og nysgerrige ankom i ét væk. Alle samlede sig naturligvis på fastlandssiden; herude på øen gjorde vi alt for at få Aronsson ud af bilvraget, hvilket viste sig at være forbandet svært. Han sad godt og grundigt fastklemt og var alvorligt såret.

Vi prøvede at vriste ham løs med håndkraft, men det gik ikke. Han måtte skæres eller saves ud. Problemet var, at vi ikke kunne foretage os noget, der risikerede at skabe gnister; vi stod midt i en sø af olie ved siden af en væltet tankbil. Hvis den var eksploderet, havde vi været færdige. Det tog desuden lang tid, før vi kunne få hjælp fra fastlandssiden; tankbilen lå som en mur hen over broen, og at klatre over tankene ville være det samme som at klatre over en bombe."

Mikael havde stadig en følelse af, at den gamle fortalte en nøje forberedt og gennemtænkt historie med det formål at fange hans interesse. Men Mikael måtte på den anden side også sande, at Henrik Vanger var en glimrende historiefortæller, der forstod at engagere sin tilhører. Derimod havde han fortsat ingen anelse om, hvor fortællingen ville føre hen.

"Det, der gør ulykken så betydningsfuld, er, at broen var lukket det efterfølgende døgn. Først sent søndag aften lykkedes det at pumpe det tilbageværende brændstof ud, så man kunne fjerne tankbilen og atter åbne broen for trafik. I disse godt 24 timer var Hedeby-øen praktisk taget afskåret fra omverdenen. Den eneste måde, hvorpå man kunne komme over til fastlandet, var med en af brandvæsnets både, der var blevet sat ind for at fragte folk fra lystbådehavnen på denne side til det gamle fiskerleje neden for kirken. I flere timer blev båden kun benyttet af redningsfolk – det var først sent lørdag aften, at man begyndte at fragte privatpersoner over. Forstår du betydningen af dette?"

Mikael nikkede. "Jeg går ud fra, at der skete Harriet et eller andet her på øen, og at den mistænkte måtte findes blandt det begrænsede antal mennesker, der befandt sig her. En slags det lukkede rum-mysterium i ø-format?"

Henrik Vanger smilede ironisk.

"Mikael, du drømmer ikke om, hvor tæt du er på sandheden. Også jeg kan min Dorothy Sayers. Følgende er kendsgerninger: Harriet vendte tilbage til øen cirka ti minutter over to. Hvis vi inkluderer børn og unge, var der i løbet af dagen ankommet alt i alt fyrre gæster. Medregnet ansatte og fastboende befandt der sig fireogtres personer på eller i nærheden af gården. Nogle – de, der skulle overnatte – var ved at indlogere sig på omkringliggende gårde eller gæsteværelser.

Harriet boede tidligere i et hus på den anden side af vejen, men som jeg allerede har fortalt, var hverken hendes far Gottfried eller hendes mor Isabella stabile, og jeg kunne jo se, hvordan Harriet led. Hun kunne ikke koncentrere sig om skolearbejdet, og i 1964, da hun var fjorten, lod jeg hende flytte herind hos mig. Isabella syntes vist, det var skønt at slippe for ansvaret for hende. Hun fik sit eget værelse og boede her de sidste to år. Det var altså her, hun tog hen den sidste dag. Vi ved, at hun mødte og vekslede nogle ord med Harald Vanger ude på gårdspladsen – han er en af mine ældre brødre. Derefter gik hun op ad trappen og kom herind på mit arbejdsværelse og hilste på mig. Hun sagde, der var noget, hun ville snakke med mig om. På det tidspunkt var der nogle andre familiemedlemmer herinde, og jeg havde ikke tid til at tale med hende. Men hun virkede så opsat på det, at jeg lovede at komme ind på hendes værelse snarest muligt. Hun nikkede og gik ud ad den dør dér. Det var sidste gang, jeg så hende. Et minuts tid efter lød der et brag ude fra broen, og det kaos, der brød ud, kuldkastede alle planer for dagen."

"Hvordan døde hun?"

"Vent lidt. Det er mere kompliceret end som så, og jeg er nødt til at fortælle historien i kronologisk rækkefølge. Efter kollisionen slap folk, hvad de havde i hænderne, og løb ned til ulykkesstedet. Jeg var ... jeg tror, jeg overtog kommandoen og var febrilsk beskæftiget de følgende timer. Vi ved, at Harriet også kom ned til broen lige efter kollisionen – der var flere personer, som så hende – men på grund af eksplosionsfaren beordrede jeg alle, der ikke skulle hjælpe med at få Aronsson ud af bilvraget, til at trække sig tilbage. Vi var fem personer, der blev på ulykkesstedet. Det var mig og min bror Harald. Det var en mand ved navn Magnus Nilsson, der var vicevært hos mig. Det var savværksarbejderen Sixten Nordlander, der havde et hus nede ved fiskerlejet. Og det var en knægt, der hed Jerker Aronsson. Han var ikke mere end seksten, og jeg burde egentlig have sendt ham væk, men han var nevø til Aronsson i bilen, og blot nogle minutter efter ulykken var han kommet cyklende forbi på vej ind til byen.

Omkring 14.40 var Harriet inde i køkkenet. Hun drak et glas mælk og vekslede nogle ord med en kvinde ved navn Astrid, der var kogekone. De kiggede ud ad vinduet på tumulten nede ved broen.

Klokken 14.55 gik Harriet hen over gårdspladsen. Hun blev blandt andet set af sin mor Isabella, men de talte ikke med hinanden. Et minuts tid senere mødte hun Otto Falk, der var præst ved kirken i Hedeby. Dengang lå præstegården der, hvor Martin Vanger i dag har sin villa, og præsten boede således på denne side af broen. Præsten havde været forkølet og lå og sov, da kollisionen skete; han var gået glip af dramatikken og netop blevet varskoet og var nu på vej hen til broen. Harriet standsede ham på vejen og ville veksle nogle ord med ham, men han viftede hende væk og skyndte sig forbi. Otto Falk var den sidste person, der så hende i live."

"Hvordan døde hun?" gentog Mikael.

"Jeg ved det ikke," svarede Henrik Vanger med et forpint blik. "Først ved femtiden om eftermiddagen havde vi fået Aronsson ud af bilen – han overlevede for resten, om end han var slemt tilredt – og lidt efter seks betragtede vi brandfaren som overstået. Øen var stadig afskåret fra omverdenen, men der var ved at falde ro over stedet. Det var først, da vi ved ottetiden satte os til bords for at indtage en sen middag, vi opdagede, at Harriet manglede. Jeg sendte en af hendes kusiner op til hendes værelse for at hente hende, men hun kom tilbage og sagde, at hun ikke kunne finde hende. Jeg lagde ikke noget videre i det; jeg gik vel ud fra, at hun var gået sig en tur, eller at hun ikke havde fået besked om, at maden var serveret. Og i løbet af aftenen var jeg optaget af diverse ballade med familien. Ikke før næste morgen, da Isabella ville have fat i hende, stod det klart, at ingen vidste, hvor hun var, og at ingen havde set hende siden den foregående dag."

Han slog ud med armene.

"Siden den dag har Harriet Vanger været sporløst forsvundet."

"Forsvundet?" gentog Mikael.

"I alle disse år har vi ikke kunnet finde så meget som et mikroskopisk spor efter hende."

"Men hvis hun er forsvundet, kan du jo ikke vide, at nogen har myrdet hende."

"Jeg forstår din indvending. Jeg har tænkt i præcis samme

baner. Når et menneske forsvinder sporløst, kan der være sket én af fire ting: Hun kan være forsvundet frivilligt og holder sig skjult. Hun kan have været ude for en ulykke og er omkommet. Hun kan have begået selvmord. Og endelig kan hun have været udsat for en forbrydelse. Jeg har overvejet alle disse muligheder."

"Men du tror altså, at nogen har taget hendes liv. Hvorfor?"

"Fordi det er den eneste rimelige konklusion." Henrik Vanger løftede en finger. "I begyndelsen håbede jeg, hun var stukket af, men som dagene gik, forstod vi alle, at det ikke var tilfældet. Jeg mener, hvordan skulle en sekstenårig pige fra et temmelig beskyttet miljø – selvom hun er kløgtig – kunne klare sig selv, gemme sig og vedblive at holde sig skjult uden at blive opdaget? Hvor skulle hun få penge fra? Og selvom hun fandt sig et arbejde et sted, skulle hun jo have en adresse og registreres hos skattevæsnet."

Han holdt to fingre i vejret.

"Min næste tanke var selvfølgelig, at hun var kommet ud for en ulykke af en slags. Gider du gå hen til skrivebordet og åbne øverste skuffe? Der ligger et kort."

Mikael gjorde, som han blev bedt om, og bredte kortet ud på sofabordet. Hedeby-øen var en uregelmæssigt formet landmasse, der var omkring tre kilometer lang og godt halvanden kilometer på det bredeste sted. En stor del af øen var dækket af skov. Bebyggelsen var samlet ved broen og rundt om den lille lystbådehavn; på den anden side af øen lå en gård, Östergården, hvorfra den ulyksalige Aronsson havde startet sin biltur.

"Husk på, at hun ikke kan have forladt øen," understregede Henrik Vanger. "Her på Hedeby-øen kan man ligesom alle andre steder dø ved et ulykkestilfælde. Man kan blive ramt af lynet, men det tordnede ikke den dag. Man kan blive trampet ihjel af en hest, falde ned i en brønd eller styrte ned i en klippesprække. Her er formentlig hundredvis af muligheder for at blive offer for en ulykke. Jeg har overvejet de fleste."

Han løftede en tredje finger:

"Der er et *aber dabei*, og det gælder også for den tredje mulighed – at pigen mod forventning skulle have taget livet af sig. *Liget må befinde sig et eller andet sted på dette begrænsede område.*"

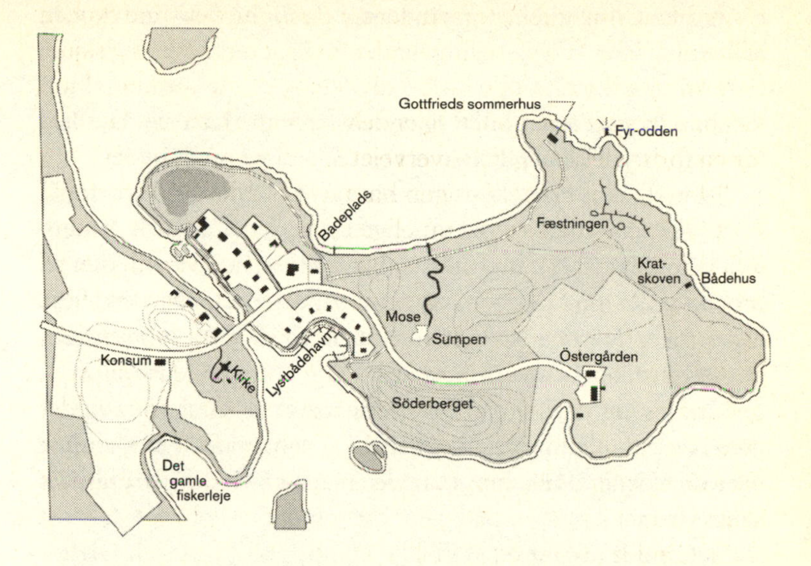

Henrik Vanger klaskede hånden ned midt på kortet.

"I dagene efter hendes forsvinden dannede vi kæde og trawlede frem og tilbage over øen. Mandskabet gennemsøgte hver eneste grøft, hvert eneste jordstykke, hver en klippesprække og hvert eneste væltet træ. Vi har gennemgået samtlige bygninger, skorstene, brønde, lader og loftsrum."

Den gamle slap Mikael med blikket og kiggede ud i mørket uden for vinduet. Hans stemme blev mere dæmpet og intens.

"Om efteråret ledte jeg efter hende, også efter at eftersøgningen var indstillet, og folk havde givet op. Når jeg ikke var nødt til at tage mig af mit arbejde, begyndte jeg at gå ture frem og tilbage over øen. Det blev vinter, og vi havde endnu ikke fundet noget spor af hende. Om foråret fortsatte jeg, indtil jeg forstod, at min eftersøgning var omsonst. Da det blev sommer, hyrede jeg tre rutinerede skovhuggere, der begyndte forfra med eftersøgningen, ledsaget af nogle blodhunde. De finkæmmede systematisk hver en kvadratmeter af øen. På det tidspunkt var jeg begyndt at tænke, at nogen kunne have gjort hende fortræd. De ledte således efter en grav, hvor nogen kunne have skjult hende. De blev ved i tre måneder. Vi fandt ikke det mindste spor af Harriet. Hun var som forsvundet i den blå luft."

"Jeg kan forestille mig en række muligheder," indvendte Mikael.

"Lad mig høre."

"Hun kan være druknet, eller selv have druknet sig. Det her er en ø, og vand kan skjule det meste."

"Ja, men sandsynligheden er ikke stor. Tænk over følgende: Hvis Harriet druknede ved en ulykke, må det efter al logik være sket i umiddelbar nærhed af landsbyen. Husk, at opstandelsen på broen var det mest dramatiske, der var sket på Hedeby-øen i flere årtier, og næppe et tidspunkt, hvor en normalt nysgerrig sekstenårig pige vælger at spadsere over på den anden side af øen.

Men endnu vigtigere er det," fortsatte han, "at strømmen her ikke er særlig kraftig, og at vindene på denne årstid er nordlige eller nordøstlige. Hvis noget falder i vandet, vil det blive skyllet op et sted på stranden på fastlandet, og der er bebyggelse stort set hele vejen. Tro ikke, at vi ikke tænkte på det; vi trak selvfølgelig vod alle de steder, hvor der kunne være nogen sandsynlighed for, at hun kunne være faldet i vandet. Jeg fik også fat i nogle unge mennesker fra en dykkerklub her i Hedestad. Hele sommeren finkæmmede de bunden i sundet og langs kysten ... intet spor. Jeg er overbevist om, at hun ikke ligger i vandet; i så fald havde vi fundet hende."

"Men kan hun ikke være kommet ud for en ulykke et andet sted? Broen var ganske vist afspærret, men der er ikke langt over til fastlandet. Hun kan have svømmet eller roet over."

"Det var sent i september og vandet så koldt, at Harriet næppe var gået af sted for at bade midt i alt postyret. Men hvis hun pludselig havde fundet på at svømme over til fastlandet, ville folk have fået øje på hende, og det ville have vakt stor opstandelse. Vi var snesevis af øjne på broen, og inde på fastlandet stod to-tre hundrede mennesker nede ved vandet og kiggede på balladen."

"Robåd?"

"Nej. Den dag befandt der sig helt nøjagtig tretten både på Hedeby-øen. De fleste lystbåde var allerede trukket på land. Nede i den gamle havn lå der to Petterson-både i vandet. Der var endvidere syv robåde, hvoraf de fem var trukket på land. Neden for præstegården lå én robåd på land og én i vandet. Ovre ved Östergården var der endnu en robåd samt en motorbåd. Samtlige både befandt sig på deres pladser. Hvis hun var roet over og taget videre, ville hun selvsagt have været nødt til at efterlade båden på den anden side."

Henrik Vanger løftede en fjerde finger.

"Hermed henstår der kun én rimelig mulighed, nemlig, at Harriet forsvandt mod sin vilje. Nogen gjorde hende fortræd og skaffede sig af med liget."

LISBETH SALANDER TILBRAGTE anden juledags morgen med at læse Mikael Blomkvists kontroversielle bog om erhvervsjournalistik. Den 210 sider tykke bog havde titlen *Tempelridderne* og undertitlen *Opsang til erhvervsjournalister*. Det smarte omslag var designet af Christer Malm og viste et fotografi af Stockholms børs. Christer Malm havde arbejdet med PhotoShop, og det varede lidt, før betragteren blev klar over, at bygningen svævede i den tomme luft. Der var ingen jordforbindelse. Det var svært at forestille sig et omslag, der tydeligere og mere kontant illustrerede tonen i bogen.

Salander kunne konstatere, at Blomkvist var en glimrende skribent. Bogen var skrevet i et ukunstlet og medrivende sprog, og selv personer uden kendskab til erhvervsjournalistikkens labyrinter kunne læse den med udbytte. Tonen var bidsk og sarkastisk, men frem for alt overbevisende.

Det første kapitel var en slags krigserklæring, hvor Blomkvist ikke lagde fingrene imellem. Svenske erhvervsjournalister havde de sidste tyve år udviklet sig til en flok inkompetente stikirenddrenge, der solede sig i deres egen prægtighed og manglede evnen til at tænke kritisk. Sidstnævnte slutning drog han med baggrund i, at så mange erhvervsjournalister gang på gang og uden at stille det mindste spørgsmål nøjedes med at gengive diverse direktørers og børsspekulanters udtalelser – endog når disse oplysninger var tydeligt vildledende og fejlagtige. Sådanne erhvervsjournalister var enten så naive og godtroende, at de burde fratages deres job, eller de var – hvilket var værre – personer, der bevidst svigtede deres journalistiske opgave, som var at bedrive kritisk research og forsyne offentligheden med korrekt information. Blomkvist hævdede, at han ofte skammede sig over at blive kaldt erhvervsjournalist, fordi han dermed risikerede at blive forvekslet med personer, han overhovedet ikke betragtede som journalister.

Blomkvist sammenlignede erhvervsjournalisternes indsats med den måde, hvorpå kriminalreportere og udenrigskorrespondenter arbejdede. Han tegnede et billede af det ramaskrig, der ville lyde, hvis en retsreporter fra et stort dagblad ukritisk refererede anklagerens oplysninger omkring en mordsag som den skinbarlige sandhed – uden at indhente information fra forsvarsadvokaten eller interviewe ofrets familie og dermed danne sig en opfattelse af, hvad der var rimeligt og ikke rimeligt. Han mente, at de samme regler måtte gælde for erhvervsjournalister.

Resten af bogen udgjorde den kæde af beviser, som skulle bekræfte den indledende svada. Et langt kapitel analyserede dækningen af et kendt IT-firma i seks førende dagblade samt i *Finanstidningen*, *Dagens Industri* og *A-ekonomi* i tv. Han citerede og opsummerede, hvad journalisterne havde sagt og skrevet, inden han sammenlignede dette med, hvordan situationen i virkeligheden havde set ud. I sin beskrivelse af firmaets udvikling nævnte han gang på gang nogle enkle spørgsmål, som en *seriøs journalist* ville have stillet, men som det samlede korps af erhvervsjournalister havde undladt at stille. Smart træk.

Et andet kapitel handlede om lanceringen af Telia-aktien – det var bogens mest vittige og ironiske afsnit, hvor nogle navngivne økonomiskribenter formelig blev hudflettet og blandt dem en vis William Borg, som Mikael syntes at være specielt irriteret på. Et andet kapitel sidst i bogen sammenlignede svenske og udenlandske erhvervsjournalisters kompetenceniveau. Blomkvist beskrev, hvordan *seriøse journalister* på *Financial Times*, *The Economist* samt nogle tyske økonomitidsskrifter havde rapporteret om tilsvarende emner i deres respektive lande. Sammenligningen faldt ikke ud til de svenske journalisters fordel. Sidste kapitel skitserede et forslag til, hvordan der kunne rettes op på den bedrøvelige situation. Bogens efterord knyttede an til indledningen:

Hvis en rigsdagsreporter skulle håndtere sin opgave på tilsvarende ukritiske måde og bryde ud i jubel ved hver beslutning, hvor tåbelig den end måtte være, eller hvis en politisk reporter på samme måde udviste manglende dømmekraft, så ville vedkommende blive fyret eller i det mindste blive overflyttet til en afdeling, hvor han eller hun ikke kunne forårsage så stor skade. I erhvervsjournalisternes verden handler det imidlertid ikke – som ved normal journalistik – om at foretage kritiske analyser og sagligt rapportere om sine fund til læserne. Her hyldes i stedet den mest succesrige sjover. Her skabes også fremtidens Sverige, og her undergraves den sidste rest af tillid til den journalistiske profession.

Det var rene ord for pengene. Tonen var skarp, og Salander havde ikke svært ved at forstå den ophedede debat, der fulgte såvel i brancheorganet *Journalisten* som i visse økonomitidsskrifter og på dagbladenes leder- og erhvervssider. Selvom kun et fåtal erhvervsjournalister blev nævnt ved navn i bogen, gik Lisbeth Salander ud fra, at branchen var såpas lille, at alle ville være klar over, præcis hvem der blev hentydet til, når diverse aviser blev citeret. Blomkvist havde skaffet sig bitre fjender, hvilket også afspejledes i de snesevis af skadefro kommentarer, der var fulgt på kendelsen i Wennerström-sagen.

Hun lukkede bogen og kiggede på bagsidens forfatterfoto. Mikael Blomkvist var fotograferet forfra. En mørkeblond hårlok faldt lidt skødesløst ned over panden, som om et vindpust var draget forbi, lige inden fotografen knipsede, eller som om (hvilket var mere sandsynligt) fotografen Christer Malm havde stylet ham. Han kiggede ind i kameraet med et ironisk smil og et blik, som formodentlig skulle være charmerende og drenget. *En ret flot mand. På vej til tre måneder bag tremmer.*

"Hej, Kalle Blomkvist," sagde hun højt til sig selv. "Lidt af en blærerøv, hva'?"

VED FROKOSTTID TÆNDTE Lisbeth for sin iBook, åbnede mailprogrammet Eudora og skrev én meget sigende sætning:

Har du tid?

Hun underskrev med *Wasp* og sendte mailen til adressen Plague_xyz_666@hotmail.com. For en sikkerheds skyld kørte hun den enkle meddelelse gennem krypteringsprogrammet PGP.

Derefter iførte hun sig sorte cowboybukser, solide vintersko, en varm rullekravesweater, en mørk sømandsjakke samt matchende, bleggule fingervanter, hue og halstørklæde. Hun fjernede ringene fra øjenbryn og næsebor, tog blegrosa læbestift på og studerede sig selv i badeværelsesspejlet. Hun lignede enhver anden, der var ude at gå en tur i julen, og betragtede tøjet som en velegnet camouflagedragt til en ekspedition bag fjendens linjer. Hun tog tunnelbanen fra Zinkensdamm til Östermalmstorg og gik hen mod Strandvägen. Hun fulgte midteralleen, mens hun holdt øje med husnumrene. Næsten fremme ved Djurgårdsbroen standsede hun og kiggede hen på den gadedør, hun havde ledt efter. Hun gik over gaden og ventede nogle meter fra døren.

Hun lagde mærke til, at de fleste af de mennesker, der var ude at spadsere denne kølige anden juledag, gik langs kajen, mens kun nogle få gik på fortovet langs husene.

Hun måtte vente tålmodigt en halv time, før en ældre kvinde med stok nærmede sig fra Djurgårdssiden. Kvinden standsede og kiggede mistænksomt på Salander, der smilede venligt og hilste med et høfligt nik. Damen med stokken hilste tilbage og så ud, som om hun forsøgte at placere den unge pige. Lisbeth vendte ryggen til og gik nogle skridt væk fra døren, som om hun ventede utålmodigt på en eller anden, og spadserede lidt frem og tilbage. Da hun vendte sig om, var damen med stokken nået hen til døren og tastede omhyggeligt nummeret til kodelåsen. Salander havde ingen problemer med at opfatte kombinationen 1260.

Hun ventede fem minutter, før hun gik hen til døren. Da hun tastede nummeret, gik låsen op med et klik. Hun åbnede døren og så sig om i trappeopgangen. Et stykke indenfor hang der et overvågningskamera, som hun kastede et blik på og derefter ignorerede; kameraet var en model, som Milton Security førte, og som først blev aktiveret, hvis en tyveri- eller overfaldsalarm gik i gang i ejendommen. Længere inde, til venstre for en antik elevator, var der en dør med endnu en kodelås. Hun tastede 1260 og kunne konstatere, at koden til hoveddøren også passede til døren til kælder og skralderum. *Hvor sløset!* Hun brugte nøjagtig tre minutter på at undersøge kælderetagen, hvor hun lokaliserede et ulåst vaskeri og et rum til storskrald. Derefter brugte hun et bundt dirke, som hun havde "lånt" af Miltons låseekspert, til at åbne en låst dør ind til noget, der så ud til at være ejerforeningens mødelokale. Bagest i kælderen fandtes et hobbyrum. Til sidst fandt hun det, hun ledte efter – et mindre lokale, der fungerede som husets el-central. Hun undersøgte elmåler, sikringsskab og stikdåser og hev derpå et digitalt Canon-kamera frem på størrelse med en pakke cigaretter. Hun tog tre billeder af det, hun var interesseret i.

På vej ud kastede hun et hurtigt blik på tavlen ved siden af elevatoren og læste navnet på øverste etage. *Wennerström.*

Derefter forlod hun ejendommen og gik i hurtigt tempo hen til Nationalmuseet, hvor hun gik ind i cafeteriaet for at varme sig og drikke kaffe. En halv time efter tog hun tilbage til Söder og gik op i sin lejlighed.

Hun havde fået svar fra Plague_xyz_666@hotmail. com. Da hun oversatte det i PGP, bestod det i al sin enkelhed af tallet 20.

KAPITEL 6

Torsdag den 26. december

MIKAEL BLOMKVISTS FASTSATTE tidsfrist på tredive minutter var allerede betragtelig overskredet. Klokken var halv fem, og han kunne godt glemme alt om at nå eftermiddagstoget. Han havde derimod stadig mulighed for at nå aftentoget halv ti. Han stod ved vinduet og masserede sin nakke, mens han betragtede den oplyste kirkefacade på den anden side af broen. Henrik Vanger havde vist ham en scrapbog med artikler om hændelsen fra såvel den lokale som de landsdækkende aviser. Der havde været temmelig stor medieinteresse i en periode – pige fra kendt industrifamilie sporløst forsvundet. Men da man ikke fandt noget lig, og der ikke skete noget gennembrud i efterforskningen, aftog interessen lidt efter lidt. Selvom det drejede sig om en fremtrædende industrifamilie, var sagen om Harriet Vanger gået i glemmebogen her seksogtredive år senere. Den mest udbredte teori i artiklerne fra sidst i tresserne syntes at være, at hun var druknet og blevet skyllet til havs – en tragedie, javist, men noget, der kan overgå en hvilken som helst familie.

Mikael var mod sin vilje blevet fascineret af den gamle mands fortælling, men da Henrik Vanger havde bedt om en pause for at gå på toilettet, var hans skepsis vendt tilbage. Den gamle var imidlertid endnu ikke kommet til slutningen, og Mikael havde til sidst lovet at høre historien til ende.

"Hvad tror du selv, der er sket med hende?" spurgte Mikael, da Henrik Vanger kom ind i arbejdsværelset igen.

"Normalt er her omkring femogtyve fastboende, men på grund af familietræffet befandt der sig nogle og tres personer på Hedeby-øen den dag. Af disse kan mellem tyve og femogtyve personer mere eller mindre udelukkes. Jeg tror, at en af de resterende – og efter al sandsynlighed en fra familien – dræbte Harriet og skjulte liget."

"Jeg har en række indvendinger."

"Fyr løs."

"Tja, én indvending er selvfølgelig, at selvom nogen skjulte hendes lig, burde det være blevet fundet på et tidspunkt, hvis eftersøgningen var så minutiøs, som du hævder."

"Sandt at sige har eftersøgningen været endnu mere omfattende, end jeg har beskrevet. Det var først, da jeg begyndte at tænke på Harriet som et mordoffer, at jeg kom på flere muligheder, hvorpå hendes lig kunne være forsvundet. Jeg kan ikke bevise det, men det er i hvert fald inden for mulighedernes grænse."

"Okay, lad mig høre."

"Harriet forsvandt ved 15-tiden. Cirka 14.55 blev hun set af præsten Otto Falk, der var på vej til ulykkesstedet. Nogenlunde samtidig ankom en fotograf fra lokalavisen, og den følgende time tog han en mængde billeder af dramaet. Vi – det vil sige politiet – studerede filmene og kunne konstatere, at Harriet ikke var med på ét eneste billede. Derimod optrådte samtlige af de andre landsbyboere på mindst ét billede hver, dog bortset fra de helt små børn."

Henrik Vanger hentede et nyt fotoalbum og lagde det på bordet foran Mikael.

"Det her er billeder fra den dag. Det første er taget inde i Hedestad under Barnets Dag-optoget. Det er samme fotograf. Billedet blev taget omkring klokken 13.15, og der er Harriet faktisk med."

Billedet var taget fra førstesalen i et hus og viste en gade, hvor festoptoget – klovne og lastbiler med unge piger i badetøj – passerede forbi. Tilskuerne trængtes på fortovet. Henrik Vanger pegede på en person i mængden.

"Der ser du Harriet. Det er taget omkring to timer før hendes forsvinden, og hun er inde i byen sammen med nogle klassekammerater. Det er det sidste billede af hende. Men der er endnu et interessant billede."

Henrik Vanger bladrede videre. Resten af albummet indeholdt godt et hundrede og firs billeder – seks filmruller – fra katastrofen på broen. Efter at have hørt historien føltes det næsten morbidt pludselig at se den beskrevet i form af skarpe, sort-hvide billeder. Fotografen kunne sit håndværk og havde fanget ulykkens kaos. Mange af billederne fokuserede på aktiviteterne omkring den væltede tankbil. Mikael kunne med lethed udskille en gestikulerende seksogfyrreårig Henrik Vanger indsmurt i fyringsolie.

"Der ser du min bror Harald." Den gamle pegede på en mand i jakkesæt, der stod halvt foroverbøjet og pegede på noget i det bilvrag, hvor Aronsson sad fastklemt. "Min bror Harald er et ubehageligt menneske, men jeg tror, han kan slettes fra listen over mistænkte. Bortset fra et kort øjeblik, hvor han måtte løbe tilbage til gården for at skifte sko, befandt han sig på broen hele tiden."

Henrik Vanger bladrede videre. Billederne afløste hinanden. Fokus på tankbilen. Fokus på tilskuere på bredden. Fokus på Aronssons bilvrag. Panoreringer. Nærgående indzooming.

"Dette er det interessante billede," sagde Henrik Vanger. "Så vidt vi har kunnet fastslå, er det taget på et tidspunkt mellem 15.40 og 15.45, altså godt tre kvarter efter, at Harriet mødte præsten Falk. Prøv at kigge på vores hus, det midterste vindue på første sal. Det er Harriets værelse. På det foregående billede er vinduet lukket. Her er det åbent."

"Nogen befandt sig altså på Harriets værelse inden for det tidsrum."

"Jeg har spurgt alle. Ingen vil vedkende sig at have åbnet vinduet."

"Hvilket betyder, at det enten var Harriet selv, og at hun var i live på det tidspunkt, eller at nogen lyver for dig. Men hvorfor skulle en morder gå ind på hendes værelse og åbne vinduet? Og hvorfor skulle nogen lyve?"

Henrik Vanger rystede på hovedet. Der var ikke noget svar.

"Harriet forsvandt omkring klokken 15.00 eller umiddelbart efter. Disse billeder giver en vis opfattelse af, hvor folk befandt sig på det tidspunkt. Det er derfor, jeg kan slette en del personer fra listen over mistænkte. På samme måde er der en række personer, som ikke optræder på billederne fra dette tidsrum, og som derfor må indføjes på listen over mistænkte."

"Du svarede ikke på spørgsmålet om, hvordan du tror, liget forsvandt. Det slår mig lige, at der naturligvis er et indlysende svar. Et godt, gammeldags forsvindingsnummer."

"Der er faktisk flere helt realistiske måder at udføre det på. På et tidspunkt omkring klokken 15.00 slår morderen til. Han eller hun benyttede formodentlig ikke noget våben – i så fald ville vi nok have fundet blodspor. Jeg gætter på, at Harriet blev kvalt, og jeg gætter på, at det skete her – bag muren på gårdspladsen, et sted, der ligger uden for fotografens synsfelt og i en død vinkel fra huset. Der er en kort genvej, hvis man vil tage den hurtigste vej fra præstegården – hvor hun sidst blev set – og tilbage til huset. I dag er der lidt beplantning og en græsplæne, men i tresserne var det en grusplads, som blev brugt til bilparkering. Det eneste, morderen behøvede gøre, var at åbne et bagagerum og proppe Harriet ned i det. Da vi begyndte at danne kæde dagen efter, var der ingen, som forestillede sig, at der var begået en forbrydelse – vi koncentrerede os om stranden, bygninger og skovpartiet nærmest landsbyen."

"Der var med andre ord ingen, som kontrollerede bilernes bagagerum."

"Og om aftenen næste dag var der frit slag for morderen til at tage sin bil, køre over broen og skjule liget et andet sted."

Mikael nikkede. "For næsen af hele eftersøgningsholdet. Hvis det gik til på den måde, har vi med en yderst koldblodig satan at gøre."

Henrik Vanger lo bittert. "Du har lige givet en rammende beskrivelse af adskillige af Vangerfamiliens medlemmer."

DE FORTSATTE DISKUSSIONEN over middagen klokken seks. Anna havde serveret stegt hare med ribsgelé og kartofler. Henrik Vanger bød på en fyldig rødvin. Mikael havde stadig god tid til at nå sidste tog. Tiden var inde til at afrunde, syntes han.

"Jeg må tilstå, at det er en fascinerende historie, du har fortalt, men jeg kan ikke helt blive klog på, hvorfor du fortæller den til mig."

"Det har jeg faktisk allerede sagt. Jeg vil afsløre det svin, der myrdede min brors barnebarn. Og det er det, jeg vil engagere dig til."

"Hvordan?"

Henrik Vanger lagde kniv og gaffel fra sig. "Mikael, i snart syvogtredive år har jeg spekuleret som en gal på, hvad der overgik Harriet. I årenes løb har jeg brugt mere og mere af min fritid på at lede efter hende."

Han tav, tog brillerne af og kiggede på en usynlig plet på glasset. Så løftede han blikket og betragtede Mikael.

"Hvis jeg skal være helt ærlig, var Harriets forsvinden grunden til, at jeg lidt efter lidt slap roret i koncernledelsen. Jeg mistede gejsten. Jeg vidste, der fandtes en morder i min nærhed, og grubleriet og min søgen efter sandheden blev en belastning for mit arbejde. Det værste er, at byrden ikke blev lettere med tiden – tværtimod. Omkring 1970 havde jeg en periode, hvor jeg bare ville være i fred. På det tidspunkt var Martin trådt ind i bestyrelsen, og han måtte overtage mere og mere af min arbejdsbyrde. I 1976 trak jeg mig tilbage, og Martin overtog posten som administrerende direktør. Jeg sidder stadig i bestyrelsen, men jeg har ikke udrettet noget af betydning, siden jeg fyldte halvtreds. De sidste seksogtredive år er der ikke gået en dag, hvor jeg ikke har spekuleret over Harriets forsvinden. Du vil måske mene, at jeg er besat af det her – det synes de fleste af mine pårørende i hvert fald. Og det passer formentlig."

"Det var en frygtelig begivenhed."

"Det var mere end det. Det ødelagde mit liv. Det er et faktum, jeg er blevet stadigt mere bevidst om, som tiden er gået. Har du en veludviklet selverkendelse?"

"Tja, det mener jeg selvfølgelig selv."

"Det har jeg også. Jeg kan ikke slippe det, der skete. Men mine motiver har ændret sig med årene. I begyndelsen var det måske sorg. Jeg ville finde hende og i det mindste få hende begravet. Det handlede om at give Harriet oprejsning."

"På hvilken måde har det ændret sig?"

"I dag handler det mere om at finde det koldblodige svin. Men det pudsige er, at jo ældre jeg bliver, jo mere er det blevet til en opslugende hobby."

"Hobby?"

"Ja, jeg vil faktisk bruge det ord. Da politiefterforskningen løb ud i sandet, fortsatte jeg. Jeg har prøvet at gå systematisk og videnskabeligt til værks. Jeg har indsamlet al den information, det har været muligt at opdrive – fotografierne oppe ovenpå, politirapporterne, jeg har nedskrevet alt, hvad folk har fortalt mig om, hvad de foretog sig den dag. Jeg har med andre ord brugt næsten halvdelen af mit liv på at indsamle information om en enkelt dag."

"Du er vel klar over, at morderen efter seksogtredive år måske selv er død og begravet?"

"Det tror jeg ikke."

Mikael hævede brynene ved den bestemthed, ordene blev udtalt med.

"Lad os spise færdig og gå ovenpå igen. Der mangler en sidste detalje, før min historie er komplet. Det er den mest gådefulde."

LISBETH SALANDER PARKEREDE Corolla'en med automatgear ved togstationen i Sundbyberg. Hun havde lånt Toyota'en fra Milton Securitys bilpark. Hun havde ikke ligefrem bedt om lov, men Armanskij havde på den anden side aldrig udtrykkelig forbudt hende at bruge nogen af Miltons biler. Før eller senere, tænkte hun, er jeg nødt til at anskaffe mig mit eget køretøj. Hun havde ikke bil, men ejede derimod en motorcykel – en brugt letvægter, en Kawasaki 125 kubik, som hun brugte om sommeren. Om vinteren var kværnen låst inde i hendes kælderrum.

Hun spadserede hen til Högklintavägen og ringede på dørtelefonen på slaget seks. Låsen klikkede efter nogle sekunder, og hun gik to etager op ad trappen og ringede på døren med det beskedne navn Svensson. Hun havde ingen anelse om, hvem Svensson var, eller om der overhovedet boede en person af det navn i lejligheden.

"Hej, Plague," sagde hun.

"Wasp. Du kommer kun på besøg, når der er noget, du vil have."

Manden, der var tre år ældre end Lisbeth, var 189 centimeter høj og vejede 152 kilo. Selv var hun 154 centimeter høj og vejede 42 kilo og havde altid følt sig som en dværg ved siden af Plague. Som sædvanlig var der mørkt i hans lejlighed; lyset fra en enkelt tændt lampe sivede ud i entreen fra det soveværelse, han brugte som kontor. Der lugtede indelukket og beklumret.

"Plague, det er, fordi du aldrig vasker dig, og fordi her lugter som en abegrotte. Hvis du nogensinde har tænkt dig at gå ud, kender jeg et godt sæbemærke. Fås i Konsum."

Han smilede blegt, men svarede ikke og gjorde tegn til hende om at følge med ud i køkkenet. Han tog plads ved spisebordet uden at tænde lys. Belysningen bestod hovedsagelig af skæret fra gadelygten uden for vinduet.

"Jeg har godt nok ikke selv verdensrekorden i rengøring, men når de gamle mælkekartoner begynder at lugte af døde dyr, samler jeg dem sammen og smider dem ud."

"Jeg er invalidepensionist," sagde han. "Jeg er socialt handicappet."

"Så derfor gav staten dig en bolig og glemte alt om dig. Er du aldrig bange for, at naboerne skal klage og socialforvaltningen komme på inspektion? Du risikerer at ende på en galeanstalt."

"Har du noget til mig?"

Lisbeth åbnede lynlåsen i jakkelommen og trak 5.000 kroner op.

"Det er alt, jeg kan undvære. Det er mine egne penge, og jeg kan jo ikke så godt trække dig fra som udgift."

"Hvad vil du have?"

"Snifferen, du snakkede om for to måneder siden. Fik du den lavet?"

Han smilede og anbragte en genstand på bordet foran hende.

"Fortæl, hvordan den virker."

I den følgende time lyttede hun opmærksomt. Derefter afprøvede hun snifferen. Plague var muligvis socialt handicappet, men han var uden tvivl et geni.

HENRIK VANGER BLEV stående ved sit skrivebord og ventede, til han atter havde Mikaels opmærksomhed. Mikael kiggede på sit armbåndsur. "Du talte om en gådefuld detalje?"

Henrik Vanger nikkede. "Jeg er født den 1. november. Da Harriet var otte år, gav hun mig en fødselsdagsgave, et billede. En presset blomst anbragt i en enkel ramme."

Henrik Vanger gik rundt om skrivebordet og pegede på den første blomst. *Klokkeblomst.* Den var amatøragtigt og klodset monteret.

"Det var det første billede. Jeg fik det i 1958."

Han pegede på det næste billede.

"1959." *Smørblomst.* "1960." *Margerit.* "Det blev en tradition. Hun lavede billedet i løbet af sommeren og gemte det til min fødselsdag. Jeg hængte dem altid på denne væg her. I 1966 forsvandt hun, og traditionen blev brudt."

Henrik Vanger tav og pegede på et tomrum i rækken af billeder. Mikael følte pludselig nakkehårene rejse sig. Hele væggen var fuld af pressede blomster.

"I 1967, et år efter hendes forsvinden, fik jeg denne blomst på min fødselsdag. Det er en viol."

"Hvordan fik du blomsten?" spurgte Mikael dæmpet.

"Indpakket i gavepapir og sendt med posten i en foret kuvert. Sendt fra Stockholm. Ingen afsender. Ingen følgeskrivelse."

"Du mener, at ..." Mikael gjorde en fejende bevægelse med hånden.

"Lige netop. På min fødselsdag hvert eneste forbandede år. Forstår du, hvordan det føles? Det er rettet mod mig, som om morderen ønsker at tortere mig. Jeg har spekuleret som en vanvittig over, om det måske forholder sig sådan, at Harriet blev ryddet af vejen, fordi nogen ville have ram på mig. Det var ingen hemmelighed, at Harriet og jeg havde et helt specielt forhold, og at jeg opfattede hende som min egen datter."

"Hvad er det, du helt nøjagtig vil have mig til?" spurgte Mikael i et skarpere tonefald.

DA LISBETH SALANDER stillede Corolla'en tilbage i garagen under Milton Security, benyttede hun anledningen til at gå på toilettet oppe på kontoret. Hun stak sit id-kort i døren og tog elevatoren direkte op til anden sal for at slippe for at gå igennem receptionen på første sal, hvor vagterne holdt til. Hun gik på toilettet og hentede derpå en kop kaffe fra den espressoautomat, som Dragan Armanskij havde investeret i, da det langt om længe gik op for ham, at Lisbeth aldrig ville blive en, man kunne sætte til at lave kaffe. Derefter gik hun hen til sit kontor og hængte læderjakken over en stol.

Kontoret var et lille hummer på 2 x 3 meter inde bag en glasvæg. Det rummede et skrivebord med en ældre, stationær Dell-pc, en kontorstol, en papirkurv, en telefon og en bogreol. Reolen indeholdt en række telefonbøger og tre ubrugte notesblokke. De to skrivebordsskuffer indeholdt nogle udtørrede kuglepenne, papirclips og en notesblok. I vinduet stod der en død blomst med brune, visne blade. Lisbeth studerede eftertænksomt blomsten, som om det var første gang, hun så den. Lidt efter bar hun den beslutsomt hen til papirkurven.

Hun havde sjældent noget ærinde på sit kontor og besøgte det måske en halv snes gange om året, som regel hvis hun havde brug for at være alene og lægge sidste hånd på en rapport. Dragan Armanskij havde insisteret på, at hun fik sit eget kontor. Hans motivering var, at hun på denne måde ville føle sig som en del af firmaet, selvom hun arbejdede som freelancer. Personlig havde hun en mistanke om, at Armanskij håbede, det ville give ham mulighed for at holde et vågent øje med hende og blande sig i hendes private anliggender. I begyndelsen var hun blevet placeret længere nede ad gangen i et større lokale, som hun forventedes at dele med en kollega, men i og med at hun aldrig var der, havde han til sidst flyttet hende ind i det lille pulterrum, som var blevet tilovers på gangen.

Lisbeth tog den sniffer frem, hun havde hentet hos Plague. Hun lagde genstanden på bordet foran sig og betragtede den tankefuldt, mens hun bed sig i underlæben og spekulerede.

Klokken var over elleve om aftenen, og hun var alene på etagen. Med ét følte hun sig led og ked af det hele.

Lidt efter rejste hun sig og gik ned for enden af gangen, hvor hun tog i døren ind til Dragan Armanskijs kontor. Låst. Hun så sig omkring. Sandsynligheden for, at nogen skulle dukke op på gangen ved midnat anden juledag, var nærmest ikkeeksisterende.

Hun åbnede døren med en piratkopi af firmaets hovednøgle, som hun havde sørget for at skaffe sig flere år tidligere.

Armanskijs kontor var rummeligt med skrivebord, gæstestole samt et lille konferencebord i et hjørne med plads til otte personer. Der var upåklageligt rent og ryddeligt. Hun havde ikke snaget i hans ting i lang tid, og når hun nu alligevel var på kontoret ... Hun tilbragte en time ved hans skrivebord og sørgede for at blive opdateret omkring jagten på en mistænkt industrispion, hvilke personer der var placeret *under cover* i en virksomhed, der blev hærget af en organiseret tyvebande, samt hvilke foranstaltninger der i største hemmelighed var truffet for at beskytte en klient, der frygtede, at hendes barn ville blive kidnappet af sin far.

Til sidst anbragte hun alle papirer nøjagtig, hvor de havde ligget, låste døren til Armanskijs kontor og gik hjem til Lundagatan. Hun følte sig tilfreds med sit dagsværk.

MIKAEL BLOMKVIST RYSTEDE endnu en gang på hovedet. Henrik Vanger havde sat sig bag skrivebordet og betragtede roligt Mikael, som om han allerede var forberedt på enhver indvending.

"Jeg ved ikke, om vi nogensinde finder ud af sandheden, men jeg vil ikke gå i graven uden i det mindste at gøre et sidste forsøg," sagde den gamle. "Jeg ønsker ganske enkelt at ansætte dig til at gennemgå hele bevismaterialet en sidste gang."

"Det her er jo den rene galimatias," konkluderede Mikael.

"Hvorfor?"

"Jeg har hørt tilstrækkeligt. Henrik, jeg forstår din sorg, men jeg vil også være ærlig over for dig. Det, du vil have mig til, er spild af tid og penge. Du beder mig fremtrylle en løsning på et mysterium, som kriminalbetjente og professionelle efterforskere med langt større ressourcer har måttet give op over for. Du beder mig opklare en forbrydelse næsten fyrre år efter, at den blev begået. Hvordan skulle jeg kunne det?"

"Vi har ikke diskuteret dit honorar," tog Henrik Vanger til genmæle.

"Det behøves ikke."

"Hvis du siger nej, kan jeg ikke tvinge dig, men hør nu, hvad jeg tilbyder. Dirch Frode har allerede udfærdiget en kontrakt. Vi kan forhandle om de nærmere detaljer, men kontrakten er enkel, og det eneste, der mangler, er din underskrift."

"Henrik, det her er meningsløst. Jeg kan ikke løse gåden om Harriets forsvinden."

"Det behøver du heller ikke ifølge kontrakten. Det eneste, jeg kræver, er, at du gør dit allerbedste. Hvis det ikke lykkes dig, er det Guds vilje eller – hvis du ikke tror på ham – skæbnens."

Mikael sukkede. Han var begyndt at føle sig mere og mere ilde tilpas og ønskede at afslutte besøget i Hedeby, men blev alligevel siddende.

"Så kom da med det."

"Jeg ønsker, at du skal bo og arbejde her i Hedeby i et år. Jeg ønsker, at du gennemgår hele efterforskningen af Harriets forsvinden, dokument for dokument. Jeg ønsker, at du studerer det hele med nye øjne. Jeg ønsker, at du sætter spørgsmålstegn ved alle gamle konklusioner, præcis som en opsøgende journalist skal gøre. Jeg ønsker, at du leder efter sådanne ting, som jeg og politiet og andre efterforskere kan have overset."

"Du beder mig opgive hele min tilværelse og min karriere i et år for at hellige mig noget, der er fuldstændig spild af tid."

Henrik Vanger smilede pludselig.

"Hvad angår din karriere, kan vi vist blive enige om, at det står lidt sløjt til lige i øjeblikket."

Det havde Mikael ikke noget svar på.

"Jeg vil købe et år af dit liv. Et stykke arbejde. Lønnen er bedre end noget andet tilbud, du nogensinde vil få. Jeg betaler 200.000 kroner om måneden, altså i alt 2,4 millioner, hvis du accepterer og bliver her hele året."

Mikael var målløs.

"Jeg har ingen illusioner. Jeg ved, at chancen for, at det lykkes dig, er minimal, men hvis du mod al forventning løser gåden, tilbyder jeg en bonus – dobbelt honorar, dvs. 4,8 millioner kroner. Lad os være generøse og runde op til 5 millioner."

Henrik Vanger lænede sig tilbage og lagde hovedet på skrå.

"Jeg kan overføre pengene til en hvilken som helst bankkonto, du måtte ønske, hvor som helst i verden. Du kan også få pengene i kontanter i en kuffert, og så er det op til dig, om du vil opgive indtægten til skattevæsnet eller ej."

"Det er ... sygt," stammede Mikael.

"Hvorfor det?" spurgte Henrik Vanger roligt. "Jeg er over firs år og stadig ved mine sansers fulde brug. Jeg har en meget stor privat formue, som jeg kan disponere frit over. Jeg har ingen børn, og jeg har ikke den fjerneste lyst til at skænke penge til slægtninge, som jeg afskyr. Jeg har skrevet testamente: Hovedparten af mine penge vil jeg skænke til Verdensnaturfonden. Nogle få personer, der står mig nær, vil få en net sum – blandt andet Anna nedenunder."

Mikael rystede på hovedet.

"Prøv at forstå mig. Jeg er gammel og skal snart dø. Der er kun én ting her i verden, som jeg ønsker mig, og det er et svar på det spørgsmål, der har plaget mig i snart fire årtier. Jeg tror ikke, jeg vil få svaret at høre, men jeg har penge nok til at gøre et sidste forsøg. Skulle der være noget urimeligt i, at jeg bruger en del af min formue til et sådant formål? Det skylder jeg Harriet. Og det skylder jeg mig selv."

"Du vil betale flere millioner kroner for ingenting. Det eneste, jeg behøver, er jo at underskrive kontrakten, hvorefter jeg kan trille tommelfingre i et år."

"Det vil du ikke gøre. Du vil tværtimod arbejde hårdere, end du nogensinde har gjort i hele dit liv."

"Hvordan kan du være så sikker på det?"

"Fordi jeg kan tilbyde dig noget, du ikke kan købe for penge, men som du ønsker højere end noget andet i verden."

"Og hvad skulle det være?"

Henrik Vangers øjne blev smalle.

"Jeg kan give dig Hans-Erik Wennerström. Jeg kan bevise, at han er en svindler. Han begyndte nemlig sin karriere hos mig for femogtredive år siden, og jeg kan give dig hans hoved på et fad. Løs gåden, og du kan forvandle dit nederlag i byretten til årets reportage."

KAPITEL 7

Fredag den 3. januar

ERIKA SATTE KAFFEKOPPEN på bordet og vendte ryggen til Mikael. Hun stod ved vinduet i hans lejlighed og kiggede på udsigten over Gamla Stan. Den var den 3. januar, og klokken var ni om morgenen. Al sneen var regnet væk efter nytår.

"Jeg har altid kunnet lide denne udsigt," sagde hun. "Det er sådan en lejlighed, der ville kunne få mig til at droppe Saltsjöbaden."

"Du har jo nøglen. Du er velkommen til at flytte ind fra overklassereservatet," sagde Mikael. Han lukkede kufferten og stillede den fra sig i entreen. Erika vendte sig om og betragtede ham tvivlende.

"Det kan ikke være dit alvor," sagde hun. "Vi befinder os midt i den værste krise, og du pakker to kufferter og bosætter dig i Langtbortistan."

"Hedestad. Nogle timer med tog. Og det er ikke for altid."

"Det kunne lige så godt være Ulan Bator. Forstår du ikke, at det vil se ud, som om du stikker af med halen mellem benene?"

"Det er jo det, jeg gør. Desuden har jeg også en fængselsdom at afsone i år."

Christer Malm sad i Mikaels sofa. Han følte sig ubehageligt til mode. Det var første gang, siden de startede *Millennium*, at han havde oplevet Mikael og Erika være så uforsonligt uenige. Gennem årene havde de to været uadskillelige. De havde ganske vist kunnet tørne sammen i voldsomme skænderier, men det havde altid drejet sig om praktiske spørgsmål, der var blevet løst, hvorefter de gav hinanden et knus og gik på værtshus. Eller i seng. Det foregående efterår havde ikke været muntert, og nu var det, som om en afgrund havde åbnet sig. Christer spekulerede på, om han overværede begyndelsen til enden på *Millennium.*

"Jeg har ikke noget valg," sagde Mikael. "*Vi* har ikke noget valg."

Han skænkede kaffe op til sig selv og tog plads ved bordet i køkkenet. Erika rystede på hovedet og satte sig over for ham.

"Hvad mener du, Christer?" spurgte hun.

Christer slog ud med hænderne. Han havde ventet på spørgsmålet og frygtet det øjeblik, hvor han ville blive nødt til at tage stilling. Han var den tredje medejer, men alle tre vidste, at det var Mikael og Erika, der var *Millennium.* De eneste gange, de spurgte ham til råds, var, når de var virkelig uenige.

"Helt ærlig," svarede Christer, "så ved I begge to, at det ikke spiller nogen rolle, hvad jeg mener."

Han tav. Han elskede at skabe billeder. Han elskede at arbejde med grafisk formgivning. Han havde aldrig betragtet sig som kunstner, men han vidste, han var en gudbenådet designer. Derimod var han elendig til intriger og forhandlinger.

Erika og Mikael betragtede hinanden. Hun med kølig vrede. Han eftertænksomt.

Det her er ikke noget skænderi, tænkte Christer. *Det er en skilsmisse.* Det var Mikael, der brød tavsheden.

"Okay, lad mig fremlægge mine argumenter en sidste gang." Han fastholdt Erikas blik. "Det her betyder *ikke,* at jeg har opgivet *Millennium.* Dertil har vi knoklet alt for hårdt."

"Men nu vil du ikke befinde dig på redaktionen – det bliver mig og Christer, der skal trække læsset. Er du klar over, at det er dig selv, der går i eksil?"

"Det er det andet argument. Jeg må have en pause, Erika. Jeg fungerer ikke længere. Jeg er helt færdig. En betalt ferie i Hedestad er måske lige, hvad jeg trænger til."

"Hele affæren er syg, Mikael. Du kunne lige så godt begynde at arbejde på en ufo."

"Jeg ved det, men jeg får 2,4 millioner for at sidde på min flade røv i et år, og jeg kommer ikke til at kede mig. Det er det tredje. Første omgang mod Wennerström er forbi, og han vandt på knockout. Anden omgang er allerede i gang – han vil forsøge at køre *Millennium* i sænk én gang for alle, fordi han ved, at så længe tidsskriftet eksisterer, vil der sidde en redaktion med viden om, hvad han er for en karl."

"Det er jeg klar over. Jeg har set det i regnskabet over annonceindtægter hver måned det sidste halve år."

"Lige netop. Derfor *skal* jeg væk fra redaktionen. Jeg virker som en rød klud på ham. Han er paranoid, hvad mig angår. Så længe jeg er her, vil han fortsætte kampagnen, så nu må vi forberede os på tredje omgang. Hvis vi skal have den mindste chance mod Wennerström, må vi træde et skridt tilbage og lægge en helt ny strategi. Vi må finde ud af, hvor vi kan sætte det afgørende stød ind. Det bliver min opgave det kommende år."

"Alt det der har jeg forstået," kvitterede Erika. "Tag ferie. Rejs til udlandet, lig under palmerne en måned. Undersøg de spanske kvinders kærlighedsliv. Slap af. Sæt dig ude i Sandhamn og kig på bølgerne."

"Og når jeg kommer tilbage, har intet forandret sig. Wennerström vil knuse *Millennium*. Det ved du godt. Det eneste, der kan forhindre ham i det, er, at vi finder noget på ham, som vi kan bruge."

"Og det tror du, du vil finde i Hedestad."

"Jeg tjekkede presseudklippene. Wennerström arbejdede for Vangerkoncernen fra 1969 til 1972. Han sad i ledelsen og havde ansvar for strategiske pengeanbringelser. Han holdt op meget pludseligt. Vi kan ikke udelukke, at Henrik Vanger faktisk har noget på ham."

"Men hvis han gjorde et eller andet for tredive år siden, er det næppe noget, vi kan bevise i dag."

"Henrik Vanger lovede at give et interview og fortælle, hvad han ved. Han er besat af sin forsvundne slægtning – det ser ud til at være det eneste, der interesserer ham, og hvis det medfører, at han må ofre Wennerström, så tror jeg, der er en god mulighed for, at han vil gøre det. Uanset hvad kan vi ikke lade denne chance gå fra os – han er den første, der har sagt, at han er villig til at svine Wennerström til *on the record*."

"Om du så kom tilbage med bevis på, at det var Wennerström, der kvalte pigen, ville vi ikke kunne bruge det. Ikke efter så lang tid. Han ville massakrere os i retssalen."

"Tanken har faktisk slået mig, men beklager – han læste på Handelshøjskolen på det tidspunkt og havde ingen forbindelse med Vangerkoncernen, da Harriet forsvandt." Mikael gjorde en pause. "Erika, jeg har ikke tænkt mig at forlade *Millennium*, men det er vigtigt at få det til at se ud, som om jeg har gjort det. Du og Christer må føre tidsskriftet videre. Hvis I kan ... hvis I får mulighed for at indgå en fredsaftale med Wennerström, så har I min fulde accept. Og det kan I ikke gøre, hvis jeg sidder i redaktionen."

"Okay, vi er trængt op i en krog, men jeg tror, du griber efter et halmstrå ved at tage til Hedestad."

"Har du da et bedre forslag?"

Erika trak på skuldrene. "Vi burde opdrive nye kilder. Bygge historien op fra grunden. Og gøre det rigtigt denne gang."

"Ricky – historien er stendød."

Erika hvilede opgivende hovedet i hænderne på bordet. Da hun svarede, ville hun først ikke møde Mikaels blik.

"Jeg bliver så skidetosset på dig. Ikke fordi den historie, du skrev, var forkert – jeg gik i lige så høj grad på den. Og ikke fordi du forlader posten som ansvarshavende redaktør – det er en klog beslutning i den nuværende situation. Jeg kan acceptere, at vi får det til at se ud som et brud eller en magtkamp mellem dig og mig – jeg forstår logikken i at få Wennerström til at tro, jeg er en harmløs bimbo, og at det er dig, der er truslen."

Hun gjorde en pause og så ham i øjnene med et sammenbidt ansigtsudtryk.

"Men jeg tror, du tager fejl. Wennerström lader sig ikke bluffe. Han vil fortsætte med at prøve at køre *Millennium* i sænk. Den eneste forskel er, at fra og med nu må jeg slås med ham alene, og du ved, at der mere end nogensinde er brug for dig på redaktionen. Okay, jeg går gerne i krig med Wennerström, men det, der gør mig så skidetosset, er, at du bare sådan uden videre forlader den synkende skude. Du svigter, når det virkelig brænder på."

Mikael rakte hånden ud og strøg hende over håret.

"Du er ikke alene. Du har Christer og resten af redaktionen bag dig."

"Ikke Janne Dahlman. For øvrigt tror jeg, det var en fejltagelse at ansætte ham. Han er dygtig, men han gør mere skade end gavn. Jeg stoler ikke på ham. Han har gået rundt og været skadefro hele efteråret. Jeg ved ikke, om han håber på at kunne overtage din post, eller om kemien mellem ham og resten af redaktionen simpelthen er dårlig."

"Jeg er bange for, at du har ret," svarede Mikael.

"Så hvad skal jeg gøre? Fyre ham?"

"Erika, du er chefredaktør og hovedaktionær i *Millennium*. Hvis du er nødt til at fyre ham, så gør det."

"Vi har aldrig fyret nogen før, Micke. Og nu skubber du også denne beslutning over på mig. Det er ikke længere sjovt at gå på arbejde om morgenen."

I samme øjeblik rejste Christer Malm sig pludselig.

"Hvis du skal nå toget, må vi se at komme i omdrejninger." Erika begyndte at protestere, men han holdt afværgende en hånd i vejret. "Vent lidt, Erika. Du spurgte, hvad jeg mente. Jeg synes, det er en forbandet kedelig situation, men hvis det forholder sig, som Mikael siger – at han er ved at brænde sammen – så skal han faktisk rejse for sin egen skyld. Så meget skylder vi ham."

Både Mikael og Erika kiggede forbløffet på Christer, mens han skævede genert til Mikael.

"I ved begge to, at det er jer, der er *Millennium*. Jeg er medejer, og I har altid været ærlige over for mig, og jeg elsker tidsskriftet og alt det der, men I ville uden videre kunne udskifte mig med en hvilken som helst anden billedredaktør. Men I spurgte om min mening, og nu har I fået den. Hvad angår Janne Dahlman, er jeg enig med jer, og hvis du er nødt til at fyre ham, Erika, kan jeg gøre det for dig. Bare vi har en gyldig grund."

Han holdt inde lidt, før han fortsatte.

"Jeg er enig med dig i, at det er meget ulykkeligt, at Mikael forsvinder netop nu, men jeg tror ikke, vi har noget valg." Han kiggede på Mikael. "Jeg kører dig til stationen. Erika og jeg holder skansen, til du vender tilbage."

Mikael nikkede langsomt.

"Det, jeg er bange for, er, at Mikael ikke vender tilbage," sagde Erika sagte.

DRAGAN ARMANSKIJ VÆKKEDE Lisbeth Salander, da han ringede til hende halv to om eftermiddagen.

"Hva'?" spurgte hun søvndrukkent. Munden smagte af tjære.

"Mikael Blomkvist. Jeg har lige talt med vores klient, advokat Frode."

"Jaså?"

"Han ringede og sagde, vi kunne droppe undersøgelsen af Wennerström."

"Droppe den? Men jeg er jo allerede gået i gang."

"Okay, men Frode er ikke længere interesseret."

"Bare sådan?"

"Det er ham, der bestemmer. Vil han ikke fortsætte, så vil han ikke."

"Vi var enige om et honorar."

"Hvor meget tid har du brugt?"

Lisbeth Salander tænkte efter.

"Godt og vel tre hele arbejdsdage."

"Vi blev enige om et loft på 40.000 kroner. Jeg skriver en faktura på 10.000. Du får halvdelen, hvilket er rimeligt for tre dages spildtid. Det må han betale for at have sat det hele i værk."

"Hvad skal jeg gøre med det materiale, jeg har fundet frem?"

"Er det noget spektakulært?"

Hun tænkte efter igen. "Nej."

"Frode har ikke bedt om nogen rapport. Opbevar det et stykke tid for det tilfælde, han skulle vende tilbage til sagen. Derefter kan du kassere det. Jeg har et nyt job til dig i næste uge."

Efter at Armanskij havde lagt på, sad Lisbeth Salander et øjeblik med telefonrøret i hånden. Hun gik ind til sit kontorhjørne i dagligstuen og kiggede på de notater, hun havde hæftet op på væggen, og på den stak papir, hun havde samlet på skrivebordet. Det, hun havde nået at støve op, var hovedsagelig presseudklip og artikler, hun havde downloadet på nettet. Hun tog papirerne og smed dem ned i en skrivebordsskuffe.

Hun rynkede brynene. Mikael Blomkvists besynderlige optræden i retssalen havde virket som en interessant udfordring, og Lisbeth Salander syntes ikke om at afbryde noget, hun var gået i gang med. *Folk har altid hemmeligheder. Det handler bare om at finde ud af hvilke.*

Del 2

KONSEKVENSANALYSER

3. januar til 17. marts

**46 procent af alle svenske kvinder
er blevet udsat for vold af en mand**

KAPITEL 8

Fredag den 3. januar – søndag den 5. januar

DA MIKAEL BLOMKVIST for anden gang steg af toget i Hedestad, var himlen pastelblå og luften iskold. Et termometer på facaden uden for jernbanestationen fortalte, at det var minus 18 grader. Han var stadig iført sko, der ikke var velegnede til årstiden. Til forskel fra forrige besøg var der ingen advokat Frode, der ventede med en opvarmet bil. Mikael havde kun fortalt, hvilken dag han ville komme, men ikke med hvilket tog. Han gik ud fra, at han kunne tage en eller anden bus til Hedeby, men han havde ikke lyst til at slæbe på to tunge kufferter og en skuldertaske i jagten på et busstoppested. I stedet gik han hen til taxaholdepladsen på den anden side af jernbanetorvet.

Mellem jul og nytår havde det sneet voldsomt ved Norrlandskysten, og at dømme efter snedriverne langs vejene havde vejvæsnet i Hedestad arbejdet på højtryk. Taxachaufføren, der ifølge id-kortet i forruden hed Hussein, rystede på hovedet, da Mikael spurgte, om de havde haft dårligt vejr. På bredt norrlandsk fortalte han, at det havde været den værste snestorm i flere årtier, og at han bittert fortrød, at han ikke havde holdt juleferie i Grækenland.

Mikael dirigerede taxaen hen til Henrik Vangers sneryddede gårdsplads, hvor han stillede sin bagage på trappen og så bilen forsvinde tilbage til Hedestad. Pludselig følte han sig fortabt og rådvild. Måske havde Erika haft ret, da hun påpegede, at hele projektet var afsindigt.

Han hørte døren blive åbnet bag sig og vendte sig om. Henrik Vanger var iført pelsfrakke, solide støvler og hue med øreklapper. Mikael havde cowboybukser og en tynd læderjakke på.

"Hvis du skal bo heroppe, må du lære at klæde dig efter årstiden." De gav hinanden hånden. "Er du sikker på, du ikke vil bo i hovedbygningen? Ikke det? Jamen så synes jeg, vi skal få dig installeret i dit nye hjem."

Mikael nikkede. Et af kravene under forhandlingerne med Henrik Vanger og Dirch Frode havde været, at Mikael skulle bo et sted, hvor han selv stod for husholdningen og kunne komme og gå, som han ville. Henrik Vanger førte Mikael tilbage til vejen ned mod broen og drejede ind ad lågen til en ryddet gårdsplads foran et lille bjælkehus nær ved brohovedet. Det var ulåst, og den gamle mand holdt døren åben. De kom ind i en lille entré, hvor Mikael med et suk af lettelse stillede sin bagage fra sig.

"Det her er vores såkaldte gæstehytte, hvor vi plejer at indlogere folk, der er her på et længere ophold. Det var her, du og dine forældre boede i 1963. Det er faktisk en af de ældste bygninger i landsbyen, om end den er moderniseret. Jeg har sørget for, at Gunnar Nilsson – han arbejder som vicevært for mig – tændte for varmen i morges."

Hele huset bestod af et stort køkken samt to mindre rum, tilsammen omkring 50 kvadratmeter. Køkkenet udgjorde halvdelen og var moderniseret med elkomfur, et lille køleskab og indlagt vand, men ved væggen ved entreen var der desuden en gammel brændeovn, som der havde været tændt op i samme dag.

"Du behøver ikke bruge brændeovnen, medmindre det bliver rigtig koldt. Brændekassen er ude i entreen, og der er også et brændeskur ude bag huset. Det har stået tomt siden i efteråret, og vi tændte op i morges for at varme op. Men til daglig er det nok med elradiatorerne. Bare sørg for ikke at dække dem med tøj og den slags, for så kan der gå ild i det."

Mikael nikkede og så sig omkring. Der var vinduer mod tre verdenshjørner: Fra spisebordet i køkkenet havde han udsigt til brohovedet omkring tredive meter væk. Ud over bordet bestod møblementet i køkkenet af nogle store skabe, køkkenstole, en gammel slagbænk og en reol med diverse blade. Øverst lå et nummer af *Se* fra 1967. I hjørnet tæt ved spisebordet stod et anretterbord, der kunne bruges som skrivebord.

Døren ud til entreen befandt sig på den ene side af brændeovnen. På den anden side var der to smalle døre ind til to små værelser. Det til højre, tættest på ydervæggen, var nærmest som et lille pulterrum. Det var møbleret med et lille skrivebord, en stol og en reol langs den længste væg, og det var tydeligvis tænkt som arbejdsværelse. Det andet kammer, mellem entreen og arbejdsværelset, var et temmelig lille soveværelse. Møblementet bestod af en smal dobbeltseng, et sengebord og et klædeskab. På væggene hang nogle landskabsbilleder. Møblementet og tapetet i huset var gammelt og falmet, men der lugtede rent og behageligt. Nogen havde givet gulvet en ordentlig gang sæbe. I soveværelset var der desuden en sidedør, som førte ud til entreen, hvor et gammelt pulterrum var blevet indrettet til toilet med en lille brusekabine.

"Vandet kan muligvis være et problem," sagde Henrik Vanger. "I morges tjekkede vi, at det fungerede, men rørene ligger for yderligt, og hvis frosten bider sig fast for længe, kan de fryse til. Der står en spand ude i entreen, og du kan hente vand oppe hos os, hvis det bliver nødvendigt."

"Jeg får også brug for en telefon," sagde Mikael.

"Jeg har allerede bestilt den. De kommer og installerer den i overmorgen. Nå, men hvad siger du så? Hvis du skifter mening, kan du når som helst flytte op i hovedbygningen."

"Det her er helt fint," svarede Mikael. Han var dog langtfra overbevist om, at det, han havde kastet sig ud i, var fornuftigt.

"Godt. Der er lyst endnu en times tid. Vi kan gå en tur, så du kan se nærmere på landsbyen. Jeg vil foreslå, at du skifter til nogle støvler og tykke sokker. Du finder nogen ude i skabet i entreen." Mikael gjorde som foreslået og besluttede sig for allerede dagen efter at gå på indkøb og anskaffe sig nogle lange underbukser og solide vintersko.

DEN GAMLE INDLEDTE rundvisningen med stædigt at benævne Gunnar Nilsson, Mikaels genbo, "vicevært", skønt denne – hvilket Mikael snart erfarede – ud over at være tilsynsførende for boligerne på Hedeby-øen også havde det administrative ansvar for adskillige ejendomme inde i Hedestad.

"Hans far Magnus Nilsson, der var vicevært hos mig i tresserne, var også en af dem, der hjalp til ved bilulykken på broen. Magnus lever endnu, men er pensionist og bor inde i Hedestad. Gunnar og hans kone, hun hedder Helen, bor her stadig. Børnene er flyttet hjemmefra."

Henrik Vanger gjorde en pause og grublede lidt, før han fortsatte.

"Mikael, den officielle forklaring på, at du befinder dig her, er, at du skal hjælpe mig med at skrive min selvbiografi. Det vil give dig mulighed for at snage i alle mulige mørke kroge og stille spørgsmål til folk. Din virkelige opgave er en sag mellem dig og mig og Dirch Frode. Vi tre er de eneste, der ved, hvad det egentlig drejer sig om."

"Det er jeg indforstået med. Og jeg gentager, hvad jeg har sagt tidligere: Det er spild af tid. Jeg vil ikke kunne løse gåden."

"Det eneste, jeg beder om, er, at du gør et forsøg. Men vi må være forsigtige med, hvad vi siger i andres påhør."

"Okay."

"Gunnar er seksoghalvtreds år og var med andre ord nitten, da Harriet forsvandt. Der er et spørgsmål, jeg aldrig har fået noget svar på – Harriet og Gunnar var gode venner, og jeg tror, de havde et eller andet uskyldigt-barnligt kørende – han var i hvert fald meget interesseret i hende. Den dag, hun forsvandt, befandt han sig dog inde i Hedestad og var en af dem, der blev afskåret fra øen, da broen blev afspærret. På grund af deres indbyrdes forhold blev han selvfølgelig kigget ekstra meget efter i sømmene. Det var temmelig ubehageligt for ham, men politiet har tjekket hans alibi, og det holder. Han var sammen med nogle kammerater hele dagen og kom først tilbage hertil med båd sent om aftenen."

"Jeg går ud fra, at du har en komplet fortegnelse over, hvem der befandt sig på øen, og hvem der foretog sig hvad i løbet af dagen."

"Det har jeg, ja. Skal vi gå videre?"

De standsede ved vejkrydset på bakken uden for Vangergården, og Henrik Vanger pegede ned mod det gamle fiskerleje.

"Al jord på Hedeby-øen er ejet af familien Vanger, eller rettere sagt af mig. Undtaget herfra er Östergårdens jorder samt et fåtal huse i landsbyen. Fiskerhytterne her nedenfor er frikøbt, men de bruges som sommerhuse og er normalt ubeboede om vinteren. Bortset fra huset længst væk – der, hvor det ryger fra skorstenen."

Mikael nikkede. Han frøs allerede ind til marven.

"Det er en ussel og utæt rønne, men Eugen Norman bor der året rundt. Han er syvoghalvfjerds og skal forestille at være maler. For mig ligner det spekulationskunst, du ved, men han skal være ret kendt som landskabsmaler. Han er lidt af den obligatoriske landsbytosse."

Henrik Vanger førte Mikael hen ad vejen mod odden og udpegede hus efter hus. Landsbyen bestod af seks huse på den vestlige side af vejen og fire huse på den østlige. Det første hus, der lå nærmest Mikaels gæstehytte og Vangergården, tilhørte Vangers bror Harald. Det var et firkantet, toetages murstenshus, som ved første blik forekom forladt; gardinerne var trukket for vinduerne, og stien op til hoveddøren var dækket af en halv meter sne. Ved nærmere øjesyn kunne man se nogle fodaftryk gennem sneen fra vejen til hoveddøren.

"Harald er en særling. Han og jeg er aldrig kommet godt ud af det med hinanden. Ud over skænderier om koncernen – han er jo medejer – har vi praktisk taget ikke snakket sammen i mere end tres år. Han er ældre end mig, tooghalvfems, og den eneste af mine brødre, der lever endnu. Jeg vil fortælle detaljerne senere, men han læste til læge og huserede fortrinsvis i Uppsala. Han flyttede tilbage til Hedeby, da han blev halvfjerds."

"Jeg kan forstå, at I ikke er på god fod. Og dog er I naboer ..."

"Jeg synes, han er afskyelig, og jeg ville ønske, han var blevet i Uppsala, men han ejer huset. Lyder jeg som en skurk?"

"Du lyder som en, der ikke kan lide sin bror."

"Jeg brugte femogtyve-tredive år af mit liv på at undskylde og tilgive den slags personer som Harald, fordi vi er i familie. Derefter opdagede jeg, at slægtskab ikke er nogen garanti for kærlighed, og at jeg havde meget få grunde til at forsvare Harald."

Det næste hus tilhørte Isabella, Harriet Vangers mor.

"Hun fylder femoghalvfjerds i år og er stadig lige elegant og forfængelig. Hun er også den eneste i landsbyen, der taler med Harald og nu og da besøger ham, men de har ikke ret meget tilfælles."

"Hvordan var forholdet mellem hende og Harriet?"

"Her er du inde på noget. Listen over mistænkte kan også indeholde kvinder. Jeg har jo allerede fortalt, at hun ofte lod børnene sejle deres egen sø. Jeg ved snart ikke ... Jeg tror, hun mente det godt nok, men at hun ikke var i stand til at påtage sig ansvaret. Hun og Harriet stod ikke hinanden særligt nær, men de var aldrig uvenner. Isabella kan være barsk, men sommetider er hun lidt ude at svømme. Du vil forstå, hvad jeg mener, når du møder hende."

Isabellas nabo var en vis Cecilia Vanger, datter af Harald Vanger.

"Mens hun var gift, boede hun inde i Hedestad, men hun blev separeret for godt tyve år siden. Jeg ejer huset og tilbød hende at flytte ind. Cecilia er skolelærer og på mange måder sin fars diametrale modsætning. Og jeg kan vel tilføje, at hun og hendes far heller ikke taler med hinanden, medmindre det er strengt nødvendigt."

"Hvor gammel er hun?"

"Hun er født 1946. Hun var med andre ord tyve år, da Harriet forsvandt. Og ja, hun var en af gæsterne på øen den dag."

Han tav et øjeblik.

"Cecilia kan virke overfladisk, men er i virkeligheden kvikkere end de fleste. Tag endelig ikke fejl. Hvis nogen vil gennemskue, hvad du er i gang med, så er det hende. Lad mig sige det sådan: Hun er en af de slægtninge, jeg sætter størst pris på."

"Betyder det, at du ikke mistænker hende?"

"Det vil jeg ikke sige. Jeg ønsker, at du spekulerer fuldstændig fordomsfrit over det her og helt uafhængigt af, hvad jeg mener eller tror."

Huset ved siden af Cecilia var ejet af Henrik Vanger, men udlejet til et ældre ægtepar, der tidligere havde arbejdet i Vangerkoncernens ledelse. De var flyttet til Hedeby-øen i firserne og havde således intet med Harriets forsvinden at gøre. Det

næste hus var ejet af Birger Vanger, bror til Cecilia Vanger. Huset havde stået tomt i flere år, efter at Birger Vanger var flyttet i en moderne villa inde i Hedestad.

De fleste af bygningerne langs vejen var solide murstenshuse fra begyndelsen af 1900-tallet. Det sidste hus skilte sig ud fra de øvrige og var en moderne, arkitekttegnet villa i hvide mursten med mørke vinduesrammer. Den havde en smuk beliggenhed, og Mikael kunne se, at udsigten fra første sal måtte være storslået, til havet mod øst og Hedestad mod nord.

"Her bor Martin Vanger, Harriets bror og administrerende direktør for Vangerkoncernen. Oprindelig lå præstegården på grunden, men bygningen blev delvist ødelagt ved en brand i halvfjerdserne, og Martin opførte villaen i 1978, da han overtog posten som direktør."

Længst væk på den østlige side af vejen boede Gerda Vanger, enke efter Henriks bror Greger, samt hendes søn Alexander Vanger.

"Gerda skranter, hun har gigt. Alexander ejer en mindre andel af Vangerkoncernen, men har gang i diverse egne foretagender, heriblandt restauranter. Han plejer at tilbringe nogle måneder hvert år på Barbados i Vestindien, hvor han har investeret en del penge i turistbranchen."

Mellem Gerdas og Henrik Vangers huse var der en grund med to mindre bygninger, der stod tomme og blev benyttet som gæstehytter til diverse besøgende familiemedlemmer. På den anden side af Henriks hus lå et frikøbt hus, hvor endnu en pensioneret ansat i koncernen boede med sin kone, men det stod tomt i vinterhalvåret, hvor parret befandt sig i Spanien.

De var vendt tilbage til vejkrydset, og dermed var rundvisningen afsluttet. Det var allerede ved at skumre. Mikael tog initiativet.

"Henrik, jeg kan kun gentage, at det her ikke vil føre til noget, men jeg vil gøre det, jeg er blevet hyret til. Jeg vil skrive din selvbiografi, og jeg lover at gennemlæse alt materialet om Harriet Vanger så grundigt og kritisk, som jeg er i stand til. Du skal bare vide, at jeg ikke er nogen privatdetektiv, så du skal ikke have urimelige forventninger til mig."

"Jeg forventer ingenting. Jeg vil blot gøre et sidste forsøg på at finde sandheden."

"Godt."

"Jeg er B-menneske," sagde Henrik Vanger. "Jeg vil være til at træffe fra frokosttid og fremefter. Jeg vil sørge for, at der er et arbejdsværelse heroppe, som du kan disponere over, når det passer dig."

"Tak, men det behøver du ikke. Jeg vil bruge arbejdsværelset i gæstehytten."

"Som du vil."

"Når jeg får brug for at tale med dig, kan vi mødes på dit arbejdsværelse, men jeg vil ikke overfalde dig med spørgsmål allerede i aften."

"Javel ja," sagde Vanger, men hans føjelighed virkede ikke overbevisende.

"Det vil tage et par uger at læse alt materialet igennem. Vi arbejder på to fronter. Vi mødes nogle timer om dagen, hvor jeg interviewer dig og samler materiale til din biografi. Når jeg har spørgsmål om Harriet, som jeg vil diskutere, tager jeg dem op med dig."

"Det lyder fornuftigt."

"Jeg vil selv tilrettelægge mit arbejde og ikke være underlagt faste arbejdstider."

"Det står dig frit for."

"Du er jo klar over, at jeg skal i fængsel et par måneder. Jeg ved ikke hvornår, men jeg vil ikke anke dommen. Det betyder, at jeg formodentlig vil være væk herfra i løbet af det kommende år."

Henrik Vanger rynkede brynene.

"Det er ikke så heldigt. Vi må finde en løsning, når det bliver aktuelt. Du kan bede om udsættelse."

"Uanset hvad kan jeg – hvis jeg har tilstrækkeligt med materiale – arbejde med bogen om din familie i fængslet. Men det kan vi tage op til den tid. En anden ting: Jeg er fortsat medejer af *Millennium*, og tidsskriftet er faktisk i krise lige nu. Hvis der sker noget, der kræver min tilstedeværelse i Stockholm, vil jeg være nødt til at droppe det her og tage derned."

"Jeg har ikke ansat dig som livegen. Jeg forventer, at du arbejder ihærdigt og koncentreret med den opgave, jeg har hyret dig til, men du kan naturligvis selv tilrettelægge dine arbejdsrutiner, som det passer dig bedst. Hvis du er nødt til at lægge det fra dig i en kort periode, så er det i orden, men hvis jeg opdager, at du ikke tager det seriøst, vil jeg betragte det som kontraktbrud."

Mikael nikkede. Henrik Vanger kiggede hen på broen. Han var en mager mand, og pludselig syntes Mikael, at han lignede et sølle fugleskræmsel.

"Hvad angår *Millennium*, burde vi tale om, hvori krisen består, og om jeg på nogen måde kan bistå med noget."

"Den bedste måde, du kan hjælpe mig på, er at give mig Wennerströms hoved på et fad her og nu."

"Næ nej, det kan du godt glemme." Vanger sendte Mikael et skarpt blik. "Den eneste grund til, at du tog imod det her job, var, at jeg lovede at afsløre Wennerström. Hvis jeg røber det hele nu, kan du bakke ud, når det passer dig. Du må vente et år."

"Jeg er ked af at sige det, Henrik, men jeg kan jo ikke være sikker på, at du lever om et år."

Henrik Vanger sukkede og kiggede tankefuldt ned mod havnen.

"Jeg kan se, hvor du vil hen. Jeg vil snakke med Dirch Frode, og så må vi se, om vi kan finde på noget. Men hvad angår *Millennium*, vil jeg måske kunne være til hjælp. Jeg kan forstå, at det er annoncørerne, der trækker sig."

Mikael nikkede forsigtigt.

"Annoncørerne er et akut problem, men krisen stikker dybere end som så. Det er et spørgsmål om troværdighed. Det kan være lige meget, hvor mange annoncører vi har, hvis ikke folk gider købe tidsskriftet."

"Det har jeg fattet, men jeg er trods alt stadig bestyrelsesmedlem – om end passivt – i en ganske stor koncern. Vi skal jo også annoncere et sted. Lad os tage en snak om det på et senere tidspunkt. Vil du have aftensmad ...?"

"Nej, jeg vil indrette mig nede i huset og købe ind og se mig lidt om. I morgen vil jeg tage ind til Hedestad og købe noget vintertøj."

"God idé."

"Jeg vil bede dig flytte arkivet om Harriet ned til mig."

"Det skal håndteres ..."

"... med den største forsigtighed. Det har jeg forstået."

MIKAEL VENDTE TILBAGE til gæstehytten og klaprede tænder, da han kom inden for døren. Han kiggede på termometeret uden for vinduet. Det viste minus 15 grader, og han kunne ikke mindes, at han nogensinde havde været så nedkølet som nu efter den godt tyve minutter lange spadseretur.

Han brugte den følgende time på at installere sig i det, der skulle være hans bolig det kommende år. Han tømte kufferten med tøj og anbragte det i klædeskabet i soveværelset. Toiletartiklerne fik plads i toiletskabet på badeværelset. Den anden kuffert var en firkantet trolley på hjul og indeholdt bøger, cd'er og en cd-afspiller, notesbøger, en lille Sanyo-kassettebåndoptager, en lille Microtek-scanner, en transportabel printer, et Minoltadigitalkamera samt diverse andet, som han havde fundet uundværligt til et år i eksil.

Han anbragte bøgerne og cd'erne på reolen i arbejdsværelset ved siden af to mapper med researchmateriale om Hans-Erik Wennerström. Materialet var værdiløst, men han kunne ikke slippe det. De to mapper skulle på en eller anden måde forvandles til byggesten i hans fremtidige karriere.

Til sidst åbnede han skuldertasken, tog sin bærbare computer op og stillede den på skrivebordet i arbejdsværelset. Derefter tøvede han lidt og så sig omkring med et fåret ansigtsudtryk. *The benefits of living in the countryside.* Det gik pludselig op for ham, at der ikke var nogen steder, han kunne tilslutte bredbåndskablet. Han havde ikke engang et telefonstik til et gammeldags modem.

Mikael gik ud i køkkenet og ringede til Telia fra sin mobiltelefon. Efter lidt bøvl lykkedes det ham at få nogen til at finde den ordreseddel frem, som Henrik Vanger havde indsendt vedrørende gæstehytten. Han spurgte, om der var tale om en ADSL-tilslutning, og fik det svar, at hvis det var det, han ønskede, kunne han kobles på et relæ i Hedeby, men det ville tage et par dage.

KLOKKEN VAR BLEVET lidt over fire om eftermiddagen, før Mikael var færdig med at indrette sig. Han tog uldsokkerne og støvlerne på igen og trak en ekstra sweater over hovedet. Ved hoveddøren standsede han tøvende op; han havde ikke fået udleveret nogen nøgler til huset, og hans Stockholmsinstinkter protesterede mod det principielle i at lade hoveddøren stå ulåst. Han gik tilbage til køkkenet og begyndte at åbne skabe og skuffer. Til sidst fandt han nøglen hængende på et søm inde i spisekammeret.

Termometeret var faldet til minus 17 grader. Mikael gik rask til over broen og op ad bakken forbi kirken. Konsumbutikken lå ikke mere end omkring 300 meter væk. Han fyldte to indkøbsposer til randen med madvarer, som han slæbte hjem, hvorefter han endnu en gang gik tilbage over broen. Denne gang standsede han ved Susannes Brocafé. Kvinden bag disken var et sted i halvtredserne. Han spurgte, om det var hende, der var Susanne, og præsenterede sig med den forklaring, at han nok ville blive stamkunde i tiden fremover. Han var den eneste gæst i cafeen, og Susanne bød på kaffe, da han bestilte et stykke smørrebrød og købte et grovbrød og et franskbrød til at tage med hjem. Han tog *Hedestads-Kuriren* fra avisholderen og satte sig ved et bord med udsigt over broen og den oplyste kirke. I mørket lignede det et julekort. Det tog omkring fire minutter at læse avisen. Den eneste nyhed af interesse var en kort notits, der fortalte, at en kommunalpolitiker ved navn Birger Vanger (fp) ville satse på *IT TechCent* – et teknologiudviklingscenter i Hedestad. Han blev siddende en halv time, til cafeen lukkede klokken seks.

HALV OTTE OM aftenen ringede Mikael til Erika, men fik blot det svar, at der ikke kunne opnås forbindelse til abonnenten. Han satte sig på slagbænken og prøvede at læse i en roman, der ifølge bagsideteksten var en sensationel debut af en feministisk teenager. Romanen handlede om forfatterindens forsøg på at få styr på sit sexliv under en rejse til Paris, og Mikael spekulerede på, om han ville blive kaldt feminist, hvis han i et studentikost sprog skrev en roman om sit eget sexliv. Formodentlig ikke. En grund til, at Mikael havde købt bogen, var, at forlaget lancerede debutanten som "en ny Carina Rydberg". Han måtte hurtigt konstatere, at dette ikke var tilfældet, hverken stilistisk eller indholdsmæssigt. Han lagde bogen fra sig efter et øjeblik og læste i stedet en westernnovelle om Hopalong Cassidy i *Rekordmagasinet* fra halvtredserne.

Hver halve time lød en kort, dæmpet klang fra kirkeklokken. Der var lys i vinduerne hos viceværten Gunnar Nilsson på den anden side af vejen, men Mikael kunne ikke se nogen mennesker i huset. Henne hos Harald Vanger var der mørkt. Ved nitiden kørte en bil over broen og forsvandt i retning af odden. Ved midnat blev facadebelysningen på kirken slukket. Det var åbenbart summen af forlystelsesliv i Hedeby en fredag aften i begyndelsen af januar. Der var forunderligt stille.

Han prøvede endnu en gang at ringe til Erika og fik fat i hendes telefonsvarer, der bad ham indtale en besked. Det gjorde han, hvorefter han slukkede lyset og gik i seng. Det sidste, han tænkte, før han faldt i søvn, var, at han løb en overhængende risiko for at miste forstanden under sit ophold i Hedeby.

DET VAR EN mærkelig fornemmelse at vågne i fuldkommen stilhed. Mikael gik fra dyb søvn til at være splittervågen på brøkdelen af et sekund og lå derpå stille og lyttede. Der var koldt i værelset. Han drejede hovedet og kiggede på armbåndsuret, som han havde lagt på en taburet ved siden af sengen. Klokken var otte minutter over syv om morgenen – han havde aldrig været noget morgenmenneske og plejede at have svært ved at vågne uden mindst to vækkeures hjælp. Nu var han vågnet af sig selv og følte sig oven i købet udhvilet.

Han satte vand over til kaffe, inden han stillede sig under bruseren, hvor han pludselig oplevede en lystbetonet følelse af at iagttage sig selv. *Kalle Blomkvist – opdagelsesrejsende i ødemarken.*

Blandingsbatteriet skiftede fra skoldhedt til iskoldt vand ved den mindste berøring. Der lå ingen morgenavis på spisebordet. Smørret var dybfrossent. Der var ingen osteskærer i skuffen med køkkenredskaber. Der var stadig kulsort udenfor. Termometeret viste minus 21 grader. Det var lørdag.

STOPPESTEDET FOR BUSSEN til Hedestad lå lige over for Konsumbutikken, og Mikael indledte sit eksil med at virkeliggøre planerne om en shoppingtur. Han stod af bussen over for togstationen og gik en runde gennem centrum. Han købte nogle solide vinterstøvler, to par lange underbukser, nogle varme flonelskjorter, en ordentlig, halvlang vinterfrakke, en varm hue og et par forede handsker. I *Teknikmagasinet* fandt han et lille transportabelt fjernsyn med teleskopantenne. Sælgeren forsikrede, at han mindst ville kunne tage SVT ude i Hedeby, og Mikael meddelte, at han ville forlange pengene tilbage, hvis det ikke passede.

Han standsede ved biblioteket og fik lavet et lånerkort og fandt to kriminalromaner af Elizabeth George. I en papirhandel købte han nogle penne og en skriveblok. Han købte også en sportstaske til at bære sine nyerhvervelser i.

Endelig købte han en pakke cigaretter; han var holdt op med at ryge ti år tidligere, men fik nu og da et tilbagefald og følte med ét en ubændig trang til nikotin. Han stak pakken i jakkelommen uden at åbne den. Sidste besøg var hos en optiker, hvor han købte linsevæske og bestilte nye kontaktlinser.

Ved totiden var han tilbage i Hedeby og var netop i færd med at fjerne prismærkerne fra sit nye tøj, da han hørte hoveddøren blive åbnet. En lyshåret kvinde i halvtredserne bankede på dørkarmen ind til køkkenet samtidig med, at hun trådte over dørtrinnet. Hun holdt et fad med en sandkage i hånden.

"Hej. Jeg ville bare byde dig velkommen. Jeg hedder Helen Nilsson og bor ovre på den anden side af vejen. Vi bliver jo genboer."

Mikael gav hånd og præsenterede sig.

"Ja, jeg har jo set dig i fjernsynet. Det er rart, at der er lys i gæstehytten om aftenen."

Mikael satte kaffe over – hun protesterede, men tog dog plads ved bordet. Hun skævede ud ad vinduet.

"Der kommer Henrik sammen med min mand. Du skulle vist have nogle kasser."

Henrik Vanger og Gunnar Nilsson kom med en trillebør, som de stillede udenfor, hvorpå Mikael skyndte sig ud for at hilse på dem og hjælpe med at bære de fire flyttekasser indenfor. De stillede kasserne på gulvet ved siden af brændeovnen. Mikael fandt kaffekopper frem og skar Helens sandkage i skiver.

Gunnar og Helen Nilsson var nogle rare mennesker. De virkede ikke særlig nysgerrige efter at vide, hvorfor Mikael befandt sig i Hedeby – at han arbejdede for Henrik Vanger, syntes at være forklaring nok. Mikael iagttog samspillet mellem ægteparret Nilsson og Henrik Vanger og kunne konstatere, at det var utvunget og uden nogen tydelig markering af, hvem der var herskab og tjenestefolk. De sad og småsludrede om landsbyen, og om hvem der havde opført den gæstehytte, Mikael boede i. Ægteparret Nilsson korrigerede Vanger, da hans hukommelse svigtede ham, og til gengæld fortalte han en munter historie om dengang, Gunnar Nilsson en aften var kommet hjem og havde opdaget, at den lokale intelligensreserve, der boede på den anden side af broen, var i færd med at bryde ind ad vinduet i gæstehytten; han var gået derover og havde spurgt den tumpede indbrudstyv, hvorfor han dog ikke benyttede den ulåste hoveddør. Gunnar Nilsson studerede mistroisk det lille fjernsyn og tilbød Mikael at komme hen til dem om aftenen, hvis der var et program, han var interesseret i. De havde parabol.

Henrik Vanger blev hængende lidt, efter at ægteparret Nilsson var gået hjem. Den gamle forklarede, at han fandt det bedst, at Mikael selv fik sorteret arkivet, og at han kunne komme op til huset og spørge, hvis han stødte på problemer. Mikael takkede og sagde, at det nok skulle ordne sig.

Da Mikael atter var blevet alene, bar han flyttekasserne ind i arbejdsværelset og begyndte at gennemgå indholdet.

HENRIK VANGERS PRIVATE efterforskning af sin brors barnebarns forsvinden havde stået på i seksogtredive år. Mikael havde svært ved at afgøre, om interessen var en sygelig besættelse, eller om den med årene havde udviklet sig til en intellektuel leg. Tydeligt var det i hvert fald, at den gamle patriark havde kastet sig over opgaven med en amatørarkæologs systematik – materialet fyldte i omegnen af syv hyldemeter.

Selve grundmaterialet bestod af de seksogtyve mapper, der udgjorde politiets efterforskning af Harriet Vangers forsvinden. Mikael havde vanskeligt ved at forestille sig, at en "normal" forsvinden ville resultere i et så omfattende efterforskningsarbejde. På den anden side havde Henrik Vanger efter al sandsynlighed haft den indflydelse, der skulle til for at holde Hedestad-politiet beskæftiget med at følge op på såvel mulige som umulige spor.

Ud over politiets efterforskningsprotokoller var der scrapbøger, fotoalbummer, landkort, souvenirs, informative pjecer om Hedestad og Vangerkoncernen, Harriet Vangers egen dagbog (som dog ikke indeholdt mange sider), skolebøger, lægeerklæringer med mere. Derudover fandtes der ikke mindre end seksten uindbundne hæfter i A4-format på 100 sider hver, der nærmest måtte betegnes som Henrik Vangers egen logbog over efterforskningen. I disse notesblokke havde patriarken med nydelig håndskrift nedfældet sine egne overvejelser, indfald, blindgyder og iagttagelser. Mikael bladrede lidt i dem på må og få. Teksten havde et skønlitterært præg, og Mikael havde på fornemmelsen, at blokkene var en renskrift af snesevis af ældre optegnelser. Endelig var der omkring ti mapper med materiale om forskellige medlemmer af familien Vanger; her var siderne maskinskrevne og tydeligvis kommet til over en længere periode.

Henrik Vanger havde foretaget efterforskning af sin egen familie.

Ved syvtiden hørte Mikael en vedholdende mjaven og åbnede hoveddøren. En rødbrun kat smuttede hurtigt forbi ham og ind i varmen.

"Jeg forstår dig," sagde Mikael.

Katten snusede rundt i gæstehytten et øjeblik. Mikael hældte lidt mælk op i en tallerken, og gæsten labbede den i sig. Derefter sprang katten op på slagbænken og rullede sig sammen. Den agtede ikke at flytte sig.

Klokken var blevet over ti om aftenen, før Mikael havde dannet sig et overblik over materialet og stillet det hele i orden på reolerne. Han gik ud i køkkenet og satte en kande kaffe over og smurte sig to madder. Katten fik lidt pølse og leverpostej. Han havde ikke fået noget ordentligt at spise hele dagen, men følte sig underligt uinteresseret i mad. Da han havde drukket kaffe, tog han cigaretterne op af lommen og åbnede pakken.

Han aflyttede sin mobil; Erika havde ikke ringet, og han prøvede at ringe hende op. Endnu en gang fik han kun hendes telefonsvarer.

Noget af det første, Mikael foretog sig i sin private efterforskning, var at scanne det kort over Hedeby-øen, han havde lånt af Henrik Vanger, ind på sin computer. Mens han endnu havde alle navnene i frisk erindring efter rundturen sammen med Henrik, tilføjede han navnene på beboerne i de respektive huse. Det stod ham hurtigt klart, at Vangerklanen havde et så omfattende persongalleri, at det ville tage sin tid at lære, hvem der var hvem.

Lige før midnat tog han noget varmt tøj og de nyindkøbte støvler på og gik en tur over broen. Neden for kirken drejede han af og fulgte vejen langs vandet. Isen havde lagt sig i sundet og inde i det gamle fiskerleje, men længere ude så han et mørkere bælte af åbent vand. Mens han stod der, slukkedes facadebelysningen på kirken, og der blev mørkt rundt om ham. Det var koldt og stjerneklart.

Med ét følte Mikael en dyb modløshed. Han kunne ikke for sin død fatte, hvordan han havde kunnet lade sig overtale af Henrik Vanger til at påtage sig denne vanvittige opgave. Erika havde fuldkommen ret i, at det var totalt spild af tid. Han burde befinde sig i Stockholm – for eksempel i seng med Erika – og være i fuld gang med at planlægge krigen mod Wennerström. Men han følte sig modløs, også hvad dette angik, og havde ikke den fjerneste anelse om, hvordan han overhovedet skulle komme i gang med at udtænke en modstrategi.

Hvis det havde været højlys dag i dette øjeblik, ville han være gået hen til Henrik Vanger, have opsagt kontrakten og rejst hjem. Men fra hjørnet af kirken kunne han se, at der allerede var mørkt og stille oppe på Vangergården. Fra kirken kunne han se hele bebyggelsen ovre på øen. Der var også mørkt i Harald Vangers hus, men der var tændt lys hos Cecilia Vanger ligesom i Martin Vangers villa længst ude på odden samt i det hus, der var lejet ud. I lystbådehavnen var der lys hos Eugen Norman, maleren i den utætte rønne, hvor der også væltede en regn af gnister op af skorstenen. Der var sågar tændt lys på etagen oven over cafeen, og Mikael spekulerede på, om Susanne mon boede der, og om hun i så fald var alene.

Mikael sov længe søndag morgen og vågnede panikslagen, da gæstehytten genlød af et uvirkeligt drøn. Det tog ham et sekund at orientere sig og blive klar over, at han lyttede til kirkeklokker, der kaldte til højmesse, og at klokken derfor måtte være næsten elleve. Han følte sig slap og modløs og blev liggende lidt. Da han hørte en kaldende mjaven fra døråbningen, stod han op og lukkede katten ud.

Da klokken var tolv, havde han været i bad og spist morgenmad. Han gik beslutsomt ind på arbejdsværelset og tog det første af politiets ringbind ud af reolen. Så tøvede han. Fra gavlvinduet så han reklameskiltet over Susannes Brocafé, og han stak mappen i skuldertasken og tog overtøj på. Da han kom hen til cafeen, opdagede han, at den var fuld af gæster, og pludselig kendte han svaret på et spørgsmål, der havde ligget i baghovedet: hvordan en café kunne overleve i et hul som Hedeby. Susanne havde specialiseret sig i at beværte kirkegængere og servere kaffe til begravelser og andre arrangementer.

Han gik sig en tur i stedet. Konsum havde lukket om søndagen, og han fortsatte endnu nogle hundrede meter ad vejen mod Hedestad, hvor han købte aviser på en tankstation, der havde søndagsåbent. Han brugte en time på at spadsere rundt i Hedeby og gøre sig bekendt med omgivelserne på fastlandssiden. Området nærmest kirken og hen forbi Konsum var bykernen med en ældre bebyggelse bestående af toetages murstenshuse, som Mikael gættede på var opført omkring 1910-20, og som udgjorde en kort hovedgade. Nord for tilkørselsvejen lå en række velholdte udlejningsejendomme med lejligheder til børnefamilier. Langs vandet samt på sydsiden af kirken bestod bebyggelsen fortrinsvis af villaer. Hedeby var uden tvivl et relativt velstående område, beboet af Hedestads beslutningstagere og embedsmænd.

Da han vendte tilbage til broen, var stormløbet på Susannes Brocafé aftaget, men Susanne var stadig i gang med at rydde af bordene.

"Søndagstravlt?" sagde han hilsende.

Hun nikkede og skubbede en hårlok om bag øret. "Hej, Mikael."

"Så du husker, hvad jeg hedder?"

"Svært at undgå," svarede hun. "Jeg så dig i fjernsynet før jul, da de omtalte retssagen."

Mikael blev pludselig forlegen. "Noget skal de jo fylde nyhedsudsendelserne med," mumlede han og gik hen til hjørnebordet med udsigt over broen. Da han mødte Susannes blik, smilede hun.

KLOKKEN TRE OM eftermiddagen meddelte Susanne, at det var lukketid. Efter kirke-rykindet var der kommet og gået nogle få gæster. Mikael havde læst godt en femtedel af den første mappe med politiets efterforskning af Harriet Vangers forsvinden. Han lukkede ringbindet, stak sin notesblok ned i tasken og gik hurtigt over broen og hjem.

Katten ventede på trappen, og Mikael kiggede rundt og spekulerede på, hvem der egentlig ejede katten. Han lukkede den dog ind alligevel, da den trods alt var en slags selskab.

Han gjorde et nyt forsøg på at ringe til Erika, men fik stadig kun fat i hendes mobilsvarer. Hun var åbenbart rasende på ham. Han havde kunnet ringe til hendes direkte nummer på redaktionen eller hjem til hende, men besluttede stædigt at lade være. Han havde allerede lagt tilstrækkelig med telefonbeskeder. I stedet lavede han sig noget kaffe, skubbede katten til side på slagbænken, lagde mappen på spisebordet og åbnede den.

Han læste koncentreret og langsomt for ikke at overse den mindste detalje. Da han sent om aftenen lukkede mappen, havde han fyldt flere sider i sin notesblok med såvel stikord som spørgsmål, han håbede at få svar på i de efterfølgende ringbind. Materialet var ordnet kronologisk, og han var usikker på, om det var Henrik Vanger, der havde sorteret det, eller om det var politiets eget system i tresserne.

Det allerførste papir var en fotokopi af en håndskrevet anmeldelsesformular fra Hedestadspolitiets alarmcentral. Den betjent, der havde modtaget den telefoniske anmeldelse, havde underskrevet sig Vb. Ryttinger, og Mikael antog, det var navnet på den vagthavende. Henrik Vanger var opført som anmelder, og hans adresse og telefonnummer var noteret. Rapporten var dateret klokken 11.14 søndag formiddag den 23. september 1966. Teksten var ordknap og lidenskabsløs:

Samtale fra Hrk. Vanger oplys., at niece (?) Harriet Ulrika VANGER, født 15. *januar* 1950 *(*16 *år), har været forsvundet fra sit hjem på Hedeby ø siden lørdag ef.md. Anml. udtrykker stor uro.*

Klokken 11.20 var der et notat, som fastslog, at P-014 (Politibil? Patrulje? Pramskipper?) var blevet beordret ud til stedet.

Klokken 11.35 havde en anden, mere utydelig håndskrift end Ryttingers tilføjet, at *betj. Magnusson rapp. broen til Hedeby ø forts. afspærret. Trnsp. m. båd.* I marginen sås en ulæselig signatur.

Klokken 12.14 vendte Ryttinger tilbage: *Tlf.samt. m. betj. Magnusson i H-by rapp., at 16-årige Harriet Vanger har været savnet siden tidl. lørdag ef.md. Fam. meget urolig. Menes ikke at have sovet i sin seng om natten. Kan ej have forladt øen pga. broulykke. Ingen af tilspurgte fam.medl. ved, hvor HV kan bef. sig.*

Klokken 12.19: *G.M. inform. pr. tlf. om sagen.*

Det sidste notat var dateret klokken 13.42: *G.M. taget til H-by; overtager sagen.*

ALLEREDE DEN FØLGENDE side afslørede, at de kryptiske initialer G.M. henviste til en vicekommissær Gustaf Morell, der var ankommet med båd til Hedeby-øen, hvor han havde overtaget kommandoen og foretaget en formel politianmeldelse af Harriet Vangers forsvinden. Til forskel fra de indledende notater med deres umotiverede forkortelser var Morells rapporter nedfældet på skrivemaskine og i en læselig prosa. På de efterfølgende sider blev der redegjort for, hvilke forholdsregler man havde taget, med en saglighed og detaljerigdom, der overraskede Mikael.

Morell var gået systematisk til værks. Han havde først afhørt Henrik Vanger sammen med Isabella Vanger, Harriets mor. Derefter havde han efter tur talt med en Ulrika Vanger, Harald Vanger, en Greger Vanger, Harriets bror Martin Vanger samt en Anita Vanger. Mikael drog den konklusion, at disse personer var blevet afhørt efter en slags skala af dalende betydning.

Ulrika Vanger var mor til Henrik Vanger og havde åbenbart en status svarende til en enkedronning. Ulrika Vanger boede på Vangergården og havde ingen oplysninger at bidrage med. Hun var gået tidligt i seng den foregående aften og havde ikke set Harriet i flere dage. Hun syntes at have insisteret på at tale med vicekommissær Morell udelukkende for at give sin mening til kende, og den var, at politiet skulle tage affære omgående.

Harald Vanger var Henriks bror og rangerede som nummer to på listen over indflydelsesrige familiemedlemmer. Han forklarede, at han havde mødt Harriet Vanger ganske kort, da hun vendte tilbage fra festlighederne i Hedestad, men at han "*ikke havde set hende siden ulykken på broen og ikke havde kendskab til, hvor hun nu befandt sig*".

Greger Vanger, bror til Henrik og Harald, oplyste, at han havde set den forsvundne sekstenårige, da hun efter besøget i Hedestad tidligere på dagen var kommet ind på Henrik Vangers arbejdsværelse og havde bedt om at tale med denne. Greger Vanger oplyste, at han ikke selv havde talt med hende, men blot hilst flygtigt på hende. Han vidste ikke, hvor hun kunne tænkes at befinde sig, men gav udtryk for det synspunkt, at hun formodentlig i tankeløshed var taget hen til en kammerat uden at give besked og sikkert snart ville dukke op igen. Han havde intet svar på spørgsmålet om, hvordan hun i så fald havde forladt øen.

Afhøringen af Martin Vanger var ganske kort. Han gik i 3. g i Uppsala, hvor han var indlogeret hos Harald Vanger. Der havde ikke været plads til ham i Haralds bil, så han havde i stedet taget toget til Hedeby og var ankommet så sent, at han havde siddet fast på den forkerte side af broen og først var kommet derover med båd sent om aftenen. Han blev afhørt i det håb, at hans søster havde kontaktet ham og måske antydet noget om, at hun havde tænkt sig at løbe hjemmefra. Spørgsmålet blev mødt af protester fra Harriets mor, men vicekommissær Morell mente på det tidspunkt, at en eventuel rømning nærmest var et håb. Martin havde dog ikke talt med sin søster siden sommerferien og havde ingen oplysninger af betydning at bidrage med.

Anita Vanger var datter af Harald Vanger, men blev fejlagtigt anført som kusine til Harriet – i virkeligheden var Harriet hendes fætters datter. Hun var netop begyndt på universitetet i Stockholm og havde tilbragt sommeren i Hedeby. Hun var næsten jævnaldrende med Harriet, og de var blevet nære venner. Hun oplyste, at hun var kommet til øen sammen med sin far om lørdagen og havde glædet sig til at møde Harriet, men at hun ikke havde nået det. Anita Vanger oplyste endvidere, at hun var bekymret, og at det ikke lignede Harriet at forsvinde på den måde uden at give familien besked. Dette var både Henrik og Isabella Vanger enig med hende i.

Samtidig med at vicekommissær Morell havde afhørt familiemedlemmerne, havde han beordret betjentene Magnusson og Bergman – patrulje 014 – til at organisere en første finkæmning af øen, mens det endnu var lyst. Eftersom broen fortsat var afspærret, var det svært at indkalde forstærkninger fra fastlandet, så det første eftersøgningshold bestod af nogle og tredive tilgængelige mænd og kvinder i varierende alder. De områder, der blev gennemsøgt om eftermiddagen, var de ubeboede huse i lystbådehavnen, strandbredderne på odden og langs sundet, skovpartiet nærmest landsbyen samt det såkaldte Söderberget oven for lystbådehavnen. Sidstnævnte sted blev gennemsøgt, efter at nogen havde opkastet den teori, at Harriet muligvis kunne være søgt derop for at få et bedre udsyn til ulykkesstedet på broen. Der blev endvidere sendt patruljer til Östergården samt til Gottfrieds sommerhus på den anden side af øen, som Harriet af og til besøgte.

Eftersøgningen af Harriet Vanger var dog resultatløs og blev først indstillet ved titiden om aftenen, længe efter mørkets frembrud. Om natten sank temperaturen til omkring nul grader.

Om eftermiddagen havde vicekommissær Morell etableret hovedkvarter i en stue, som Henrik Vanger havde stillet til hans disposition i stueetagen på Vangergården. Han havde herefter truffet en række foranstaltninger.

Sammen med Isabella Vanger havde han inspiceret Harriets værelse og prøvet at danne sig et indtryk af, om der manglede noget – tøj, en taske eller lignende – der kunne indikere, at Harriet Vanger var løbet hjemmefra. Isabella Vanger havde ikke været særlig hjælpsom og så ikke ud til at have noget større kendskab til sin datters garderobe. *Hun går tit med cowboybukser, og de ligner jo alle sammen hinanden.* Harriets håndtaske lå på hendes skrivebord. Den indeholdt legitimation, en pung med ni kroner og halvtreds øre, en kam, et håndspejl og et lommetørklæde. Efter inspektionen var Harriets værelse blevet afspærret.

Morell havde indkaldt flere personer til afhøring, såvel familiemedlemmer som ansatte. Samtlige forhør var ført omhyggeligt til protokols.

Da deltagerne i den første eftersøgningsrunde efterhånden vendte tilbage med nedslående budskaber, besluttede vicekommissæren, at der måtte foretages en mere systematisk gennemsøgning af øen. I løbet af aftenen og natten blev der tilkaldt forstærkninger; Morell kontaktede blandt andet formanden for Hedestads Orienteringsklub og bad denne være behjælpelig med telefonisk at indkalde medlemmerne til en eftersøgningsaktion. Omkring midnat modtog han beskeden om, at treoghalvtreds aktive sportsfolk, primært fra juniorholdet, ville indfinde sig på Vangergården klokken 07.00 den følgende morgen. Henrik Vanger bidrog ved simpelthen at indkalde en del af morgenholdet – halvtreds mand – fra Vangerkoncernens lokale papirfabrik. Henrik Vanger organiserede også mad og drikke.

Mikael kunne levende forestille sig de scener, der måtte have udspillet sig på Vangergården i løbet af disse begivenhedsrige døgn. Det fremgik tydeligt, at ulykken på broen havde bidraget til forvirringen de første timer; dels ved at besværliggøre muligheden for at få effektiv forstærkning fra fastlandet, dels fordi alle mente, at to så dramatiske begivenheder på samme sted og tidspunkt nødvendigvis måtte have forbindelse med hinanden på en eller anden måde. Da tankbilen var blevet fjernet, var vicekommissær Morell oven i købet gået ned til broen for at forvisse sig om, at Harriet Vanger ikke på en eller anden usandsynlig måde var havnet under bilvraget. Dette var den eneste irrationelle handling, Mikael kunne få øje på i vicekommissærens ageren, da den forsvundne pige jo beviseligt var blevet set på øen, efter at ulykken havde fundet sted. Ikke desto mindre havde lederen af efterforskningen – uden at kunne give en rimelig forklaring – svært ved at frigøre sig fra den tanke, at den ene begivenhed på en eller anden måde havde forårsaget den anden.

I LØBET AF det første forvirrede døgn svandt håbet om, at sagen ville få en hurtig og lykkelig opklaring, og blev lidt efter lidt erstattet af to gisninger: På trods af de åbenlyse vanskeligheder ved ubemærket at forlade øen ville Morell ikke afskrive den mulighed, at hun var stukket af hjemmefra. Han besluttede, at Harriet Vanger skulle efterlyses, og beordrede patruljerende betjente inde i Hedestad til at holde udkig efter den forsvundne pige. Han gav endog en kollega i kriminalafdelingen til opgave at tale med buschauffører og personale på togstationen for at høre, om nogen havde set noget til hende.

I takt med de negative meldinger, der indløb, voksede sandsynligheden for, at Harriet Vanger havde været offer for en ulykke. Denne teori kom til at dominere efterforskningen de følgende døgn.

Den store eftersøgningsaktion to dage efter hendes forsvinden var – så vidt Mikael kunne afgøre – gennemført på yderst kompetent vis. Politibetjente og brandmænd med erfaring fra lignende sager organiserede eftersøgningen. Der var ganske vist noget svært tilgængeligt terræn visse steder på Hedeby-øen, men arealet var trods alt begrænset, og hele øen blev finkæmmet i løbet af dagen. En politibåd og to frivillige Pettersson-både gennemsøgte efter bedste evne vandet rundt om øen.

Dagen efter fortsatte eftersøgningen med reduceret mandskab. Denne gang blev der sendt patruljer ud for at foretage endnu en finkæmning af specielt ufremkommelige områder samt det sted, der blev kaldt "Fæstningen" – et forladt system af bunkere, der var blevet anlagt af kystforsvaret under Anden Verdenskrig. Denne dag gennemsøgte man også små huler, brønde, jordkældre, udhuse og loftsrum i landsbyen.

En vis frustration kunne aflæses i en rapport, nedfældet da eftersøgningen blev indstillet på tredjedagen efter forsvindingen. Gustaf Morell var naturligvis endnu ikke klar over det, men på det tidspunkt var han i realiteten nået så langt i efterforskningen, som han nogensinde skulle komme. Han var forvirret og havde svært ved at pege på, hvilket skridt der herefter ville være det naturlige at tage, eller hvor eftersøgningen skulle fortsætte. Harriet Vanger var tilsyneladende forsvundet ud i den blå luft, og Henrik Vangers snart fyrre år lange pinsel var begyndt.

KAPITEL 9

Mandag den 6. januar – onsdag den 8. januar

MIKAEL HAVDE LÆST videre til langt ud på de små timer og stod sent op mandag den 6. januar. En marineblå Volvo af nyere model stod parkeret lige uden for døren til Henrik Vangers hus. I samme øjeblik Mikael tog fat i håndtaget, blev døren åbnet af en mand i halvtredserne, der var på vej ud. De var lige ved at støde sammen. Manden virkede stresset.

"Ja? Kan jeg hjælpe med noget?"

"Jeg skal tale med Henrik Vanger," svarede Mikael.

Mandens blik lyste op. Han smilede og rakte hånden frem.

"Så du er altså Mikael Blomkvist, der skal hjælpe Henrik med slægtshistorien?"

Mikael nikkede og tog hans hånd. Henrik Vanger var åbenbart begyndt at udsprede Mikaels *cover story*, der skulle forklare hans tilstedeværelse i Hedestad. Manden var overvægtig – resultatet af mange år tilbragt på kontorer og i mødelokaler – men Mikael så straks, at ansigtstrækkene mindede om Harriet Vangers.

"Jeg hedder Martin Vanger," bekræftede han. "Velkommen til Hedestad."

"Tak."

"Jeg så dig i fjernsynet for noget tid siden."

"Det virker, som om alle har set mig i tv."

"Wennerström er ... ikke specielt populær her i huset."

"Ja, det nævnte Henrik. Jeg venter på resten af historien."

"Han fortalte for nogle dage siden, at han havde hyret dig." Martin Vanger lo pludselig. "Han sagde, det formentlig var på grund af Wennerström, at du tog imod jobbet heroppe."

Mikael tøvede et sekund, før han bestemte sig for at sige sandheden.

"Det var en vigtig grund, men for at være ærlig havde jeg brug for at komme væk fra Stockholm, og Hedestad dukkede op på det helt rigtige tidspunkt. Tror jeg. Jeg kan ikke foregive, at retssagen aldrig har fundet sted. Jeg skal ind og sidde."

Martin Vanger nikkede, med ét alvorlig.

"Kan du anke dommen?"

"Det vil ikke hjælpe i det her tilfælde."

Martin Vanger kiggede på sit armbåndsur.

"Jeg skal være i Stockholm i aften og må skynde mig. Jeg er tilbage om nogle dage. Kom over og spis middag hos mig. Jeg vil meget gerne høre, hvad der egentlig skete under den retssag."

De gav hånd igen, før Martin Vanger smuttede forbi og åbnede døren til Volvo'en. Han vendte sig om og råbte til Mikael:

"Henrik er oppe på første sal. Bare gå lige ind."

HENRIK VANGER SAD i sofagruppen i sit arbejdsværelse med *Hedestads-Kuriren, Dagens Industri, Svenska Dagbladet* samt begge formiddagsaviser liggende på bordet foran sig.

"Jeg mødte Martin udenfor."

"Han måtte af sted i al hast for at redde imperiet," svarede Henrik Vanger og løftede termokanden. "Kaffe?"

"Ja tak," svarede Mikael. Han tog plads og undrede sig over, hvorfor Henrik Vanger så så fornøjet ud.

"Jeg ser, at du bliver omtalt i avisen."

Henrik Vanger skubbede til det ene formiddagsblad, der lå opslået på en artikel med overskriften *Medie-kortslutning*. Den var forfattet af en klummeskribent, der var iført nålestribet jakke og tidligere havde arbejdet på *Finansmagasinet Monopol*, og som var kendt for at være specialist i drilsk nedrakning af enhver, der engagerede sig i et spørgsmål eller stak næsen for langt frem – feminister, antiracister og miljøaktivister kunne altid regne med at stå for skud. Klummeskriveren var dog ikke kendt for nogensinde selv at have fremsagt et eneste kontroversielt synspunkt om noget som helst. Nu var han åbenbart gået over til at kritisere medierne; flere uger efter Wennerström-retssagen rettede han sin energi mod Mikael Blomkvist, der – med navns nævnelse – blev beskrevet som en komplet idiot. Erika Berger blev fremstillet som en inkompetent mediebimbo:

> Rygtet vil vide, at *Millennium* er ved at gå ned med flaget på trods af, at chefredaktøren er feminist i lårkort og viser trutmund i tv. Tidsskriftet har i flere år overlevet på det image, det er lykkedes redaktionen at markedsføre – unge journalister, der bedriver opsøgende journalistik og afslører skurke i forretningsverdenen. Reklamenummeret går måske ind hos unge anarkister, der gerne vil høre netop dét budskab, men byretten køber det ikke. Hvilket Kalle Blomkvist har måttet erfare for nylig.

Mikael tændte for mobiltelefonen og tjekkede, om han havde fået en opringning fra Erika. Der var ingen beskeder. Henrik Vanger sad afventende uden at sige noget, og Mikael blev pludselig klar over, at den gamle havde tænkt sig at lade ham bryde tavsheden.

"Manden er idiot," sagde Mikael.

Henrik Vanger grinede, men sagde så usentimentalt: "Det er meget muligt, men det er ikke ham, der har fået en dom i byretten."

"Korrekt, og det får han heller aldrig. Han siger aldrig selv noget originalt, men nøjes med at kaste den sidste sten og hakke på andre i så nedrige vendinger som muligt."

"Den slags har jeg mødt mange af i min tid. Et godt råd – hvis du ellers vil have det – er at ignorere ham, når han kæfter op, ikke glemme noget og give igen med samme mønt, når chancen byder sig. Men ikke nu, hvor han befinder sig i en førerposition."

Mikael så spørgende ud.

"Jeg har haft mange fjender gennem årene. Der er én ting, jeg har lært, og det er ikke at tage en kamp op, som man er sikker på at tabe. Man skal derimod aldrig lade nogen slippe godt fra at forulempe én. Afvent din tid og slå tilbage, når du selv sidder i en styrkeposition – også selvom du ikke længere har brug for at slå tilbage."

"Tak for filosofilektionen, og nu skal du fortælle om din familie." Mikael anbragte en båndoptager på bordet mellem dem og trykkede på optageknappen.

"Hvad vil du vide?"

"Jeg har læst den første mappe om Harriets forsvinden og de første dages eftersøgning, men der dukker så mange Vangernavne op i papirerne, at jeg ikke kan holde rede på dem."

LISBETH SALANDER STOD stille i den mennesketomme trappeopgang med blikket fæstet på messingskiltet med ordene *Advokat N.E. Bjurman* i næsten ti minutter, før hun ringede på. Dørlåsen klikkede.

Det var tirsdag. Det var det andet møde, og hun var fuld af bange anelser.

Hun var ikke bange for advokat Bjurman – Lisbeth var sjældent bange for hverken mennesker eller ting. Derimod følte hun et massivt ubehag ved den nye formynder. Bjurmans forgænger, advokat Holger Palmgren, var gjort af et helt andet stof: Han var korrekt, høflig og venlig. Forbindelsen var ophørt tre måneder tidligere, da Palmgren fik et slagtilfælde, og Nils Erik Bjurman havde arvet hende i henhold til en hende ukendt bureaukratisk hakkeorden.

I løbet af de godt tolv år, hvor Lisbeth havde været under socialforsorgen og genstand for psykiatrisk behandling – heraf to år på en børneklinik – havde hun aldrig, ikke én eneste gang, svaret på det enkle spørgsmål: "Hvordan har du det så i dag?"

Da hun fyldte tretten år, havde byretten i henhold til loven om tilsyn med mindreårige besluttet, at Lisbeth Salander skulle overflyttes til den lukkede afdeling på Skt. Stefans børnepsykiatriske klinik i Uppsala. Beslutningen var primært begrundet i, at hun mentes at være psykisk syg og på grund af sin voldelighed til fare for sine klassekammerater og muligvis også sig selv.

Denne antagelse var baseret på empiriske bedømmelser snarere end på nogen grundig analyse. Ethvert forsøg fra lægers eller myndigheders side på at indlede en samtale om hendes følelser, sjæleliv eller helbredstilstand var til deres store frustration blevet mødt af en massiv, surmulende tavshed og en indædt stirren i gulvet, loftet og væggen. Hun havde konsekvent lagt armene over kors og nægtet at deltage i psykologiske test. Hendes hårdnakkede modstand mod alle forsøg på at måle, veje, kortlægge, analysere og opdrage hende omfattede også skolearbejdet – myndighederne kunne slæbe hende hen til et klasseværelse og lænke hende fast til skolebænken, men de kunne ikke forhindre hende i at lukke ørerne og nægte at sætte pennen på papiret. Hun var gået ud af folkeskolen uden afgangsbevis.

Det havde som følge heraf været forbundet med store vanskeligheder overhovedet at diagnosticere hendes mentale tilpasningsproblemer. Lisbeth Salander var kort sagt alt andet end nem at bakse med.

Da hun var tretten, besluttede man endvidere at udpege en tilsynsværge til at varetage hendes interesser og økonomi, indtil hun blev myndig. Værgen blev advokat Holger Palmgren, som det trods en noget kompliceret start lykkedes at opnå, hvad psykiatere og professionelle behandlere ikke havde haft held med. Efterhånden havde han vundet ikke kun en vis fortrolighed, men sågar også en antydning af hengivenhed fra den besværlige pige.

Da hun fyldte femten, var lægerne mere eller mindre enige om, at hun i hvert fald ikke var specielt voldelig eller udgjorde nogen fare for omgivelserne og sig selv. Eftersom hendes familie var blevet defineret som dysfunktionel, og hun ikke havde nogen slægtninge, der kunne tage passende hånd om hende, blev det besluttet, at Lisbeth Salander via en plejefamilie skulle sluses ud i samfundet fra den børnepsykiatriske klinik i Uppsala.

Det var ikke gået stille af. Den første plejefamilie stak hun af fra allerede efter to uger. Plejefamilie nummer to og tre blev hurtigt droppet. Derefter havde Palmgren en alvorlig samtale med hende, hvor han gjorde det helt klart, at hvis hun fortsatte på denne måde, ville hun uden tvivl blive institutionaliseret igen. Denne skjulte trussel gjorde sin virkning, og hun accepterede plejefamilie nummer fire – et ældre par bosat i Midsommarkransen.

Det betød dog ikke, at hun teede sig ordentligt. I en alder af sytten var Lisbeth fire gange blevet pågrebet af politiet, ved to tilfælde havde hun været så fuld, at hun måtte på skadestuen til udpumpning, en anden gang havde hun helt tydeligt været narkopåvirket. Ved et af disse tilfælde var hun blevet fundet døddrukken og halvt afklædt på bagsædet af en bil, der stod parkeret ved Söder Mälarstrand. Hun havde været sammen med en lige så fuld og væsentligt ældre mand.

Den sidste pågribelse fandt sted tre uger før hendes attenårs fødselsdag, hvor hun i ædru tilstand havde sparket en mandlig passager i hovedet inden for tælleapparatet på Gamla Stans tunnelbanestation. Episoden resulterede i, at hun blev varetægtsfængslet for vold. Lisbeth havde forklaret sin opførsel med, at manden havde gramset på hende, og i og med at hun snarere lignede en på tolv end en på atten, mente hun, at gramseren havde pædofile tilbøjeligheder. For så vidt at hun overhovedet forklarede noget, selvsagt. Udsagnet blev dog bakket op af vidner, hvorefter anklageren frafaldt sigtelsen.

Ikke desto mindre var hendes baggrund alt i alt af en sådan art, at byretten besluttede at lade hende undergå en mentalundersøgelse. Eftersom hun vanen tro nægtede at svare på spørgsmål og deltage i undersøgelser, endte de læger, som socialforvaltningen konsulterede, med at udfærdige en erklæring baseret på "observationer af patienten". Præcis hvad der kunne observeres, når det gjaldt en tavs ung kvinde, der sad på en stol med korslagte arme og fremskudt underlæbe, var en smule uklart. Det blev blot fastslået, at hun led af en psykisk forstyrrelse, hvis beskaffenhed var af en sådan natur, at en indgriben var uundgåelig. Den retsmedicinske erklæring foreslog behandling på en lukket psykiatrisk anstalt, og samtidig skrev en fuldmægtig i socialforvaltningen en udtalelse, hvor han sluttede op om den psykiatriske ekspertises konklusioner.

Med henvisning til hendes tidligere meritter konstaterede udtalelsen, at der forelå *stor risiko for alkohol- og stofmisbrug*, og at hun tydeligvis *manglede indsigt i sin egen situation*. Hendes journal var på dette tidspunkt fyldt med belastende formuleringer såsom *introvert, socialt hæmmet, mangel på empati, egocentreret, psy-*

kopatisk og asocial adfærd, samarbejdsvanskeligheder og *manglende indlæringsevne.* Folk, der læste hendes journal, kunne meget let forledes til at drage den slutning, at hun var alvorligt mentalt retarderet. Det talte heller ikke til hendes fordel, at socialforvaltningens gadepatrulje ved flere tilfælde havde observeret hende i selskab med forskellige mænd i kvarteret omkring Mariatorget, og at hun på et tidspunkt var blevet kropsvisiteret i Tantolunden, også denne gang i selskab med en væsentligt ældre mand. Man antog, at Lisbeth Salander muligvis bedrev eller risikerede at begynde at bedrive en eller anden form for prostitution.

Da byretten – den instans, der skulle afgøre hendes fremtid – trådte sammen for at træffe en afgørelse i sagen, syntes udfaldet givet på forhånd. Hun var tydeligvis et problembarn, og det var usandsynligt, at retten ville tage en beslutning, der afveg fra de anbefalinger, som både den retspsykiatriske og socialforvaltningens undersøgelse var fremkommet med.

Om morgenen den dag, hvor retsmødet skulle finde sted, blev Lisbeth Salander afhentet fra den børnepsykiatriske klinik, hvor hun havde siddet indespærret siden episoden i Gamla Stan. Hun følte sig som en kz-fange og nærede ingen forhåbninger om at overleve dagen. Den første, hun fik øje på i retssalen, var Holger Palmgren, og det varede lidt, før det gik op for hende, at han ikke var der i sin egenskab af tilsynsværge, men optrådte som hendes advokat og juridiske talsmand. Hun så nu en helt ny side af ham.

Til hendes forbløffelse havde Palmgren helt tydeligt befundet sig i hendes ringhjørne og plæderet kraftigt mod forslaget om tvangsanbringelse. Hun havde ikke med så meget som et løftet øjenbryn antydet, at hun følte sig overrasket, men hun lyttede opmærksomt til hvert et ord, der blev sagt. Palmgren havde været imponerende i sit to timer lange krydsforhør af den læge, en dr. Jesper H. Löderman, der havde sat sit navn under anbefalingen af at spærre Salander inde på en anstalt. Hver detalje i erklæringen blev gået efter i sømmene, og lægen blev bedt om at forklare den videnskabelige begrundelse for hver eneste påstand. Efter en tid forekom det åbenbart, at i og med at patienten havde nægtet at medvirke i én eneste test, så var lægernes konklusioner faktisk baseret på gisninger og ikke på noget videnskabeligt materiale.

Til sidst under retsmødet havde Palmgren antydet, at en tvangsanbringelse på institution ikke blot efter al sandsynlighed stred mod Rigsdagens tidligere beslutninger i lignende tilfælde, men at denne sag desuden kunne blive genstand for kritik i pressen og fra politisk hold. Det var således i alles interesse at finde en passende alternativ løsning. Et sådant sprogbrug var usædvanligt ved retsforhandlinger i denne type sager, og dommerpanelet havde rørt uroligt på sig.

Løsningen blev da også et kompromis. Byretten fastslog, at Lisbeth Salander var psykisk syg, men at hendes sindslidelse ikke nødvendigvis krævede indespærring. Derimod lagde man vægt på socialforvaltningens anbefaling af, at Lisbeth blev sat under formynderskab, hvorpå retsformanden med et giftigt smil henvendte sig til Holger Palmgren, som hidtil havde været hendes tilsynsværge, og spurgte, om denne var villig til at påtage sig hvervet. Det var tydeligt, at retsformanden havde troet, Holger Palmgren ville bakke ud og prøve at skubbe ansvaret over på en anden, men han havde tværtimod uden tøven meddelt, at det skulle være ham en fornøjelse at fungere som frøken Salanders formynder – på én betingelse:

"Det forudsætter naturligvis, at frøken Salander nærer tillid til mig og godkender mig som sin formynder."

Han havde henvendt sig direkte til hende. Lisbeth Salander var en smule forvirret over den ordveksling, der i løbet af dagen var foregået hen over hovedet på hende. Indtil nu havde ingen spurgt om hendes mening. Hun kiggede længe på Holger Palmgren og nikkede så en enkelt gang.

PALMGREN VAR EN besynderlig blanding af jurist og socialarbejder af den gamle skole. I tidernes morgen havde han siddet som politisk udpeget medlem af socialforvaltningen, og han havde viet næsten hele sit liv til at tage sig af adfærdsvanskelige unger. En modvillig respekt, der næsten grænsede til venskab, var opstået mellem advokaten og dennes uden sammenligning mest besværlige myndling.

Deres relation havde varet i sammenlagt næsten elleve år, fra det år, hun fyldte tretten, til året forinden, hvor hun et par uger før jul var taget hjem til Palmgren, efter at han var udeblevet fra deres aftalte månedsmøde. Da han ikke åbnede, skønt hun kunne høre lyde inde fra lejligheden, havde hun skaffet sig adgang ved at klatre op ad et nedløbsrør til altanen på anden sal. Hun havde fundet ham liggende på entrégulvet, ved bevidsthed, men ude af stand til at tale eller bevæge sig efter et pludseligt slagtilfælde. Han var kun fireogtres år gammel. Hun havde ringet efter en ambulance og var taget med ham til Södersjukhuset med en voksende følelse af panik i maven. I tre døgn havde hun stort set ikke forladt gangen uden for intensivafdelingen. Som en trofast vagthund havde hun vogtet hvert af lægernes og sygeplejerskernes skridt, når de gik ud og ind af hospitalsstuen. Hun havde vandret frem og tilbage i gangen som et hvileløst spøgelse og forsøgt at få øjenkontakt med samtlige læger, der kom i nærheden af hende. Til sidst havde en læge, hvis navn hun aldrig havde fået at vide, taget hende med ind i et lokale og forklaret hende situationens alvor. Holger Palmgrens tilstand var kritisk efter en alvorlig hjerneblødning. Han var ikke ved bevidsthed og ville næppe komme det. Hun havde hverken grædt eller fortrukket en mine. Hun havde rejst sig og forladt hospitalet og var ikke vendt tilbage.

Fem uger senere havde Overformynderiet indkaldt Lisbeth Salander til et indledende møde med hendes nye formynder. Hendes første indskydelse havde været at ignorere indkaldelsen, men Holger Palmgren havde nøje indprentet hende, at alle handlinger har konsekvenser. Hun havde på dette tidspunkt lært at analysere konsekvenserne, før hun handlede, og ved nærmere eftertanke var hun nået til den konklusion, at den nemmeste udvej af dilemmaet var at tilfredsstille Overformynderiet ved at opføre sig, som om hun rent faktisk interesserede sig for, hvad de sagde.

Følgelig havde hun i december – hvor hun holdt en kort pause i efterforskningen af Mikael Blomkvist – pænt indfundet sig på Bjurmans kontor ved Skt. Eriksplan, hvor en ældre kvinde havde repræsenteret socialforvaltningen og overdraget Lisbeth

Salanders omfattende sagsmappe til advokat Bjurman. Damen havde venligt spurgt hende, hvordan hun havde det, og syntes at opfatte hendes tavshed som et tilfredsstillende svar. Efter en halv times tid havde hun overladt Salander i advokat Bjurmans varetægt.

Allerede inden der var gået fem sekunder, efter at de havde givet hånd, vidste Lisbeth, at hun ikke kunne lide advokat Bjurman.

Hun havde skævet til ham, mens han læste hendes journal. Alder: først i halvtredserne. Veltrænet krop; tennis hver tirsdag og fredag. Blond. Tyndhåret. Lille kløft i hagen. Duft af Hugo Boss. Blåt jakkesæt. Rødt slips med guldnål og pralende manchetknapper med initialerne NEB. Stålindfattede briller. Grå øjne. Ud fra tidsskrifterne på et sidebord at dømme interesserede han sig for jagt og skydning.

I de godt ti år, hun havde mødtes med Palmgren, havde denne altid budt hende på kaffe og siddet og småsludret med hende. Ikke engang når hun var stukket af fra sine plejehjem eller havde pjækket fra skole, mistede han fatningen. Den eneste gang, Palmgren havde været virkelig oprørt, var, da hun havde sparket det møgsvin, der havde raget på hende i Gamla Stan. *Er du klar over, hvad du har gjort? Du har skadet et andet menneske, Lisbeth.* Han havde lydt som en gammel skolemester, og hun havde tålmodigt ignoreret hvert et ord af reprimanden.

Bjurman havde ikke meget tilovers for hyggesnak. Han havde straks pointeret, at der var uoverensstemmelse mellem Holger Palmgrens forpligtelser i henhold til formynderskabslovgivningen og den kendsgerning, at han åbenbart havde ladet Lisbeth Salander selv forvalte sin økonomi. Han havde foretaget en slags afhøring. *Hvor meget tjener du? Jeg vil have en kopi af dine regnskaber. Hvem omgås du? Betaler du husleje til tiden? Drikker du spiritus? Har Palmgren godkendt de ringe, du har i ansigtet? Kan du tage vare på din personlige hygiejne?*

Fuck you.

Palmgren var blevet hendes tilsynsværge lige efter, at Alt Det Onde var sket. Han havde insisteret på at mødes med hende mindst én gang om måneden på fastlagte tidspunkter, sommetider oftere. Efter at hun var flyttet tilbage til Lundagatan, havde de desuden næsten været naboer; han boede på Hornsgatan nogle gader væk, og med jævne mellemrum var de tilfældigt løbet på hinanden og havde drukket kaffe sammen på Giffy eller en anden café i nærheden. Palmgren havde aldrig trængt sig på, men havde et par gange besøgt hende med en lille gave på hendes fødselsdag. Hun havde en stående invitation til at besøge ham, når som helst det passede hende, et privilegium, hun sjældent havde gjort brug af, men efter at hun flyttede til Söder, var hun begyndt at tilbringe juleaften hjemme hos ham, når hun havde aflagt besøg hos sin mor. De havde spist flæskesteg og spillet skak. Hun var komplet uinteresseret i spillet, men efter at hun havde lært reglerne, havde hun aldrig tabt et parti. Han var enkemand, og Lisbeth havde følt det som sin pligt at forbarme sig over ham, så han ikke skulle være alene under højtiden.

Det mente hun, at hun skyldte ham, og hun betalte altid sin gæld.

Det var Palmgren, der havde fået hendes mors ejerlejlighed i Lundagatan fremlejet, indtil Lisbeth fik brug for sin egen bolig. Lejligheden på 49 kvadratmeter var umoderne og i en miserabel forfatning, men hun havde i det mindste tag over hovedet.

Nu var Palmgren væk, og endnu en forbindelse til det etablerede samfund var blevet afskåret. Nils Bjurman var en helt anden type menneske. Hun havde ikke i sinde at tilbringe juleaften hjemme hos ham. Hans allerførste foranstaltning havde været at indføre nye regler, hvad angik forvaltningen af hendes lønkonto i Handelsbanken. Palmgren havde ubekymret firet på formynderskabslovgivningen og ladet hende styre sin økonomi selv. Hun betalte sine regninger og kunne frit disponere over sin opsparing.

Hun havde forberedt sig til mødet med Bjurman ugen før jul og havde prøvet at forklare, at hans forgænger havde stolet på hende og ikke havde haft grund til andet. At Palmgren havde ladet hende passe sig selv og ikke blandet sig i hendes privatliv.

"Det er et af problemerne," havde Bjurman svaret og trommet med fingrene på hendes journal. Han var kommet med en længere redegørelse for de regler og statslige forordninger, formynderskabet var underlagt, og havde derefter adviseret hende om, at piben fra nu af ville få en anden lyd.

"Han lod dig passe dig selv, siger du? Gad vide, hvordan han slap godt fra det."

Fordi han var en tosset socialdemokrat, der havde været engageret i problembørn i næsten fyrre år.

"Jeg er ikke noget barn længere," sagde Lisbeth, som om det var forklaring nok.

"Nej, du er ikke noget barn, men jeg er din beskikkede formynder, og så længe jeg er det, er jeg juridisk og økonomisk ansvarlig for dig."

Hans første skridt havde været at åbne en ny konto i hendes navn, som hun skulle underrette Miltons lønningskontor om og gøre brug af fremover. Lisbeth forstod, at de gode dage var forbi; i fremtiden ville advokat Bjurman betale hendes regninger, og hun ville få udbetalt et fast beløb i lommepenge hver måned. Han forventede, at hun fremviste kvitteringer på sine udgifter. Han havde besluttet, at hun skulle have 1.400 kroner om ugen – "til mad, tøj, biografbesøg og den slags".

Afhængigt af, hvor meget hun valgte at arbejde, tjente Lisbeth op mod 160.000 om året. Hun havde med lethed kunnet fordoble beløbet ved at arbejde på fuld tid og tage imod alle de opgaver, Dragan Armanskij tilbød hende. Men hun havde kun få udgifter og brugte ikke særlig mange penge på sig selv. Udgiften til ejerlejligheden lå på godt 2.000 om måneden, og trods sin beskedne indtægt havde hun 90.000 kroner på sin opsparingskonto. Som hun altså ikke længere havde adgang til.

"Sagen er, at jeg har ansvaret for dine penge," havde han forklaret. "Du er nødt til at lægge penge til side til fremtiden. Men bare rolig, alt det der skal jeg nok tage mig af."

Jeg har taget vare på mig selv, siden jeg var ti år, din lede skid!

"Du fungerer tilstrækkelig godt socialt til, at du ikke har brug for tvangsanbringelse, men samfundet har et ansvar for dig."

Han havde udspurgt hende omhyggeligt om, hvilke arbejdsopgaver hun havde hos Milton Security. Instinktivt havde hun løjet om sit arbejde. Hendes svar havde været en beskrivelse af hendes allerførste uger hos Milton. Advokat Bjurman fik således det indtryk, at hun lavede kaffe og sorterede post – en passende beskæftigelse for en person, der var en smule tilbage. Han virkede tilfreds med svaret.

Hun vidste ikke, hvorfor hun havde løjet, men var overbevist om, at det var en klog beslutning. Hvis advokat Bjurman havde befundet sig på en liste over udryddelsestruede insektarter, ville hun uden tøven have tværet ham ud med hælen.

Mikael Blomkvist havde tilbragt fem timer i selskab med Henrik Vanger og brugte en stor del af natten og hele tirsdagen på at renskrive sine notater og danne sig et overblik over det vangerske stamtræ. Den familiehistorie, der voksede frem under samtalen med Henrik Vanger, var en dramatisk anderledes version end det billede af slægten, der var kendt af offentligheden. Mikael var klar over, at alle familier havde lig i lasten. Vangerfamilien havde en veritabel kirkegård.

På dette tidspunkt havde Mikael været nødt til at minde sig selv om, at hans opgave i virkeligheden ikke var at skrive en biografi om familien Vanger, men at finde ud af, hvad der var sket med Harriet Vanger. Han havde accepteret jobbet i den faste overbevisning, at han i praksis ville sidde på sin flade og spilde et helt år af sin tid, og at alt det arbejde, han skulle udføre for Henrik Vanger, i bund og grund var et spil for galleriet. Efter et år ville han så få udbetalt sit grotesk høje honorar – den kontrakt, Dirch Frode havde udfærdiget, var nu underskrevet. Den egentlige løn, håbede han, var den information om Hans-Erik Wennerström, som Henrik Vanger hævdede at ligge inde med.

Efter at have lyttet til Henrik Vanger begyndte han at forstå, at det kommende år ikke nødvendigvis ville være spildt. En bog om familien Vanger havde en værdi i sig selv – det var simpelthen en god historie.

Forestillingen om, at han skulle være i stand til at finde Harriet Vangers morder, strejfede ham ikke et sekund – for så vidt hun overhovedet var blevet myrdet og ikke bare havde mistet livet i en eller anden absurd ulykke eller var forsvundet på anden vis. Mikael var enig med Henrik i, at det var overmåde usandsynligt, at en sekstenårig pige skulle være forsvundet frivilligt og i seksogtredive år have haft held til at holde sig skjult for samtlige bureaukratiets overvågningssystemer. Mikael ville derimod ikke udelukke, at Harriet Vanger kunne være løbet hjemmefra og måske være rejst til Stockholm, og at hun herefter havde været udsat for noget fatalt – stoffer, prostitution, overfald eller ganske enkelt en ulykke.

Henrik Vanger var på den anden side overbevist om, at Harriet Vanger blev myrdet, og at et medlem af familien var gerningsmanden – muligvis sammen med en anden. Hans ræsonnement byggede på det faktum, at Harriet Vanger var forsvundet under de dramatiske timer, hvor øen havde været afskåret fra omverdenen og alles øjne rettet mod trafikulykken.

Erika havde haft ret i, at hans job stred mod enhver sund fornuft, såfremt formålet virkelig var at løse en mordgåde. Men når dét var sagt, begyndte det at gå op for Mikael, at Harriet Vangers skæbne havde spillet en central rolle i familien og i særdeleshed for Henrik Vanger. Uanset om han havde ret eller ej, så var Henrik Vangers anklage mod sine slægtninge af stor betydning for familiehistorien. Han havde fremført sin anklage helt åbenlyst i mere end tredive år, hvilket havde sat sit præg på familiesammenkomster, inficeret sammenholdet og dermed bidraget til at destabilisere hele koncernen. Et studie af Harriets forsvinden ville følgelig udgøre et helt selvstændigt kapitel og derudover løbe som en rød tråd i historien om familien – og der var en overflod af kildemateriale at øse af. Et fornuftigt udgangspunkt – hvad enten Harriet Vanger var hans primære opgave, eller han nøjedes med at skrive en slægtshistorie – var at kortlægge persongalleriet. Det var dette, hans samtale med Henrik Vanger den dag havde handlet om.

Familien Vanger bestod af omkring hundrede personer, inklusive diverse grandkusiner og -fætre. De var så mange, at Mikael var nødt til at oprette en database på sin bærbare. Han brugte programmet *NotePad*, der var udviklet af to fyre fra Teknisk Højskole i Stockholm, og som folk for ingen penge kunne downloade fra internettet. Efter Mikaels mening fandtes der ikke mange programmer, der var mere uvurderlige for en opsøgende journalist. Hvert familiemedlem fik sin egen fil i databasen.

Stamtræet kunne med sikkerhed spores tilbage til først i 1500-tallet, hvor slægtsnavnet havde været Vangeersad. Ifølge Henrik Vanger var det muligt, at navnet stammede fra det hollandske van Geerstad; i så fald kunne slægten føres helt tilbage til 1100-tallet.

I nyere tid stammede familien fra det nordlige Frankrig og var kommet til Sverige med Jean Baptiste Bernadotte i begyndelsen af 1800-tallet. Alexandre Vangeersad havde været militærmand og ikke en personlig bekendt af kongen, men havde udmærket sig som en dygtig garnisonschef og fik i 1818 Hedeby Gård som tak for lang og tro tjeneste. Alexandre Vangeersad havde også en medbragt formue, som han brugte til at erhverve sig nogle store skovområder i Norrland. Sønnen Adrian var født i Frankrig, men flyttede på faderens opfordring til den norrlandske afkrog Hedeby – langt fra salonerne i Paris – for at bestyre gården. Han drev jord- og skovbrug med nye metoder, der var importeret fra kontinentet, og anlagde den papirmassefabrik, omkring hvilken Hedestad var vokset op.

Alexandres sønnesøn hed Henrik og havde forkortet efternavnet til Vanger. Han begyndte at handle med Rusland og stablede en mindre handelsflåde på benene med skonnerter, der i midten af 1800-tallet gik på De Baltiske Lande, Tyskland og stålindustriens England. Henrik Vanger den Ældre udbyggede familieforetagendet og grundlagde en beskeden minedrift samt nogle af Norrlands første metalindustrier. Han efterlod sig to sønner, Birger og Gottfried, og det var dem, der lagde grunden til finansfamilien Vanger.

"Kender du noget til de gamle arveregler?" havde Henrik Vanger spurgt.

"Det er ikke just noget, jeg har specialiseret mig i."

"Det forstår jeg. Jeg er også lidt ude at svømme her. Birger og Gottfried var ifølge overleveringen som hund og kat – legendariske konkurrenter om magten inden for og indflydelsen på familieforetagendet. Magtkampen blev på flere måder en belastning, der var en potentiel trussel mod virksomhedens overlevelse. Af denne grund besluttede deres far – lige før han døde – at skabe et system, hvor alle medlemmer af familien ved arv ville få en lod, en andel, i firmaet. Det var sikkert rigtigt tænkt, men det førte til en situation, hvor vi i stedet for at kunne hente kompetente personer og mulige kompagnoner ind udefra fik en bestyrelse bestående af familiemedlemmer, der hver især havde stemmeret i forhold til deres procentvise repræsentation."

"Og den regel gælder den dag i dag?"

"Lige netop. Hvis et familiemedlem ønsker at sælge sin andel, skal det foregå inden for familien. Den årlige generalforsamling samler i dag omkring halvtreds familiemedlemmer. Martin har godt 10 procent af aktierne, og jeg har 5 procent, fordi jeg har solgt ud til blandt andet Martin. Min bror Harald ejer 7 procent, men de fleste, der møder op til generalforsamlingen, har kun én eller en halv procent."

"Det havde jeg faktisk ikke nogen anelse om. Det virker temmelig middelalderligt."

"Det er fuldkommen vanvittigt. Det betyder i realiteten, at hvis Martin i dag skal kunne gennemføre en firmapolitik, er han nødt til at bedrive et omfattende lobbyarbejde for at sikre sig støtte fra mindst 20-25 procent af medejerne. Det er et kludetæppe af alliancer, fraktioner og intriger."

Henrik Vanger fortsatte:

"Gottfried Vanger døde barnløs i 1901. Eller nå ja, han var far til fire døtre, men på den tid talte kvinderne ligesom ikke. De havde andele, men det var mændene i familien, der gav deres mening til kende. Det var først et stykke ind i 1900-tallet, hvor kvinderne fik stemmeret, at de overhovedet fik adgang til generalforsamlingen."

"Hvor frigjort."

"Spar din ironi. Det var en anden tid. Hvorom alting er – Gottfrieds bror Birger Vanger fik tre sønner, Johan, Fredrik og Gideon Vanger, der alle blev født i slutningen af 1800-tallet. Gideon Vanger kan vi se bort fra; han solgte sin andel og emigrerede til Amerika, hvor vi stadig har en gren af familien. Men Johan og Fredrik Vanger forvandlede firmaet til den moderne Vangerkoncern."

Henrik Vanger hentede et fotoalbum og viste billeder fra persongalleriet, mens han fortalte. Fotografierne fra begyndelsen af forrige århundrede viste to mænd med kraftige hager og vandkæmmet hår, og de stirrede ind i kameraet uden den mindste antydning af et smil.

Johan Vanger var familiens kvikke hoved, han uddannede sig til ingeniør og videreudviklede industrivirksomheden med en række nye opfindelser, som han fik patenteret. Stål og jern blev basen i koncernen, men firmaet ekspanderede også til andre områder som for eksempel tekstil. Johan Vanger døde i 1956 og efterlod sig tre døtre - Sofia, Märit og Ingrid - som var de første kvinder, der automatisk fik adgang til koncernens generalforsamling.

"Den anden bror, Fredrik Vanger, var min far. Han var forretningsmanden og industrilederen, der omsatte Johans opfindelser til penge. Min far døde så sent som i 1964. Han var aktiv i virksomhedsledelsen helt frem til sin død, selvom han allerede i halvtredserne overlod den daglige ledelse til mig.

Det var præcis som i generationen inden - bare omvendt. Johan Vanger fik udelukkende døtre." Henrik Vanger fremviste nogle billeder af storbarmede kvinder med bredskyggede hatte og parasoller. "Og Fredrik - min far - fik udelukkende sønner. Tilsammen var vi fem brødre: Richard, Harald, Greger, Gustav og mig."

FOR OVERHOVEDET AT kunne holde styr på alle familiemedlemmerne tegnede Mikael et stamtræ på nogle sammentapede A4-ark. Han markerede med fed skrift de familiemedlemmer, der havde været til stede på Hedeby-øen ved familiemødet i 1966, og som i det mindste teoretisk kunne have haft noget at gøre med Harriet Vangers forsvinden.

Mikael valgte at se bort fra børn under tolv år - uanset hvad der var overgået Harriet Vanger, måtte der være grænser for, hvor mange der kunne være under mistanke. Efter kort overvejelse slettede han også Henrik Vanger - hvis patriarken havde haft noget med sin brors barnebarns forsvinden at gøre, hørte hans optræden de sidste seksogtredive år ind under det psykopatologiske felt. Også Henrik Vangers mor, som i 1966 havde nået den agtværdige alder af enogfirs år, burde med rimelighed kunne udelukkes. Tilbage var der så treogtyve familiemedlemmer, som ifølge Henrik Vanger burde opføres på listen over "mistænkte". Syv af disse var siden da afgået ved døden, og nogle var oppe i en respektindgydende høj alder.

Mikael var dog ikke parat til uden videre at dele Henrik Vangers overbevisning om, at et familiemedlem stod bag Harriets forsvinden. En række andre personer måtte føjes til listen over mistænkte.

FREDRIK VANGER (1886-1964)
g.m. **Ulrika** (1885-1969)

Richard (1907-1940)
g.m. Margareta (1906-1959)

Gottfried (1927-1965)
g.m. **Isabella** (1928-)

Martin (1948-)
Harriet (1950-?)

Harald (1911-)
g.m. Ingrid (1925-1992)

Birger (1939-)
Cecilia (1946-)
Anita (1948-)

Greger (1912-1974)
g.m. **Gerda** (1922-)

Alexander (1946-)

Gustav (1918-1955)
ugift, barnløs

Henrik (1920-)
g.m. Edith (1921-1958), barnløs

JOHAN VANGER (1884-1956)
g.m. Gerda (1888-1960)

Sofia (1909-1977)
g.m. **Åke Sjögren** (1906-1967)

Magnus Sjögren (1929-1994)
Sara Sjögren (1931-)
Erik Sjögren (1951-)
Håkan Sjögren (1955-)

Märit (1911-1988)
g.m. **Algot Günther** (1904-1987)

Ossian Günther (1930-)
g.m. **Agnes** (1933-)
Jakob Günther (1952-)

Ingrid (1916-1990)
g.m. **Harry Karlman** (1912-1984)

Gunnar Karlman (1942-)
Maria Karlman (1944-)

Dirch Frode var begyndt at arbejde som Henrik Vangers advokat i foråret 1962. Og ud over herskabet - hvem havde været tjenestefolk, da Harriet forsvandt? Den nuværende "vicevært" Gunnar Nilsson - alibi eller ej - havde været nitten år gammel, og hans far Magnus Nilsson havde i allerhøjeste grad været til stede på Hedeby-øen, såvel som kunstneren Eugen Norman og præsten Otto Falk. Var Falk gift? Östergårdbonden Martin Aronsson, såvel som sønnen Jerker Aronsson, havde befundet sig på øen og i Harriet Vangers nærhed under hendes opvækst - hvilket forhold havde de til hinanden? Var Martin Aronsson gift? Boede der flere personer på gården?

Da Mikael begyndte at skrive alle navnene op, nåede han op på næsten fyrre personer, og han smed frustreret tuschpennen fra sig. Klokken var blevet halv fire om morgenen, og termometeret viste stadig minus 21 grader. Frosten syntes at have bidt sig fast. Han længtes efter sin seng på Bellmansgatan.

MIKAEL VÅGNEDE KLOKKEN ni onsdag morgen, da Telia bankede på døren for at installere et telefonstik og en ADSL-forbindelse. Klokken elleve var han koblet på og følte sig ikke længere totalt handicappet arbejdsmæssigt. Telefonen var imidlertid stadig tavs. Erika havde ikke ringet tilbage til ham i en uge. Hun måtte virkelig være vred. Han begyndte også at føle sig som lidt af et stædigt asen, men nægtede fortsat at ringe til hendes kontor; så længe han ringede til hendes mobil, kunne hun se, at han gjorde et forsøg, og selv vælge, om hun ville svare eller ej. Hvilket hun åbenbart ikke ville.

Uanset hvad åbnede han mailprogrammet og kiggede på de godt 350 mails, der var blevet sendt til ham i løbet af den sidste uge. Han gemte en halv snes mails, mens resten var spam og diverse gruppemails. Den første mail, han åbnede, var fra "demokrat88@yahoo.com" og indeholdt teksten HÅBER DU BLIVER RØVPULET I SPJÆLDET DIT LEDE KOMMUNISTSVIN. Mikael gemte mailen i en mappe med navnet *Intelligent kritik*.

Han skrev en kort besked til "erika.berger@millennium.se":

Hej, Ricky. Jeg går ud fra, at du er pissesur på mig, siden du ikke ringer tilbage. Jeg vil bare fortælle, at jeg nu er online, hvis du skulle få lyst til at tilgive mig. Hedeby er for øvrigt en landlig idyl, som nok er et besøg værd. M.

Ved frokosttid lagde han sin bærbare i tasken og spadserede op til Susannes Brocafé, hvor han plantede sig ved sit sædvanlige hjørnebord. Da Susanne kom med hans kaffe og smørrebrød, kiggede hun nysgerrigt på computeren og spurgte, hvad han arbejdede med. Mikael brugte for første gang sit *cover* og fortalte, at han var blevet hyret af Henrik Vanger til at skrive en biografi. De udvekslede høfligheder. Susanne opfordrede Mikael til tjekke med hende, når han var klar til de virkelige afsløringer.

"Jeg har betjent Vangerne i femogtredive år og kender til det meste af familiesladderen," sagde hun og svansede ud i køkkenet.

DEN OVERSIGT, SOM Mikael havde opridset, vidnede om, at familien Vanger producerede afkom med stor ihærdighed. Inklusive børn, børnebørn og oldebørn - som han ikke gad skrive op - havde brødrene Fredrik og Johan Vanger omkring halvtreds nulevende efterkommere. Mikael kunne også konstatere, at familien havde en tendens til at nå en høj alder. Fredrik Vanger var blevet otteoghalvfjerds, mens hans bror Johan var blevet tooghalvfjerds. Ulrika Vanger var død i en alder af fireogfirs. De to brødre Harald og Henrik Vanger levede som bekendt endnu og var henholdsvis tooghalvfems og toogfirs år gamle.

Den eneste undtagelse var Henrik Vangers bror Gustav, der var død af en lungesygdom i en alder af syvogtredive. Henrik Vanger havde fortalt, at Gustav altid havde været svagelig og gået sine egne veje og i det hele taget været lidt ude på sidelinjen i forhold til resten af familien. Han havde været ugift og barnløs.

De øvrige, der var døde i en ung alder, havde ikke været ramt af sygdom. Richard Vanger var faldet som frivillig i Den Finske Vinterkrig, kun treogtredive år gammel. Gottfried Vanger, Harriets far, var druknet, året inden hun forsvandt. Og Harriet selv havde kun været seksten år. Mikael noterede sig den sælsomme symmetri, der viste, at lige netop den gren af familien – farfar, far og datter – var blevet hjemsøgt af ulykker. Richards eneste efterkommer var Martin Vanger, der endnu som femoghalvtredsårig var ugift og barnløs. Henrik Vanger havde dog oplyst ham om, at Martin havde et papirløst forhold til en kvinde, der boede inde i Hedestad.

Martin Vanger var atten, da hans søster forsvandt. Han tilhørte det fåtal af nære slægtninge, der med en vis sikkerhed kunne stryges fra listen over dem, der muligvis kunne have noget med hendes forsvinden at gøre. Det efterår havde han boet i Uppsala, hvor han gik i 3. g. Han skulle deltage i familiemødet, men ankom først sent om eftermiddagen og befandt sig derfor blandt tilskuerne på den anden side af broen i den kritiske time, hvor hans søster gik op i røg.

Mikael noterede sig yderligere to særpræg ved stamtræet: Det første var, at ægteskaberne syntes at holde livet ud; intet medlem af familien Vanger var nogensinde blevet skilt eller havde giftet sig igen, ikke engang hvis ægtefællen var død i en ung alder. Mikael spekulerede på, hvor almindeligt det mon var rent statistisk. Cecilia Vanger var for år tilbage blevet separeret fra sin mand, men de var – efter hvad Mikael kunne forstå – fortsat gift.

Det andet særpræg var, at familien forekom geografisk splittet mellem den "mandlige" og den "kvindelige" side. Fredrik Vangers efterkommere, som Henrik Vanger tilhørte, havde traditionelt spillet en ledende rolle i virksomheden og hovedsagelig boet i eller i nærheden af Hedestad. Medlemmerne af Johan Vangers gren af familien, som udelukkende havde produceret kvindelige arvinger, var via giftermål blevet spredt til alle dele af landet; de boede hovedsagelig i Stockholm, Malmø og Göteborg eller i udlandet og kom kun til Hedestad i sommerferien eller til vigtige møder i koncernen. Eneste undtagelse var Ingrid Vanger, hvis søn Gunnar Karlman boede i Hedestad. Han var chefredaktør for lokalavisen *Hedestads-Kuriren.*

Henrik Vangers egen efterforskning havde fået ham til at mene, at "motivet til mordet på Harriet" måske skulle findes i virksomhedens struktur – den kendsgerning, at han allerede på et tidligt tidspunkt havde proklameret, at Harriet var "noget helt specielt", at nogen muligvis ønskede at skade ham selv, eller at Harriet var faldet over en eller anden følsom oplysning, der vedrørte koncernen, og derfor udgjorde en trussel mod nogen. Alt dette var lutter spekulationer, men han havde ikke desto mindre identificeret en gruppe på tretten personer, hvilke han fremhævede som "specielt interessante".

Gårsdagens samtale med Henrik Vanger havde desuden været oplysende på et andet punkt. Fra første færd havde den gamle omtalt sin familie så nedsættende og med en sådan foragt, at det virkede helt grotesk. Mikael havde spekuleret på, om patriarkens mistanker til sin familie angående Harriets forsvinden havde forplumret hans dømmekraft, men nu begyndte det at gå op for ham, at Henrik Vangers vurdering faktisk var forbløffende logisk.

Det billede, der voksede frem, afslørede en familie, der var socialt og økonomisk succesrig, men som helt tydeligt var dysfunktionel i enhver anden henseende.

HENRIK VANGERS FAR havde været et koldt og ufølsomt menneske, som efter at have avlet sine børn havde overladt det til sin kone at tage sig af deres opdragelse og velbefindende. Indtil sekstenårsalderen havde børnene knap nok mødt deres far ud over ved særlige familiesammenkomster, hvor de forventedes at være til stede og samtidig usynlige. Henrik Vanger kunne ikke mindes, at hans far nogensinde på mindste måde havde udtrykt nogen form for kærlighed; sønnen havde derimod ofte fået at vide, at han var uduelig, og havde været skydeskive for tilintetgørende kritik. Korporlig afstraffelse forekom sjældent, det var ikke nødvendigt. De få gange, han havde vundet sin fars respekt, var senere i livet, hvor han havde udrettet noget for Vangerkoncernen.

Den ældste bror Richard havde gjort oprør. Efter et skænderi, hvis årsag aldrig var blevet diskuteret i familien, var Richard flyttet til Uppsala for at studere. Der havde han indledt den nazistiske karriere, Henrik Vanger allerede havde fortalt Mikael om, og som siden hen skulle føre ham til skyttegravene i Den Finske Vinterkrig.

Hvad den gamle ikke tidligere havde fortalt, var, at endnu to af brødrene havde gjort lignende karrierer.

Både Harald og Greger Vanger var i 1930 fulgt i storebroderens fodspor til Uppsala. Harald og Greger havde stået hinanden nær, men Henrik Vanger var ikke sikker på, hvor meget de havde omgåedes Richard. Det stod dog klart, at brødrene sluttede sig til Per Engdahls fascistbevægelse Det Nye Sverige. Harald Vanger havde derefter loyalt fulgt Per Engdahl gennem årene, først til Sveriges Nationella Förbund, derefter til Svensk Opposition og endelig til Nysvenska Rörelsen, der blev stiftet efter krigen. Han forblev medlem frem til Per Engdahls død i halvfemserne og var i nogle perioder en af den svenske fascismes vigtigste økonomiske støtter.

Harald Vanger havde læst medicin i Uppsala og blev næsten omgående involveret i de kredse, der ivrigt gik ind for racehygiejne og racebiologi. En overgang arbejdede han for Svenska Rasbiologiska Institutet og blev som læge en fremtrædende aktør i kampagnen for sterilisering af uønskede befolkningsgrupper.

Citat, Henrik Vanger, bånd 2, 02950

Harald gik længere end som så. I 1937 *var han medforfatter – under pseudonym, gudskelov – til en bog med titlen* Det nye Europa. *Det her fik jeg først at vide i halvfjerdserne. Jeg har et eksemplar af bogen, hvis du er interesseret. Det er formodentlig en af de mest modbydelige bøger, der er udkommet på svensk. Harald argumenterede ikke kun for sterilisering, men også for eutanasi – det vil sige aktiv dødshjælp til mennesker, som forulempede hans æstetiske sans og ikke passede ind i hans billede af den perfekte svensker. Han plæderede med andre ord for massemord i en tekst, der var forfattet i et uklanderligt akademisk sprog og indeholdt alle nødvendige medicinske argumenter. Fjern de handicappede. Lad ikke samerne formere sig – de har mongolske gener. Psykisk syge vil opleve døden som en befrielse, ikke sandt? Løsagtige kvinder, tatere, sigøjnere og jøder – du kan selv fortsætte listen. I min brors fantasier kunne Auschwitz have ligget i Dalarna.*

Greger Vanger blev efter krigen adjunkt og efterfølgende rektor for gymnasiet i Hedestad. Henrik havde troet, at han havde været uden politisk tilhørsforhold efter krigen og havde sagt fra over for nazismen. Han døde i 1974, og først da Henrik gennemgik den efterladte korrespondance fra halvtredserne, opdagede han, at broderen havde tilhørt den politisk ligegyldige, men ikke desto mindre totalt stupide sekt Nordiska Rikspartiet, NRP. Han havde været medlem helt frem til sin død.

Citat, Henrik Vanger, bånd 2, 04167: "*Tre af mine brødre var med andre ord politisk sindssyge. Hvor syge var de i andre henseender?*"

Den eneste af brødrene, der i en vis grad fandt nåde for Henrik Vangers øjne, var den svagelige Gustav, som altså døde af en lungesygdom i 1955. Gustav havde ikke interesseret sig for politik og fremstod nærmest som en verdensfjern kunstnersjæl uden den mindste interesse for forretninger eller Vangerkoncernen. Mikael spurgte Henrik Vanger:

"Der er altså kun dig og Harald tilbage. Hvorfor flyttede han tilbage til Hedeby?"

"Han flyttede hjem i 1979, da han var otteogtres. Han ejer huset."

"Det må føles underligt at bo så tæt på en bror, man hader."

Henrik Vanger kiggede forundret på Mikael.

"Du har misforstået mig. Jeg hader ikke min bror. Jeg har muligvis medlidenhed med ham. Han er total idiot, og det er ham, der hader mig."

"Han hader *dig*?"

"Ja. Jeg tror, det var derfor, han flyttede tilbage. For at kunne tilbringe sine sidste år med at hade mig på nært hold."

"Hvorfor hader han dig?"

"Fordi jeg giftede mig."

"Det dér må du vist lige forklare nærmere."

HENRIK VANGER HAVDE tidligt mistet kontakten med sine ældre brødre. Han var den eneste i søskendeflokken, der udviste noget anlæg for forretninger – hans fars sidste håb. Han var uinteresseret i politik og ville undgå Uppsala; i stedet valgte han at studere økonomi i Stockholm. Fra han fyldte atten, havde han tilbragt samtlige ferier som praktikant på et af Vangerkoncernens mange kontorer eller i en af deres lokale bestyrelser. Han lærte at finde rundt i alle familieforetagendets krinkelkroge.

Den 10. juni 1941 – da verdenskrigen stod i lys lue – blev Henrik sendt til Tyskland på et fem ugers besøg hos Vangerkoncernens filial i Hamburg. Han var dengang kun enogtyve år gammel og havde virksomhedens tyske agent – en ældre firmaveteran ved navn Hermann Lobach – som oppasser og mentor.

"Jeg vil ikke trætte dig med alle detaljer, men da jeg tog derned, var Hitler og Stalin stadig gode venner, og der eksisterede ikke nogen Østfront. Alle troede fortsat, at Hitler var uovervindelig. Der var en følelse af... optimisme og desperation er vist de rette ord. Mere end et halvt århundrede efter er det stadig svært at finde ord for den stemning. Misforstå mig ikke – jeg var ikke på noget tidspunkt nazist, og i mine øjne var Hitler en latterlig operettefigur. Men det var svært ikke at blive smittet af den optimisme over for fremtiden, der fandtes hos almindelige mennesker i Hamburg. Selvom krigen kom stadigt nærmere, og Hamburg var udsat for adskillige luftbombardementer, mens jeg var der, virkede det, som om folk i almindelighed opfattede det som et midlertidigt irritationsmoment – der ville snart blive fred, og Hitler ville oprette sit *Neuropa,* det nye Europa. Folk ønskede at tro, at Hitler var Gud. Det var jo dét, propagandaen fortalte."

Henrik Vanger slog op i et af sine mange fotoalbummer.

"Det her er Hermann Lobach. Han forsvandt i 1944, omkom formentlig under et af de mange bombardementer og blev begravet under ruinerne. Vi hørte aldrig mere til ham. I løbet af mine uger i Hamburg kom jeg til at stå ham nær. Jeg var indlogeret hos ham og hans familie i en fornem lejlighed i Hamburgs velhaverkvarter. Vi så hinanden daglig. Han var lige så lidt nazist som jeg, men han var medlem af nazistpartiet af praktiske årsager. Medlemskortet åbnede døre og gjorde det lettere at gøre forretninger for Vangerkoncernen – og forretninger var præcis, hvad vi gjorde. Vi fremstillede godsvogne til deres tog

– jeg har altid spekuleret på, om nogen af vognene havde Polen som destination. Vi solgte stof til deres uniformer og rør til deres radioapparater – selvom vi officielt ikke vidste, hvad de brugte varerne til. Og Hermann Lobach vidste, hvordan man hev en kontrakt i land, han var underholdende og gemytlig. Den perfekte nazist. Efterhånden begyndte det dog at gå op for mig, at han også var en mand, som desperat prøvede at skjule en hemmelighed.

Natten til den 22. juni 1941 bankede Hermann Lobach pludselig på døren til mit soveværelse og vækkede mig. Mit værelse lå ved siden af hans kones soveværelse, og han gjorde tegn til mig om at være stille, tage tøj på og følge med ham. Vi gik nedenunder og satte os i rygeværelset. Det var tydeligt, at Lobach havde været vågen hele natten. Han havde tændt radioen, og jeg forstod, at der var sket noget dramatisk. Operation Barbarossa var gået i gang. Tyskland var gået til angreb på Sovjetunionen samme nat."

Henrik Vanger gjorde en modløs bevægelse med hånden.

"Hermann Lobach hentede to glas og skænkede os nogle velvoksne snapse. Han var mærkbart rystet. Da jeg spurgte ham, hvad dette indebar, svarede han fremsynet, at det indebar afslutningen på Tyskland og nazismen. Jeg troede kun delvis på ham – Hitler forekom jo umulig at besejre – men Lobach skålede med mig for Tysklands undergang. Derefter tog han hul på det praktiske."

Mikael nikkede som tegn på, at han stadig fulgte med i historien.

"For det første havde han ingen mulighed for at kontakte min far og modtage nærmere instrukser, men havde på egen hånd besluttet at afbryde mit besøg i Tyskland og sende mig hjem ved først givne lejlighed. For det andet ville han bede mig om en tjeneste."

Henrik Vanger pegede på et gulnet og flosset portræt af en mørkhåret kvinde i halvprofil.

"Hermann Lobach havde været gift i fyrre år, men i 1919 havde han mødt en utroligt smuk og halvt så gammel kvinde, som han blev dødeligt forelsket i. Hun var en jævn og fattig syerske. Lobach opvartede hende, og som så mange andre velbeslåede mænd havde han råd til at installere hende i en lejlighed i bekvem afstand fra sit kontor. Hun blev hans elskerinde, og i 1921 fødte hun ham en datter, der fik navnet Edith."

"Rig, ældre mand og ung, fattig kvinde samt et elskovsbarn – selv ikke i fyrrerne kan det have været specielt skandaløst," bemærkede Mikael.

"Sandt nok. Hvis det ikke havde været for en bestemt ting. Kvinden var jødinde, og Lobach var således far til en jødisk datter midt inde i Nazityskland. I praksis var han med andre ord *raceforræder*."

"Javel ja – det ændrer unægtelig situationen. Hvad skete der så?"

"Ediths mor blev taget i 1939. Hun forsvandt, og vi kan kun gætte på, hvad der blev hendes skæbne. Det var en kendt sag, at hun havde en datter, som endnu ikke var blevet opført på nogen deportationsliste, og nu blev hun eftersøgt af den afdeling i Gestapo, der havde til opgave at spore flygtede jøder. Sommeren 1941 – samme uge, som jeg ankom til Hamburg – var Ediths mors forbindelse med Hermann Lobach kommet for en dag, og han blev indkaldt til forhør. Han havde vedkendt sig forholdet og faderskabet, men oplyste, at han ikke havde nogen anelse om, hvor hans datter befandt sig, og at han ikke havde haft kontakt med hende i ti år."

"Og hvor befandt datteren sig så?"

"Jeg havde mødt hende hver dag hjemme hos Lobach. En køn og forsagt pige på tyve år, der gjorde rent på mit værelse og hjalp til med at servere aftensmad. I 1937 havde jødeforfølgelserne stået på i flere år, og Ediths mor havde bønfaldet Lobach om hjælp. Og han havde hjulpet – Lobach elskede sit uægte barn lige så højt som sine officielle børn. Han havde skjult hende på det mest usandsynlige sted, han kunne komme i tanker om – lige for næsen af alle. Han havde skaffet falske papirer og ansat hende som husholderske."

"Vidste hans kone, hvem hun var?"

"Nej, hun havde ingen anelse om arrangementet."

"Hvad skete der så?"

"Det havde fungeret i fire år, men nu mærkede Lobach nettet strammes. Det var kun et spørgsmål om tid, før Gestapo ville banke på døren. Alt dette fortalte han mig altså en nat, kun et par uger inden jeg skulle rejse tilbage til Sverige. Derefter hentede han sin datter og præsenterede os for hinanden. Hun var meget genert og turde end ikke møde mit blik. Lobach bønfaldt mig om at redde hendes liv."

"Hvordan?"

"Han havde arrangeret det hele. Ifølge den oprindelige plan skulle jeg blive der endnu tre uger, tage nattoget til København og derefter færgen over sundet – en relativt ufarlig rejse, selv i krigstid. To dage efter vores samtale skulle et af Vangerkoncernens fragtskibe imidlertid sejle fra Hamburg til Sverige. Lobach ville sende mig med skibet i stedet og få mig ud af Tyskland hurtigst muligt. Ændringen af rejseplanerne skulle godkendes af sikkerhedstjenesten, en bureaukratisk foranstaltning, men dog ikke noget problem. Lobach ville med andre ord have mig om bord på skibet."

"Sammen med Edith, går jeg ud fra."

"Edith blev smuglet om bord i en af tre hundrede kasser med maskindele. Min opgave var at beskytte hende, hvis hun skulle blive opdaget, mens vi endnu befandt os i tysk territorialfarvand, og forhindre skibets kaptajn i at gøre noget dumt. Hvis intet skete, skulle jeg bare vente, til vi var nået et stykke væk fra Tyskland, før jeg lukkede hende ud."

"Okay."

"Det lød enkelt nok, men blev et mareridt af en rejse. Skibets kaptajn hed Oskar Granath, og han var alt andet end begejstret for pludselig at have ansvaret for sin arbejdsgivers storsnudede arving. Vi forlod Hamburg ved nitiden om aftenen den 24. juni. Vi var netop på vej ud af det indre havneområde, da luftalarmen gik i gang. Det var et engelsk bombetogt – det voldsomste, jeg havde oplevet, og havnen var selvsagt et vigtigt mål. Jeg overdriver ikke, når jeg siger, at jeg nær havde pisset i bukserne, da bomberne begyndte at eksplodere om ørerne på os. Men på en eller anden måde klarede vi os igennem, og efter et motorstop og en rædsom, stormfuld nat i mineret farvand anløb vi Karlskrona den følgende eftermiddag. Og nu vil du velsagtens spørge, hvordan det gik pigen."

"Jeg tror, jeg ved det allerede."

"Min far blev selvfølgelig rasende. Jeg havde løbet en enorm risiko med mit idiotiske forehavende. Og pigen kunne når som helst blive deporteret – husk på, at vi skrev 1941. Men på dette tidspunkt var jeg allerede blevet lige så dødeligt forelsket i hende, som Lobach havde været i hendes mor. Jeg friede og gav min far et ultimatum – enten godtog han ægteskabet, eller han måtte se sig om efter en ny tronfølger i familieforetagendet. Han bøjede sig."

"Men hun døde?"

"Ja, alt for ung. Allerede i 1958. Vi fik godt seksten år sammen. Hun havde en medfødt hjertefejl, og det viste sig, at jeg var steril – vi fik aldrig nogen børn. Og det er derfor, min bror hader mig."

"Fordi du giftede dig med hende."

"Fordi jeg – for nu at bruge hans terminologi – giftede mig med en beskidt jødeluder. For ham var det et forræderi mod racen, mod folkestammen, moralen og alt det, han selv stod for."

"Manden er jo gal."

"Jeg kunne ikke have udtrykt det bedre selv."

KAPITEL 10

Torsdag den 9. januar – fredag den 31. januar

IFØLGE HEDESTADS-KURIREN var Mikaels første måned i ødemarken den koldeste i mands minde, eller (hvilket Henrik Vanger fortalte ham) i det mindste siden krigsvinteren 1942. Han var tilbøjelig til at tage påstanden for gode varer. Allerede efter en uge i Hedeby havde han lært alt, hvad der var værd at vide om lange underbukser, uldne sokker og dobbelte undertrøjer.

Han oplevede nogle rædselsfulde døgn i midten af januar, hvor temperaturen faldt helt ned til ufattelige minus 37 grader. Han havde aldrig oplevet noget lignende, ikke engang det år han aftjente sin værnepligt i Kiruna. En morgen var vandrøret frosset til. Gunnar Nilsson havde forsynet ham med to store plasticdunke med vand, så han kunne lave mad og vaske sig, men kulden havde været lammende. Der var isblomster på indersiden af ruderne, og ligegyldigt hvor meget han fyrede op i brændeovnen, følte han sig konstant nedkølet. Han tilbragte lang tid hver dag med at kløve brænde i skuret bag hytten.

Indimellem var han grædefærdig og overvejede at tage en taxa ind til byen og sætte sig i det første det bedste tog sydpå. I stedet tog han en ekstra sweater på, svøbte sig ind i et tæppe og satte sig ved køkkenbordet og drak kaffe og læste gamle politirapporter.

Så slog vejret om, og temperaturen steg til behagelige minus 10 grader.

MIKAEL VAR BEGYNDT at lære folk at kende i Hedeby. Martin Vanger holdt sit løfte og inviterede ham på hjemmelavet middag – elgsteg med italiensk rødvin. Industrilederen var ugift, men kom sammen med en Eva Hassel, der også deltog i middagen.

Eva Hassel var en varm og sprudlende kvinde, og Mikael fandt hende overordentlig tiltrækkende. Hun var tandlæge og boede inde i Hedestad, men tilbragte weekenderne hos Martin Vanger. Mikael fik senere at vide, at de havde kendt hinanden i mange år, men først var begyndt at komme sammen på deres ældre dage og ikke havde set nogen grund til at gifte sig.

"Hun er faktisk min tandlæge," fortalte Martin Vanger leende.

"Og at blive gift ind i den skøre familie er ikke noget for mig," sagde Eva Hassel og klappede Martin Vanger kærligt på knæet.

Martin Vangers villa var en arkitekttegnet ungkarledrøm med møbler i sort, hvidt og krom. Møblementet bestod af eksklusive designerting, der ville have fascineret feinschmeckeren Christer Malm. Køkkenudstyret ville kunne tilfredsstille en professionel kok. I dagligstuen fandtes et stereoanlæg af fornemste kvalitet og en formidabel samling jazzplader fra Tommy Dorsey til John Coltrane. Martin Vanger havde penge, og hans hjem var eksklusivt og funktionelt, men også helt upersonligt. Mikael bed mærke i, at billederne på væggene var enkle reproduktioner og plakater, som man kunne finde i Ikea – nydelige, men ikke just pralende. Bogreolerne – i hvert fald i den del af huset, Mikael kunne se – var sparsomt fyldt op med Nationalencyklopædien og forskellige bøger af den type, folk forærer væk i julegave, når de ikke kan finde på noget bedre. Alt i alt kunne Mikael kun få øje på to personlige interesser i Martin Vangers liv: musik og madlavning. Den førstnævnte interesse gav sig til kende i samlingen på omkring tre tusind lp-plader. Den sidstnævnte kunne aflæses af Martin Vangers mave, der bulede ud over livremmen.

Personen Martin Vanger var en besynderlig blanding af enfoldighed, kynisme og elskværdighed. Der skulle ikke de store analytiske evner til for at regne ud, at industrilederen var et menneske med problemer. Mens de lyttede til *Night in Tunisia*, handlede samtalen for en stor del om Vangerkoncernen, og Martin Vanger gjorde ingen hemmelighed af, at han kæmpede for firmaets overlevelse. Emnevalget forvirrede Mikael; Martin Vanger vidste udmærket, at han havde en temmelig kendt erhvervsjournalist som middagsgæst, men diskuterede på trods heraf sin virksomheds interne problemer så åbenhjertigt, at det virkede tankeløst. Han gik åbenbart ud fra, at Mikael var en del af familien, i og med at han arbejdede for Henrik Vanger, og i lighed med den tidligere direktør mente han, at familien kun havde sig selv at takke for den situation, firmaet befandt sig i. Han delte derimod ikke den gamles bitterhed og uforsonlige foragt for slægten. Martin Vanger syntes nærmest at more sig over familiens uhelbredelige dårskab. Eva Hassel nikkede, men kom ikke med kommentarer. De havde åbenbart uddebatteret emnet tidligere.

Martin Vanger var indforstået med, at Mikael var blevet ansat til at skrive en slægtshistorie, og spurgte, hvordan arbejdet skred frem. Mikael svarede smilende, at han havde problemer med blot at huske navnene på alle familiemedlemmerne og ville sætte pris på, hvis han kunne vende tilbage og lave et interview, når det passede Martin. Flere gange overvejede han at dreje samtalen ind på den gamles besættelse af Harriet Vangers forsvinden. Han gik ud fra, at Henrik Vanger ved adskillige lejligheder havde plaget Harriets bror med sine teorier, og han gik ligeledes ud fra, at Martin måtte være klar over, at hvis Mikael skulle skrive en slægtshistorie, så ville det næppe undgå hans opmærksomhed, at et af familiemedlemmerne var sporløst forsvundet. Men Martin virkede ikke tilbøjelig til at tage emnet op, så Mikael lod det ligge. De ville tids nok få mulighed for at diskutere Harriet.

De tog afsked – efter en god del vodka – ved totiden om natten. Mikael var godt og grundigt fuld, da han vaklede de tre hundrede meter hjem til sig selv. Alt i alt havde det været en hyggelig aften.

En eftermiddag i løbet af Mikaels anden uge i Hedeby bankede det på døren til hans hytte. Mikael lagde den politimappe, han lige havde åbnet, fra sig – den sjette i rækken – og lukkede døren til arbejdsværelset, før han åbnede hoveddøren og stod ansigt til ansigt med en pelsklædt, blond kvinde i halvtredserne.

"Hej. Jeg ville bare hilse på. Jeg hedder Cecilia Vanger."

De gav hånd, og Mikael fandt kaffekopper frem. Cecilia

Vanger, datter af nazisten Harald Vanger, virkede som en åben og i mange henseender indtagende kvinde. Mikael mindede sig selv om, at Henrik Vanger havde omtalt hende i positive vendinger og nævnt, at hun ikke omgikkes sin far, selvom de var naboer. De småsludrede lidt, før hun kom ind på sit egentlige ærinde.

"Jeg har forstået, at du skal skrive en bog om familien. Jeg er ikke sikker på, at tanken huer mig," sagde hun. "Jeg ville i hvert fald se, hvad du var for en starut."

"Tja, Henrik Vanger har ansat mig. Det er hans projekt, så at sige."

"Og den gode Henrik er ikke helt neutral i sin bedømmelse af familien."

Mikael betragtede hende, usikker på, hvad hun egentlig mente.

"Så du modsætter dig, at der bliver skrevet en bog om Vangerfamilien?"

"Det sagde jeg ikke. Og min mening har ingen betydning. Men jeg tror, du allerede nu har forstået, at det ikke altid har været helt let at være medlem af denne familie."

Mikael havde ingen anelse om, hvad Henrik havde fortalt hende, og hvor meget Cecilia kendte til hans opgave. Han slog ud med hænderne.

"Jeg er kontraktligt ansat af Henrik Vanger til at skrive en slægtshistorie. Henrik har nogle stærke meninger om flere familiemedlemmer, men jeg vil nok holde mig til det, der kan dokumenteres."

Cecilia Vanger smilede uden varme.

"Det, jeg godt vil vide, er, om jeg bliver nødt til at gå i eksil og emigrere, når bogen udkommer."

"Det tror jeg ikke," svarede Mikael. "Folk vil ikke blive slået i hartkorn med hinanden."

"Med min far, for eksempel."

"Nazisten?" spurgte Mikael. Cecilia lavede himmelvendte øjne.

"Min far er rablende gal. Jeg ser ham kun et par gange om året, selvom vi bor dør om dør."

"Hvorfor vil du ikke se ham?"

"Tøv lige en kende, inden du begynder at stille en masse spørgsmål. Har du tænkt dig at citere det, jeg siger? Eller kan jeg føre en normal samtale med dig uden at frygte at blive hængt ud som idiot?"

Mikael tøvede lidt, mens han overvejede, hvordan han skulle formulere sig.

"Jeg har fået til opgave at skrive en bog, der begynder, da Alexandre Vangeersad går i land sammen med Bernadotte, og som slutter i dag. Den vil handle om forretningsimperiet gennem mange årtier, men selvfølgelig også om, hvorfor imperiet er for nedadgående, og om de modsætninger, der er i familien. I en sådan beretning er det umuligt at undgå, at der dukker noget snavs op til overfladen. Men det betyder ikke, at jeg vil svine familien til. Jeg har for eksempel mødt Martin Vanger, der på mig virker som et sympatisk menneske, og sådan vil jeg beskrive ham."

Cecilia Vanger svarede ikke.

"Om dig ved jeg, at du er skolelærer ..."

"Det er faktisk værre end som så. Jeg er rektor for Hedestad Gymnasium."

"Undskyld. Jeg ved, Henrik Vanger synes godt om dig, at du er gift, om end separeret ... men det er stort set også alt. Og selvfølgelig kan du tale med mig uden at frygte at blive citeret eller hængt ud. Noget andet er, at jeg formentlig vil banke på hos dig en dag og stille spørgsmål til specifikke begivenheder, som du måske kan kaste lys over. I så fald vil der være tale om et interview, og du kan vælge at svare eller lade være. Men hvis jeg stiller et sådant spørgsmål, vil jeg gøre dig opmærksom på det."

"Jeg kan altså snakke med dig ... *off the record*, som I plejer at sige?"

"Ja da."

"Og det her er *off the record*?"

"Du er en nabo, der er på besøg og drikker kaffe, ikke andet."

"Okay. Må jeg så spørge dig om noget?"

"Værsgo."

"Hvor meget af denne bog kommer til at handle om Harriet Vanger?"

Mikael bed sig i underlæben og tøvede. Så svarede han i et let tonefald:

"Det har jeg ærlig talt ingen anelse om. Det er klart, at det meget vel kan optage et kapitel – det er jo unægtelig en dramatisk begivenhed, der har påvirket i hvert fald Henrik Vanger."

"Men du er her ikke for at undersøge hendes forsvinden?"

"Hvad får dig til at tro det?"

"Tja, det faktum, at Gunnar Nilsson slæbte fire flyttekasser herover. Det svarer vist til Henriks private samling af efterforskningsmateriale. Og da jeg kastede et blik ind i Harriets gamle værelse, hvor Henrik plejer at opbevare samlingen, var den væk."

Cecilia Vanger var ikke dum.

"Det der må du faktisk diskutere med Henrik Vanger og ikke mig," svarede Mikael. "Men ja – Henrik har snakket en del om Harriets forsvinden, og jeg synes, det er interessant at læse materialet."

Cecilia Vanger smilede endnu et glædesløst smil.

"Sommetider spekulerer jeg på, hvem der har mest knald i låget – min far eller min onkel. Jeg har nok diskuteret Harriets forsvinden med ham tusind gange."

"Hvad tror du selv, der skete med hende?"

"Er det et interviewspørgsmål?"

"Nej," sagde Mikael leende. "Jeg spørger af nysgerrighed."

"Det, jeg er nysgerrig efter at vide, er, om du også er et fjols. Om du har købt Henriks teorier, eller om det er dig, der lægger pres på Henrik."

"Du mener altså, at Henrik er et fjols?"

"Misforstå mig ikke. Henrik er et af de varmeste og mest betænksomme mennesker, jeg kender. Jeg synes vældig godt om ham. Men hvad det her angår, er han besat."

"Men besættelsen grunder sig på noget reelt. Harriet er faktisk forsvundet."

"Jeg er bare så forbandet træt af hele historien. Den har forgiftet vores tilværelse i så mange år, og det holder aldrig op."

Hun rejste sig pludselig og tog sin pels på. "Jeg må gå nu. Du virker rar nok. Det synes Martin også, men hans dømmekraft er ikke altid den bedste. Du er velkommen til at komme hen hos mig til en kop kaffe, når du har lyst. Jeg er næsten altid hjemme om aftenen."

"Tak," sagde Mikael. Da hun gik hen mod hoveddøren, råbte han efter hende. "Du svarede ikke på det, der ikke var et interviewspørgsmål."

Hun blev stående henne ved døren og svarede uden at kigge på ham.

"Jeg har ingen anelse om, hvad der skete med Harriet, men jeg tror, det var en ulykke, der har en så banal og hverdagsagtig forklaring, at vi vil måbe, hvis vi nogensinde finder svaret."

Hun vendte sig om og smilede til ham – for første gang med varme. Så vinkede hun og forsvandt. Mikael blev siddende stille ved bordet og funderede over den kendsgerning, at Cecilia Vanger var en af de personer, hvis navn var skrevet med fede typer på hans oversigt over de familiemedlemmer, der befandt sig på øen, da Harriet Vanger forsvandt.

HVIS CECILIA VANGER alt i alt virkede som et behageligt bekendtskab, kunne det samme ikke siges om Isabella Vanger. Harriet Vangers mor var femoghalvfjerds år gammel og – nøjagtig som Henrik Vanger havde advaret om – en ualmindelig elegant kvinde, der kunne minde om en aldrende Lauren Bacall. Hun var slank, iført sort persianerpels med matchende hue og støttede sig til en sort stok, da Mikael løb ind i hende en morgen på vej til Susannes Brocafé. Hun lignede en aldrende vampyr: stadig billedskøn, men giftig som en slange. Isabella Vanger var tydeligvis på vej hjem efter en spadseretur og råbte til ham fra vejkrydset.

"Halløj der, unge mand! Kom her!"

Den kommanderende tone var ikke til at tage fejl af. Mikael så sig om og drog den slutning, at det var ham, hun kaldte på. Han gik hen til hende.

"Jeg er Isabella Vanger," kundgjorde kvinden.

"Goddag, jeg er Mikael Blomkvist." Han rakte en hånd frem,

som hun fuldstændigt ignorerede.

"Er det dig, der render og snager i vores familieanliggender?"

"Nja, det er mig, som Henrik Vanger har ansat til at hjælpe med hans bog om familien Vanger."

"Det har du ikke noget med at gøre."

"Hvilket? At Henrik Vanger ville ansætte mig, eller at jeg sagde ja? Hvis du mener det første, må det vist være Henriks afgørelse, og hvad det sidste angår, er det min egen sag."

"Du ved udmærket, hvad jeg mener. Jeg bryder mig ikke om, at folk snager i mit liv."

"Okay, jeg vil ikke snage i dit liv. Resten må du debattere med Henrik Vanger."

Isabella Vanger løftede pludselig sin stok og bankede håndtaget ind i brystet på Mikael. Der var ikke megen kraft i stødet, men han trådte målløs et skridt baglæns.

"Hold dig væk fra mig."

Isabella Vanger drejede om på hælen og forsvandt i retning af sit hus. Mikael blev stående med et ansigtsudtryk, som om han netop havde mødt en lyslevende tegneseriefigur. Da han løftede blikket, så han Henrik Vanger stå i vinduet i sit arbejdsværelse. Han havde en kaffekop i hånden, som han hævede i en ironisk skål. Mikael slog opgivende ud med hænderne, rystede på hovedet og gik hen til Susannes café.

Den eneste rejse, Mikael foretog i løbet af den første måned, var en endagstur til Siljansøen. Han lånte Dirch Frodes Mercedes og kørte gennem et snedækket landskab for at tilbringe en eftermiddag sammen med kriminalkommissær Gustaf Morell. Mikael havde prøvet at danne sig et billede af Morell på baggrund af de oplysninger, der fremgik af politiets efterforskning; hvad han fandt, var en mager olding, der bevægede sig langsomt og talte endnu langsommere.

Mikael havde medbragt en notesblok, hvor han havde nedskrevet omkring ti spørgsmål, hovedsagelig ideer, der var dukket op under læsningen af efterforskningsmaterialet. Morell svarede pædagogisk på hvert af Mikaels spørgsmål. Til sidst havde

Mikael lagt blokken til side og fortalt Morell, at spørgsmålene kun havde været en undskyldning for at tage ned og hilse på den pensionerede kommissær. Hans egentlige formål med besøget var at sludre lidt med ham samt stille det eneste virkelig betydningsfulde spørgsmål: Var der noget i politiefterforskningen, som han ikke havde skrevet ned – nogen overvejelser eller intuitive fornemmelser, han ville indvie ham i?

Eftersom Morell i lighed med Henrik Vanger havde brugt seksogtredive år på at gruble over mysteriet med Harriets forsvinden, havde Mikael forventet at blive mødt af en vis modstand – han var den nye fyr, der begyndte at trampe rundt i den jungle, hvor Morell var faret vild. Men der fandtes ikke antydning af fjendtlighed. Morell stoppede omhyggeligt sin pibe og strøg en tændstik, før han svarede.

"Ja, det er klart, at jeg har gjort mig nogle tanker. Men de er så diffuse og flygtige, at jeg ikke rigtig kan formulere dem."

"Hvad tror du, der skete med Harriet?"

"Jeg tror, hun blev myrdet. Her er jeg enig med Henrik. Det er den eneste fornuftige forklaring. Men vi har aldrig forstået motivet. Jeg tror, hun blev myrdet af en helt speciel grund – der var ikke tale om en sindssyg, ukendt morder eller voldtægtsmand eller noget i den stil. Hvis vi kendte motivet, ville vi vide, hvem der myrdede hende."

Morell sad og grublede lidt.

"Mordet kan være begået spontant. Det vil sige, at en eller anden greb chancen, da den bød sig i det kaos, der fulgte efter ulykken. Morderen skjulte liget og fik det skaffet af vejen på et senere tidspunkt, mens vi finkæmmede øen."

"I så fald taler vi om en person med is i maven."

"Der er en vigtig detalje. Harriet kom ind i Henriks arbejdsværelse og bad om at tale med ham. Set i bakspejlet forekommer det mig underligt – hun vidste udmærket, at han havde rigeligt at se til med alle slægtningene, der vimsede rundt. Jeg tror, Harriet udgjorde en trussel mod en eller anden, at hun ville fortælle Henrik noget, og at morderen var klar over, at hun ville ... tja, sladre."

"Henrik sad og talte med nogle familiemedlemmer ..."

"Ud over Henrik var der fire personer til stede i lokalet. Hans bror Greger, Magnus Sjögren, der var søn af hans kusine, plus Harald Vangers to børn Birger og Cecilia. Men det betyder ikke noget. Lad os antage, at Harriet havde opdaget, at nogen havde begået underslæb over for firmaet – og det her er rent hypotetisk. Hun kan have vidst det i månedsvis og oven i købet diskuteret det med vedkommende ved flere lejligheder. Hun kan have forsøgt at afpresse ham, eller hun kan have haft ondt af ham og været i vildrede med, om hun skulle afsløre ham eller ej. Hun kan have taget en pludselig beslutning og fortalt det til morderen, som i desperation slog hende ihjel."

"Du bruger ordet 'ham' ..."

"Rent statistisk er de fleste mordere mænd, men ja, der er godt nok et par skrappe hejrer i Vangerfamilien."

"Jeg har truffet Isabella."

"Hun er en af dem, men der er flere. Cecilia Vanger kan være temmelig barsk. Har du mødt Sara Sjögren?" Mikael rystede på hovedet. "Hun er datter af Sofia Vanger, en af Henriks kusiner. Dér kan du snakke om et ubehageligt og skrupelløst kvindemenneske. Men hun boede i Malmø og havde, så vidt jeg har kunnet finde ud af, ikke noget motiv til at tage Harriet af dage."

"Okay."

"Problemet er imidlertid, at hvordan vi end vender og drejer det, så har vi aldrig kunnet greje motivet, og det er alfa og omega. Hvis vi finder motivet, så ved vi, hvad der skete, og hvem der stod bag."

"Du arbejdede intensivt med sagen. Er der noget, du ikke har fulgt op på?"

Gustaf Morell udstødte en lille kluklatter.

"Nej, kære Mikael. Jeg har brugt en uendelig mængde tid på denne sag, og jeg kan ikke komme i tanker om noget spor, som jeg ikke har fulgt til den bitre ende. Selv efter at jeg blev forfremmet og flyttede fra Hedestad."

"Flyttede?"

"Ja, jeg kommer ikke oprindelig fra Hedestad. Jeg tjenestegjorde der mellem 1963 og 1968. Derefter blev jeg udnævnt til kriminalkommissær og overflyttet til politiet i Gävle, hvor jeg tilbragte resten af min karriere. Men også i Gävle fortsatte jeg med at bore i Harriets forsvinden."

"Og Henrik Vanger pressede på, kan jeg tænke mig."

"Åh ja, men det var ikke derfor. Gåden Harriet fascinerer mig den dag i dag. Jeg mener ... alle strissere har deres egne uopklarede mysterier, ikke? Jeg husker fra min tid i Hedestad, hvordan ældre kolleger snakkede om Rebecka-sagen i kantinen. Der var især én politimand, der hed Torstensson – han har været død i mange år – som år efter år vendte tilbage til netop den sag. I fritiden og i ferierne. Når der ikke var så meget at lave i lokalområdet, plejede han at hive mapperne frem og gruble videre."

"Det var også en forsvundet pige?"

Morell så desorienteret ud et kort øjeblik, hvorefter han smilede, da det gik op for ham, at Mikael prøvede at koble de to sager sammen.

"Nej, det var ikke derfor, jeg fortsatte. Jeg taler om politimandens *sjæl*. Rebecka-sagen havde fundet sted, før Harriet Vanger overhovedet var født, så det er efterhånden umindelige tider siden. Engang sidst i fyrrerne blev en kvinde i Hedestad overfaldet, voldtaget og myrdet. Det er der intet usædvanligt i. Alle politifolk kommer ud for at skulle efterforske den slags i løbet af deres karriere. Det, jeg mener, er, at der er sager, som bider sig fast og trænger ind under huden på efterforskerne. Denne pige blev myrdet på den mest bestialske måde. Morderen havde bundet hende og presset hendes hoved ned i de ulmende gløder i en åben pejs. Jeg ved ikke, hvor lang tid det tog den stakkels pige at dø, og hvilke pinsler hun gennemled."

"Føj for satan."

"Enig. Det var så helt igennem ondt. Stakkels Torstensson var den første på gerningsstedet, da hun blev fundet, og mordet forblev uopklaret, selvom der blev indkaldt eksperter fra Stockholm. Han kunne aldrig slippe sagen."

"Det forstår jeg godt."

"Min Rebecka-sag er altså Harriet. I hendes tilfælde ved vi ikke engang, hvordan hun døde, og rent teknisk kan vi jo ikke engang bevise, at der var tale om mord. Men jeg har aldrig kunnet lægge sagen fra mig."

Han sad og grublede et stykke tid.

"At være mordefterforsker kan være verdens mest ensomme job. Ofrets venner er oprørte og fortvivlede, men før eller senere – efter nogle uger eller måneder – vender livet tilbage i den normale gænge. For de nærmeste pårørende tager det længere tid, men selv de kommer sig over sorgen og fortvivlelsen. Livet går videre. Men de uopklarede mord gnaver. Til sidst er der kun én person tilbage, der tænker på ofret og prøver at yde staklen retfærdighed – den politimand, der sidder tilbage med efterforskningen."

YDERLIGERE TRE PERSONER i Vangerfamilien boede på Hedebyøen. Alexander Vanger, født i 1946 og søn af Greger, den tredje i brødreflokken, boede i et renoveret træhus fra først i 1900-tallet. Af Henrik fik Mikael at vide, at Alexander Vanger i øjeblikket befandt sig i Vestindien, hvor han hengav sig til sin yndlingsbeskæftigelse: at sejle og fordrive tiden uden at gøre nogen jordisk gavn. Henriks kritik af nevøen var så indædt, at Mikael konkluderede, at Alexander Vanger havde været genstand for visse kontroverser. Uanset hvad kunne han konstatere, at Alexander havde været tyve år, da Harriet forsvandt, og at han tilhørte kredsen af familiemedlemmer, der havde befundet sig på stedet.

Alexander boede sammen med sin mor Gerda, der var firs år gammel og enke efter Greger Vanger. Mikael så aldrig noget til hende, da hun var svagelig og sengeliggende det meste af tiden.

Det tredje familiemedlem var selvfølgelig Harald Vanger. I løbet af den første måned var det ikke lykkedes Mikael at se så meget som et glimt af den gamle racebiolog. Harald Vangers hus, der var Mikaels nærmeste nabobygning, henlå dystert og med – føltes det – ildevarslende mørklægningsgardiner for vinduerne. Ved flere tilfælde havde Mikael, når han gik forbi huset, syntes at kunne ane en svag bevægelse af gardinerne, og engang sent på natten, da han skulle til at gå i seng, havde han pludselig opdaget et lysskær fra et værelse på første sal. Der havde været en sprække mellem gardinerne. Han havde stået fascineret ved køkkenvinduet i mere end tyve minutter og betragtet lyset, før han gav fanden i det hele og krøb til køjs. Om morgenen var gardinet igen trukket helt for.

Harald Vanger syntes at være en usynlig, men evigt nærværende ånd, der via sit fravær satte sit præg på en del af livet i landsbyen. I Mikaels fantasi antog Harald Vanger mere og mere form af en ondskabsfuld Gollum, der udspionerede omgivelserne bag gardinerne og hengav sig til mystiske ting i sin tilskoddede hule.

Harald Vanger fik besøg en gang om dagen af hjemmehjælperen, en ældre kvinde fra den anden side af broen, der måtte vade gennem snedriverne med sine indkøbsposer, fordi han nægtede at få ryddet stien op til døren. "Viceværten" Gunnar Nilsson rystede på hovedet, da Mikael spurgte ham. Han fortalte, at han havde tilbudt at skovle sne, men at Harald Vanger åbenbart ikke ønskede folk på sin grund. En enkelt gang den første vinter, efter at Harald Vanger var vendt tilbage til Hedeby-øen, var Gunnar Nilsson automatisk kørt op med traktoren for at rydde gårdspladsen for sne, som han gjorde alle andre steder. Harald Vanger var imidlertid kommet stormende ud og havde udspyet eder og forbandelser, hvorefter Nilsson retirerede.

Desværre kunne Gunnar Nilsson ikke rydde Mikaels gårdsplads, fordi lågen var for smal til traktoren, så her stod den stadig på sneskovl og knofedt.

I MIDTEN AF januar bad Mikael Blomkvist sin advokat undersøge, hvornår han skulle afsone sine tre måneder i fængsel. Han ønskede at få sagen afviklet så hurtigt som muligt. At komme i fængsel viste sig at være lettere, end han havde forestillet sig. Efter en uges tids snakken frem og tilbage blev det besluttet, at Mikael den 17. marts skulle indfinde sig på Rullåkeranstalten uden for Östersund, et åbent fængsel for mindre kriminelt belastede. Mikaels advokat kunne endvidere meddele, at afsoningstiden efter al sandsynlighed ville blive afkortet en smule.

"Glimrende," sagde Mikael uden større entusiasme.

Han sad ved bordet i køkkenet og aede den rødbrune kat, der havde fået for vane at dukke op med nogle dages mellemrum og tilbringe natten hos Mikael. Af Helen Nilsson på den anden side af vejen havde han fået at vide, at katten hed Tjorven og ikke tilhørte nogen specielt, men plejede at gå på omgang mellem husene.

MIKAEL MØDTES MED sin arbejdsgiver næsten hver eftermiddag. Nogle gange blev det en kort samtale, andre gange sad de i timevis og diskuterede Harriet Vangers forsvinden og alle mulige detaljer i Henrik Vangers private efterforskning.

Ikke sjældent bestod samtalen i, at Mikael fremsatte en teori, som Henrik Vanger herefter skød i sænk. Mikael prøvede at holde en vis distance til sin opgave, men måtte samtidig tilstå, at der var tidspunkter, hvor han selv var uhjælpeligt fascineret af det puslespil, Harriets forsvinden udgjorde.

Mikael havde forsikret Erika om, at han også nok skulle lægge en strategi til at tage kampen op mod Hans-Erik Wennerström, men efter en måned i Hedestad havde han ikke engang fået åbnet de gamle mapper, hvis indhold havde ført ham i retten. Han skubbede tværtimod hele problemet fra sig. Hver gang han begyndte at spekulere på Wennerström og sin egen situation, blev han overvældet af den dybeste modløshed og kraftesløshed. I de sjældne øjeblikke af klarsyn spekulerede han på, om han var ved at blive lige så skør som den gamle. Hans professionelle karriere var væltet som et korthus, og hans reaktion var at gemme sig i en lille flække langt ude på landet, hvor han jagtede spøgelser. Og så savnede han Erika.

Henrik Vanger betragtede sin detektivkollega med reserveret bekymring. Han fornemmede, at Mikael Blomkvist ikke altid var helt i balance. Sidst i januar tog den gamle en beslutning, der overraskede ham selv. Han løftede telefonrøret og ringede til Stockholm. Samtalen kom til at vare tyve minutter og handlede for en stor del om Mikael Blomkvist.

DET HAVDE TAGET næsten en måned for Erikas raseri at lægge sig. Klokken halv ti en af de sidste aftener i januar ringede hun.

"Du har altså virkelig tænkt dig at blive deroppe," var hendes første ord. Opringningen kom så overraskende, at Mikael lige først ikke kunne svare. Så smilede han og svøbte tæppet tættere omkring sig.

"Hej, Ricky. Du skulle prøve det selv."

"Hvorfor det? Hvad charmerende er der ved at bo i Langtbortistan?"

"Jeg har lige børstet tænder i isvand. Det hviner i plomberne."

"Du har selv været ude om det. Men der er også hundekoldt hernede i Stockholm."

"Fortæl."

"Vi har mistet to tredjedele af vores faste annoncører. Ingen siger noget rent ud, men ..."

"Jeg er helt med. Lav en liste over dem, der springer fra. En skønne dag vil vi portrættere dem i en hudflettende artikel."

"Micke ... jeg har regnet på det, og hvis vi ikke får nye annoncører, må vi dreje nøglen om til efteråret. Så enkelt er det."

"Det vil vende."

Hun lo træt i den anden ende af forbindelsen.

"Hvordan fanden kan du vide det, når du sidder deroppe i skide Lapland?"

"Der er faktisk 500 kilometer til den nærmeste samelejr."

Erika tav stille.

"Erika, jeg er ..."

"Jeg ved det. *A man's gotta do what a man's gotta do and all that crap*. Du behøver ikke sige noget. Undskyld, at jeg har været en strid kælling og ikke svaret på dine opringninger. Kan vi begynde forfra? Tør jeg komme op og besøge dig?"

"Når som helst."

"Skal jeg medbringe bøsse til forsvar mod ulvene?"

"Nej, vi lejer nogle lapper med hundeslæde. Hvornår kommer du?"

"Fredag aften. Okay?"

Livet føltes pludselig uendeligt meget lysere for Mikael.

BORTSET FRA DEN smalle, ryddede sti op til døren lå der næsten en meter sne på grunden. Mikael studerede kritisk sneskovlen et minuts tid, hvorefter han gik over til Gunnar Nilsson og spurgte, om Erika måtte parkere sin BMW henne hos dem under sit besøg. Det var helt i orden. De havde rigeligt med plads i dobbeltgaragen og kunne desuden byde på motoropvarmning.

Erika kørte derop om eftermiddagen og ankom ved sekstiden om aftenen. De betragtede forbeholdent hinanden i nogle sekunder og omfavnede så hinanden betragteligt længere.

Der var ikke så meget at kigge på udenfor i aftenmørket ud over den oplyste kirke, og både Konsum og Susannes Brocafé var ved at lukke, så de gik hurtigt hjem. Mikael lavede aftensmad, mens Erika snusede rundt i hans hus, kom med bemærkninger om eksemplarerne af *Rekordmagasinet* fra 1950'erne og studerede mapperne i hans arbejdsværelse. De fik lammekoteletter med flødekartofler - alt for mange kalorier - og drak rødvin. Mikael gjorde et forsøg på at tage tråden op, men Erika var ikke i humør til at diskutere *Millennium*. I stedet snakkede de i to timer om, hvad Mikael foretog sig deroppe, og hvordan de havde det. Derefter tjekkede de, om sengen var bred nok til dem begge.

DET TREDJE MØDE med advokat Nils Bjurman var blevet aflyst, udskudt og endelig fastsat til ved femtiden førstkommende fredag. Ved de tidligere møder var Lisbeth Salander blevet modtaget af en kvinde i halvtredserne, der duftede af moskus og arbejdede som advokatsekretær. Denne dag var hun gået hjem, da Lisbeth ankom, og advokat Bjurman lugtede svagt af spiritus. Han viftede Salander ned i en stol og bladrede fraværende i nogle papirer, indtil han pludselig syntes at blive opmærksom på hendes tilstedeværelse.

Det var blevet til endnu et forhør. Denne gang havde han udspurgt Lisbeth Salander om hendes sexliv - hvilket var noget, hun definitivt opfattede som tilhørende sit privatliv, og som hun ikke agtede at diskutere med nogen overhovedet.

Efter mødet var hun klar over, at hun havde grebet det forkert an. Hun havde først forholdt sig tavs og undladt at besvare hans spørgsmål; han havde tolket det sådan, at hun var genert, udviklingshæmmet eller havde noget at skjule, hvorefter han var begyndt at presse hende. Salander indså, at han ikke havde i sinde at give op, så hun gav ham nogle ordknappe og harmløse svar af den slags, hun mente ville passe på hendes psykologiske profil. Hun havde omtalt *Magnus*, der ifølge hendes beskrivelse var en jævnaldrende og lidt nørdet computerprogrammør, der behandlede hende som en gentleman, tog hende med i biografen og indimellem gik i seng med hende. *Magnus* var en helt igennem fiktiv person, som hun opfandt i løbet af samtalen, men Bjurman havde brugt ham som påskud til den næste time indgående at kortlægge hendes sexliv. *Hvor tit har du sex?* Nu og da. *Hvem tager initiativet – er det dig eller ham?* Mig. *Bruger I kondom?* Selvfølgelig – jeg har hørt om hiv. *Hvad er din foretrukne stilling?* Njå, normalt på ryggen. *Kan du godt lide oralsex?* Øh, lige et øjeblik ... *Har du nogensinde prøvet analsex?*

"Nej, jeg er ikke specielt vild med at blive bollet i røven – og hvad fanden rager det egentlig dig?"

Det var den eneste gang, hun var faret op i Bjurmans nærvær. Hun var klar over, hvordan hendes blik kunne opfattes, og havde kigget ned i gulvet, for at øjnene ikke skulle forråde hendes følelser. Da hun atter kiggede på ham, havde han grinet smørret på den anden side af skrivebordet. Lisbeth vidste i samme nu, at hendes liv ville tage en dramatisk vending. Hun forlod advokat Bjurman med en følelse af væmmelse. Hun havde været uforberedt. Palmgren ville aldrig have drømt om at stille den slags spørgsmål, han havde derimod altid været til rådighed, hvis der var noget, hun ville snakke om. Hvilket hun sjældent havde gjort brug af.

Bjurman var *a serious pain in the ass*, og han var – gik det op for hende – ved at blive opgraderet til *a major problem*.

KAPITEL 11

Lørdag den 1. februar – tirsdag den 18. februar

MIKAEL OG ERIKA udnyttede de få timer, det var lyst om lørdagen, til at gå en tur forbi lystbådehavnen ad vejen mod Östergården. Skønt Mikael havde boet en måned i Hedeby, var han endnu ikke gået længere ind på øen; kulden og de tilbagevendende snestorme havde effektivt afholdt ham fra sådanne ekskursioner. Men lørdagen oprandt med solskin og godt vejr, som om Erika havde medbragt en antydning af forår fra fjerne himmelstrøg. Det var kun 5 grader koldt. Vejen var kantet af meterhøje snedriver. Så snart de forlod sommerhusområdet, kom de ind i en tæt granskov, og Mikael blev overrasket over, at Söderberget oven for sommerhusene var betydeligt højere og mere utilgængeligt, end det så ud til nede fra landsbyen. Et kort sekund strejfede det ham, hvor mange gange Harriet Vanger måtte have leget der som barn, men så slog han hende ud af tankerne. Efter omkring en kilometer hørte skoven brat op ved et gærde, der stødte op til Östergårdens jorder. De kunne se et hvidt træhus og en stor rød staldbygning. De havde ikke lyst til at gå op til gården og vendte tilbage samme vej.

Da de passerede indkørslen til Vangergården, bankede Henrik Vanger hårdt på ruden ovenpå og gjorde med en vinken tegn til, at de skulle komme op. Mikael og Erika kiggede på hinanden.

"Har du lyst til at møde en industrilegende?" spurgte Mikael.

"Bider han?"

"Ikke om lørdagen."

Henrik Vanger tog imod dem i døren til sit arbejdsværelse og gav hånd.

"Dem genkender jeg. De må være frøken Berger," sagde

han. “Mikael har ikke nævnt et ord om, at De ville komme til Hedeby.”

En af Erikas mest karakteristiske egenskaber var hendes evne til straks at knytte venskabsbånd med de mest forskelligartede personer. Mikael havde set hende charmere femårige drenge, som efter ti minutter var parat til at vinke farvel til deres mødre. Oldinge på over firs var åbenbart ikke nogen undtagelse. Hendes smilehuller var simpelthen appetitvækkende. Efter to minutter ignorerede Erika og Henrik Vanger fuldstændigt Mikael og knevrede løs, som om de havde kendt hinanden fra barnsben – nå ja, aldersforskellen taget i betragtning, så i hvert fald Erikas barnsben.

Erika indledte med bramfrit at forbande Henrik Vanger, fordi han havde lokket hendes ansvarshavende redaktør ud i ødemarken. Den gamle tog til genmæle og sagde, at så vidt han kunne forstå fra diverse pressemeddelelser, havde hun allerede fyret ham, og hvis det ikke var tilfældet, var det måske på høje tid at befri redaktionen for denne dødvægt. Erika gjorde en kunstpause, mens hun overvejede udtalelsen, og granskede Mikael kritisk. Uanset hvad, hævdede Henrik Vanger, ville en tid i karske landlige omgivelser formodentlig kun gøre den unge hr. Blomkvist godt. Det gav Erika ham ret i.

I fem minutter diskuterede de hans mangler i drillesyge vendinger. Mikael lænede sig tilbage og spillede fornærmet, men rynkede panden, da Erika kom med nogle kryptiske, tvetydige bemærkninger, der muligvis gik på hans mangler som journalist, men lige så vel kunne henvise til hans seksuelle utilstrækkelighed. Henrik Vanger kastede hovedet bagover og skreg af grin.

Mikael stirrede forbløffet; bemærkningerne var fremsat i spøg, men han havde ikke tidligere oplevet Henrik Vanger så løssluppen og afslappet. Han kunne pludselig forestille sig, at den halvtreds år yngre – nå ja, for fanden, tredive år yngre – Henrik Vanger måtte have været en charmerende forfører og tiltrækkende skørtejæger. Han havde aldrig giftet sig igen. Der måtte have været kvinder, der havde krydset hans vej, men han var forblevet ugift i næsten et halvt århundrede.

Mikael drak en mundfuld kaffe og spidsede ører igen, da det gik op for ham, at samtalen med ét var blevet alvorlig og handlede om *Millennium.*

"Jeg har forstået på Mikael, at I har problemer med tidsskriftet." Erika skævede hen til Mikael. "Nej, han har ikke omtalt jeres interne gøren og laden, men man måtte jo være både blind og døv for ikke at vide, at jeres tidsskrift nøjagtig ligesom Vangerkoncernen befinder sig i frit fald."

"Vi skal nok kunne rette op på situationen," sagde Erika forsigtigt.

"Det tvivler jeg på," replicerede Henrik Vanger.

"Hvorfor?"

"Lad os se ... Hvor mange ansatte har I? Seks? Et månedligt oplag på 21.000, trykning og distribution, lokaleleje ... I skal have en årsomsætning på i omegnen af 10 millioner. Cirka halvdelen af beløbet skal dækkes ind af annonceindtægter."

"Og?"

"Hans-Erik Wennerström er en led satan, der bærer nag og ikke glemmer jer lige med det første. Hvor mange annoncører har I mistet inden for de seneste måneder?"

Erika sad afventende og iagttog Henrik Vanger. Mikael opdagede, at han holdt vejret. De gange, han og den gamle havde berørt emnet *Millennium,* havde det drejet sig om enten drilske bemærkninger, eller hvordan Mikael skulle kunne udføre et ordentligt stykke arbejde i Hedestad, uden at det gik ud over tidsskriftet. Mikael og Erika var begge medstiftere og medejere af bladet, men det var tydeligt, at Vanger nu udelukkende henvendte sig til Erika, som den ene boss til den anden. De udvekslede signaler, som Mikael ikke kunne forstå eller tyde, hvilket muligvis havde noget at gøre med, at han i bund og grund var en fattig arbejderknægt fra Norrland, mens hun var en overklassepige med en glorværdig, international stamtavle.

"Kan jeg få lidt mere kaffe?" spurgte Erika. Henrik Vanger skænkede straks op. "Okay, du har læst på lektien. Vi forbløder. Og så?"

"Hvor længe?"

"Vi har et halvt år til at vende udviklingen. Maksimum otteni måneder. Vi har ganske enkelt ikke kapital til at klare os længere."

Den gamles ansigt var uudgrundeligt, da han kiggede ud ad vinduet. Kirken stod der endnu.

"Vidste I, at jeg engang var avisejer?"

Både Mikael og Erika rystede på hovedet. Henrik Vanger lo pludselig.

"Vi ejede seks norrlandske dagblade. Det var i halvtredserne og tresserne. Det var min fars idé – han mente, det kunne være politisk fordelagtigt at have pressen i ryggen. Vi er faktisk stadig medejere af *Hedestads-Kuriren*, og Birger Vanger er bestyrelsesformand. Han er søn af Harald," indskød han, henvendt til Mikael.

"Samt kommunalpolitiker," bemærkede Mikael.

"Martin sidder også i bestyrelsen. Han holder Birger i ørerne."

"Hvorfor afviklede I aviserne?" spurgte Mikael.

"Strukturrationaliseringen i tresserne. Aviserne var på en måde mere en hobby end en interesse. Da vi måtte stramme budgettet i halvfjerdserne, var det et af de første aktiver, vi solgte ud af. Men jeg ved, hvad det vil sige at være bladudgiver ... Må jeg stille et personligt spørgsmål?"

Spørgsmålet var rettet til Erika, som hævede et øjenbryn og gjorde tegn til Vanger om at fortsætte.

"Jeg har ikke spurgt Mikael om det her, og hvis I ikke vil svare, så behøver I ikke sige noget. Jeg vil godt vide, hvorfor I havnede i denne suppedas. I havde en god historie, ikke sandt?"

Mikael og Erika vekslede blikke. Nu var det Mikaels tur til at se uudgrundelig ud. Erika tøvede et sekund, før hun svarede:

"Vi havde en historie, men i virkeligheden var det en helt anden historie."

Henrik Vanger nikkede, som om han havde forstået, præcis hvad Erika mente. Selv ikke Mikael vidste, hvor hun ville hen.

"Det her vil jeg ikke diskutere," skar Mikael igennem. "Jeg foretog den nødvendige research og skrev historien. Jeg havde alle de kilder, jeg havde brug for. Derefter gik det bare helt galt."

"Men du havde en pålidelig kilde?"

Mikael nikkede. Henrik Vangers stemme blev pludselig skarp.

"Jeg vil ikke foregive, at jeg fatter, hvordan i helvede I kunne kvaje jer så grundigt. Jeg kan ikke komme i tanker om noget lignende – det skulle da være Lundahl-sagen i *Expressen* i tresserne, hvis I grønskollinger ellers har hørt om den. Var jeres kilde også mytoman?" Han rystede på hovedet og henvendte sig så til Erika med mere dæmpet stemme. "Jeg har været bladudgiver før, og jeg kan blive det igen. Hvad ville I sige til at få endnu en medejer?"

Spørgsmålet kom som et lyn fra en klar himmel, men Erika virkede ikke det mindste overrasket.

"Hvad mener du?" spurgte hun.

Henrik Vanger parerede spørgsmålet med et modspørgsmål. "Hvor længe bliver du i Hedestad?"

"Jeg tager hjem i morgen."

"Kunne du tænke dig – og Mikael også, selvsagt – at glæde en gammel mand ved at komme til middag hos mig i aften? Klokken syv?"

"Det lyder helt fint. Det vil vi godt. Men du svarede ikke på mit spørgsmål. Hvorfor skulle du have lyst til at blive medejer af *Millennium*?"

"Jeg vil godt svare på dit spørgsmål, men jeg tænkte, at vi måske kunne diskutere det over en bid brød. Jeg er nødt til at tale med min advokat Dirch Frode, før jeg kan komme med noget konkret. Men jeg kan da sige så meget, at jeg har penge at investere. Hvis tidsskriftet overlever og begynder at give overskud igen, så tjener jeg på det. Hvis ikke – tja, jeg har mistet betydeligt flere penge i min tid."

Mikael skulle til at åbne munden, da Erika lagde en hånd på hans knæ.

"Mikael og jeg har kæmpet hårdt for at være helt uafhængige."

"Sludder og vrøvl. Intet menneske er helt uafhængigt. Men jeg er ikke ude på at overtage tidsskriftet, og jeg vil blæse på indholdet. Den der satan til Stenbeck scorede point ved at udgive

Moderna Tider, så hvorfor skulle jeg ikke bakke op om *Millennium*? Som for øvrigt er et godt tidsskrift."

"Har det her noget med Wennerström at gøre?" spurgte Mikael pludselig. Henrik Vanger smilede.

"Mikael, jeg er mere end firs år. Der er ting, jeg fortryder, at jeg ikke har gjort, og mennesker, jeg fortryder, at jeg ikke har gjort livet surt for. Men apropos" – nu henvendte han sig igen til Erika – "så vil investeringen være på i hvert fald én betingelse."

"Spyt ud," sagde Erika.

"Mikael Blomkvist skal vende tilbage til posten som ansvarshavende redaktør."

"Nej," sagde Mikael bestemt.

"Jo," sagde Henrik Vanger lige så fast. "Wennerström får et slagtilfælde, hvis vi udsender en pressemeddelelse om, at Vangerkoncernen bakker op om *Millennium*, og at du samtidig vender tilbage som ansvarshavende redaktør. Signalet er så tydeligt, som det overhovedet kan blive – alle vil forstå, at det ikke er en magtovertagelse, og at den redaktionelle linje er uforandret. Og alene dét vil give de annoncører, der overvejer at trække sig, en grund til at tænke sig om en ekstra gang. Og Wennerström er ikke almægtig. Han har også fjender, og der er virksomheder, som vil ønske at annoncere."

"HVAD FANDEN HANDLEDE det der om?" sagde Mikael, straks Erika havde lukket hoveddøren.

"Jeg tror, det kaldes at 'sondere terrænet inden en forretningsaftale'," svarede hun. "Du har ikke fortalt mig, at Henrik Vanger er så nuttet."

Mikael stillede sig foran hende. "Ricky, du vidste præcis, hvad den samtale ville komme til at handle om."

"Rolig nu, skatter. Klokken er kun tre, og jeg skal gøre mig klar til middagen."

Mikael sydede af raseri. Men det var på den anden side aldrig lykkedes ham at være vred på Erika ret længe.

ERIKA VAR IFØRT en sort kjole, en kort jakke og et par højhælede sko, som hun tilfældigvis var kommet til at lægge ned i sin lille rejsetaske. Hun insisterede på, at Mikael skulle bære slips og jakke. Han iførte sig sorte bukser, grå skjorte og et mørkt slips inden under en grå, ikke-matchende jakke. Da de på klokkeslæt bankede på hos Henrik Vanger, viste det sig, at også Dirch Frode og Martin Vanger var inviteret. Alle var i slips og jakkesæt bortset fra Henrik, der paraderede rundt med butterfly og en brun trøje.

"Fordelen ved at være over firs er, at man kan klæde sig, som man vil," bemærkede han.

Erika var i strålende humør under hele middagen.

Det var først, da de senere rykkede ind i en stue med åben pejs og fik skænket cognac i glassene, at diskussion for alvor gik i gang. De snakkede i næsten to timer, før en skitse til en aftale var på plads.

Dirch Frode skulle stifte et selskab med Henrik Vanger som eneejer, og hvis bestyrelse bestod af Henrik, Frode og Martin Vanger. Selskabet skulle i en fireårsperiode investere en vis sum penge, der dækkede differencen mellem *Millenniums* indtægter og udgifter. Pengene skulle hentes fra Henrik Vangers private formue. Til gengæld skulle Henrik Vanger have en fremtrædende post i tidsskriftets bestyrelse. Aftalen skulle løbe over fire år, men kunne opsiges af *Millennium* efter to år. En sådan opsigelse i utide ville dog blive en dyr affære, da Henrik kun kunne købes ud, såfremt hele hans indskud blev tilbagebetalt.

I tilfælde af Henrik Vangers pludselige død skulle Martin Vanger overtage hans bestyrelsespost i den resterende periode af aftalens løbetid. Om Martin herefter ønskede at fortsætte, ville være op til ham selv. Martin Vanger så dog ud til at fryde sig ved muligheden for at give Hans-Erik Wennerström tørt på, og Mikael spekulerede på, hvad det egentlig var for et udestående, de havde med ham.

Da udkastet til kontrakten var færdigt, skænkede Martin Vanger op i cognacglassene på ny. Henrik Vanger så sit snit til at læne sig ind mod Mikael og med dæmpet røst fortælle, at kontrakten på ingen måde påvirkede hans og Mikaels aftale.

Det blev endvidere besluttet, at den nye firmakonstellation for at få den størst mulige gennemslagskraft i medierne skulle offentliggøres samme dag midt i marts måned, hvor Mikael Blomkvist troppede op for at afsone sin fængselsstraf. At sammenkoble en så decideret negativ begivenhed med en nystiftet firmakonstellation var i pr-henseende så forkert, at det nødvendigvis måtte forvirre Mikaels bagtalere og rette maksimalt fokus på Henrik Vanger. Men alle kunne også se logikken – det var en markering af, at koleraflaget, der vajede over *Millenniums* redaktion, var ved at blive strøget, og at tidsskriftet havde velyndere, der var villige til at sætte hårdt mod hårdt. Vangervirksomheden var muligvis i krise, men det var fortsat en magtfuld koncern, der kunne gå i offensiven, hvis det var nødvendigt.

Hele samtalen havde været en diskussion mellem på den ene side Erika og på den anden side Henrik og Martin. Ingen havde spurgt Mikael om hans mening.

Sent på natten lå Mikael med hovedet på Erikas bryst og så hende i øjnene.

"Hvor længe har du og Henrik Vanger diskuteret den her aftale?" spurgte han.

"I en uges tid," sagde hun smilende.

"Er Christer indforstået?"

"Selvfølgelig."

"Hvorfor fik jeg ikke noget at vide?"

"Hvorfor i alverden skulle jeg diskutere det med dig? Du er afgået som ansvarshavende redaktør, har forladt både redaktionen og bestyrelsen og slået dig ned midt ude i skoven."

Mikael overvejede det lidt.

"Du mener, at jeg fortjener at blive behandlet som en idiot."

"Også i dén grad," sagde hun.

"Du har virkelig været sur på mig."

"Mikael, jeg har aldrig følt mig så skidetosset, svigtet og forrådt, som da du udvandrede fra redaktionen. Jeg har aldrig været så vred på dig." Hun tog et fast greb i hans hår og skubbede ham ned i sengen.

DA ERIKA FORLOD Hedeby om søndagen, var Mikael så irriteret på Henrik Vanger, at han ikke ville risikere at rende ind i hverken ham eller noget andet medlem af klanen. I stedet tog han ind til Hedestad og tilbragte eftermiddagen med at gå rundt i byen, besøge biblioteket og drikke kaffe på et konditori. Om aftenen gik han i biografen og så *Ringenes Herre*, som han var gået glip af, selvom den havde haft premiere for et helt år siden. Pludselig syntes han, at orker til forskel fra mennesker var enkle og ukomplicerede skabninger.

Han afrundede aftenen på McDonald's i Hedestad og vendte først tilbage til Hedeby med den sidste bus omkring midnat. Han lavede kaffe, tog plads ved bordet i køkkenet og åbnede en mappe. Han læste til klokken fire om morgenen.

DER VAR NOGLE spørgsmål vedrørende Harriet Vanger-efterforskningen, som virkede mere og mere besynderlige, jo længere Mikael arbejdede sig ned i materialet. Der var ikke tale om nogen revolutionerende opdagelser, han havde gjort på egen hånd, men om problemer, der havde holdt vicekommissær Morell beskæftiget i lange perioder, ikke mindst i fritiden.

I løbet af det sidste år af sit liv havde Harriet Vanger undergået en forandring. Forandringen kunne delvis forklares med den metamorfose, alle unge mennesker gennemlever i en eller anden form under puberteten. Harriet havde været ved at blive voksen, ja, men herudover kunne både klassekammerater, lærere og flere familiemedlemmer fortælle, at hun var blevet fåmælt og indesluttet.

Den pige, der to år tidligere havde været en helt normal og livlig teenager, havde tydeligt distanceret sig fra sine omgivelser. I skolen var hun fortsat med at omgås sine venner, men nu var det på en måde, som en af hendes kammerater beskrev som "upersonlig". Det udtryk, veninden brugte, havde forekommet Morell så usædvanligt, at han noterede det og stillede uddybende spørgsmål. Den forklaring, han havde fået, var, at Harriet var holdt op med at tale om sig selv, løbe med sladder eller betro sig til nogen.

Under sin opvækst havde Harriet Vanger været kristen på den barnlige måde – søndagsskole, aftenbøn og konfirmation. Det sidste år syntes hun også at være blevet religiøs. Hun læste i Bibelen og gik jævnligt i kirke. Hun havde dog ikke tyet til

Hedeby-præsten Otto Falk, der var en ven af familien Vanger, men havde om foråret taget kontakt til en pinsemissionsk menighed inde i Hedestad. Forbindelsen til pinsebevægelsen havde dog ikke varet længe. Allerede efter to måneder havde hun forladt menigheden og var i stedet begyndt at læse bøger om katolicisme.

Et religiøst teenagesværmeri? Måske, men ingen andre i familien Vanger havde været nævneværdigt religiøse, og det var svært at gennemskue, hvilke impulser der styrede hendes tanker. En forklaring på hendes interesse for Gud kunne naturligvis have været det faktum, at hendes far var omkommet i en drukneulykke et år forinden. Gustaf Morell drog i hvert fald den slutning, at der var sket noget i Harriets liv, der plagede hende eller påvirkede hende, men han kunne ikke afgøre, hvad dette *noget* kunne være. Ligesom Henrik Vanger havde Morell brugt meget tid på at snakke med hendes veninder for at finde frem til en, hun kunne have betroet sig til.

Man nærede visse forhåbninger til den to år ældre Anita Vanger, den af Harald Vangers døtre, der havde tilbragt sommeren 1966 på Hedeby-øen og hævdede, at hun og Harriet var blevet nære venner. Men heller ikke Anita Vanger kunne bidrage med noget konkret. De havde været sammen i løbet af sommeren, badet, gået ture, snakket om film, popgrupper og bøger. Harriet var tit taget med, når Anita havde køretimer. På et tidspunkt havde de drukket sig lettere beruset i en flaske vin, de havde snuppet i køkkenet. Desuden havde de i flere uger boet helt alene i Gottfrieds sommerhus længst ude på Hedebyøen, en primitiv lille hytte, som Harriets far havde ladet opføre i begyndelsen af halvtredserne.

Spørgsmålene om Harriet Vangers private tanker og følelser forblev ubesvarede. Mikael bemærkede dog en uoverensstemmelse i beskrivelsen af hende: Oplysningerne om hendes indesluttethed kom fortrinsvis fra skolekammerater og i en vis udstrækning fra familiemedlemmer, mens Anita Vanger overhovedet ikke havde opfattet hende som fåmælt. Han gjorde et notat om, at han ved lejlighed skulle drøfte spørgsmålet med Henrik Vanger.

Et mere konkret spørgsmål, som Morell havde viet betydeligt større interesse, var en mystisk side i Harriet Vangers kalender, en smukt indbunden julegave, som hun havde fået, året før hun forsvandt. Den første halvdel af kalenderen indeholdt en timeplan dag for dag, hvor Harriet havde noteret mødetidspunkter, datoer for skriftlige prøver i gymnasiet, lektier og den slags. Kalenderen havde masser af plads til dagbogsnotater, men Harriet havde kun ført sporadisk dagbog. Hun begyndte ambitiøst i januar med nogle korte beskrivelser af, hvem hun havde set i juleferien, og nogle kommentarer til film, hun havde set. Derefter skrev hun ikke noget personligt før sidst på skoleåret, hvor hun muligvis – det afhang af, hvordan man fortolkede det – på afstand havde været interesseret i en ikke navngivet dreng.

Det var imidlertid siderne med telefonregistret, der udgjorde det virkelige mysterium. Her havde hun i nydelig, alfabetisk orden opført navne og telefonnumre på familiemedlemmer, klassekammerater, enkelte lærere, nogle medlemmer af pinsemenigheden plus andre i sin omgangskreds, der var lette at identificere. På den allersidste side i telefonlisten, en blank side efter det alfabetiske register, stod fem navne og et tilsvarende antal telefonnumre. Tre pigenavne og to navneforkortelser.

Magda – 32016
Sara – 32109
RJ – 30112
RL – 32027
Mari – 32018

De femcifrede telefonnumre, der begyndte med 32, var Hedestads-numre i tresserne. Det afvigende 30-nummer hørte til Norrbyen uden for Hedestad. Vicekommissær Morell havde systematisk kontaktet alle i Harriets bekendtskabskreds, men problemet var, at ingen havde nogen anelse om, hvilke personer telefonnumrene henviste til.

Det først nummer tilhørende "Magda" virkede lovende. Det

tilhørte en stof- og sytilbehørsforretning på Parkgatan 12. Telefonen var ejet af en Margot Lundmark, hvis mor faktisk hed Magda og sommetider plejede at hjælpe til i butikken. Magda var dog niogtres år gammel og havde ingen anelse om, hvem Harriet Vanger var. Der var heller ingen grund til at antage, at Harriet nogensinde havde besøgt eller handlet i forretningen. Syning var ikke noget, hun beskæftigede sig med.

Det andet nummer til "Sara" tilhørte en småbørnsfamilie ved navn Toresson, der boede i Väststan på den anden side af jernbanen. Familien bestod af Anders og Monica samt børnene Jonas og Peter, som på det tidspunkt var i børnehavealderen. Der fandtes ikke nogen Sara i familien, og man kendte heller ikke noget til Harriet Vanger ud over, at hun var blevet omtalt i medierne som savnet. Den eneste svage kobling mellem Harriet og familien Toresson var, at Anders, der var tagdækker, i en periode på nogle uger året forinden havde udskiftet taget på den skole, hvor Harriet gik i niende klasse. Der var altså en teoretisk mulighed for, at de kunne have mødt hinanden, om end det måtte siges at være overordentlig usandsynligt.

De resterende tre telefonnumre endte lige så blindt. RL-nummeret 32027 havde ganske vist tilhørt en Rosmarie Larsson, men hun havde desværre været død i flere år.

Vicekommissær Morell brugte en stor del af sine undersøgelser i løbet af vinteren 1966-67 til at forsøge at forklare, hvorfor Harriet havde nedskrevet disse navne og telefonnumre.

En første gisning var, ikke uventet, at telefonnumrene var skrevet i en eller anden privat kode, så Morell prøvede derfor at sætte sig ind i, hvordan en teenagepige kunne have ræsonneret. Eftersom 32-serien tydeligvis henviste til Hedestad, puslede han med at flytte rundt på de sidste tre tal. Hverken 32601 eller 32160 førte til nogen Magda. Efterhånden som Morell fortsatte sin nummermystik, opdagede han selvfølgelig, at hvis han byttede tilstrækkelig meget om på tallene, ville han før eller siden finde en kobling til Harriet. Hvis han for eksempel lagde tallet 1 til hvert af de tre sidste cifre i 32016, så fik han nummer 32127 – som var nummeret til advokat Dirch Frodes kontor i Hedestad. Problemet var bare, at en sådan kobling ikke betød

en disse. Desuden fandt han aldrig nogen kode, der kunne forklare alle fem numre samtidig.

Morell borede videre. Kunne tallene betyde noget andet? I tresserne bestod bilernes registreringsnumre af amtsbogstav efterfulgt af fem cifre – en blindgyde.

Morell opgav herefter tallene og koncentrerede sig om navnene. Han gik så vidt, at han fremskaffede en fortegnelse over samtlige personer i Hedestad, der hed Mari, Magda eller Sara eller havde initialerne RL eller RJ. Det blev til en liste med sammenlagt tre hundrede og syv personer. Heriblandt var der faktisk hele niogtyve personer, der havde en eller anden form for tilknytning til Harriet; en skolekammerat fra niende klasse hed for eksempel Roland Jacobsson, RJ. De kendte dog kun hinanden flygtigt og havde ikke haft nogen kontakt, siden Harriet begyndte i gymnasiet. Og desuden var der ingen kobling til telefonnummeret.

Telefonnummermysteriet forblev uopklaret.

DET FJERDE MØDE med advokat Bjurman var ikke en af deres faste aftaler. Hun havde været tvunget til at kontakte ham.

Den anden uge i februar omkom Lisbeths bærbare computer i en ulykke, der var så åndssvag, at hun kunne have begået mord af ærgrelse. Hun var cyklet hen til et møde i Milton Security og havde parkeret cyklen op ad en støttepille i garagen. Idet hun stillede rygsækken fra sig på gulvet for at låse cyklen, bakkede en mørkerød Saab ud fra sin bås. Hun stod med ryggen til og hørte den knasende lyd i rygsækken. Bilisten lagde ikke mærke til noget og forsvandt ubekymret i retning af udkørslen.

Rygsækken indeholdt hendes hvide Apple iBook 600 med 25 Gb harddisk og 420 Mb RAM. Den var fra januar 2002 og med 14-tommersskærm. På købstidspunktet havde den været Apples *state of the art.* Lisbeth Salanders computere var opgraderet med det allernyeste og nogle gange dyreste software – computerudstyr var stort set den eneste ekstravagante post på hendes udgiftskonto.

Da hun åbnede rygsækken oppe på kontoret, kunne hun konstatere, at computerens låg var knækket. Hun stak ledningen i kontakten og prøvede at starte computeren; der lød ikke engang en sidste dødsrallen. Hun tog resterne med hen til Timmys *MacJesus Shop* på Brännkyrkagatan i det håb, at i det mindste noget af harddisken kunne reddes. Efter at have pillet lidt ved den havde Timmy rystet på hovedet.

"Sorry. Alt håb er ude," meddelte han. "Du må arrangere en flot begravelse."

Tabet af computeren var deprimerende, men ikke nogen katastrofe. Lisbeth var kommet glimrende ud af det med den i det år, hun havde haft den. Hun havde backup på alle dokumenter, og hun havde en ældre stationær Mac G3 derhjemme plus en fem år gammel bærbar Toshiba-pc, hun kunne bruge. Men – *for fanden da* – hun havde brug for en hurtig og moderne sag.

Hun faldt ikke uventet for det bedst tænkelige alternativ: den nylancerede Apple PowerBook G4/1.0 GHz i aluminium med en PowerPC 7451-processor med AltiVec Velocity Engine, 960 Mb RAM og 60 Gb harddisk. Den havde BlueTooth og indbygget cd- og dvd-brænder.

Den havde frem for alt laptopverdenens første 17-tommersskærm med NVIDIA-grafik og en opløsning på 1440 x 900 pixel, der chokerede pc-entusiasterne og udklassede alt andet på markedet.

Den var de bærbare computeres Rolls-Royce, men det, der for alvor vakte Lisbeth Salanders begær, var den enkle finesse, at tastaturet var forsynet med baggrundsbelysning, så hun kunne se bogstaverne på tasterne, selvom hun befandt sig i totalt mørke. Såre enkelt. Hvorfor havde ingen tænkt på det før?

Det var kærlighed ved første blik.

Den kostede 38.000 kr. plus moms.

Det var et problem.

Uanset hvad bestilte hun computeren hos MacJesus, hvor hun plejede at købe alt sit computerudstyr, og som derfor gav hende en klækkelig rabat. Nogle dage senere regnede Lisbeth Salander på det. Forsikringen på hendes forulykkede computer ville dække en stor del af udgiften, men med selvrisikoen og den højere pris på nyanskaffelsen ville hun alligevel mangle godt 18.000 kroner. Hun havde lagt 10.000 til side derhjemme i en kaffedåse for altid at have adgang til kontanter, men de dækkede ikke hele beløbet. Hun sendte advokat Bjurman onde tanker, men bed så i det sure æble og ringede til sin formynder og fortalte, at hun havde brug for penge til en uventet udgift. Bjurman sagde, at han ikke havde tid til at mødes med hende den dag, hvortil Salander svarede, at det ville tage ham tyve sekunder at udskrive en check på 10.000 kr. Han forklarede, at han ikke kunne udskrive checks bare sådan uden videre, men endelig gav han sig, og efter lidt betænkningstid tilstod han hende et møde efter arbejdstid klokken halv otte om aftenen.

MIKAEL TILSTOD, AT han ikke havde tilstrækkelige forudsætninger for at vurdere en politiefterforskning, men nåede alligevel frem til, at vicekommissær Morell havde været exceptionelt samvittighedsfuld og var gået langt videre i sine undersøgelser, end pligten krævede. Da Mikael lagde de formelle politirapporter fra sig, fortsatte Morell med at dukke op som aktør i Henriks egne optegnelser; et venskabsbånd var blevet knyttet, og Mikael spekulerede på, om Morell var blevet lige så besat som industrimanden. Han kom imidlertid til den konklusion, at Morell næppe havde overset noget. Løsningen på gåden Harriet Vanger skulle ikke findes i den nærmest eksemplariske politiefterforskning. Alle tænkelige spørgsmål var blevet stillet, og alle ledetråde var blevet fulgt op, selv de åbenlyst absurde.

Han havde endnu ikke læst hele materialet, men jo længere han nåede, desto mere obskure blev de ledetråde og tips, der blev fulgt op på. Han forventede ikke at finde noget, hans forgænger havde overset, og følte sig i vildrede med, hvordan han selv skulle angribe problemet. Til sidst var han kommet frem til følgende overbevisning: Den eneste nogenlunde farbare vej for hans eget vedkommende var at forsøge at afklare de indblandede personers psykologiske bevæggrunde.

Det mest åbenbare spørgsmål gjaldt Harriet selv. Hvem var hun egentlig?

Ved femtiden om eftermiddagen havde Mikael fra vinduet i sin hytte set, at lyset blev tændt på første sal henne hos Cecilia Vanger. Klokken halv otte bankede han på hendes dør, netop som jinglen til tv-nyhederne begyndte. Hun lukkede op iført morgenkåbe og med vådt hår under et gult frottéhåndklæde. Mikael undskyldte straks, at han forstyrrede, og skulle til at gå igen, men hun vinkede ham ind i køkkenet. Hun tændte for en kaffemaskine og forsvandt ovenpå et par minutter. Da hun kom ned igen, havde hun skiftet til cowboybukser og ternet flonelskjorte.

"Jeg var begyndt at tro, du ikke ville besøge mig."

"Jeg burde have ringet først, men jeg så, her var lys, og greb chancen."

"Jeg har bemærket, at lyset henne hos dig er tændt hele natten. Og du er ofte ude at gå efter midnat. Er du natteravn?"

Mikael trak på skuldrene. "Det har jeg udviklet mig til." Han kiggede på nogle skolebøger, der lå stablet for enden af bordet i køkkenet. "Du underviser stadig, rektor?"

"Nej, det er der ikke tid til som rektor. Men jeg har været lærer i historie, religion og samfundsfag. Og jeg har nogle år tilbage."

"Tilbage?"

Hun smilede. "Jeg er seksoghalvtreds. Snart folkepensionist."

"Du ser ikke ud til at være over halvtreds, snarere et sted i fyrrerne."

"Smiger, smiger. Hvor gammel er du selv?"

"Fyrre plus lidt til," sagde Mikael smilende.

"Og for et øjeblik siden var du tyve. Hvor går det dog hurtigt. Livet, altså."

Cecilia Vanger skænkede kaffe og spurgte, om Mikael var sulten. Han sagde, han allerede havde spist, hvilket var en sandhed med modifikationer. Han sjuskede med maden og nøjedes som regel med at snuppe sig nogle håndmadder. Men han var ikke sulten.

"Så hvorfor kom du herhen? Er tiden inde til at stille de der spørgsmål?"

"For at være ærlig ... jeg kom ikke for at stille spørgsmål. Jeg tror, jeg bare havde lyst til at besøge dig."

Cecilia Vanger smilede pludselig.

"Du har fået en fængselsdom, du flytter til Hedeby, gennempløjer materialet om Henriks yndlingshobby, sover ikke om natten, går lange natlige ture, når det er hundekoldt ... Har jeg glemt noget?"

"Mit liv er helt til rotterne." Mikael gengældte smilet.

"Hvem var den kvinde, der besøgte dig i weekenden?"

"Erika ... hun er chefredaktør på *Millennium*."

"Din kæreste?"

"Det vil jeg ikke påstå. Hun er gift. Jeg er mere en ven og 'occasional lover'."

Cecilia Vanger grinede højt.

"Hvad er det, der er så sjovt?"

"Den måde, du sagde det på. *Occasional lover*. Det er et godt udtryk."

Mikael lo. Pludselig kunne han godt lide Cecilia Vanger.

"Jeg kunne også trænge til en occasional lover," sagde hun.

Hun sparkede hjemmeskoene af og løftede den ene fod op på hans skød. Mikael lagde automatisk hånden på hendes fod og rørte ved hendes hud. Han tøvede et øjeblik – han fornemmede, at han var ude på ukendt og dybt vand. Men han begyndte forsigtigt at massere hendes fodsål med tommelfingeren.

"Jeg er også gift," sagde Cecilia Vanger.

"Det ved jeg. Man bliver ikke skilt i Vangerklanen."

"Jeg har ikke set min mand i snart tyve år."

"Hvad skete der?"

"Det kommer ikke dig ved. Jeg har ikke haft sex i ... hmm, det er tre år nu."

"Det forbavser mig."

"Hvorfor det? Det er et spørgsmål om udbud og efterspørgsel. Jeg vil så afgjort ikke have en kæreste eller ægtemand eller samlever. Jeg trives godt alene. Og hvem skulle jeg have sex med? En af lærerne på skolen? Næppe. En af eleverne? Det ville blive en saftig historie for sladderkællingerne. Der bliver virkelig holdt øje med folk, der hedder Vanger. Og her på Hedeby-øen bor der kun slægtninge eller mænd, der allerede er gift."

Hun lænede sig frem og kyssede ham på halsen.

"Chokerer jeg dig?"

"Nej, men jeg ved ikke, om det her er nogen god idé. Jeg arbejder for din onkel."

"Og jeg er nok den sidste, der ville sladre. For øvrigt ville Henrik sikkert ikke have noget imod det."

Hun satte sig overskrævs på ham og kyssede ham på munden. Hendes hår var stadig vådt, og hun duftede af shampoo. Han fumlede med knapperne i hendes skjorte og trak den ned over hendes skuldre. Hun havde ikke ulejliget sig med at tage bh på. Hun pressede sig ind mod ham, da han kyssede hendes bryst.

Advokat Bjurman gik rundt om bordet og viste hende den seneste kontoudskrift fra banken – som hun allerede kunne udenad, men hvis indestående hun ikke længere havde rådighed over. Han stod bag hendes ryg. Pludselig masserede han hendes nakke og lod en hånd glide ned over venstre skulder og hen over hendes bryst. Han lod hånden blive liggende på hendes højre bryst. Da hun ikke så ud til at protestere, klemte han om brystet. Lisbeth Salander sad musestille. Hun mærkede hans ånde i nakken og studerede papirkniven på hans skrivebord; hun kunne med lethed nå den med sin frie hånd.

Men hun gjorde ingenting. Hvis der var en lektie, Holger Palmgren gennem årene havde fået hende til at lære udenad, så var det, at impulsive handlinger førte ballade med sig, og ballade kunne få ubehagelige konsekvenser. Hun foretog sig aldrig noget uden først at overveje følgerne.

Det indledende seksuelle overgreb – som i jurasprog blev defineret som seksuel chikane og udnyttelse af person i et afhængighedsforhold og i teorien kunne give Bjurman op til to års fængsel – varede kun nogle få sekunder. Men det var tilstrækkeligt til, at en grænse uigenkaldeligt var overskredet. For Lisbeth Salander var det en militær magtdemonstration foretaget af fjendtlige tropper – en markering af, at hun i kraft af deres nøje definerede juridiske relation var våbenløs og overladt til hans nåde og barmhjertighed. Da deres øjne mødtes nogle sekunder senere, stod hans mund halvt åben, og hun kunne læse begæret i hans ansigt. Salanders eget ansigt røbede ingen følelser.

Bjurman gik tilbage til sin side af skrivebordet og tog plads i sin behagelige læderstol.

"Jeg kan ikke bare sådan uden videre give dig penge," sagde han pludselig. "Hvorfor skal du have sådan en dyr computer? Man kan få nogle betydeligt billigere apparater, som du kan spille computerspil på."

"Jeg vil have rådighed over mine egne penge ligesom før."

Advokat Bjurman sendte hende et medlidende blik.

"Nu må vi se, hvordan det går. Først skal du lære at være social og komme ud af det med folk."

Advokat Bjurmans smil ville muligvis være blegnet en anelse, hvis han havde kunnet læse hendes tanker bag de udtryksløse øjne.

"Jeg tror, du og jeg nok skal blive gode venner," sagde Bjurman. "Vi må kunne stole på hinanden."

Da hun ikke svarede, udtrykte han sig tydeligere.

"Du er jo en voksen kvinde nu, Lisbeth."

Hun nikkede.

"Kom herhen," sagde han og rakte hånden frem.

Lisbeth Salander fæstede blikket på papirkniven i nogle sekunder, før hun rejste sig og gik hen til ham. *Konsekvenser.* Han tog hendes hånd og pressede den ned mod sit skridt. Hun kunne mærke hans lem gennem de mørke gabardinebukser.

"Hvis du er sød mod mig, vil jeg være sød mod dig," sagde han.

Hun var stiv som en pind, da han lagde sin anden hånd rundt om hendes nakke og trak hende ned på knæ med ansigtet ud for hans skridt.

"Du har gjort det her før, ikke?" sagde han, da han åbnede gylpen. Han lugtede, som om han lige havde vasket sig med vand og sæbe.

Lisbeth Salander vred ansigtet til siden og prøvede at rejse sig op, men han holdt hende i et fast greb. Rent styrkemæssigt var hun ham langt underlegen; hun vejede godt 40 kilo og han 95. Han tog fat om hendes hoved med begge hænder og løftede hendes ansigt, så deres øjne mødtes.

"Hvis du er sød mod mig, vil jeg være sød mod dig," gentog han. "Hvis du laver ballade, kan jeg få dig anbragt på en galeanstalt resten af livet. Kunne du tænke dig det?"

Hun svarede ikke.

"Kunne du tænke dig det?" gentog han.

Hun rystede på hovedet.

Han ventede, til hun slog blikket ned i – sådan opfattede han det – underkastelse. Så trak han hende nærmere. Lisbeth Salander skilte læberne og tog ham ind i munden. Han beholdt grebet om hendes nakke og trak hende voldsomt ind mod sig. Hun havde brækfornemmelser uafbrudt i de ti minutter, han onanerede; da den endelig gik på ham, holdt han så hårdt om hende, at hun havde svært ved at få vejret.

Han lod hende benytte et lille toilet uden for sit kontor. Lisbeth Salander rystede over hele kroppen, mens hun vaskede sig i ansigtet og forsøgte at gnubbe pletterne af sweateren. Hun spiste noget af hans tandpasta for at fjerne smagen. Da hun vendte tilbage til hans kontor, sad han bag skrivebordet, som om intet var hændt, og bladrede i nogle papirer.

"Sæt dig, Lisbeth," sagde han uden at kigge på hende. Hun satte sig. Endelig rettede han blikket mod hende og smilede.

"Du er jo voksen nu, ikke, Lisbeth?"

Hun nikkede.

"Så må du også kunne lege voksenlege," sagde han. Han talte i et tonefald, som om han snakkede til et barn. Hun svarede ikke. Han rynkede panden ganske let.

"Jeg tror ikke, det er en god idé, at du fortæller andre om vores lege. Tænk dig om – hvem ville tro dig? Du har papir på, at du ikke er tilregnelig." Da hun ikke svarede, fortsatte han: "Det ville være dit ord mod mit. Hvis ord ville mon veje tungest?"

Han sukkede, da hun stadig ikke svarede. Han blev pludselig irriteret over, at hun bare sad der helt stum og iagttog ham – men han beherskede sig.

"Vi skal nok blive gode venner, du og jeg," sagde han. "Jeg synes, det var klogt af dig at henvende dig til mig i dag. Du kan altid komme til mig."

"Jeg skal bruge 10.000 til min computer," sagde hun pludselig med dæmpet stemme, som om hun genoptog den samtale, de havde haft inden afbrydelsen.

Advokat Bjurman hævede brynene. *Hun er sgu en hård negl. Hun er jo for fanden totalt retarderet.* Han rakte hende den check, han havde skrevet, da hun var ude på toilettet. *Det her er bedre end en luder; hun bliver betalt med sine egne penge.* Han smilede overlegent til hende. Lisbeth Salander tog imod checken og gik.

KAPITEL 12

Onsdag den 19. februar

Hvis Lisbeth Salander havde været en almindelig borger, ville hun efter al sandsynlighed have ringet til politiet og anmeldt voldtægten, i samme øjeblik hun forlod advokat Bjurmans kontor. De blå mærker på nakke og hals samt pletterne af sæd med hans dna på hendes krop og tøj ville have udgjort et tungtvejende teknisk bevis. Selvom advokat Bjurman skulle klare frisag ved at påstå, at hun *var villig* eller *hun forførte mig* eller *det var hende, der ville sutte den af* eller nogle af de andre undskyldninger, voldtægtsmænd rutinemæssigt fyrer af, så havde han ikke desto mindre forbrudt sig mod formynderskabsloven i et sådant omfang, at han øjeblikkelig ville have fået frataget kontrollen over hende. En anmeldelse ville formentlig have resulteret i, at Lisbeth Salander havde fået en rigtig advokat med et indgående kendskab til overgreb på kvinder, hvilket muligvis ville have ført til en diskussion af problemets kerne – nemlig hendes umyndiggørelse.

Siden 1989 har man i Sverige ikke officielt brugt begrebet *umyndiggørelse* om voksne mennesker.

Der eksisterer to grader af formynderi – tilsynsværge-ordningen og formynderskabet.

En *tilsynsværge* indtræder som frivillig hjælper for personer, der af forskellige grunde har problemer med at klare daglige rutiner, betale regninger eller passe sin personlige hygiejne. Den, der vælges som værge, er ofte en slægtning eller en nær bekendt. I mangel på nære pårørende kan de sociale myndigheder beskikke en værge. Tilsynsværge-ordningen er en mild form for formynderi, hvor borgeren – den i realiteten umyndiggjorte – stadig har kontrol over sine penge, og hvor man tager beslutninger i fællesskab.

Formynderskab er en betydeligt hårdere form for kontrol, hvor borgeren fratages retten til selv at råde over sine penge og tage beslutninger i forskellige spørgsmål. Dette indebærer i bund og grund, at formynderen fratager borgeren *handleevne og habilitet.* I Sverige er godt 4000 personer sat under formynderskab. De almindeligste årsager hertil er psykisk sygdom eller psykisk sygdom i forening med groft misbrug af alkohol eller narkotika. Et mindre antal skyldes senildemens. Forbavsende mange af de personer, der er sat under formynderskab, er relativt unge – femogtredive år eller yngre. En af disse var Lisbeth Salander.

At fratage et menneske kontrollen over sit liv – det vil sige over sin bankkonto – er en af de mest krænkende foranstaltninger, et demokrati kan gribe til, ikke mindst når det drejer sig om unge mennesker. Det er krænkende, også selvom formålet med tiltaget kan forekomme godt og rimeligt set fra en social synsvinkel. Formynderskab er derfor et potentielt følsomt politisk emne, som er omgærdet af strenge bestemmelser og bliver kontrolleret af et lokalt overformynderi. Dette hører ind under amtet og er underlagt Justitsministeriet.

Generelt arbejder Overformynderiet under vanskelige betingelser. I betragtning af de følsomme spørgsmål, myndigheden behandler, er det forbløffende, hvor få klager eller skandaler der er blevet afsløret i medierne.

Fra tid til anden forekommer der rapporter om, at der er rejst tiltale mod en værge eller formynder, som har begået underslæb eller uden tilladelse solgt sin klients bolig og stukket pengene i egen lomme. Men disse tilfælde er relativt sjældne, hvilket kan skyldes én af to ting: enten at myndighederne udfører deres arbejde upåklageligt, eller at klienten ikke har *mulighed* for at klage og på denne måde komme til orde og blive troet af journalister og myndigheder.

Det er pålagt Overformynderiet årligt at undersøge, om der er grunde til at ansøge om ophævelse af et formynderskab. I og med at Lisbeth Salander fremturede i sin hårdnakkede vægren ved at underkaste sig psykiatriske undersøgelser – hun ikke så meget som sagde *godmorgen* til lægerne – havde myndighederne aldrig set nogen grund til at ændre afgørelsen. Som følge heraf var der tale om en tilstand af status quo, og hun blev sat under formynderskab år efter år.

Loven fastslår dog, at omfanget af formynderskab *skal tilpasses i hvert enkelt tilfælde*. Holger Palmgren havde tolket lovteksten sådan, at Lisbeth Salander godt måtte forvalte sine egne penge og sit eget liv. Han havde opfyldt myndighedernes krav til punkt og prikke og udfærdiget en månedlig rapport og en årlig revision, men derudover havde han behandlet Lisbeth Salander som en hvilken som helst anden normal ung kvinde og ikke blandet sig i hendes valg af livsstil eller omgangskreds. Han mente, at det hverken var hans eller samfundets opgave at beslutte, om den unge dame ville have en ring i næsen eller en tatovering på halsen. Denne noget egenrådige indstilling til byrettens afgørelse var en af grundene til, at de var kommet så godt ud af det med hinanden.

Mens Holger Palmgren var hendes tilsynsværge og siden formynder, havde Lisbeth Salander ikke spekuleret noget videre over sin juridiske status. Advokat Bjurman fortolkede imidlertid loven om formynderskab på en ganske anden måde.

MEN LISBETH SALANDER var nu engang ikke som normale mennesker. Hun havde et yderst begrænset kendskab til jura – det var et område, hun aldrig havde haft lejlighed til at fordybe sig i – og hendes tillid til ordensmagten kunne ligge på et meget lille sted. For hende var politiet en uklart defineret fjendtlig kampstyrke, hvis praktiske indsats gennem årene havde bestået i at pågribe eller fornedre hende. Sidste gang, hun havde haft noget med politiet at gøre, var en eftermiddag i maj det foregående år, da hun var på vej til Milton Security og på Götgatan pludselig havde stået ansigt til ansigt med en visirklædt ordensbetjent, som uden nogen som helst provokation fra hendes side havde givet hende et knippelslag over skulderen. Hendes spontane indskydelse havde været at gå til direkte modangreb med den Coca-Cola-flaske, hun tilfældigvis havde i hånden. Heldigvis var betjenten drejet om på hælen og stormet videre, før hun nåede at reagere. Først senere fik hun at vide, at *Reclaim the Street* havde haft en demonstration længere oppe ad gaden.

Tanken om at besøge de visirmaskeredes hovedkvarter og anmelde Nils Bjurman for seksuelt overgreb eksisterede ikke i hendes bevidsthed. Og for resten – hvad skulle hun anmelde? Bjurman havde taget hende på brysterne. Enhver betjent ville have kastet et blik på hende og konstateret, at med hendes gajoler var det nok temmelig usandsynligt, og hvis det så passede, burde hun snarere være stolt over, at *nogen* gad gøre sig den ulejlighed. Og det der med at sutte den af – det var hendes ord mod hans, og normalt plejede andres ord at veje tungere end hendes. *Politiet var udelukket.*

Efter at hun havde forladt Bjurmans kontor, var hun i stedet taget hjem, gået i bad, havde spist to ostemadder med syltede agurker og sat sig for at tænke i den slidte sofa i dagligstuen.

Et almindeligt menneske ville måske have lagt hende denne manglende reaktion til last – det ville være endnu et bevis på, at hun på en eller anden måde var så unormal, at end ikke en voldtægt var i stand til at frembringe en utvetydig, følelsesmæssig respons.

Hendes bekendtskabskreds var ganske vist ikke stor og bestod heller ikke af beskyttede middelklassemennesker fra forstædernes villakvarterer, men som attenårig havde Lisbeth Salander ikke kendt en eneste pige, som ikke mindst én gang var blevet tvunget til at udføre en eller anden seksuel handling mod sin vilje. De fleste af disse overgreb var begået af lidt ældre mandlige venner, der med større eller mindre magtanvendelse havde tvunget deres vilje igennem. Så vidt Lisbeth Salander vidste, havde overgrebene nu og da ført til gråd og vredesudbrud, men aldrig til politianmeldelse.

I Lisbeth Salanders verden var dette tingenes naturlige tilstand. Som pige var hun jaget vildt, især hvis hun var iført en slidt, sort læderjakke og havde piercede øjenbryn, tatoveringer og nul social status.

Det var ikke noget at flæbe over.

Det kunne derimod ikke komme på tale, at advokat Bjurman *ustraffet* skulle kunne tvinge hende til at sutte den af på ham. Lisbeth Salander glemte aldrig en forurettelse og var alt andet end tilgivende af natur.

Hendes juridiske stilling var imidlertid problematisk. Så langt tilbage hun kunne huske, var hun blevet betragtet som vanskelig og umotiveret voldelig. De første anmærkninger stod at læse i skolesygeplejerskens journal fra hendes tid i underskolen. Hun var blevet sendt hjem, fordi hun havde slået en klassekammerat og skubbet ham ind en knagerække, så han blødte. Hun mindedes stadig sit offer med irritation: en overvægtig dreng ved navn David Gustavsson, der plejede at drille og kaste ting efter hende, og som siden hen blev en af de værste mobbere. På det tidspunkt vidste hun ikke engang, hvad ordet mobning betød, men da hun kom i skole dagen efter, havde David truet hende med hævn, hvorefter hun havde slået ham i gulvet med en lige højre, hvis kraft blev forstærket af, at hun havde en golfkugle i sin knyttede næve. Det havde resulteret i mere blod og endnu en anmærkning i journalen.

Reglerne for den sociale omgang på skolen havde altid undret hende. Hun passede sig selv og blandede sig ikke i, hvad folk omkring hende foretog sig. Alligevel var der altid nogen, som simpelthen ikke ville lade hende være i fred.

Da hun kom op i de større klasser, blev hun ved flere lejligheder sendt hjem efter at være havnet i voldsomme klammerier med klassekammeraterne. Betragteligt kraftigere drenge i klassen lærte hurtigt, at det kunne være forbundet med ubehageligheder at rage uklar med den spinkle pige – til forskel fra de andre piger i klassen bakkede hun aldrig ud og betænkte sig ikke et sekund på at gribe til knytnæverne eller diverse kasteskyts for at forsvare sig. Det lyste ud af hende, at hun hellere ville lade sig tæve ihjel end finde sig i folks lort.

Og så hævnede hun sig.

Da Lisbeth Salander gik i sjette klasse, var hun kommet i klammeri med en væsentligt større og kraftigere dreng. Rent fysisk var hun ham langt underlegen. Først havde han moret sig med at skubbe hende omkuld flere gange, derefter havde han stukket hende lussinger, når hun prøvede at gå til modangreb. Der var dog intet, der hjalp; uanset hvor overlegen han var, fortsatte den åndssvage tøs med at gå til angreb, og efter et stykke tid var selv klassekammeraterne begyndt at mene, at det var ved at udarte. Hun havde været så tydeligt forsvarsløs, at det virkede pinligt. Til sidst havde drengen givet hende et ordentligt knytnæveslag, der fik hendes læbe til at sprække og hende til at se stjerner. De havde efterladt hende på jorden bag gymnastiksalen. Hun havde været sygemeldt i to dage. Om morgenen den tredje dag ventede hun på sin plageånd med et boldtræ, som hun slog ham over øret med. Hun blev efterfølgende kaldt op til inspektøren, der besluttede at politianmelde hende for vold, hvorefter socialforvaltningen udfærdigede en særlig rapport.

Hendes klassekammerater havde betragtet hende som skør i bolden og behandlet hende derefter. Hun vakte heller ikke sympati hos lærerne, der indimellem opfattede hende som en sand plage. Hun havde aldrig været specielt snakkesalig og blev kendt som eleven, der aldrig rakte hånden op og ofte ikke svarede, når læreren prøvede at stille hende et direkte spørgsmål. Der var imidlertid ingen, der vidste, om det skyldtes, at hun ikke *kunne* svare, eller om grunden var en anden, og det afspejlede sig i karaktererne. At hun havde problemer, herskede der ingen tvivl om, men af en eller anden besynderlig grund var der ikke rigtigt nogen, der ville påtage sig ansvaret for den besværlige pige, selvom hun var genstand for diskussion på adskillige lærermøder. Hun endte derfor i den situation, at endog lærerne blæste på hende og lod hende sidde i surmulende tavshed.

På et tidspunkt, hvor en vikar, der ikke kendte noget til hendes specielle adfærd, havde presset på for at få hende til at svare på et spørgsmål i matematik, havde hun fået et hysterisk anfald og slået og sparket ud efter læreren. Efter sjette klasse skiftede hun skole uden at have en eneste kammerat at sige farvel til. En uelsket pige med en afvigende opførsel.

Derefter skete Alt Det Onde, som hun ikke ville tænke på, netop som hun stod på tærsklen til puberteten. Det sidste raserianfald, der cementerede mønstret og førte til, at journalen fra underskolen blev hevet frem. Siden da var hun juridisk blevet betragtet som ... tja, tosset. *Et misfoster.* Lisbeth Salander havde aldrig haft brug for nogen papirer for at vide, at hun var anderledes. Det var på den anden side ikke noget, der bekymrede hende, så længe hendes værge og formynder var Holger Palmgren, som hun efter behov kunne sno om sin lillefinger.

Med Bjurmans opdukken truede umyndiggørelsen med at blive en alvorlig belastning i hendes liv. Uanset hvem hun henvendte sig til, ville potentielle faldgruber åbne sig, og hvad ville der ske, hvis hun tabte kampen? Ville hun blive tvangsanbragt på en institution? Spærret inde på en tosseanstalt? *Den mulighed var helt uacceptabel.*

SENERE PÅ NATTEN, da Cecilia Vanger og Mikael lå stille med omslyngede ben, og Cecilias bryst hvilede mod Mikaels side, kiggede hun op på ham.

"Tak. Det var længe siden sidst. Du er helt okay i sengen."

Mikael smilede. Seksuelt relateret smiger var altid barnligt tilfredsstillende.

"Jeg nød det," sagde Mikael. "Det var uventet, men dejligt."

"Jeg gentager det gerne," sagde Cecilia. "Hvis du har lyst."

Mikael kiggede på hende.

"Du mener vel ikke, at du godt vil have en elsker?"

"En *occasional lover*," sagde Cecilia. "Men jeg vil bede dig gå hjem, inden du falder i søvn. Jeg vil ikke vågne i morgen tidlig og have dig her, før jeg har fået ansigtet i de rigtige folder. Men ellers er det helt okay, hvis du bare vil love ikke at fortælle hele landsbyen, at vi er sammen."

"Det lover jeg," sagde Mikael.

"Først og fremmest vil jeg ikke have, at Isabella får det at vide. Hun er en led heks."

"Og din nærmeste nabo ... Jeg har mødt hende."

"Ja, men heldigvis kan hun ikke se min hoveddør henne fra sit hus. Mikael, lov mig at være diskret."

"Jeg skal nok være diskret."

"Tak. Drikker du?"

"Det hænder."

"Jeg har lyst til noget forfriskende med gin i. Vil du også have?"

"Ja tak."

Hun trak et lagen om sig og forsvandt nedenunder. Mikael

benyttede anledningen til at gå på toilettet og vaske sig. Han stod nøgen og betragtede hendes bogreol, da hun vendte tilbage med en karaffel med isvand og to gin og lime. De skålede.

"Hvorfor kom du herhen?" spurgte hun.

"Ikke for noget særligt. Jeg ville bare ..."

"Du har siddet derhjemme og læst i Henriks papirer. Og du kommer hen til mig. Man behøver ikke være nogen superhjerne for at regne ud, hvad du spekulerer på."

"Har du læst efterforskningsmaterialet?"

"Noget af det. Jeg har levet med det hele mit voksne liv. Man kan ikke omgås Henrik uden at kende til gåden Harriet."

"Det er faktisk et fascinerende problem. Jeg mener ... vi har ikke bare et lukket rum fuld af mistænkte som i en kriminalroman, men en hel ø! Og intet i efterforskningen synes at følge normal logik. Alle spørgsmål forbliver ubesvarede, alle ledetråde ender blindt."

"Hmm, det er den slags, der kan blive en besættelse for folk."

"Du befandt dig på øen den dag."

"Ja, jeg var her og oplevede hele balladen. Jeg boede ellers i Stockholm, hvor jeg gik på universitetet. Jeg ville ønske, jeg var blevet hjemme den weekend."

"Hvordan var hun egentlig? Folk har tilsyneladende vidt forskellige meninger om hende."

"Er det her *off the record* eller ...?"

"Det er *off the record*."

"Jeg har ingen anelse om, hvad der foregik i hovedet på Harriet. Jeg går ud fra, at du har det sidste år i tankerne. Den ene dag var hun en religiøs fantast, dagen efter majede hun sig ud som en luder og gik i skole i den strammeste bluse, hun kunne opdrive. Man skal ikke være psykolog for at fatte, at hun var dybt ulykkelig. Men jeg boede her som sagt ikke og havde kun sladderen at forholde mig til."

"Hvad var det, der udløste problemerne?"

"Gottfried og Isabella, selvfølgelig. Deres ægteskab var en veritabel snurretop. De festede eller sloges. Ikke i fysisk forstand – Gottfried var ikke typen, der slog, og han var nærmest bange for Isabella. Hun havde et frygteligt temperament. På et tidspunkt først i tresserne flyttede han mere eller mindre permanent ud i sit sommerhus længst ude på øen, hvor Isabella aldrig satte sine ben. Der var perioder, hvor han dukkede op i landsbyen og lignede en lazaron, hvorefter han igen blev tørlagt og klædte sig nydeligt og prøvede at passe sit arbejde."

"Var der ingen, som ville hjælpe Harriet?"

"Henrik, selvsagt. Hun flyttede jo ind hos ham til sidst. Men glem ikke, at han havde travlt med at spille rollen som den store industrimand. Som regel var han ude at rejse og havde ikke ret meget tid til at være sammen med Harriet og Martin. Jeg oplevede ikke så meget af det her, da jeg jo først boede i Uppsala og derefter i Stockholm – og det var heller ikke nogen dans på roser at vokse op med Harald som far, det kan jeg godt fortælle dig. Men siden hen har jeg forstået, at problemet var, at Harriet aldrig betroede sig til nogen. Hun prøvede tværtimod at holde på facaden og foregive, at de var en lykkelig familie."

"Benægtelse."

"Helt klart. Men da hendes far druknede, begyndte hun at forandre sig. Så kunne hun ikke længere foregive, at alt var i den skønneste orden. Indtil da havde hun været ... hvordan skal jeg udtrykke det ... måske nok overbegavet og tidligt moden, men ikke desto mindre en nogenlunde normal teenager. Det sidste år var hun stadig lynende intelligent – topkarakterer til alle prøver og så videre – men det var, som om hun var gået mentalt i baglås."

"Hvordan druknede hendes far?"

"Gottfried? Det var såmænd ganske prosaisk. Han faldt ud af en robåd neden for sommerhuset. Han havde åben gylp og en ekstremt høj promille i blodet, så det er let at gætte sig til, hvad der skete. Det var Martin, der fandt ham."

"Det var jeg ikke klar over."

"Det er egentlig ret pudsigt. Martin har udviklet sig til et rigtig godt menneske. Havde du spurgt mig for femogtredive år siden, ville jeg have sagt, at hvis nogen i familien havde brug for en psykolog, så var det ham."

"Hvad mener du?"

"Harriet var ikke alene om at have det dårligt. I mange år var Martin så tavs og indesluttet, at han nærmest kunne beskrives som menneskesky. Begge børnene havde det vanskeligt. Nå ja, det havde vi alle sammen. Jeg havde mine problemer med min far – jeg formoder, du allerede har forstået, at manden er splitterravende gal. Min søster Anita havde samme problem ligesom min fætter Alexander. Det var hårdt at være ung i familien Vanger."

"Hvordan er det gået med din søster?"

"Anita bor i London. Hun tog derover i halvfjerdserne for at arbejde for et svensk rejsebureau og blev hængende. Hun giftede sig med en eller anden fyr, som hun aldrig præsenterede for familien og siden blev separeret fra. I dag har hun en chefstilling inden for British Airways. Hun og jeg har det udmærket indbyrdes, men vi er dårlige til at holde kontakten ved lige og ses kun omkring hvert andet år. Hun kommer aldrig hjem til Hedestad."

"Hvorfor ikke?"

"Vores far er sindssyg. Er det forklaring nok?"

"Men du blev her."

"Jeg og min bror Birger."

"Politikeren."

"Prøver du at være morsom? Birger er ældre end Anita og mig. Vi har aldrig kommunikeret specielt godt. I egne øjne er han en enestående betydningsfuld politiker med en fremtid i Rigsdagen og måske en ministerpost, hvis de borgerlige skulle komme til magten. I virkeligheden er han en middelmådigt begavet kommunalpolitiker i provinsen – højere og længere når han ikke i sin karriere."

"En ting, der fascinerer mig ved familien Vanger, er, at ingen kan lide hinanden."

"Det passer nu ikke helt. Jeg holder vældig meget af Martin og Henrik. Og jeg er altid kommet godt ud af det med min søster, selvom vi ses alt for sjældent. Jeg afskyr Isabella, har ikke meget tilovers for Alexander og taler ikke med min far. Jeg vil tro, det er lidt fifty-fifty. Birger er ... hmm, mere en opblæst nar end et dårligt menneske. Men jeg forstår, hvad du mener. Prøv at se det sådan her: Hvis man er medlem af familien Vanger, lærer man meget tidligt at tale lige ud af posen. Vi siger, hvad vi mener."

"Ja, jeg har bemærket, at I går lige til sagen." Mikael rakte hånden frem og rørte ved hendes bryst. "Jeg havde kun været her et kvarter, da du kastede dig over mig."

"Hvis jeg skal være ærlig, så har jeg lige fra vores første møde spekuleret på, hvordan du ville være i sengen. Og nu ved jeg det."

FOR FØRSTE GANG i sit liv følte Lisbeth Salander et stort behov for at bede nogen om råd. Problemet var bare, at for at kunne bede nogen om råd var hun nødt til at betro sig til nogen, hvilket betød, at hun var nødt til at udlevere sig selv og fortælle om sine hemmeligheder. Hvem skulle hun fortælle dem til? Hun var ganske enkelt ikke god til at kommunikere med andre mennesker.

Da hun gennemgik sin adressebog i hovedet, var hun nået frem til i alt ti personer, som i en eller anden forstand kunne siges at tilhøre hendes bekendtskabskreds. Og det var højt sat, vidste hun.

Hun kunne snakke med Plague, som var et nogenlunde fast holdepunkt i hendes tilværelse. Men han var så decideret ikke nogen ven, og han var den absolut sidste, der ville kunne bidrage til at løse hendes problemer. Han var udelukket.

Lisbeth Salanders sexliv var ikke helt så beskedent, som hun havde ladet antyde over for advokat Bjurman. Men sex var altid (eller i hvert fald som regel) foregået på hendes betingelser og initiativ. Hun havde rent faktisk været i seng med omkring halvtreds forskellige mænd, fra hun fyldte femten. Det betød i gennemsnit fem pr. år, hvilket måtte siges at være okay for en single, der med årene var begyndt at opfatte sex som et behageligt tidsfordriv.

De allerfleste af disse tilfældige sexpartnere havde hun dog haft inden for en periode på godt to år. Det var i de sidste, kaotiske teenageår, før hun burde været blevet myndig. Der havde været en tid, hvor Lisbeth Salander stod ved en skillevej og ikke rigtig havde styr på sit liv, og hvor hendes fremtid tegnede til at fylde hendes journal med endnu en serie anmærkninger om narko- og alkoholmisbrug og flere tvangsanbringelser. Efter at hun fyldte tyve og var begyndt at arbejde for Milton Security, var hun faldet betragteligt mere til ro og havde – syntes hun selv – fået styr på sit liv.

Hun følte ikke længere behov for at tækkes nogen, der havde spenderet tre øl på hende på et eller andet værtshus, og det gav hende ikke den mindste følelse af øget selvværd at gå hjem med en fulderik, hun dårlig nok vidste, hvad hed. I løbet af det sidste år havde hun kun haft én jævnlig sexpartner og kunne derfor næppe beskrives som promiskuøs, som det ellers blev antydet i hendes journal fra de senere teenageår.

Sex var desuden som regel foregået sammen med nogen fra den løst sammensatte gruppe, hvor hun egentlig ikke selv var medlem, men hvor hun blev accepteret, fordi hun havde lært Cilla Norén at kende. Hun havde mødt Cilla i slutningen af sine teenageår, da Holger Palmgren indtrængende havde insisteret på, at hun meldte sig til VUC for at prøve at rette op på sin mangelfulde folkeskoleuddannelse. Cilla havde rødbedefarvet hår med sorte striber, sorte læderbukser, ring i næsen og lige så mange nitter i bæltet som Lisbeth. De havde skulet mistænksomt til hinanden i den første time.

Af en eller anden grund, som Lisbeth ikke helt kunne gennemskue, var de begyndt at omgås hinanden. Lisbeth var ikke det letteste menneske at blive venner med, og i særdeleshed på det tidspunkt, men Cilla havde ignoreret hendes tavshed og slæbt hende med på værtshus. Via hende var Lisbeth blevet medlem af *Evil Fingers*, der oprindelig havde været et forstadsband bestående af fire teenagepiger fra Enskede, der var vilde med heavy rock, og som ti år senere var blevet til en større gruppe af venner, der mødtes på Kvarnen tirsdag aften for at rakke ned på mænd, diskutere feminisme, pentagrammer, musik og politik samt indtage store mængder lys øl. Og de lagde ikke fingrene imellem.

Salander befandt sig i udkanten af gruppen og bidrog sjældent til snakken, men hun blev accepteret som den, hun var, og kunne komme og gå, som hun ville, og sidde tavs med sin øl hele aftenen. Hun blev også inviteret hjem til dem til fødselsdage og julegløgg og den slags, selvom hun som regel blev væk.

I løbet af de fem år, hun omgikkes *Evil Fingers*, ændrede pigerne sig. Hårfarven blev mere og mere normal, og stadigt oftere stammede tøjet fra H&M og ikke fra genbrugsbutikken. De uddannede sig eller gik på arbejde, og en af pigerne fik et barn. Lisbeth følte det, som om hun var den eneste, der ikke havde forandret sig overhovedet, hvilket også kunne tolkes sådan, at hun stod i stampe.

Men de havde det stadig sjovt, når de mødtes. Hvis der var et sted, hvor hun følte en form for fællesskab, så var det sammen med *Evil Fingers* – og i forlængelse heraf også med de fyre, der indgik i pigegruppens omgangskreds.

Evil Fingers ville høre på hende. De ville også bakke hende op. Men de havde ingen anelse om, at Lisbeth Salander havde byrettens dom for, at hun var en andenrangsborger. Hun ønskede ikke, at også de skulle se skævt til hende. *Den mulighed var uacceptabel.*

Og hun havde ikke én eneste gammel skolekammerat i sin adressebog. Hun havde ikke nogen form for netværk eller støtter eller politiske kontakter. Så hvem skulle hun henvende sig til for at fortælle om sine problemer med advokat Nils Bjurman?

Der var måske én. Hun overvejede længe, om hun skulle betro sig til Dragan Armanskij, om hun skulle banke på hos ham og sætte ham ind i sin situation. Han havde sagt til hende, at hun trygt kunne henvende sig til ham, hvis hun fik brug for hjælp. Hun var overbevist om, at han mente det.

Også Armanskij havde engang taget på hende, men det havde været en venlig berøring uden onde hensigter, og ikke nogen magtdemonstration. Men at bede ham om hjælp bød hende imod. Han var hendes chef, og det ville sætte hende i gæld til ham. Lisbeth Salander legede med tanken om, hvordan hendes liv ville blive, hvis Armanskij og ikke Bjurman var hendes formynder. Pludselig måtte hun le. Tanken var ikke ubehagelig, men Armanskij ville sandsynligvis tage sin opgave så alvorligt, at han ville kvæle hende med sin omsorg. *Det var ... hmm, måske en acceptabel mulighed.*

Selvom hun udmærket vidste, at der fandtes krisecentre for voldsramte kvinder, faldt det hende ikke ind at henvende sig til sådant et. I hendes øjne var det et sted for *ofre*, og sådan havde hun aldrig betragtet sig selv. Hendes eneste mulighed var derfor at gøre det, hun altid havde gjort – tage sagen i egne hænder og selv løse sine problemer. *Det var helt klart en acceptabel mulighed.*

Og det lovede ikke godt for advokat Nils Bjurman.

KAPITEL 13

Torsdag den 20. februar – fredag den 7. marts

DEN SIDSTE UGE i februar var Lisbeth Salander sin egen klient med advokat Nils Erik Bjurman, født 1950, som undersøgelsesobjekt. Hun arbejdede omkring seksten timer i døgnet og foretog en grundigere personundersøgelse end nogensinde før. Hun benyttede sig af alle de arkiver og offentlige registre, hun kunne få adgang til. Hun udforskede hans nærmeste kreds af slægtninge og venner. Hun kiggede på hans økonomi og kortlagde i detaljer hans karriere og forehavender.

Resultatet var nedslående.

Han var jurist, medlem af Advokatnævnet og forfatter til en respektindgydende ordrig, men ualmindeligt kedelig afhandling om virksomhedsjura. Hans omdømme var uklanderligt. Advokat Bjurman var aldrig blevet fyret. En enkelt gang var han blevet indberettet for Advokatnævnet – han var ti år tidligere blevet udpeget som mellemmand i en sort lejlighedshandel, men havde kunnet bevise sin uskyld, hvorefter sigtelsen var frafaldet. Hans økonomi var i orden: Advokat Bjurman var formuende med aktiver på mindst 10 millioner. Han betalte mere i skat end strengt nødvendigt, var medlem af Greenpeace og Amnesty og donerede penge til Hjerte- og Lungeforeningen. Han havde sjældent figureret i medierne, men havde et par gange sat sit navn på offentlige underskriftindsamlinger til fordel for politiske fanger i den tredje verden. Han boede i en femværelses lejlighed på Upplandsgatan ved Odenplan og var sekretær i sin ejerforening. Han var fraskilt og barnløs.

Lisbeth Salander kiggede herefter på hans ekskone, der hed Elena og var født i Polen, men havde boet i Sverige hele sit liv. Hun arbejdede som rådgiver inden for revalideringen og var tilsyneladende lykkeligt gift med en af Bjurmans kolleger. Der var ikke noget at hente. Ægteskabet havde varet i fjorten år, og skilsmissen havde været gnidningsløs.

Advokat Bjurman fungerede ofte som tilsynsførende for unge mennesker, der var kommet i klemme i retssystemet. Han havde været tilsynsværge for fire unge, før han blev formynder for Lisbeth Salander. I samtlige tilfælde havde det drejet sig om mindreårige, hvor værgeforholdet af retten var blevet ophævet, da de blev myndige. En af disse klienter havde fortsat Bjurman som advokat, så dér var der tilsyneladende ikke noget at komme efter. Hvis Bjurman systematisk havde udnyttet sine myndlinge, så var der i hvert fald ikke noget at se på overfladen, og hvor dybt Lisbeth end gravede, så kunne hun ikke finde nogen tegn på noget suspekt. Samtlige fire levede et respektabelt liv med kærester, job, bolig og kontokort.

Hun havde ringet til alle fire og præsenteret sig som en socialarbejder, der var i gang med at undersøge, hvordan børn, der havde været under værgetilsyn, klarede sig i forhold til andre børn. *Jamen selvfølgelig er alle anonyme.* Hun havde lavet et spørgeskema, som hun fremlagde i telefonen. Flere af spørgsmålene var formuleret på en sådan måde, at klienterne skulle redegøre for, om de følte sig godt behandlet af deres tilsynsværge. Hvis der havde været noget at sige Bjurman på, var hun overbevist om, at det i det mindste ville være fremgået i nogle af interviewene. Men ingen havde noget dårligt at sige om ham.

Da Lisbeth Salander havde afsluttet sin PU, samlede hun alle papirerne i en indkøbspose fra ICA og stillede den ud i entreen sammen med de utallige andre poser med papir- og avisaffald. Advokat Bjurman var tilsyneladende uklanderlig. Der var simpelthen intet i hans fortid, som Lisbeth kunne bruge som løftestang. Det var hævet over enhver tvivl, at stodderen var et modbydeligt og ækelt svin – men hun kunne ikke bevise det.

Tiden var inde til at overveje alternative løsninger. Da hun havde analyseret alle muligheder, endte hun med en, der fremstod som mere og mere attraktiv – eller i hvert fald realistisk. Det allerletteste ville være, hvis Bjurman simpelthen forsvandt ud af hendes liv. Et hurtigt hjerteanfald. *End of problem.* Der var bare den hage ved det, at ikke engang modbydelige halvtredsårige stoddere fik hjerteanfald på bestilling.

Men den slags var der råd for.

MIKAEL VAR YDERST diskret, hvad angik affæren med rektor Cecilia Vanger. Hun havde opstillet tre betingelser: Ingen måtte vide, at de mødtes. Han måtte kun komme over til hende, når hun ringede efter ham og var i humør til det. Og han skulle ikke overnatte.

Hendes lidenskab overrumplede og forvirrede Mikael. Når han løb ind i hende på Susannes Brocafé, var hun venlig, men kølig og distanceret. Men når de mødtes i hendes soveværelse, var hun vildt lidenskabelig.

Mikael havde egentlig ikke lyst til at snage i hendes privatliv, men på den anden side var han jo ansat til at snage i hele Vangerfamiliens private anliggender. Han følte sig splittet og samtidig nysgerrig. En dag spurgte han Henrik Vanger, hvem hun havde været gift med, og hvad der var foregået. Han stillede spørgsmålet samtidig med, at han forhørte sig om Alexander og Birger og andre familiemedlemmer, der havde befundet sig på Hedeby-øen, da Harriet forsvandt.

"Cecilia? Jeg tror ikke, hun har noget med Harriet at gøre."

"Fortæl mig om hendes baggrund."

"Efter sine studier flyttede hun tilbage og begyndte at arbejde som lærer. Hun mødte en mand ved navn Jerry Karlsson, som desværre arbejdede i Vangerkoncernen. De giftede sig. Jeg troede, ægteskabet var lykkeligt – i hvert fald i begyndelsen. Men efter et par år begyndte det at gå op for mig, at der var noget galt. Han var voldelig. Det var den sædvanlige historie – han bankede hende, og hun forsvarede ham loyalt. Til sidst slog han hende én gang for meget. Hun kom alvorligt til skade og måtte på hospitalet. Jeg talte med hende og tilbød min hjælp. Hun flyttede herud til Hedeby og har nægtet at se sin mand siden dengang. Jeg sørgede for at få ham fyret."

"Men hun er stadig gift med ham."

"Det er, som man definerer det. Jeg ved faktisk ikke, hvorfor hun ikke har forlangt skilsmisse. Men hun har aldrig ønsket at gifte sig igen, så det har åbenbart ikke være aktuelt."

"Denne Jerry Karlsson, havde han noget med ..."

"Med Harriet at gøre? Nej, han boede ikke i Hedestad i 1966 og var ikke begyndt at arbejde for koncernen."

"Okay."

"Mikael, jeg holder af Cecilia. Hun er måske strid, men hun er et af de gode mennesker i min familie."

LISBETH SALANDER BRUGTE en uge på med en bureaukrats nidkærhed at planlægge advokat Nils Bjurmans død. Hun overvejede – og forkastede – forskellige metoder, indtil hun endte med et antal realistiske scenarier. *Ikke nogen pludselige indskydelser.* Hendes allerførste tanke havde været at prøve at arrangere et ulykkestilfælde, men hun var nået frem til, at det lige så godt kunne være et mord.

Én betingelse måtte dog opfyldes: Advokat Bjurman skulle dø på en sådan måde, at hun selv aldrig ville kunne forbindes med dødsfaldet. At hun ville figurere i en efterfølgende politiefterforskning, anså hun for mere eller mindre uundgåeligt; hendes navn ville før eller siden dukke op, når man kulegravede Bjurmans virksomhed. Men hun ville være én i et hav af nuværende og tidligere klienter, hun havde mødt ham nogle få gange, og medmindre Bjurman selv havde noteret i sin kalender, at han havde tvunget hende til at sutte den af på ham – hvilket hun anså for usandsynligt – havde hun intet motiv til at myrde ham. Der ville ikke findes det mindste belæg for, at hans død overhovedet havde noget med hans klienter at gøre – der var jo tidligere kærester, familiemedlemmer, tilfældige bekendte, kolleger og alle mulige andre. Der fandtes jo oven i købet det, man kaldte *random violence*, hvor gerningsmand og offer ikke engang kendte hinanden.

Hvis hendes navn kom op, ville hun være en hjælpeløs, umyndiggjort pige med papir på, at hun var mentalt handicappet. Det var med andre ord vigtigt, at Bjurman døde på en såpas kompliceret måde, at en retarderet pige ikke ville blive betragtet som en sandsynlig gerningsmand.

Hun droppede hurtigt tanken om at bruge skydevåben. Selve

anskaffelsen ville ikke volde hende de store problemer, men våben var noget, politiet kunne spore.

Hun overvejede en kniv, der kunne købes hvor som helst, men forkastede også den idé. Selvom hun dukkede op uden varsel og stak kniven i ryggen på ham, så var der ingen garanti for, at han døde med det samme – og lydløst – eller at han overhovedet døde. Det kunne også afføde et vist håndgemæng, der måske ville vække opmærksomhed, og hun risikerede at få blod på tøjet, som ville være svært at bortforklare.

Hun overvejede til og med en slags bombe, men det blev alt for kompliceret. Selve fremstillingen af bomben ville ikke være noget problem – på internettet kunne man finde opskriften på de mest dødbringende tingester – men det var svært at finde et sted at placere bomben, så uskyldige forbipasserende ikke risikerede at komme til skade. Og heller ikke her var der nogen garanti for, at han virkelig døde.

Telefonen ringede.

"Hej, Lisbeth, det er Dragan. Jeg har et job til dig."

"Jeg har ikke tid."

"Det er vigtigt."

"Jeg er midt i noget."

Hun lagde røret på.

Til sidst nåede hun frem til en interessant mulighed – gift. Først var hun lidt loren ved ideen, men ved nærmere eftertanke forekom det som den perfekte løsning.

Lisbeth brugte et par dage på at finkæmme internettet i jagten på en passende gift. Der var masser af muligheder. Blandt andet en af de absolut dødeligste gifte, man kendte til – cyankalium, også kaldet blåsyre.

Cyankalium blev brugt som bestanddel i visse kemiske industrier, blandt andet til fremstilling af farvestoffer. Nogle få milligram var nok til at slå et menneske ihjel; en liter i et vandreservoir kunne taget livet af en middelstor by.

Af indlysende grunde var et sådant dødbringende stof omgærdet med streng sikkerhedskontrol. Men selvom en morderisk politisk fanatiker ikke kunne gå ind på det nærmeste apotek og købe ti milliliter cyankalium, så kunne stoffet fremstilles i praktisk taget ubegrænsede mængder i et almindeligt køkken. Det eneste, der skulle til, var et beskedent laboratorieudstyr – *Den lille kemiker* – der kunne erhverves for et par hundrede kroner, plus nogle ingredienser, der kunne udvindes af almindelige husholdningsprodukter. Brugsanvisningen kunne man finde på internettet.

En anden mulighed var nikotin. Fra en enkelt karton cigaretter kunne hun udvinde nogle milligram nikotin og indkoge dem til en dødbringende substans. Et endnu bedre stof, om end det var noget mere besværligt at fremstille, var nikotinsulfat, som havde den egenskab, at det kunne absorberes gennem huden; man behøvede altså kun at iføre sig gummihandsker, fylde en vandpistol og sprøjte advokat Bjurman i ansigtet. Efter tyve sekunder ville han være bevidstløs og nogle minutter efter stendød.

Lisbeth Salander havde indtil dette øjeblik ikke haft nogen anelse om, at så mange helt almindelige produkter fra hendes lokale farvehandler kunne forvandles til dødbringende våben, men efter at have studeret emnet i nogle dage var hun sikker på, at der ikke eksisterede nogen tekniske hindringer for at gøre kort proces med formynderen.

Der henstod blot to problemer: Bjurmans død ville ikke give hende kontrol over hendes eget liv, og der var ingen garanti for, at Bjurmans efterfølger ikke ville være endnu værre. *Konsekvensanalyse.*

Det, hun havde brug for, var en måde, hvorpå hun kunne *kontrollere* sin formynder og dermed sin egen situation. Hun blev siddende hele aftenen i sin gamle sofa og gennemgik det hele endnu en gang. Til sidst droppede hun tanken om giftmord og lagde en ny plan.

Planen var ikke tillokkende, og den forudsatte, at hun lod Bjurman forgribe sig på hende igen. Men hvis hun gennemførte det, ville hun vinde.

Mente hun.

SIDST I FEBRUAR var Mikaels liv i Hedeby kommet ind i en fast gænge. Han stod op klokken ni hver morgen, spiste morgenmad og arbejdede til klokken tolv. I den periode proppede han sig med nyt materiale. Derefter gik han sig en tur på en time, uanset vejret. Om eftermiddagen arbejdede han videre, hjemme eller på Susannes Brocafé, enten med at bearbejde det, han havde læst om formiddagen, eller skrive videre på det, der skulle blive Henriks selvbiografi. Mellem klokken tre og seks holdt han altid fri. Det var her, han sørgede for at købe ind, vaske tøj, tage til Hedestad og ordne andre ærinder. Ved syvtiden gik han over til Henrik Vanger og fremlagde de spørgsmål, der var dukket op i løbet af dagen. Ved titiden var han hjemme igen og læste til klokken et eller to om natten. Han arbejdede sig systematisk igennem Henriks dokumentsamling.

Han opdagede til sin overraskelse, at arbejdet med Henriks selvbiografi kørte som på skinner. Han havde allerede næsten 120 sider færdig af kladden til slægtshistorien – det drejede sig om perioden, fra Jean Baptiste Bernadotte gik i land i Sverige, og frem til 1920'erne. Herefter var han nødt til at gå langsommere frem og begynde at veje sine ord.

Via biblioteket i Hedestad havde han hjemlånt bøger, der behandlede nazismen i denne periode, blandt andet Helene Lööws doktorafhandling *Hakkorset och Wasakärven*. Han havde skrevet et udkast på yderligere knap fyrre sider om Henrik og hans brødre, hvor han udelukkende fokuserede på Henrik som den person, der holdt sammen på historien. Han havde en lang liste med research, han måtte foretage omkring, hvordan virksomheder var opbygget og fungerede dengang, og han opdagede, at Vangerfamilien også havde været dybt involveret i Ivar Kreugers imperium – endnu en sidehistorie, der skulle ajourføres. Han regnede med, at han endnu manglede at skrive omkring tre hundrede sider. Han havde en tidsplan, der betød, at han skulle have et udkast klar til Henrik Vanger den første september, hvorefter han kunne bruge efteråret til at gennemredigere teksten.

Derimod kom Mikael ikke ud af stedet i efterforskningen af Harriet Vanger. Hvor meget han end læste og grublede over detaljer i det omfattende materiale, fandt han ikke én eneste ledetråd, som på nogen måde rokkede ved efterforskningen.

En lørdag aften i slutningen af februar havde han en lang samtale med Henrik Vanger, hvor han gjorde rede for sine ubetydelige fremskridt. Den gamle lyttede tålmodigt, mens Mikael gennemgik alle de blindgyder, han havde været inde i.

"Kort fortalt, Henrik, så kan jeg ikke finde noget i efterforskningen, som ikke allerede er tjekket til bunds."

"Jeg forstår, hvad du mener. Jeg har selv spekuleret som en vanvittig. Og samtidig er jeg sikker på, at vi må have overset noget. Den perfekte forbrydelse eksisterer ikke."

"Vi ved faktisk ikke, om der overhovedet er begået en forbrydelse."

Henrik Vanger sukkede og slog frustreret ud med hånden.

"Fortsæt," bad han. "Gør arbejdet færdigt."

"Det er meningsløst."

"Muligvis, men du må ikke give op."

Mikael sukkede.

"Telefonnumrene," sagde han omsider.

"Ja."

"De må betyde et eller andet."

"Ja."

"De er nedskrevet i en bestemt hensigt."

"Ja."

"Men vi kan ikke tyde dem."

"Nej."

"Eller også tyder vi dem forkert."

"Netop."

"Det er ikke telefonnumre. De betyder noget helt andet."

"Måske."

Mikael sukkede igen og gik hjem for at læse videre.

ADVOKAT NILS BJURMAN drog et lettelsens suk, da Lisbeth Salander ringede til ham igen og fortalte, at hun havde brug for flere penge. Hun havde snydt sig fra deres seneste faste møde med den undskyldning, at hun var nødt til at arbejde, og en svag uro havde gnavet i ham. Var hun ved at udvikle sig til et problem? Men i kraft af, at hun var udeblevet fra mødet, havde hun heller ikke fået nogen lommepenge, og før eller senere ville hun være tvunget til at opsøge ham. Han var også bekymret over muligheden for, at hun havde fortalt til nogen, hvad han havde gjort.

Hendes korte opringning om, at hun havde brug for penge, var derfor en kærkommen bekræftelse på, at situationen var under kontrol. Men hun måtte tøjles, blev Nils Bjurman enig med sig selv om. Hun skulle forstå, hvem der bestemte, og først da ville de kunne opbygge en mere konstruktiv relation. Han meddelte hende derfor, at de denne gang skulle mødes i hans hjem ved Odenplan og ikke på kontoret. Efter denne besked havde Lisbeth Salander været tavs i den anden ende af ledningen et stykke tid – *satans til tungnem fisse* – før hun til sidst indvilligede.

Hendes plan havde været at mødes med ham på hans kontor ligesom forrige gang. Nu var hun nødt til at møde ham på ukendt territorium. Mødet blev fastsat til fredag aften. Hun havde fået koden til opgangslåsen og ringede på hans dør klokken halv ni, en halv time senere end aftalt. Det var den tid, hun skulle bruge i den mørke opgang til at gennemgå sin plan en sidste gang, overveje alternativer, stålsætte sig og mobilisere det mod, hun havde brug for.

VED OTTETIDEN OM aftenen slukkede Mikael for sin computer og tog overtøj på. Han lod lyset i arbejdsværelset være tændt. Udenfor var det stjerneklart og på frysepunktet. Han gik hurtigt op ad bakken, forbi Henrik Vangers hus og ud ad vejen mod Östergården. Efter et kort stykke drejede han til venstre og fulgte en ikke sneryddet, men optrampet gangsti langs stranden. Fyrene blinkede ude i vandet, og lysene i Hedestad strålede smukt i mørket. Han trængte til frisk luft, men først og fremmest ville han undgå Isabella Vangers spejdende øjne. Ved Martin Vangers hus gik han op på vejen igen og nåede hen til Cecilia Vanger lidt over halv ni. De gik med det samme op i hendes soveværelse.

De mødtes en eller to gange om ugen. Cecilia Vanger var ikke blot blevet hans elskerinde i ødemarken, hun var også blevet den person, han var begyndt at betro sig til. Han havde betydeligt større udbytte af at diskutere Harriet Vanger med hende end med Henrik.

Planen røg næsten øjeblikkelig i vasken.

Advokat Nils Bjurman var iført morgenkåbe, da han åbnede døren til sin lejlighed. Han havde nået at blive irriteret over hendes sene ankomst og vinkede hende ind. Hun havde sorte cowboybukser, sort T-shirt og den obligatoriske læderjakke på. Derudover var hun iført sorte støvler og havde en lille rygsæk med en rem over brystet.

"Har du ikke engang lært klokken?" snerrede Bjurman. Salander sagde ingenting. Hun kiggede sig om. Lejligheden så nogenlunde sådan ud, som hun havde forventet efter at have studeret grundplanen i Boligdirektoratets arkiv. Han havde lyse møbler i birk og bøg.

"Kom," sagde Bjurman i et venligere tonefald. Han lagde en arm om hendes skuldre og førte hende gennem entreen og ind i det indre af lejligheden. *Ikke nogen udenomssnak her.* Han åbnede døren til et soveværelse. Der herskede ingen tvivl om, hvilke tjenester Lisbeth Salander forventedes at udføre.

Hun så sig hurtigt om. Ungkarlemøblering. En dobbeltseng med høj sengegavl i rustfrit stål. En kommode, der også fungerede som natbord. Sengelamper med dæmpet lys. Et klædeskab med spejl i den ene dørs længde. En kurvestol og et lille bord i hjørnet nærmest døren. Han tog hende i hånden og førte hende hen mod sengen.

"Lad mig høre, hvad du skal bruge penge til denne gang. Mere computerudstyr?"

"Mad," svarede hun.

"Selvfølgelig, hvor dumt af mig. Du gik jo glip af vores sidste møde." Han lagde en hånd under hendes hage og løftede hendes ansigt, så deres øjne mødtes. "Hvordan har du det?"

Hun trak på skuldrene.

"Har du tænkt over, hvad jeg sagde sidste gang?"

"Hvad mener du?"

"Lisbeth, gør dig nu ikke dummere, end du er. Jeg ønsker, at du og jeg skal være gode venner og hjælpe hinanden."

Hun svarede ikke. Advokat Bjurman modstod en trang til at stikke hende en lussing for at vække liv i hende.

"Kunne du lide vores voksenleg sidste gang?"

"Nej."

Han hævede øjenbrynene.

"Lisbeth, vær nu ikke dum."

"Jeg har brug for penge til at købe mad."

"Det var lige netop det, vi talte om sidste gang. Hvis du er sød mod mig, så er jeg sød mod dig. Men hvis du kun er ude på ballade, så ..." Hans greb om hendes hage blev hårdere, og hun vristede sig løs.

"Jeg vil have mine penge. Hvad vil du have mig til?"

"Du ved udmærket, hvordan jeg vil have det." Han greb hende i skulderen og trak hende hen til sengen.

"Vent lidt," sagde Lisbeth Salander hurtigt. Hun sendte ham et resigneret blik og nikkede derpå kort. Hun trak rygsækken og læderjakken med nitterne af og så sig om. Hun lagde læderjakken i kurvestolen, stillede rygsækken på det runde bord og tog nogle tøvende skridt hen mod sengen. Så standsede hun op, som om hun havde fået kolde fødder. Bjurman gik nærmere.

"Vent," sagde hun igen med en stemme, som om hun prøvede at tale ham til fornuft. "Jeg vil ikke være tvunget til at sutte den af på dig, hver gang jeg har brug for penge."

Bjurmans ansigtsudtryk skiftede. Lige pludselig stak han hende en lussing med flad hånd. Salander spærrede øjnene op, men inden hun nåede at reagere, havde han grebet fat i hendes skulder og kastet hende på maven ned på sengen. Hun blev overrumplet af den pludselige brutalitet. Da hun prøvede at vende sig om, pressede han hende ned på sengen og satte sig overskrævs på hende.

Nøjagtig ligesom sidst kunne hun ikke stille noget op rent fysisk. Hendes eneste mulighed for at gøre modstand var at kradse ham i øjnene med neglene eller med en eller anden genstand. Men det scenarie, hun havde planlagt, var allerede helt udelukket. *Satans også*, tænkte Lisbeth Salander, da han trak hendes T-shirt op over hovedet på hende. Hun indså med forfærdende klarsyn, at hun var ude, hvor hun ikke kunne bunde.

Hun hørte ham åbne kommodeskuffen ved siden af sengen og registrerede en raslen af metal. Lige først var hun ikke klar over, hvad der foregik, men derefter så hun kæden lukke sig om sit håndled. Han løftede hendes arme og fæstede håndjernene til en af stolperne i sengegavlen og låste hendes anden hånd fast. Det tog ham kun et kort øjeblik at trække sko og cowboybukser af hende. Til sidst trak han trusserne af og holdt dem i hånden.

"Du må lære at stole på mig, Lisbeth," sagde han. "Jeg vil lære dig, hvordan den her voksenleg foregår. Når du er ubehagelig over for mig, bliver du straffet. Når du er sød mod mig, kan vi være venner."

Han satte sig atter overskrævs på hende.

"Nå, så du kan ikke lide analsex?" sagde han.

Lisbeth åbnede munden for at skrige. Han greb fat i hendes hår og tvang trusserne ind i hendes mund. Hun mærkede, at han lagde noget omkring hendes ankler, spredte hendes ben og bandt dem fast, så hun lå helt blottet. Hun hørte ham bevæge sig rundt i værelset, men kunne ikke se ham gennem T-shirten, hun havde over hovedet. Han var væk i flere minutter. Hun kunne næsten ikke få vejret. Så mærkede hun en afsindig smerte, da han med stor kraft pressede noget ind i hendes endetarm.

Cecilia Vangers regel var stadigvæk, at Mikael ikke måtte overnatte. Lidt over to om natten tog han tøj på, mens hun blev liggende nøgen på sengen og smilede til ham.

"Jeg kan godt lide dig, Mikael. Jeg kan lide at være sammen med dig."

"Jeg kan også godt lide dig."

Hun trak ham ned i sengen igen og hev hans skjorte af, som han lige havde taget på. Han blev der endnu en time.

Da Mikael langt om længe passerede Harald Vangers hus, var han overbevist om, at han så et af gardinerne på første sal bevæge sig. Men det var for mørkt til, at han kunne være helt sikker.

Lisbeth Salander fik lov til at tage sit tøj på ved firetiden lørdag morgen. Hun tog sin læderjakke og rygsæk og humpede hen mod døren, hvor han ventede på hende. Han havde været i bad og var nydeligt klædt. Han gav hende en check på 2.500 kroner.

"Jeg kører dig hjem," sagde han og åbnede døren.

Hun trådte over dørtrinnet, gik ud af lejligheden og vendte sig så om mod ham. Hendes krop så skrøbelig ud, og ansigtet var ophovnet af gråd, og han rykkede næsten bagud, da han mødte hendes blik. Han havde aldrig i hele sit liv mødt et sådan nøgent, glødende had. Lisbeth Salander så nøjagtig så sindssyg ud, som hendes journal antydede, at hun var.

"Nej," sagde hun så dæmpet, at han knap kunne høre hende. "Jeg kan selv tage hjem."

Han lagde en hånd på hendes skulder.

"Er du sikker?"

Hun nikkede. Grebet om hendes skulder blev hårdere.

"Du husker, hvad vi blev enige om. Du kommer herhen næste lørdag."

Hun nikkede igen. Kuet. Han slap hende.

KAPITEL 14

Lørdag den 8. marts – mandag den 17. marts

LISBETH SALANDER TILBRAGTE en uge i sengen med smerter i underlivet, blødninger fra endetarmen og andre, mindre synlige sår, der ville være længere tid om at hele. Det, hun havde oplevet, var noget helt andet end den første voldtægt på hans kontor; der havde ikke længere været tale om tvang og fornedrelse, men om systematisk brutalitet.

Alt, alt for sent gik det op for hende, at hun fuldstændigt havde fejlbedømt Bjurman.

Hun havde opfattet ham som et magtmenneske, der kunne lide at dominere, ikke som en gennemført sadist. Han havde holdt hende lænket i håndjern hele natten. Flere gange havde hun troet, han ville slå hende ihjel, og på et tidspunkt havde han presset en pude ned over hendes ansigt, indtil hun næsten var besvimet.

Hun græd ikke.

Bortset fra tårerne, der sprang frem ved den rent fysiske smerte under selve overgrebet, fældede hun ikke en eneste tåre. Efter at hun havde forladt Bjurmans lejlighed, var hun humpet hen til taxaholdepladsen ved Odenplan, taget hjem og havde med besvær slæbt sig op ad trappen til sin lejlighed. Hun var gået i bad og havde vasket blodet af underlivet. Derefter havde hun drukket en halv liter vand, taget to sovepiller af mærket Rohypnol og var vaklet hen til sin seng, hvor hun trak dynen op over hovedet.

Hun vågnede seksten timer senere omkring frokosttid om søndagen med hjernen tømt for tanker og konstante smerter i hoved, muskler og underliv. Hun stod op, drak to glas kærnemælk og spiste et æble. Derpå tog hun endnu to sovepiller og gik i seng igen.

Først om tirsdagen magtede hun at forlade sengen. Hun gik ud og købte en økonomipakning Billys Pan Pizza, satte to af dem i mikroovnen og fyldte en termokande med kaffe. Derefter tilbragte hun hele natten på internettet og læste artikler og afhandlinger om sadismens psykopatologi.

Hun fæstede sig ved en artikel, der var skrevet af en kvindegruppe i USA, og hvor forfatterne hævdede, at sadisten valgte sine *forhold* med næsten intuitiv præcision; sadistens foretrukne offer var et menneske, der af sig selv kom ham i møde, fordi hun troede, hun ikke havde noget valg. Sadisten specialiserede sig i uselvstændige mennesker, der befandt sig i et afhængighedsforhold til ham, og havde en uhyggelig evne til at identificere egnede ofre.

Advokat Bjurman havde valgt hende som offer.

Det gav hende stof til eftertanke.

Det fortalte noget om, hvordan hun blev opfattet af omverdenen.

OM FREDAGEN, EN uge efter den anden voldtægt, gik Lisbeth Salander fra sin lejlighed og hen til en tatovør ved Hornstull. Hun havde ringet og bestilt tid, og der var ikke andre kunder i butikken. Indehaveren nikkede genkendende.

Hun valgte en lille, enkel tatovering, der forestillede en tynd løkke, og bad om at få den på vristen. Hun pegede.

"Huden er meget tynd på det sted, så det kommer til at gøre temmelig ondt," sagde tatovøren.

"Det er helt i orden," sagde Lisbeth, tog bukserne af og lagde benet op.

"Okay, en løkke. Du har allerede mange tatoveringer. Er du nu sikker på, du vil have en til?"

"Det er en påmindelse," svarede hun.

MIKAEL FORLOD SUSANNES Brocafé, da hun lukkede klokken to om lørdagen. Han havde tilbragt hele dagen med at renskrive sine noter på sin iBook og spadserede nu hen til Konsum og købte madvarer og cigaretter, før han gik hjem. Han havde opdaget stegte pølser med kartofler og rødbeder – en ret, han aldrig tidligere havde været vild med, men som af en eller anden grund passede perfekt i en hytte på landet.

Ved syvtiden om aftenen stod han ved køkkenvinduet og spekulerede. Cecilia Vanger havde ikke ringet. Han havde mødt hende ganske kort om eftermiddagen, da hun var inde på cafeen og købe et grovbrød, men hun havde stået i sine egne tanker. Det virkede ikke, som om hun ville ringe efter ham denne lørdag aften. Han skævede hen til sit lille fjernsyn, som han næsten aldrig tændte. I stedet satte han sig på slagbænken i køkkenet og åbnede en krimi af Sue Grafton.

LISBETH SALANDER KOM tilbage til Nils Bjurmans lejlighed ved Odenplan lørdag aften til aftalt tid. Han lukkede hende ind med et høfligt, imødekommende smil.

"Og hvordan har du det så i dag, kære Lisbeth?" spurgte han.

Hun svarede ikke. Han lagde en arm om hendes skulder.

"Vi gik måske lige lovlig hårdt til den sidste gang," sagde han. "Du så en smule spagfærdig ud."

Hun sendte ham et skævt smil, og han følte et pludseligt stik af usikkerhed. *Tøsen har knald i låget, det må jeg ikke glemme.* Han spekulerede på, om hun ville falde til føje.

"Skal vi gå ind i soveværelset?" spurgte Lisbeth Salander.

På den anden side er hun måske med på løjerne ... Han førte hende af sted med armen om hendes skuldre nøjagtig som ved deres sidste møde. *I dag vil jeg gå mere varsomt til værks. Opbygge tilliden.* Han havde lagt håndjernene frem på kommoden. Det var først, da de var nået hen til sengen, at advokat Bjurman blev klar over, der var noget galt.

Det var hende, der førte ham hen til sengen, ikke omvendt. Han standsede op og kiggede forvirret på hende, da hun stak hånden i jakkelommen og tog noget op, som han først antog for en mobiltelefon. Så så han hendes øjne.

"Sig godnat," sagde hun.

Hun pressede en stungun op i hans venstre armhule og affyrede 75.000 volt. Da hans ben begyndte at give efter, lænede hun skulderen op ad ham og lagde alle kræfter i at styre ham ned på sengen.

CECILIA VANGER FØLTE sig lettere beruset. Hun havde besluttet ikke at ringe til Mikael Blomkvist. Deres forhold havde udviklet sig til en latterlig sovekammerfarce, hvor Mikael gik lange omveje for at komme hen til hende i ubemærkethed. Hun teede sig som en forelsket teenager, der ikke kunne styre sit begær. Hendes opførsel de seneste uger havde været uantagelig.

Problemet er, at jeg synes alt for godt om ham, tænkte hun. Han ender med at såre mig. Hun sad i lang tid og ønskede, at Mikael Blomkvist aldrig var kommet til Hedeby.

Hun havde åbnet en flaske vin og drukket to glas. Hun tændte for tv-nyhederne og prøvede at følge med i verdenssituationen, men fik hurtigt nok af de fornuftige forklaringer på, hvorfor præsident Bush var nødt til at bombe Irak sønder og sammen. I stedet satte hun sig i sofaen i dagligstuen med Gellert Tamas bog *Lasermanden*. Hun fik kun læst et par sider, før hun var nødt til at lægge bogen fra sig. Emnet fik hende omgående til at tænke på sin far. Hun spekulerede på, hvad han mon fantaserede om.

Sidste gang, de havde mødt hinanden rigtigt, var i 1984, hvor hun havde været med ham og broderen Birger på harejagt nord for Hedestad, og Birger skulle afprøve en ny jagthund – en Hamiltonstøver, som han netop havde anskaffet sig. Harald Vanger var treoghalvfjerds på det tidspunkt, og hun havde gjort sit allerbedste for at acceptere hans vanvid, der havde forvandlet hendes barndom til et mareridt og præget hele hendes voksne liv.

Cecilia havde aldrig i sit liv været så skrøbelig som netop da. Hendes ægteskab var blevet opløst tre måneder tidligere. Hustruvold – ordet var så banalt. For hende havde det givet sig udtryk i en mild, men vedvarende brutalitet. Det havde drejet sig om lussinger, voldsomme skub og hadefulde trusler, ligesom hun blev tvunget ned på køkkengulvet. Hans raserianfald var altid uforklarlige og overgrebene sjældent så grove, at hun kom fysisk til skade. Han undgik at slå med knyttet hånd. Hun havde tilpasset sig.

Helt frem til den dag, hvor hun pludselig slog igen, og han fuldstændigt mistede besindelsen. Det var endt med, at han sanseløs af raseri havde kastet en saks efter hende, der havde sat sig fast i hendes skulderblad.

Han havde været fuld af anger og panikslagen og kørt hende på hospitalet, hvor han bryggede en historie sammen om et bizart ulykkestilfælde, som alle de ansatte på skadestuen øjeblikkelig havde gennemskuet. Hun havde skammet sig. Hun var blevet syet med tolv sting og indlagt i to dage. Derefter havde Henrik Vanger hentet hende og taget hende med hjem. Hun havde ikke talt med sin mand siden da.

Denne solrige efterårsdag tre måneder efter opbruddet fra ægteskabet havde Harald Vanger været i godt humør, ja, næsten venlig. Men lige pludselig, midt ude i skoven, var han gået til angreb på sin datter med fornedrende skældsord og grove bemærkninger om hendes opførsel og seksualvaner og havde vrænget, at det jo var indlysende, at sådan en luder ikke kunne holde på en mand.

Hendes bror havde ikke engang lagt mærke til, hvordan hvert af deres fars ord havde ramt hende som et piskeslag. I stedet havde Birger Vanger pludselig leet, lagt armen om sin far og på sin egen måde afvæbnet situationen ved at lade en bemærkning falde om, at *han vidste jo godt, hvordan kvindfolk var*. Han havde blinket sorgløst til Cecilia og foreslået, at Harald Vanger skulle tage opstilling på en lille bakke.

Der havde været et sekund, et stivnet øjeblik, hvor Cecilia Vanger havde betragtet sin far og sin bror og pludselig været sig bevidst, at hun havde et ladt haglgevær i hånden. Hun havde lukket øjnene. I det øjeblik var dette det eneste alternativ til at løfte geværet og affyre begge løb. Hun ville slå dem begge to ihjel. I stedet havde hun ladet våbnet falde ned på jorden ved sine fødder, var drejet om på hælen og gået tilbage til det sted, hvor de havde parkeret bilen. Hun havde efterladt dem strandet i skoven, da hun kørte alene hjem. Siden den dag havde hun kun talt med sin far nogle ganske få gange, hvor ydre omstændigheder havde tvunget hende til det. Hun havde nægtet at lukke ham ind i sit hus og havde aldrig besøgt ham i hans hjem.

Du har ødelagt mit liv, tænkte Cecilia Vanger. *Du ødelagde mit liv, allerede da jeg var barn.*

Klokken halv ni om aftenen løftede Cecilia Vanger telefonrøret og ringede til Mikael Blomkvist og bad ham komme over til hende.

ADVOKAT NILS BJURMAN havde smerter. Hans muskler var ubrugelige. Hans krop var som lammet. Han var ikke sikker på, om han havde været bevidstløs, men han var desorienteret og kunne ikke rigtig huske, hvad der var sket. Da han langsomt atter fik kontrol over sin krop, lå han nøgen og på ryggen i sin seng med hænderne lænket i håndjern og benene pinefuldt spredt. Han havde sviende brændemærker der, hvor elektroderne havde været i kontakt med kroppen.

Lisbeth Salander havde trukket kurvestolen hen til sengekanten og lagt støvlerne op på sengen, mens hun tålmodigt røg en cigaret. Da Bjurman prøvede at sige noget, opdagede han, at hans mund var tapet til. Han drejede hovedet. Hun havde trukket kommodeskufferne ud og tømt indholdet ud på gulvet.

"Jeg fandt dit legetøj," sagde Salander. Hun tog en ridepisk op og pirkede til samlingen af dildoer, bidsler og gummimasker på gulvet. "Hvad skal den her bruges til?" Hun løftede op i en stor analdildo. "Nej, du skal ikke prøve at sige noget – jeg kan alligevel ikke høre, hvad du siger. Var det den, du brugte på mig i sidste uge? Du behøver kun at nikke." Hun lænede sig forventningsfuldt hen mod ham.

Nils Bjurman følte pludselig, hvordan den kolde rædsel rev i hans bryst, og han mistede fatningen. Han flåede i sine håndjern. *Hun havde overtaget kontrollen. Det var umuligt.* Han kunne intet gøre, da Lisbeth Salander bøjede sig forover og anbragte dildoen mellem hans balder. "Så du er altså sadist," sagde hun konstaterende. "Kan lide at stikke ting op i røven på folk, hva'?" Hun fastholdt hans blik. Hendes ansigt var en udtryksløs maske. "Uden glidecreme, ikke sandt?"

Bjurman hvinede gennem tapen, da Lisbeth Salander brutalt spredte hans balder og jog dildoen op i det dertil indrettede hul.

"Lad være med at skabe dig," sagde Lisbeth og imiterede hans stemme. "Hvis du laver ballade, er jeg nødt til at straffe dig."

Hun rejste sig og gik rundt om sengen. Han fulgte hende hjælpeløst med blikket ... *Hvad i helvede havde hun nu gang i?* Lisbeth havde trillet hans 32-tommers fjernsyn ind fra dagligstuen og stillet hans dvd-afspiller på gulvet. Hun kiggede på ham, stadig med pisken i hånden.

"Har jeg din fulde opmærksomhed?" spurgte hun. "Du skal ikke prøve at sige noget – det er nok, at du nikker. Kan du høre, hvad jeg siger?" Han nikkede.

"Godt." Hun bukkede sig ned og tog sin rygsæk op. "Kan du genkende den her?" Han nikkede. "Det er den rygsæk, jeg havde med, da jeg besøgte dig for en uge siden. En praktisk lille sag. Jeg har lånt den af Milton Security." Hun åbnede en lynlås forneden. "Det her er et digitalt videokamera. Ser du nogensinde *Insider* på TV3? Det er sådan en tingest, de væmmelige journalister bruger, når de skal optage noget med skjult kamera." Hun lukkede lynlåsen.

"Og nu undrer du dig sikkert over, hvad det er for et objektiv, ikke? Det er det virkelig smarte ved det hele. Vidvinkel med fiberoptik. Linsen ligner en knap og sidder skjult i spændet på skulderremmen. Du husker måske, at jeg stillede rygsækken her på bordet, før du begyndte at rage på mig. Jeg sørgede omhyggeligt for, at objektivet var rettet mod sengen."

Hun fandt en cd frem og skubbede den ind i dvd-afspilleren. Derefter vendte hun kurvestolen og satte sig, så hun kunne se tv-skærmen. Hun tændte en ny cigaret og trykkede på fjernbetjeningen. Advokat Bjurman så sig selv åbne døren for Lisbeth Salander.

Har du ikke engang lært klokken? snerrede han.

Hun afspillede hele filmen for ham. Optagelsen sluttede efter halvfems minutter midt i en scene, hvor en nøgen advokat Bjurman sad lænet op ad hovedgærdet og drak et glas vin, mens han betragtede Lisbeth Salander, der lå sammenkrummet med hænderne bundet på ryggen.

Hun slukkede for fjernsynet og blev siddende tavs i kurvestolen i godt ti minutter uden at kigge på ham. Bjurman turde ikke engang bevæge sig. Så rejste hun sig og gik ud på badeværelset. Da hun kom tilbage, tog hun igen plads i kurvestolen. Hendes stemme var som sandpapir.

"Jeg begik en fejl i sidste uge," sagde hun. "Jeg troede, jeg ville blive nødt til at sutte den af på dig igen, hvilket er fandens ulækkert med en stodder som dig, men dog ikke mere ækelt, end at det er til at bære. Jeg troede, jeg med lethed kunne få tilstrækkelig med dokumentation for, at du er et modbydeligt gammelt svin. Men jeg fejlbedømte dig. Jeg var ikke klar over, hvor skidesyg i hovedet du er.

Lad mig gøre det her helt klart for dig," fortsatte hun. "Den film her viser, hvordan du voldtager en udviklingshæmmet 24-årig kvinde, som du er beskikket formynder for. Og du drømmer ikke om, hvor udviklingshæmmet jeg kan være, hvis det bliver nødvendigt. Enhver, der ser filmoptagelsen, vil opdage, at du ikke bare er et svin, men også en sindssyg sadist. Dette er anden og forhåbentlig sidste gang, jeg kigger på filmen. Den er temmelig informativ, ikke sandt? Mit gæt er, at det er dig og ikke mig, der bliver tvangsanbragt. Er du enig?"

Hun ventede. Han reagerede ikke, men hun kunne se, hvordan han rystede. Hun greb pisken og svirpede den hårdt ned over hans kønsorganer.

"Er du enig?" gentog hun betragteligt højere. Han nikkede.

"Godt. Så har vi dét på det rene."

Hun trak kurvestolen nærmere og satte sig sådan, at hun kunne se hans øjne.

"Nå, men hvad synes du så, vi skal stille op med det?" Han kunne ikke svare. "Har du nogen gode ideer?" Da han ikke reagerede, rakte hun hånden frem, greb fat om hans nosser og trak til, indtil hans ansigt fortrak sig i smerte. "Har du nogen gode ideer?" gentog hun. Han rystede på hovedet.

"Godt. Jeg vil nemlig blive skidesur på dig, hvis du nogensinde i fremtiden begynder at få gode ideer."

Hun lænede sig tilbage og tændte en ny cigaret. "Der vil ske følgende: I næste uge, når det er lykkedes dig at presse den der tillortede gummiprop ud af røvhullet, skal du informere min bank om, at jeg – *og kun jeg* – har adgang til min konto. Forstår du, hvad jeg siger?" Advokat Bjurman nikkede.

"Dygtig dreng. Du skal aldrig nogensinde kontakte mig igen. Fremover mødes vi kun, hvis jeg tilfældigvis skulle ønske det. Du har med andre ord fået besøgsforbud." Han nikkede gentagne gange og drog pludselig et lettelsens suk. *Hun vil ikke slå mig ihjel.*

"Hvis du nogensinde forsøger at kontakte mig, vil kopier af den her cd ende på samtlige avisredaktioner i Stockholm. Er du med?"

Han nikkede flere gange. *Jeg må have fat i den film.*

"En gang om året skal du indsende din rapport om mit velbefindende til Overformynderiet. Du skal rapportere, at jeg lever en helt normal tilværelse, at jeg har fast arbejde, at jeg arter mig pænt, og at du ikke finder noget som helst unormalt ved min opførsel. Okay?"

Han nikkede.

"Hver måned skal du udfærdige en skriftlig, men opdigtet rapport om dine møder med mig. Du skal fortælle udførligt, hvor positiv jeg er, og hvor godt det går mig. Du skal sende en kopi af rapporteringen til mig. Er det forstået?" Han nikkede igen. Lisbeth noterede sig fraværende, at sveden var begyndt at pible frem på hans pande.

"Om nogle år, lad os sige to år, skal du indlede forhandlinger i byretten om at få min umyndiggørelse ophævet. Du skal lægge dine opdigtede månedsrapporter om vores møder til grund for anmodningen. Du skal finde en hjernevrider, der vil aflægge ed på, at jeg er helt normal. Du skal lægge dig i selen. Du skal gøre alt, hvad der står i din magt, for at få mig erklæret myndig." Han nikkede.

"Ved du, hvorfor du vil gøre dit allerbedste? Fordi du har en fandens god grund til det. Hvis det ikke lykkes dig, vil jeg nemlig offentliggøre den her filmoptagelse."

Han lyttede opmærksomt til hver en stavelse, Lisbeth Salander udtalte. Pludselig lyste hans øjne af had. Han afgjorde med sig selv, at hun begik en fejltagelse ved at lade ham leve. *Det her skal du komme til at bøde for, din forpulede møgfisse. Før eller senere. Jeg vil knuse dig.* Men han fortsatte med at nikke entusiastisk som svar på alle spørgsmål.

"Det samme gælder, hvis du kontakter mig." Hun førte hånden hen over sin hals. "Farvel til lejligheden her og din fine titel og dine millioner på kontoen i udlandet."

Han spilede øjnene op, da hun omtalte pengene. *Hvordan fanden kunne hun vide ...*

Hun smilede og inhalerede dybt. Så skoddede hun smøgen ved at smide den ned på gulvtæppet og tvære den ud med støvlehælen.

"Jeg vil have et sæt nøgler både til lejligheden her og til dit kontor." Han rynkede brynene. Hun lænede sig frem og smilede sukkersødt.

"Fra nu af har jeg kontrol over dit liv. Når du mindst venter det, måske når du ligger og sover, vil jeg pludselig stå her i soveværelset med den her i hånden." Hun løftede sin stungun. "Jeg vil holde øje med dig. Hvis jeg nogensinde ser dig sammen med en pige igen – og det er ligegyldigt, om hun er her frivilligt eller ej – hvis jeg nogensinde ser dig sammen med en kvinde overhovedet ..." Lisbeth førte endnu en gang hånden hen over sin hals.

"Hvis jeg skulle dø ... hvis jeg skulle komme ud for en ulykke, blive kørt ned af en bil eller sådan noget ... så vil aviserne modtage kopier af cd'en. Plus en udførlig beskrivelse af, hvad det indebærer at have dig som formynder. Og lige en ting til." Hun bøjede sig frem, så hendes ansigt kun var nogle få centimeter fra hans. "Hvis du nogensinde rører mig igen, slår jeg dig ihjel. Tro mig på mit ord."

Pludselig troede advokat Bjurman hende. Der var ikke antydning af bluff i hendes øjne.

"Husk på, at jeg er utilregnelig."

Han nikkede.

Lisbeth betragtede ham med et eftertænksomt blik.

"Jeg tror ikke, du og jeg bliver gode venner," sagde hun alvorligt. "Lige nu ligger du og lykønsker dig selv med, at jeg er stupid nok til at lade dig leve. Du føler, du har tingene under kontrol, selvom du er min fange, fordi du tror, at det eneste, jeg kan gøre, hvis jeg ikke dræber dig, er at slippe dig. Du nærer med andre ord en masse forhåbninger om straks at kunne få magten over mig igen. Har jeg ret?"

Han rystede på hovedet, med ét opfyldt af bange anelser.

"Du skal få en gave af mig, så du aldrig vil glemme vores aftale."

Hun smilede skævt, klatrede op i sengen og satte sig på knæ mellem hans ben. Advokat Bjurman forstod ikke, hvad hun mente, men blev pludselig rædselsslagen.

Så fik han øje på nålen i hendes hånd.

Han kastede med hovedet og prøvede at dreje kroppen, indtil hun satte et knæ i skridtet på ham og trykkede advarende.

"Lig stille. Det er første gang, jeg prøver det her."

Hun arbejdede koncentreret i to timer. Da hun var færdig, var han holdt op med at jamre sig. Han syntes nærmest at befinde sig i en tilstand af apati.

Hun stod ud af sengen, lagde hovedet på skrå og betragtede kritisk sit værk. Hendes kunstneriske talent var begrænset. Bogstaverne bugtede sig og fik det til at se impressionistisk ud. Hun havde tatoveret budskabet i rødt og blåt. Det var skrevet med versaler over fem linjer, der dækkede hele hans mave fra brystvorterne og ned til hans kønsorganer: JEG ER ET SADISTISK SVIN, EN PERVERS STODDER OG EN VOLDTÆGTSFORBRYDER.

Hun samlede nålene sammen og lagde farvepatronerne tilbage i rygsækken. Derefter gik hun ud på badeværelset og vaskede hænder. Da hun vendte tilbage til soveværelset, opdagede hun, at hun havde det meget bedre.

"Godnat," sagde hun.

Hun låste det ene håndjern op og lagde nøglen på hans mave, før hun gik. Hun tog sin film og hans nøglebundt med sig.

DET VAR, DA de delte en cigaret lige efter midnat, at Mikael fortalte, at de ikke kunne ses i et stykke tid. Cecilia kiggede forbavset på ham.

"Hvad mener du?" spurgte hun.

Han så flov ud.

"På mandag skal jeg ind og afsone mine tre måneder i fængsel."

Der var ikke brug for yderligere forklaring. Cecilia lå tavs i lang tid. Hun følte sig pludselig grædefærdig.

DRAGAN ARMANSKIJ VAR begyndt at opgive håbet om at se Lisbeth Salander igen, da hun pludselig bankede på hans dør mandag eftermiddag. Han havde ikke se skyggen af hende, siden han havde indstillet undersøgelsen af Wennerström i begyndelsen af januar, og hver gang han havde prøvet at ringe til hende, havde hun enten ikke taget telefonen eller lagt røret på med den forklaring, at hun var optaget af andre ting.

"Har du et job til mig?" spurgte hun uden indledende høflighedsfraser.

"Hej. Hvor hyggeligt at se dig. Jeg troede, du var død eller noget i den retning."

"Jeg havde et par ting, jeg var nødt til at ordne."

"Du har temmelig ofte ting, du er nødt til at ordne."

"Det her var akut, og nu er jeg tilbage. Har du et job til mig?"

Armanskij rystede på hovedet.

"Beklager. Ikke lige i øjeblikket."

Lisbeth Salander betragtede ham med et roligt blik. Lidt efter tog han tilløb og fortsatte:

"Lisbeth, du ved, jeg godt kan lide dig og gerne vil skaffe dig arbejde, men du har været væk i to måneder, og jeg har haft masser af opgaver. Du er simpelthen ikke pålidelig. Jeg har været nødt til at lægge jobbene ud til andre i stedet, og lige nu har jeg ikke noget."

"Skru lige op."

"Hvabehar?"

"For radioen."

... tidsskriftet *Millennium*. Meddelelsen om, at industriveteranen Henrik Vanger bliver medejer af og får sæde i *Millennium*s bestyrelse, kommer samme dag, som den tidligere ansvarshavende redaktør Mikael Blomkvist begynder afsoningen af sin tremåneders fængselsdom for bagvaskelse af forretningsmanden Hans-Erik Wennerström. *Millenniums* chefredaktør Erika Berger oplyste på pressemødet, at Mikael Blomkvist vil genindtage stillingen som ansvarshavende redaktør, når straffen er afsonet.

"Det var satans," sagde Lisbeth Salander så lavmælt, at Armanskij kun så hendes læber bevæge sig. Hun rejste sig pludselig og gik hen mod døren.

"Vent. Hvor skal du hen?"

"Hjem. Der er nogle ting, jeg skal tjekke. Ring, når du har noget."

NYHEDEN OM, AT *Millennium* havde fået forstærkning i form af Henrik Vanger, vakte betydeligt større opmærksomhed, end Lisbeth Salander havde ventet. *Aftonbladets* netudgave bragte allerede et længere Ritzau-telegram, der opridsede Henrik Vangers karriere og konstaterede, at det var første gang i godt tyve år, at den gamle industrimagnat trådte frem offentligt. Meddelelsen om, at han indtrådte som medejer af *Millennium,* blev modtaget med lige så stor vantro, som hvis Peter Wallenberg eller Erik Penser pludselig skulle dukke op som medejer af *ETC* eller sponsor for *Ordfront Magasin.*

Begivenheden vejede så tungt, at 19.30-nyhederne indlagde den som tredje nyhed og viede den tre minutters sendetid. Erika Berger blev interviewet i et mødelokale på *Millenniums* redaktion. Hele Wennerström-sagen var pludselig blevet aktuel igen.

"Vi begik en alvorlig fejltagelse i fjor, der førte til, at tidsskriftet blev kendt skyldig i bagvaskelse. Det er naturligvis noget, vi beklager ... og vi vil følge op på historien ved passende lejlighed."

"Hvad mener du med at følge op på historien?" spurgte journalisten.

"Jeg mener, at vi på et tidspunkt vil fortælle vores version af begivenhederne, hvilket vi faktisk endnu ikke har gjort."

"Men I kunne have gjort det under retssagen."

"Vi valgte at lade være, men vi vil selvsagt fortsætte med vores opsøgende journalistik."

"Betyder det, at I holder fast ved den historie, I blev domfældet for?"

"Det har jeg ingen kommentarer til lige nu."

"Du fyrede Mikael Blomkvist efter dommen."

"Det har intet på sig. Læs vores pressemeddelelse. Han havde brug for luftforandring og en velfortjent pause. Han vender tilbage som ansvarshavende redaktør senere på året."

Kameraet panorerede gennem redaktionen, mens journalisten gav et hurtigt resumé af *Millenniums* stormomsuste historie som kontroversielt og rapkæftet tidsskrift. Mikael Blomkvist kunne ikke kontaktes for en kommentar. Han var netop blevet låst inde på Rullåkeranstalten, der lå ved en lille sø midt ude i skoven godt ti kilometer fra Östersund i Jämtland.

Derimod lagde Lisbeth Salander mærke til, at Dirch Frode pludselig kunne skimtes i en døråbning på redaktionen i udkanten af tv-billedet. Hun rynkede øjenbrynene og bed sig eftertænksomt i underlæben.

DET HAVDE VÆRET en begivenhedsfattig nyhedsmandag, og Henrik Vanger fik hele fire minutter i 21-udsendelsen, hvor han blev interviewet i et studie på Hedestads lokal-tv. Journalisten indledte med at konstatere, at *industrilegenden Henrik Vanger efter to årtiers tavshed er vendt tilbage i rampelyset.* Reportagen begyndte med en præsentation af Henrik Vangers liv i sort-hvide tv-optagelser fra 1960'erne, hvor han sås sammen med Tage Erlander og indviede fabrikker. Derefter fokuserede kameraet på en sofa i studiet, hvor Henrik Vanger sad roligt tilbagelænet med krydsede ben. Han var klædt i en gul skjorte, smalt grønt slips og en afslappet brun jakke. At han var et magert og aldrende fugleskræmsel, var tydeligt for enhver, men hans stemme var klar og fast. Og så talte han lige ud af posen. Journalisten begyndte med at spørge, hvad der havde fået ham til at blive medejer af *Millennium.*

"*Millennium* er et godt tidsskrift, som jeg i flere år har fulgt med stor interesse. I dag er bladet under angreb. Det har mægtige fjender, der organiserer en annonceboykot med det formål at få bladet ned med flaget."

Journalisten var tydeligvis ikke forberedt på et sådant svar, men vejrede øjeblikkelig de helt uventede muligheder i den allerede kontroversielle historie.

"Hvem står bag denne boykot?"

"Det er en af de ting, *Millennium* vil granske nøje. Men lad mig benytte anledningen til at fortælle, at *Millennium* ikke lader sig skyde i sænk lige med det første."

"Er det derfor, du er trådt ind som medejer af tidsskriftet?"

"Det ville være yderst uheldigt for ytringsfriheden, hvis særinteresser får magt til at bringe uvelkomne mediestemmer til tavshed."

Henrik Vanger lød, som om han hele sit liv havde været kulturradikal forkæmper for ytringsfriheden. Mikael skreg pludselig af grin, som han sad der i tv-stuen og indviede sin første aften på Rullåkeranstalten. Hans medindsatte skævede uroligt til ham.

Senere på aftenen, da han lå på sengen i sin celle, der mindede om et trangt motelværelse med et lille bord, en stol og en vægfast reol, måtte han indrømme over for sig selv, at Henrik og Erika havde haft ret i, hvordan nyheden skulle markedsføres. Uden at have talt om sagen med et eneste menneske vidste han, at holdningen til *Millennium* havde undergået en forandring.

Henrik Vangers fremtræden var ganske enkelt en krigserklæring til Hans-Erik Wennerström. Budskabet var krystalklart: Fra nu af kæmper du ikke mod et tidsskrift med seks ansatte og et årsbudget, der modsvarer frokostrepræsentationskontoen hos Wennerstroem Group. Nu kæmper du også mod Vangerkoncernen, som ganske vist kun er en skygge af sin fordums storhed, men dog alligevel en betydeligt skrappere modstander. Wennerström havde nu én ud af to muligheder: Han kunne enten bakke ud af konflikten eller påtage sig opgaven også at knuse Vangerkoncernen.

Det budskab, Henrik Vanger havde fremsat i fjernsynet, var, at han var rede til at slås. Han var muligvis chanceløs over for Wennerström, men krigen ville koste denne dyrt.

Erika havde valgt sine ord med omhu. Hun havde egentlig ikke sagt noget, men hendes påstand om, at tidsskriftet "endnu ikke var kommet med sin version af historien", efterlod det indtryk, at der rent faktisk fandtes en anden version. På trods af at Mikael var blevet sigtet, dømt og nu sad i fængsel, var hun trådt frem og havde sagt – uden at sige det – at han i virkeligheden var uskyldig, og at sandheden ville komme for en dag.

Ved netop ikke åbent at benytte ordet "uskyldig" fremstod hans uskyld så meget desto mere åbenbar. Den selvfølgelighed, med hvilken han skulle genindsættes som ansvarshavende redaktør, understregede, at *Millennium* ikke havde noget at skamme sig over. I offentlighedens øjne var troværdigheden ikke noget problem – alle har en svaghed for konspirationsteorier, og når valget stod mellem en stinkende rig forretningsmand og en rapkæftet, køn chefredaktør, voldte det ingen vanskeligheder at beslutte sig for, hvor man skulle investere sin sympati. Pressen ville dog ikke købe historien lige så let – men Erika havde muligvis afvæbnet nogle af deres kritikere, der ikke ville turde stikke næsen for langt frem.

Ingen af dagens begivenheder havde for så vidt ændret på situationen, men de havde købt sig tid, og de havde rokket lidt ved magtbalancen. Mikael kunne forestille sig, at Wennerström havde haft en ubehagelig aften. Wennerström kunne ikke vide, hvor meget – eller hvor lidt – de vidste, og før han foretog sit næste træk, var han nødt til at finde ud af det.

MED ET BISTERT ansigtsudtryk slukkede Erika for fjernsynet og videoen efter først at have kigget på sin egen og derefter Henrik Vangers tv-optræden. Hun så på uret – klokken var tre om natten – og beherskede en trang til at ringe til Mikael. Han sad i spjældet, og det var usandsynligt, at han havde sin mobil med i cellen. Hun var kommet så sent hjem til villaen i Saltsjöbaden, at hendes mand allerede var faldet i søvn. Hun rejste sig, gik hen til barskabet, skænkede sig en velvoksen whisky – hun drak spiritus cirka én gang om året – og satte sig ved vinduet og kiggede ud over Saltsjön og det blinkende fyr ved indsejlingen til Skurusund.

Hun og Mikael havde haft en heftig ordveksling, da de blev alene, efter at hun havde indgået aftalen med Henrik Vanger. Gennem årene havde de skændtes højlydt om, hvordan en artikel skulle vinkles, layoutet udformes, kilders troværdighed vurderes og tusind andre ting, der følger med en bladudgivelse. Men skænderiet i Henrik Vangers gæstehytte havde omhandlet nogle principper, hvor hun var klar over, at hun befandt sig på usikker grund.

"Jeg ved ikke, hvad jeg nu skal gøre," havde Mikael sagt. "Henrik Vanger har ansat mig til at skrive sin selvbiografi. Indtil nu har jeg kunnet tage mit gode tøj og gå i samme øjeblik, han skulle forsøge at tvinge mig til at skrive noget, der ikke er sandt, eller forsøge at lokke mig til at vinkle historien efter hans hoved. Nu er han medejer af vores tidsskrift – og desuden den eneste med penge nok til at redde bladet. Lige pludselig sidder jeg mellem to stole i en position, som Presseetisk Nævn ikke ville bifalde."

"Har du nogen bedre idé?" havde Erika svaret. "I så fald må du hellere spytte ud med den, før vi renskriver og underskriver aftalen."

"Ricky, Vanger udnytter os i en slags personlig vendetta mod Hans-Erik Wennerström."

"Og hvad så? Hvis nogen har gang i en personlig vendetta mod Wennerström, er det os."

Mikael havde vendt sig væk fra hende og irriteret tændt en cigaret. Ordvekslingen var fortsat et godt stykke tid, hvorefter Erika var gået ind i hans soveværelse, havde klædt sig af og var gået i seng. Hun lod, som om hun sov, da Mikael to timer senere krøb ned ved siden af hende.

I løbet af aftenen havde en journalist fra *Dagens Nyheter* stillet hende det samme spørgsmål:

"Med hvilken troværdighed skal *Millennium* nu kunne hævde sin uafhængighed?"

"Hvad mener du?"

Journalisten havde hævet øjenbrynene. Han mente ellers, han havde udtrykt sig tydeligt nok, men uddybede alligevel spørgsmålet.

"*Millennium*s opgave er blandt andet at kulegrave virksomheder. Hvordan skal tidsskriftet nu på en troværdig måde kunne hævde, at det kulegraver Vangerkoncernen?"

Erika havde kigget måbende på ham, som om spørgsmålet kom fuldstændig uventet.

"Påstår du, at *Millenniums* troværdighed bliver mindre, fordi en kendt, ressourcestærk investor er trådt ind på scenen?"

"Ja, det er da temmelig indlysende, at I ikke med troværdighed kan granske Vangerkoncernen."

"Er det en regel, der kun gælder for *Millennium*?"

"Hvabehar?"

"Jeg mener, du arbejder jo selv for en avis, som i højeste grad er ejet af tunge økonomiske interesser. Betyder det, at ingen af de blade, Bonnierkoncernen udgiver, er troværdige? *Aftonbladet* ejes af en stor norsk koncern, som desuden er en sværvægter inden for data og kommunikation – betyder det, at *Aftonbladets* dækning af elektronikindustrien ikke er troværdig? *Metro* ejes af Stenbeckkoncernen. Mener du, at ingen aviser i Sverige, der har tunge økonomiske interesser i ryggen, er troværdige?"

"Nej, selvfølgelig ikke."

"Hvorfor antyder du så, at *Millenniums* troværdighed skulle dale, fordi vi også har investorer?"

Journalisten havde løftet hånden.

"Okay, jeg trækker spørgsmålet tilbage."

"Nej, lad være med det. Jeg vil bede dig citere mig ordret. Og du kan tilføje, at hvis *Dagens Nyheter* lover at fokusere lidt ekstra på Vangerkoncernen, så skal vi nok fokusere lidt mere på Bonniers."

Men det *var* et etisk dilemma.

Mikael arbejdede for Henrik Vanger, som på sin side befandt sig i en position, hvor han kunne udradere *Millennium* med et pennestrøg. Hvad ville der ske, hvis Mikael og Henrik Vanger ragede uklar med hinanden?

Og frem for alt – hvilket prismærke satte hun på sin egen troværdighed, og hvornår ville hun blive forvandlet fra en uafhængig redaktør til en korrumperet af slagsen? Hun brød sig hverken om spørgsmålene eller svarene.

LISBETH SALANDER KOBLEDE sig af nettet og slukkede for sin PowerBook. Hun var arbejdsløs og sulten. Det første bekymrede hende ikke nævneværdigt, efter at hun igen havde fået adgang til sin bankkonto, og advokat Bjurman allerede var reduceret til et vagt ubehag i hendes fortid. Sulten stillede hun ved at gå ud i køkkenet, sætte en kande kaffe over og smøre sig tre store sandwicher med ost, tubekaviar og hårdkogt æg, hvilket var hendes første måltid i mange timer. Hun spiste sin natmad i sofaen i dagligstuen, mens hun bearbejdede de oplysninger, hun havde hentet ned.

Dirch Frode fra Hedestad havde givet hende til opgave at lave en personundersøgelse af Mikael Blomkvist, der var idømt fængselsstraf for bagvaskelse af finansmanden Hans-Erik Wennerström. Nogle måneder senere træder Henrik Vanger, også han fra Hedestad, ind i *Millenniums* bestyrelse og hævder, at der konspireres om at køre tidsskriftet i sænk. Dette sker samme dag, som Mikael Blomkvist kommer i spjældet. Men mest fascinerende af alt: en to år gammel artikel – *Med to tomme hænder* – om Hans-Erik Wennerström, som hun havde fundet i *Finansmagasinet Monopols* netudgave. Her kunne man fortælle, at han havde indledt sin finansielle *aufmarsch* i lige præcis Vangerkoncernen i slutningen af tresserne.

Man behøvede ikke være overbegavet for at drage den slutning, at begivenhederne måtte have forbindelse med hinanden. Et eller andet sted lå der en hund begravet, og Lisbeth Salander kunne godt lide at bringe begravede hunde frem i lyset. Desuden havde hun ikke noget bedre at tage sig til.

Del 3

FUSIONER

16. maj til 11. juli

13 procent af alle svenske kvinder har været udsat for grov seksuel vold fra andre end deres samlevere

KAPITEL 15

Fredag den 16. maj – lørdag den 31. maj

MIKAEL BLOMKVIST BLEV løsladt fra Rullåkeranstalten fredag den 16. maj, to måneder efter sin indsættelse. Samme dag han ankom til anstalten, havde han uden at gøre sig de store forhåbninger indleveret en begæring om strafnedsættelse. Han kom aldrig på det rene med de tekniske grunde til løsladelsen før tid, men han havde en mistanke om, at det kunne hænge sammen med, at han ikke benyttede sig af sin udgangstilladelse i weekenderne, og at belægningen på anstalten var toogfyrre personer, skønt stedet kun var nomineret til tredive indsatte. Uanset hvad skrev fængselsinspektøren – en fyrreårig eksilpolak ved navn Peter Sarowsky, som Mikael kom meget fint ud af det med – en anbefaling af, at afsoningstiden burde nedsættes.

Tiden på Rullåker havde været rolig og behagelig. Anstalten var, som Sarowsky udtrykte det, beregnet til slagsbrødre og spritbilister og ikke til rigtige forbrydere. De daglige rutiner mindede om livet på et vandrerhjem. Hans enogfyrre medindsatte, hvoraf halvdelen var andengenerationsindvandrere, betragtede Mikael som noget af en fremmed fugl i volieren – hvad han da også var. Han var den eneste fange, der blev snakket om i fjernsynet, hvilket gav ham en vis status, men ingen af de medindsatte opfattede ham som egentlig kriminel.

Det gjorde fængselsinspektøren heller ikke. Allerede den første dag blev Mikael kaldt ind til en samtale, hvor han blev tilbudt terapi, VUC-undervisning eller adgang til andre studier samt erhvervsvejledning. Hertil svarede Mikael, at han ikke følte noget større behov for hjælp til at socialisere sig, at hans studier var afsluttet for mere end tyve år siden, og at han allerede havde et arbejde. Derimod bad han om tilladelse til at beholde sin iBook i cellen, så han kunne arbejde videre på den bog, han for tiden var hyret til at skrive. Hans anmodning blev straks imødekommet, og Sarowsky fremskaffede til og med et aflåseligt skab, så han kunne efterlade computeren ubevogtet i cellen uden at få den stjålet eller vandaliseret. Ikke at der var nogen større risiko for, at nogen af hans medindsatte skulle finde på noget sådant – de holdt snarere en beskyttende hånd over ham.

Mikael tilbragte således to relativt behagelige måneder med at arbejde omkring seks timer om dagen på den vangerske slægtshistorie. Skriveriet blev kun afbrudt af nogle timers rengøringsarbejde eller afslapning. Mikael og to medfanger, hvoraf den ene kom fra Skövde, og den anden havde sine rødder i Chile, havde til opgave hver dag at gøre rent i anstaltens gymnastiksal. Afslapningen bestod i at se fjernsyn, spille kort eller styrketræne. Mikael opdagede, at han var rimeligt god til poker, om end han tabte en krones penge om dagen. Reglerne på anstalten tillod spil om penge, så længe puljen var mindre end fem kroner.

Han fik besked om sin strafnedsættelse dagen før løsladelsen, da Sarowsky hentede ham op på sit kontor, hvor han bød ham på en snaps. Derefter brugte Mikael aftenen på at pakke sit tøj og sine notesblokke.

Efter løsladelsen tog Mikael direkte tilbage til sin hytte i Hedeby. Da han gik op på broen, hørte han en mjaven og fik øje på den rødbrune kat, der bød ham velkommen ved at gnubbe sig op ad hans ben.

"Okay, så kom da med ind," sagde han, "men jeg har ikke nået at købe mælk."

Han pakkede sin bagage ud. Det føltes, som om han havde været på ferie, og det gik op for ham, at han faktisk savnede både Sarowskys og sine medindsattes selskab. Hvor skørt det end virkede, så havde han trivedes på Rullåker. Løsladelsen var imidlertid sket så pludseligt, at han ikke havde nået at advisere nogen.

Klokken var lidt over seks om aftenen. Han skyndte sig op til Konsum og købte de mest nødvendige madvarer, inden de lukkede. Da han kom hjem, ringede han til Erika, hvis mobil-

fem af Henrik Vangers egne notesbøger, som han havde haft med til Rullåker, og som han på nuværende tidspunkt kunne udenad. Plus, opdagede han, et fotoalbum, som han havde glemt øverst på reolen.

Han tog albummet ned og bar det med ud i køkkenet. Han skænkede kaffe op, tog plads ved bordet og begyndte at bladre.

Det var de billeder, der var blevet taget den dag, Harriet forsvandt. Det første billede var faktisk det sidste billede af Harriet og det, der var taget ved Barnets Dag-optoget inde i Hedestad. Herefter fulgte godt 180 knivskarpe fotos fra tankbilulykken på broen. Han havde flere gange tidligere studeret albummet billede for billede med lup. Nu bladrede han det distræt igennem; han vidste, han ikke ville finde noget, der kunne gøre ham klogere. Han følte sig pludselig led og ked af gåden Harriet Vanger og lukkede albummet med et smæld.

Han gik rastløst hen til køkkenvinduet og stirrede ud.

Så rettede han igen blikket mod fotoalbummet. Han kunne ikke helt forklare fornemmelsen, men med ét strejfede en flygtig tanke ham, som om han reagerede på noget, han lige havde set. Det var, som om et usynligt væsen havde pustet ham forsigtigt i øret, og de små hår i nakken rejste sig ganske let.

Han satte sig og slog atter op i albummet. Han gennemgik det side for side, hvert eneste billede fra broen. Han kiggede på den yngre udgave af en olieindsmurt Henrik Vanger og en yngre Harald Vanger, hvis ældre udgave han endnu ikke havde set skyggen af. Det ødelagte rækværk på broen, bygningerne, vinduerne og køretøjerne, der var synlige på billederne. Han havde ingen problemer med at identificere den tyveårige Cecilia Vanger midt i tilskuermængden. Hun var iført en lys kjole og en mørk jakke og var med på omkring tyve af billederne i albummet.

Han følte en pludselig ophidselse. I årenes løb havde Mikael lært at stole på sine instinkter. Han havde reageret på noget i albummet, men kunne ikke sætte fingeren på nøjagtig hvad.

svarer meddelte, at hun ikke kunne træffes lige nu. H
en besked om, at de kunne snakkes ved næste dag.

Derefter gik han op til sin arbejdsgiver, der befand
etagen og forbløffet hævede brynene ved synet af M

"Er du flygtet?" var den gamles første ord.

"Lovligt løsladt før tid."

"Det var sandelig en overraskelse."

"Også for mig. Jeg fik det at vide i går aftes."

De kiggede på hinanden i nogle sekunder. Så o
den gamle Mikael ved at slå armene om ham og g
stort knus.

"Jeg skulle lige til at spise. Gør mig selskab."

Anna serverede æggekage med stegt flæsk og tyt
tøj. De blev siddende i spisestuen og sludrede i næst
Mikael redegjorde for, hvor langt han var kommet i
historien, og hvilke huller han manglede at fylde u
kede ikke om Harriet Vanger, men havde en læng
om *Millennium*.

"Vi har afholdt tre bestyrelsesmøder. Frøken Ber
partner Christer Malm har haft den venlighed at
møderne heroppe, mens Dirch repræsenterede mi
nede i Stockholm. Jeg ville virkelig ønske, jeg var no
for sandt at sige er det for anstrengende for mig at r
Jeg vil prøve at komme derned i løbet af sommeren

"Jeg vil nok tro, at de kan afholde møderne he
rede Mikael. "Og hvordan føles det så at være me
skriftet?"

Henrik Vanger smilede skævt.

"Det er faktisk det sjoveste, jeg har været med
år. Jeg har kigget på økonomien, og det ser ikke
Jeg behøver ikke indskyde så mange penge, som
troet – afstanden mellem indtægter og udgifter er
mindre."

"Jeg har talt med Erika cirka en gang om ugen og
at det går fremad med annonceringen."

Henrik Vanger nikkede. "Det er ved at vende,
tage tid. I begyndelsen gik virksomheder i Vang

VED ELLEVETIDEN SAD han stadig ved bordet i køkkenet og stirrede på billederne, da han hørte hoveddøren blive åbnet.

"Må jeg komme ind?" spurgte Cecilia Vanger. Uden at vente på svar satte hun sig ved bordet over for ham. Mikael fik en sær følelse af deja-vu. Hun var klædt i en rundskåret, tynd, lys kjole og en gråblå jakke, tøj, der var næsten identisk med det, hun var iført på billederne fra 1966.

"Det er dig, der er problemet," sagde hun.

Mikael hævede øjenbrynene.

"Tilgiv mig, men du tog mig på sengen, da du bankede på her til aften. Nu er jeg så ulykkelig, at jeg ikke kan sove."

"Hvorfor er du ulykkelig?"

"Forstår du det ikke?"

Han rystede på hovedet.

"Kan jeg fortælle det, uden at du griner ad mig?"

"Jeg lover ikke at grine."

"Da jeg forførte dig i vinter, var det en vanvittig, impulsiv handling. Jeg var ude på lidt sjov, ikke andet. Den første aften gav jeg bare fanden i det hele, og jeg havde ikke i sinde at indlede noget længerevarende med dig. Men det udviklede sig til andet og mere. Du skal vide, at de uger, hvor du var min *occasional lover*, var nogle af de dejligste i mit liv."

"Jeg syntes også, vi havde det rigtig rart."

"Mikael, jeg har løjet for dig og for mig selv hele tiden. Jeg har aldrig været specielt løssluppen seksuelt. I hele mit liv har jeg haft i alt fem elskere. Den første, da jeg debuterede som enogtyveårig. Så kom min mand, som jeg mødte, da jeg var femogtyve, og som viste sig at være et dumt svin. Og derefter har der været tre fyre, som jeg mødte med nogle års mellemrum. Men du fik noget andet frem i mig. Jeg kunne simpelthen ikke få nok. Det havde noget at gøre med, at du ikke stillede nogen krav."

"Cecilia, du behøver ikke ..."

"Scch – lad være at afbryde mig. Ellers vil jeg aldrig få fortalt det her."

Mikael tav stille.

"Den dag, du kom i fængsel, var jeg så ulykkelig. Lige pludselig var du væk, som om du aldrig havde eksisteret. Der var mørkt hernede i gæstehytten. Der var koldt og tomt i min seng. Lige pludselig var jeg bare en seksoghalvtredsårig kone igen."

Hun tav et øjeblik og så Mikael i øjnene.

"Jeg blev forelsket i dig i vinter. Det var ikke meningen, men det blev jeg. Og lige pludselig gik det op for mig, at du kun er her på gennemrejse, og en dag vil du være borte for altid, mens jeg skal blive her resten af mit liv. Det gjorde så forbandet ondt, at jeg besluttede mig for ikke at lukke dig ind igen, når du kom ud af fængslet."

"Det er jeg ked af."

"Det er ikke din skyld."

De sad tavse et stykke tid.

"Da du var gået nu i aften, sad jeg og tudede. Jeg ville ønske, jeg fik chancen for at leve mit liv om. Så afgjorde jeg noget med mig selv."

" Hvad?"

Hun kiggede ned i bordet.

"At jeg måtte være totalt sindsforvirret, hvis jeg holdt op med at se dig, bare fordi du forsvinder en dag. Mikael, kan vi begynde forfra? Kan du glemme, hvad der skete tidligere på aftenen?"

"Det er glemt," sagde Mikael. "Men tak, fordi du fortalte det her."

Hun kiggede stadig ned i bordet.

"Hvis du vil have mig, så vil jeg meget gerne."

Pludselig kiggede hun igen op på ham. Så rejste hun sig og gik hen mod døren til soveværelset. Hun lod jakken falde ned på gulvet og trak kjolen over hovedet, mens hun gik.

MIKAEL OG CECILIA vågnede samtidig, ved at hoveddøren blev åbnet, og nogen gik gennem køkkenet. De hørte bumpet fra en taske, der blev stillet på gulvet ved brændeovnen. Så stod Erika pludselig i soveværelsesdøren med et smil, der forvandlede sig til forfærdelse.

"Åh, jamen gudfader." Hun trådte et skridt baglæns.

"Hej, Erika," sagde Mikael.

"Hej, og undskyld. Tusind gange om forladelse, at jeg bare kom brasende ind. Jeg burde have banket på først."

"Vi burde have låst døren. Erika – det her er Cecilia Vanger. Cecilia – Erika Berger er chefredaktør på *Millennium*."

"Goddag," sagde Cecilia.

"Goddag," sagde Erika. Hun så ud, som om hun ikke kunne blive enig med sig selv om, hvorvidt hun skulle gå hen og høfligt give hånd, eller om hun bare skulle gå igen. "Øh, jeg ... jeg kan gå en tur ..."

"Hvad med at sætte kaffe over i stedet?" Mikael kiggede på vækkeuret på natbordet. Den var lidt over tolv om formiddagen.

Erika nikkede og lukkede soveværelsesdøren. Mikael og Cecilia kiggede på hinanden. Cecilia så forlegen ud. De havde elsket og snakket til klokken fire om morgenen. Derefter havde Cecilia sagt, hun ville overnatte, og at hun fremover ville skide på, hvem der vidste, at hun bollede med Mikael. Hun havde sovet med ryggen til ham og med hans arm om sit bryst.

"Slap af, det er helt okay," sagde Mikael. "Erika er gift, og hun er ikke min kæreste. Vi ses en gang imellem, og hun er fløjtende ligeglad med, om du og jeg er sammen. Men hun er sandsynligvis temmelig forlegen lige nu."

Da de kom ud i køkkenet lidt senere, havde Erika dækket morgenbord med kaffe, juice, appelsinmarmelade, ost og ristet brød. Det duftede godt. Cecilia gik direkte hen til hende og rakte hånden frem.

"Det gik lidt hurtigt lige før. Goddag."

"Sødeste Cecilia, du må virkelig undskylde, at jeg trampede ind som en anden elefant," sagde en dybt ulykkelig Erika.

"Glem det, for guds skyld, og lad os få noget kaffe."

"Hej," sagde Mikael og gav Erika et knus, før han satte sig. "Hvordan kom du herop?"

"Jeg kørte herop nu i morges, selvfølgelig. Jeg hørte din besked klokken to i nat og prøvede at ringe til dig."

"Jeg havde slukket for mobilen," sagde Mikael og smilede til Cecilia Vanger.

EFTER MORGENMADEN UNDSKYLDTE Erika sig og lod Mikael og Cecilia være alene med den undskyldning, at hun skulle besøge

Henrik Vanger. Cecilia ryddede af bordet med ryggen til Mikael. Han rejste sig og slog armene om hende.

"Hvad skal der nu ske?" sagde Cecilia.

"Ingenting. Sådan her er det bare – Erika er min bedste ven. Hun og jeg har været sammen med pauser i tyve år, og sådan vil det forhåbentlig fortsætte i tyve år mere. Men vi har aldrig været et par, og vi lægger aldrig forhindringer i vejen for hinandens affærer."

"Er det da det, vi har? En affære?"

"Jeg ved ikke, hvad vi har, men vi har det tydeligvis godt sammen."

"Hvor skal hun sove i nat?"

"Vi finder et værelse til hende et sted. Et af Henriks gæsteværelser. Hun skal ikke sove i min seng."

Cecilia spekulerede lidt.

"Jeg ved ikke, om jeg kan klare det her. I to har det muligvis fint på denne måde, men jeg ved ikke ... jeg har aldrig ..." Hun rystede på hovedet. "Jeg går hjem nu. Jeg er nødt til at tænke over situationen."

"Cecilia, du har spurgt mig tidligere, og jeg har fortalt dig om mit og Erikas forhold. Hendes eksistens kan ikke komme som nogen overraskelse."

"Nej, men så længe hun befandt sig på behagelig afstand nede i Stockholm, kunne jeg ignorere hende."

Cecilia tog sin jakke på.

"Det er egentlig en ret morsom situation," sagde hun smilende. "Kom hen og spis middag hos mig i aften, og tag Erika med. Jeg tror, jeg vil kunne lide hende."

ERIKA HAVDE ALLEREDE ordnet spørgsmålet om indkvartering. De gange, hun havde været oppe i Hedeby for at mødes med Henrik Vanger, havde hun overnattet i et af hans gæsteværelser, og hun bad ham ganske åbent om at måtte låne værelset igen. Henrik kunne knap skjule sin henrykkelse og forsikrede, at hun var velkommen til hver en tid.

Efter at disse formaliteter var fra hånden, gik Mikael og Erika en tur over broen og slog sig ned på Susannes Brocafés terrasse lige før lukketid.

"Jeg er virkelig skuffet," sagde Erika. "Jeg kom op for at byde dig velkommen tilbage til friheden og finder dig i seng med landsbyens femme fatale."

"Beklager."

"Så hvor længe har du og den barmfagre ...?" Erika lavede en roterende bevægelse med pegefingeren.

"Fra omkring det tidspunkt, hvor Henrik blev medejer."

"Aha."

"Aha hvad?"

"Jeg er bare nysgerrig."

"Cecilia er en god kvinde. Jeg kan lide hende."

"Jeg kritiserer dig skam ikke. Jeg er bare skuffet. Slik inden for rækkevidde, og så er man på slankekur. Hvordan var fængslet?"

"Som en okay arbejdsferie. Hvordan går det med bladet?"

"Bedre. Vi hænger stadig i det yderste af neglene, men for første gang i et år stiger annonceindtægterne. Vi ligger stadig langt under niveauet for et år siden, men vi er i hvert fald på vej op igen. Og det kan vi takke Henrik for. Men det underlige er, at vi begynder at få flere abonnenter."

"Det plejer altid at gå lidt op og ned."

"Ja, med nogle hundrede fra eller til, men vi har fået tre tusind flere abonnenter inden for de sidste tre måneder. Stigningen har været ret konstant med godt to hundrede halvtreds nye om ugen. Først troede jeg, det bare var en tilfældighed, men der bliver ved med at strømme nye abonnenter til. Det er den største oplagsstigning nogensinde. Det betyder mere end indtægterne fra annoncerne. Samtidig ser det ud til, at vores gamle kunder generelt fornyer deres abonnement."

"Hvorfor?" spurgte Mikael forundret.

"Jeg ved det ikke. Der er ingen af os, der fatter det. Vi har ikke kørt nogen annoncekampagne. Christer har brugt en uge på at lave stikprøver på, hvem der dukker op. For det første er det helt nye abonnenter, for det andet er 70 procent af dem kvinder. Normalt er det 70 procent mænd, der abonnerer. For det tredje kan abonnenterne beskrives som mellemindkomstlønmodtagere fra forstæderne med gode og sikre job: skolelærere, mellemledere og tjenestemænd."

"Middelklassens oprør mod storkapitalen?"

"Jeg ved det ikke, men hvis det her fortsætter, kan vi se frem til en helt ny skare af abonnenter. På et redaktionsmøde for et par uger siden blev det besluttet at tilføje nogle flere emner i tidsskriftet; jeg vil godt have nogle flere artikler med kobling til Tjenestemændenes Centralorganisation og den slags, og også flere undersøgende reportager om for eksempel kvindespørgsmål."

"Men pas på ikke at lave om på for meget," sagde Mikael. "Hvis vi får nye abonnenter, så er det formodentlig, fordi de godt kan lide det, der allerede står i bladet."

CECILIA VANGER HAVDE også inviteret Henrik Vanger til middagen – muligvis for at mindske risikoen for ubehagelige samtaleemner. Hun havde lavet vildtgryde og diskede op med rødvin. Erika og Henrik udfyldte en stor del af konversationen med en diskussion om *Millenniums* udvikling og de nye abonnenter, men efterhånden gled samtalen ind på andre emner. Pludselig vendte Erika sig om mod Mikael og spurgte ham, hvordan hans arbejde skred frem.

"Jeg regner med at have et udkast til slægtshistorien klar om en måneds tid, som Henrik herefter kan kigge på."

"A la *Familien Addams*," sagde Cecilia smilende.

"Ja, der er visse historiske aspekter," medgav Mikael.

Cecilia skævede til Henrik Vanger.

"Mikael, Henrik er i virkeligheden ikke interesseret i slægtshistorien. Han vil have dig til at løse gåden om Harriets forsvinden."

Mikael sagde ikke noget. Lige siden han havde indledt sit forhold til Cecilia, havde han diskuteret Harriet temmelig åbent med hende. Cecilia havde allerede regnet ud, at det var hans egentlige opgave, selvom han aldrig havde indrømmet det officielt. Han havde derimod aldrig fortalt Henrik, at han og Cecilia havde diskuteret emnet. Henriks buskede øjenbryn trak sig en smule sammen. Erika forholdt sig tavs.

"Søde ven," sagde Cecilia til Henrik, "jeg er ikke dum. Jeg

ved ikke helt, hvilken aftale du og Mikael har indgået, men hans ophold her i Hedeby handler om Harriet. Har jeg ikke ret?"

Henrik nikkede og skævede hen til Mikael.

"Jeg sagde jo, hun var et kvikt hoved." Så henvendte han sig til Erika. "Jeg formoder, at Mikael har fortalt dig, hvad han beskæftiger sig med her i Hedeby."

Hun nikkede.

"Og jeg formoder, at du opfatter det som en meningsløs beskæftigelse. Nej, du behøver ikke svare. Det er en tåbelig og meningsløs beskæftigelse, men jeg er nødt til at finde et svar."

"Jeg har ingen meninger om sagen," sagde Erika diplomatisk.

"Selvfølgelig har du det." Henrik henvendte sig til Mikael. "Der er snart gået et halvt år. Fortæl. Har du overhovedet fundet noget, som vi ikke allerede har gennemgået?"

Mikael undgik at møde Henriks blik. Han kom straks til at tænke på den besynderlige fornemmelse, han havde haft, da han den foregående aften sad og kiggede i fotoalbummet. Fornemmelsen havde fulgt ham hele dagen, men han havde ikke haft tid til at sætte sig og åbne albummet igen. Han var ikke sikker på, om han fantaserede eller ej, men han vidste, at han havde nærmet sig et eller andet. Han havde været på nippet til at formulere en afgørende tanke. Til sidst så han op på Henrik Vanger og rystede på hovedet.

"Jeg har ikke fundet noget som helst."

Den gamle mand studerede ham pludselig med et vagtsomt ansigtsudtryk. Han undlod at kommentere Mikaels udtalelse og nikkede derefter.

"Jeg ved ikke, hvordan I unge har det, men for mig er tiden inde til at trække mig tilbage. Tak for middagen, Cecilia. Godnat, Erika. Kig lige ind, før du rejser i morgen."

DA HENRIK VANGER var gået, sænkede tavsheden sig. Det var Cecilia, der brød den.

"Mikael, hvad handlede det her om?"

"Det handlede om, at Henrik Vanger er lige så følsom over for folks reaktioner som en seismograf. Da du kom hen til mig i går aftes, sad jeg og kiggede i fotoalbummet."

"Og?"

"Jeg så et eller andet. Jeg ved ikke hvad, og jeg kan ikke sætte fingeren på det. Det var noget, der næsten blev til en tanke, men det lykkedes mig ikke at opsnappe den."

"Men hvad var det, du tænkte på?"

"Jeg ved det simpelthen ikke. Og så kom du, og jeg ... hmm ... fik sjovere ting at tænke på."

Cecilia rødmede. Hun undgik Erikas blik og benyttede lejligheden til at gå ud i køkkenet og lave kaffe.

DET VAR EN varm og solrig majdag. Det grønnedes overalt, og Mikael greb sig i at nynne *Den blomstertid nu kommer*.

Erika tilbragte natten i Henriks gæsteværelse. Efter middagen havde Mikael spurgt Cecilia, om han skulle blive, men hun havde svaret, at der var terminsprøver på skolen, og at hun var træt og bare ville i seng. Erika kyssede Mikael på kinden og forlod Hedeby-øen tidligt mandag morgen.

Da Mikael kom i fængsel i midten af marts, havde sneen stadig ligget som en dyne over landskabet. Nu var birketræerne ved at springe ud, og græsplænen rundt om hans hytte var grøn og tæt. For første gang havde han en mulighed for at se sig om på hele Hedeby-øen. Ved ottetiden gik han over og bad Anna om at måtte låne en termoflaske. Han talte kort med Henrik, der netop var stået op, og lånte hans kort over øen. Et sted, han godt ville kigge nærmere på, var Gottfrieds sommerhus, som indirekte var dukket op flere gange i politiefterforskningen, i og med at Harriet havde tilbragt en del tid derude. Henrik fortalte, at sommerhuset var ejet af Martin Vanger, men at det for det meste havde stået tomt gennem årene. En sjælden gang blev det lånt ud til et medlem af familien.

Mikael nåede lige at fange Martin Vanger, før denne tog på arbejde inde i Hedestad. Han fortalte om sit ærinde og bad om at låne nøglen. Martin betragtede ham med et smørret grin.

"Jeg går ud fra, at slægtshistorien nu er nået til kapitlet om Harriet."

"Jeg vil bare se mig lidt omkring ..."

Martin Vanger bad ham vente og kom lidt efter tilbage med nøglen.

"Er det okay så?"

"For min skyld kan du flytte derud, hvis du har lyst. Bortset fra at huset ligger i den anden ende af øen, er det faktisk et hyggeligere sted end der, hvor du bor nu."

Mikael lavede kaffe og smurte sig en madpakke. Inden han begav sig af sted, fyldte han en flaske med vand og lagde provianten i en rygsæk, som han hængte over den ene skulder. Han fulgte en smal og halvvejs tilgroet vej, der løb langs bugten på Hedeby-øens nordlige side. Gottfrieds sommerhus lå på en odde omkring to kilometer fra landsbyen, og det tog ham kun en halv time i mageligt tempo at tilbagelægge strækningen.

Martin Vanger havde haft ret. Da Mikael rundede et sving på den smalle vej, kom han ud til en tætbevokset grund ved vandet, hvorfra der var en strålende udsigt til Hede-elvens udløb, Hedestads lystbådehavn til venstre og industrihavnen til højre.

Det undrede ham, at ingen havde lagt beslag på Gottfrieds sommerhus. Det var en rustik, mørkbejdset bjælkehytte med tegltag og grønne vinduesrammer samt en lille solrig forveranda uden for indgangsdøren. Det var dog tydeligt, at der ikke i længere tid havde fundet nogen vedligeholdelse sted af hverken huset eller grunden; malingen på dør og vinduer skallede af, og det, der skulle have været en græsplæne, var overgroet med meterhøje buske. Rydningen af grunden ville udgøre et helt dagsværk med le og segl.

Mikael låste døren op og åbnede skodderne indefra. Bygningen så ud til at være en gammel, ombygget lade på omkring 35 kvadratmeter. Væggene indvendig var beklædt med brædder, og grundplanen bestod af ét stort rum med brede vinduer ud mod vandet på begge sider af hoveddøren. Bagest i huset førte en trappe op til en åben hems, der dækkede det halve af stuen. Under trappen var der en lille niche med et flaskegasapparat, et køkkenbord med skabe samt et servantebord. Møblementet var skrabet: På langsiden til venstre for døren fandtes en vægfast bænk, et ramponeret skrivebord og en bogreol i teak. Længere henne på samme side var der tre skabe. Til højre for døren stod der et rundt spisebord med fem træstole, og i midten af den ene endevæg var der en åben pejs.

Der var ikke indlagt elektricitet i sommerhuset, i stedet var der adskillige petroleumslamper. I et vindue stod der en gammel transistorradio af mærket Grundig. Antennen var knækket. Mikael tændte for den, men batterierne virkede ikke.

Han gik op ad den smalle trappe og så sig omkring på hemsen. Der var en dobbeltseng, en madras uden sengetøj, et natbord og en kommode.

MIKAEL BRUGTE ET stykke tid på at gennemsøge huset. Kommoden var tom bortset fra nogle håndklæder og noget sengetøj, der lugtede svagt af mug. I klædeskabene var der nogle gamle arbejdsklæder, en overall, et par gummistøvler, et par slidte gymnastiksko og en petroleumsovn. I skrivebordsskufferne fandt han skrivepapir, blyanter, en ubrugt skitseblok, et spil kort og nogle glansbilleder. Køkkenskabene indeholdt tallerkener, kaffekopper, glas, stearinlys og nogle efterladte pakker med salt, tebreve og lignende. I en køkkenskuffe lå der bestik.

De eneste efterladenskaber af mere intellektuel art fandt han på teaktræsreolen oven over skrivebordet. Mikael hentede en spisestuestol og stillede sig op på den for at studere hylderne. På den nederste hylde lå der gamle numre af *Se*, *Rekordmagasinet*, *Tidsfördriv* og *Lektyr* fra sidst i halvtredserne og først i tresserne. Herudover lå der nogle numre af *Bildjournalen* fra 1965 og 1966, *Mit livs novelle* samt nogle eksemplarer af tegneserierne *91*, *Fantomet* og bladet *Romantik*. Mikael åbnede et nummer af *Lektyr* fra 1964 og måtte konstatere, at pinuppen så temmelig uskyldig ud.

Der var omkring halvtreds bøger. Knap halvdelen var billigbogskrimier fra Wahlströms Manhattan-serie "Mickey Spillane" med titler som *Vent dig ingen nåde* og med Bertil Heglands klassiske omslag. Han fandt også en håndfuld *Kitty*, nogle *De fem*-bøger af Enid Blyton og *Tunnelbanemysteriet* af Sivar Ahlrud. Mikael smilede genkendende. Tre bøger af Astrid Lindgren: *Alle vi børn i Bulderby*, *Kalle Blomkvist og Rasmus* og *Pippi Langstrømpe*. Den øverste hylde indeholdt en bog om kortbølgeradio, to bøger om astronomi, en fuglebog, en bog med titlen *Det onde imperium*, der handlede om Sovjetunionen, en bog om Den Finske Vinterkrig, Luthers katekismus, en salmebog samt Bibelen.

Mikael slog op i Bibelen og læste på indersiden af omslaget: *Harriet Vanger*, 12/5 1963. Harriets konfirmationsbibel. Han stillede bogen tilbage med dyster mine.

LIGE BAG HUSET fandtes der et kombineret brænde- og redskabsskur med le, rive, hammere plus en kasse med diverse søm, høvle, save og andet værktøj. Lokummet lå tyve meter inde i skoven i østlig retning. Mikael snusede rundt et stykke tid og vendte derefter tilbage til huset. Han bar en stol ud på verandaen og skænkede sig en kop kaffe fra termoflasken. Han tændte en cigaret og kiggede ud over Hedestadbugten gennem krattet.

Gottfrieds sommerhus var betydeligt mere beskedent, end han havde ventet. Dette var altså det sted, hvortil Harriets og Martins far havde trukket sig tilbage, da ægteskabet med Isabella begyndte at kuldsejle i slutningen af halvtredserne. Her havde han boet og pimpet. Og dernede et sted ved bådebroen var han druknet med en høj promille i blodet. Det havde formentlig været rart at bo i huset om sommeren, men når temperaturen begyndte at krybe ned mod frysepunktet, måtte der have været råkoldt og rædselsfuldt. Ifølge Henrik var Gottfried fortsat med at passe sit arbejde i Vangerkoncernen – med undtagelse af de perioder, hvor han drak hæmningsløst – helt frem til 1964. At han havde kunnet bo herude i sommerhuset mere eller mindre permanent og alligevel møde nybarberet, renvasket og iført jakke og slips op på arbejdet, tydede trods alt på en vis selvdisciplin.

Men dette var også et sted, hvor Harriet Vanger havde opholdt sig så ofte, at det var et af de første steder, man ledte efter hende. Henrik havde fortalt, at Harriet det sidste år tit var taget ud til sommerhuset, givetvis for at være i fred i weekenderne eller ferierne. Den sidste sommer havde hun boet her i tre måneder, selvom hun dog kom ind til landsbyen hver dag. Her havde hun også haft sin veninde Anita, Cecilia Vangers søster, på besøg i seks uger.

Hvad havde hun foretaget sig herude helt alene? Bladene *Mit livs novelle* og *Romantik* samt Kitty-bøgerne talte deres tydelige sprog. Måske havde skitseblokken tilhørt hende. Men hendes bibel lå her også.

Havde hun ønsket at være i nærheden af sin druknede far? Havde hun gennemgået en sørgeperiode? Var forklaringen så enkel? Eller havde det noget at gøre med hendes religiøse grublerier? Huset var spartansk og asketisk; legede hun, at hun boede i et kloster?

MIKAEL FULGTE STRANDEN mod sydøst, men terrænet var så fuldt af kløfter og enebærbuske, at det nærmest var ufremkommeligt. Han gik tilbage til sommerhuset og videre et stykke ad vejen mod Hedeby. Ifølge kortet skulle der gå en sti gennem skoven hen til noget, der blev kaldt Fæstningen, og det tog ham tyve minutter at finde den tilgroede sidesti. Fæstningen var kystforsvarets efterladenskaber fra Anden Verdenskrig; betonbunkere og skyttehuller spredt ud omkring en kommandobunker. Det hele var overvokset med kratskov.

Mikael fulgte stien videre frem til et bådehus i en lysning ved havet. Ved siden af bådehuset fandt han vraget af en Pettersson-båd. Han vendte tilbage til Fæstningen og fulgte en sti hen til et gærde – han var nået frem til Östergården fra bagsiden.

Han fulgte den bugtende sti gennem skoven, delvis parallelt med den mark, der hørte til Östergården. Stien var vanskeligt fremkommelig, og der var flere sumpede områder, som han var nødt til at gå uden om. Til sidst nåede han frem til en mose med en ladebygning. Så vidt han kunne se, ophørte stien der, men han befandt sig kun 100 meter fra vejen til Östergården.

På den anden side af vejen lå Söderberget. Mikael begav sig op ad en stejl skråning og måtte klatre det sidste stykke. På den ene side faldt Söderberget næsten lodret ned i havet. Mikael fulgte højderyggen tilbage mod Hedeby. Han standsede oven for sommerhusbebyggelsen og nød udsigten over det gamle fiskerleje og kirken og ned mod hans egen gæstehytte. Han satte sig på et klippefremspring og drak det sidste af den lunkne kaffe.

Han havde ingen anelse om, hvad han foretog sig i Hedeby, men han satte pris på udsigten.

Cecilia Vanger holdt sig på afstand, og Mikael ville ikke trænge sig på. Efter en uge gik han alligevel hen til hende og bankede på. Hun lukkede ham ind og satte kaffe over.

"Du synes garanteret, jeg er latterlig. En seksoghalvtreds år gammel respektabel lærerinde, der ter sig som en teenager."

"Cecilia, du er et voksent menneske og kan gøre, lige hvad du vil."

"Det ved jeg, og derfor har jeg besluttet, at vi ikke skal ses mere. Jeg kan ikke holde ud at ..."

"Du skylder mig ingen forklaringer. Jeg håber, vi stadig er venner."

"Jeg vil gerne fortsætte med at være ven med dig, men jeg kan ikke klare at have et forhold til dig. Jeg har aldrig været god til forhold. Jeg vil godt være i fred et stykke tid."

KAPITEL 16

Søndag den 1. juni – tirsdag den 10. juni

EFTER ET HALVT års frugtesløse spekulationer kom det første gennembrud i Harriet Vanger-sagen, da Mikael den første uge af juni inden for et par dage fandt tre helt nye brikker til puslespillet. De to af dem kunne han takke sig selv for, den tredje fik han hjælp med.

Efter Erikas besøg havde han åbnet fotoalbummet og siddet i flere timer og kigget på billede efter billede, mens han prøvede at forstå, hvad der havde fået ham til at reagere. Til sidst havde han lagt det hele til side og arbejdet videre med slægtshistorien i stedet.

En af de første dage i juni tog Mikael ind til Hedestad. Han sad og tænkte på noget helt andet, da bussen drejede ind på Järnvägsgatan, og han pludselig blev klar over, hvad der havde ligget og ulmet i hans baghoved. Indsigten ramte ham som et lyn fra en klar himmel. Han blev så perpleks, at han fortsatte helt til endestationen ved banegården og straks kørte tilbage med bussen til Hedeby for at tjekke, om han nu huskede rigtigt.

Det var det allerførste billede i albummet.

Det sidste billede, der fandtes af Harriet Vanger, var taget den skæbnesvangre dag på Järnvägsgatan i Hedestad, da hun kiggede på Barnets Dag-optoget.

Billedet hørte egentlig ikke sammen med de andre billeder i albummet. Det var havnet der, fordi det var taget samme dag, men det var det eneste af de godt 180 billeder, der ikke handlede om ulykken på broen. Hver gang Mikael og (formodede han) alle andre havde kigget i albummet, var det personerne og detaljerne i billederne fra broen, der havde fanget opmærksomheden. Der var ikke noget dramatisk ved billedet af en feststemt menneskemængde, der var forsamlet for at se optoget i Hedestad, flere timer før de afgørende begivenheder.

Henrik Vanger havde givetvis set billedet tusinder af gange og med smerte indset, at han aldrig ville få hende at se igen. Formodentlig havde det irriteret ham, at det var taget fra så lang afstand, at Harriet blot var én i et hav af mennesker.

Men det var ikke dét, Mikael havde reageret på.

Billedet var taget fra den anden side af gaden, sandsynligvis fra et vindue på første sal. Vidvinklen indfangede en af lastbilerne i optoget. På ladet stod der en flok unge piger iført farvestrålende badetøj og haremsbukser og kastede slik ud til publikum. Nogle af dem så ud til at danse. Foran lastbilen hoppede tre klovne af sted.

Harriet stod i den første tilskuerrække langs fortovet. Ved siden af hende stod tre af hendes klassekammerater og rundt om dem mindst hundrede andre af Hedestads indbyggere.

Det var dette, som Mikael ubevidst havde bemærket, og som pludselig var dukket op til overfladen, da bussen passerede forbi præcis det sted, hvor billedet var taget.

Tilskuerne optrådte, som et publikum skal. Publikums blik følger altid bolden i en tenniskamp eller pucken i en ishockeykamp. De, der stod længst til venstre i billedet, kiggede på klovnene, der befandt sig lige foran dem. De, der stod tættere på lastbilen, fokuserede på ladet med de letpåklædte piger. De så ud til at more sig. Børn pegede. Nogle lo. Alle så glade ud.

Alle på nær én.

Harriet Vanger kiggede til siden. Hendes tre klassekammerater og alle andre i hendes nærhed kiggede på klovnene. Harriets ansigt var vendt 30-35 grader opad til højre. Hendes blik syntes at være rettet mod noget på den anden side af gaden, men uden for billedets nederste venstre hjørne.

Mikael tog luppen frem og forsøgte at udskille detaljerne. Billedet var taget på en alt for lang afstand til, at han kunne være helt sikker, men til forskel fra alle andre i Harriets nærhed var der intet liv i hendes ansigt. Munden var en smal streg. Øjnene var vidtåbne. Hendes hænder hang slapt ned langs kroppen.

Hun så bange ud. Bange eller vred.

MIKAEL TOG BILLEDET ud af albummet, lagde det ind i et plasticchartek og tog næste bus tilbage til Hedestad. Han stod af på Järnvägsgatan og stillede sig på det sted, hvorfra billedet måtte være taget. Det var lige i udkanten af det, der udgjorde byens centrum. Det var en toetages træbygning, der husede en videobutik og *Sundströms Herreekvipering*, der ifølge en indgraveret metalplade på indgangsdøren var grundlagt i 1932. Han gik ind i forretningen og opdagede med det samme, at den strakte sig over to etager; en vindeltrappe førte op til førstesalen.

Oppe for enden af trappen var der to vinduer ud mod gaden. Det var der, fotografen havde stået.

"Kan jeg hjælpe med noget?" spurgte en ældre ekspedient, idet Mikael tog plasticchartekket med fotografiet frem. Der var kun ganske få kunder i forretningen.

"Nja, jeg vil faktisk bare se, hvor det her billede er taget. Er det i orden, hvis jeg åbner vinduet et øjeblik?"

Det fik han lov til, hvorefter han holdt billedet op foran sig. Han kunne straks se det sted, hvor Harriet Vanger havde stået. Den ene af de to træbygninger, der kunne skimtes bag hende, var forsvundet og erstattet med et firkantet murstenshus. I den træbygning, der havde overlevet, havde der i 1966 ligget en papirhandel, mens der nu lå en helsekostforretning og et solarium. Mikael lukkede vinduet, takkede og undskyldte ulejligheden.

Nede på gaden gik han hen og stillede sig på det sted, hvor Harriet havde stået. Han kunne retningsbestemme det via vinduet på første sal i tøjbutikken og døren ind til solariet. Han drejede hovedet i samme vinkel som Harriet og rettede blikket den vej. Så vidt Mikael kunne se, havde hun kigget over mod hjørnet af den bygning, der husede Sundströms Herreekvipering. Det var et helt almindeligt hushjørne, der stødte op til en sidegade. *Hvad så du derhenne, Harriet?*

MIKAEL LAGDE BILLEDET ned i sin skuldertaske og gik hen til Järnvägsparken, hvor han satte sig i en udendørscafé og bestilte en caffe latte. Han følte sig pludselig rystet.

På engelsk kaldes det *new evidence*, hvilket har en helt anden klang end "nyt bevismateriale". Han havde pludselig set noget helt nyt, som ingen andre havde lagt mærke til i en efterforskning, der havde stået i stampe i syvogtredive år.

Problemet var bare, at han ikke var sikker på, hvilken værdi hans nye viden havde, hvis den da overhovedet havde nogen. Alligevel føltes det betydningsfuldt.

Den septemberdag, Harriet forsvandt, havde været dramatisk på flere måder. Der havde været festdag i Hedestad med sikkert flere tusind mennesker på gaderne, unge såvel som gamle. Der havde været det årlige slægtstræf på Hedeby-øen. Alene disse to begivenheder afveg fra den daglige rutine på egnen. Som prikken over i'et havde der været tankbilulykken på broen, og den var kommet til at overskygge alt andet.

Vicekommissær Morell, Henrik Vanger og alle andre, der havde spekuleret over Harriets forsvinden, havde fokuseret på begivenhederne på Hedeby-øen. Morell havde oven i købet selv skrevet, at han ikke kunne slippe mistanken om, at ulykken og Harriets forsvinden havde forbindelse med hinanden. Mikael var pludselig overbevist om, at det var fuldstændig forkert.

Begivenhedsrækken var ikke begyndt på Hedeby-øen, men inde i Hedestad flere timer tidligere på dagen. Harriet Vanger havde set noget eller nogen, der havde skræmt hende og fået hende til at tage hjem og gå direkte ind til Henrik Vanger, som desværre ikke havde haft tid til at tale med hende. Derefter skete ulykken på broen. Og derefter slog morderen til.

MIKAEL STUDSEDE OVER sig selv. Det var første gang, han bevidst havde formuleret den antagelse, at Harriet var blevet myrdet. Han tøvede, men måtte så erkende, at han havde tilsluttet sig Henrik Vangers overbevisning. Harriet var død, og nu jagtede han en morder.

Han tænkte tilbage på efterforskningen. Ud af de tusinder af sider var det kun en brøkdel, der handlede om timerne inde i Hedestad. Harriet havde været sammen med tre klassekammerater, som hver især var blevet afhørt om deres iagttagelser. De havde mødtes ved Järnvägsparken klokken ni om morgenen. En af pigerne skulle købe et par cowboybukser, og kammeraterne gik med hende. De havde drukket kaffe i EPA-varehusets restaurant og var derpå gået op til idrætspladsen, hvor de slentrede rundt mellem forlystelser og boder og også var rendt ind i andre skolekammerater. Ved tolvtiden var de trukket ind mod centrum igen for at se Barnets Dag-optoget. Lidt i to om eftermiddagen havde Harriet pludselig sagt, at hun måtte hjem. De var skiltes ved et busstoppested i nærheden af Järnvägsgatan.

Ingen af kammeraterne havde bemærket noget usædvanligt. En af dem var Inger Stenberg, der havde beskrevet Harriet Vangers forandring det sidste år med påstanden om, at hun var blevet "upersonlig". Hun sagde, at Harriet denne dag som altid havde været fåmælt og mest var fulgt i hælene på de andre.

Vicekommissær Morell havde afhørt alle de mennesker, der havde mødt Harriet i løbet af dagen, også selvom de kun havde hilst på hinanden på festpladsen. Hendes billede havde været trykt i lokalaviserne i forbindelse med hendes forsvinden og efterlysning. Flere indbyggere i Hedestad havde kontaktet politiet med oplysninger om, at de mente at have set hende i løbet af dagen, men ingen havde lagt mærke til noget usædvanligt.

MIKAEL TILBRAGTE AFTENEN med at spekulere over, hvordan han kunne bore videre i den teori, han netop var nået frem til. Næste formiddag gik han op til Henrik Vanger, der var ved at spise morgenmad.

"Du sagde, at familien Vanger stadig har interesser i *Hedestads-Kuriren*."

"Det stemmer."

"Jeg har brug for adgang til avisens billedarkiv. Fra 1966."

Henrik Vanger stillede mælkeglasset fra sig og tørrede sig om munden.

"Mikael, hvad har du fundet?"

Han så den gamle i øjnene.

"Ikke noget konkret, men jeg tror, vi kan have fejlfortolket hændelsesforløbet."

Han viste ham billedet og fortalte om sine konklusioner. Henrik Vanger forholdt sig tavs i lang tid.

"Hvis jeg har ret, bør vi fokusere på det, der skete i Hedestad den dag, og ikke bare på det, der skete her på øen," sagde

Mikael. "Jeg ved ikke, hvordan man skal gribe det an efter så lang tid, men der må være taget en masse billeder af Barnets Dag-optoget, som aldrig er blevet offentliggjort. Det er de billeder, jeg godt vil kigge på."

Henrik Vanger brugte telefonen i køkkenet. Han ringede til Martin Vanger, gjorde rede for sagen og spurgte, hvem der nu var billedredaktør på *Kuriren*. Ti minutter efter var de rette personer lokaliseret og en tilladelse fremskaffet.

HEDESTADS-KURIRENS BILLEDREDAKTØR hed Madeleine Blomberg, blev kaldt Maja og var et sted i tresserne. Hun var den første kvindelige billedredaktør, Mikael nogensinde var stødt på i sin professionelle karriere, hvor fotografering fortsat i vid udstrækning blev betragtet som en mandlig kunstform.

Eftersom det var lørdag, var redaktionen ubemandet, men Maja Blomberg viste sig at bo kun fem minutters gang derfra og mødte Mikael ved indgangen. Hun havde arbejdet på *Hedestads-Kuriren* det meste af sit liv. Hun var begyndt som korrekturlæser i 1964, var derefter blevet kopist og havde tilbragt nogle år i mørkekammeret samtidig med, at hun blev sendt ud som reservefotograf, når man var i bekneb for folk. Efter en tid havde hun fået titel af redaktør, og for ti år siden, da den gamle billedredaktør gik på pension, havde hun overtaget posten som chef for billedafdelingen. Noget større imperium skjulte sig dog ikke bag titlen. Billedafdelingen havde de sidste ti år været lagt sammen med annonceafdelingen og bestod kun af seks personer, der udførte hinandens arbejde på skift.

Mikael spurgte, hvordan billedarkivet var ordnet.

"Sandt at sige er arkivet temmelig rodet. Efter at vi fik computere og elektroniske billeder, ligger arkivet på cd'er. Vi har haft en praktikant, der har scannet ældre, vigtige billeder ind, men det er kun nogle få procent af alle billeder i arkivet, der er registreret i det elektroniske arkiv. Ældre billeder er sorteret efter dato i mapper med negativer. De findes enten her på redaktionen eller oppe i et magasin på loftet."

"Jeg er primært interesseret i billeder fra Barnets Dag-optoget i 1966, men også i alle de øvrige billeder fra den uge."

Maja Blomberg så undersøgende på Mikael.

"Du mener med andre ord den uge, hvor Harriet Vanger forsvandt?"

"Du kender altså historien?"

"Man kan ikke have arbejdet på *Hedestads-Kuriren* hele sit liv uden at have hørt om den, og da Martin Vanger ringede til mig tidligt om morgenen på min fridag, gjorde jeg mig mine tanker. Jeg læste korrektur på de artikler om sagen, der blev skrevet i tresserne. Hvorfor graver du i den historie? Er der dukket noget nyt op?"

Maja Blomberg havde åbenbart også næse for nyhedsstof. Mikael rystede smilende på hovedet og greb til sin *cover story*.

"Nej, og jeg tvivler på, vi nogensinde finder ud af, hvad der skete med hende. Det her er lidt tys-tys, men sagen er, at jeg er ved at skrive Henrik Vangers selvbiografi. Historien om den forsvundne Harriet er kun en biting, men dog et kapitel, der næppe kan forbigås i tavshed. Jeg er på udkig efter billeder, der kan illustrere dagen, både fotos af Harriet og hendes kammerater."

Maja Blomberg så tvivlende ud, men anmodningen var rimelig nok, og hun havde ingen grund til at sætte spørgsmålstegn ved hans oplysninger.

En fotograf på et dagblad bruger i gennemsnit mellem to og ti ruller film daglig. Ved store arrangementer kan tallet meget vel være det dobbelte. Hver rulle indeholder seksogtredive negativer; det er således ikke ualmindeligt, at en avis akkumulerer mere end tre hundrede billeder på en dag, hvoraf kun ganske få nogensinde kommer på tryk. Hvis redaktionen har orden i sagerne, klipper de filmrullerne op og arkiverer negativerne i negativlommer med seks billeder i hver. En rulle fylder cirka en side i en negativmappe. En mappe rummer godt hundrede og ti ruller. På et år bliver det et sted mellem tyve og tredive mapper. Som årene går, løber det op i en herrens masse mapper, som stort set ikke har nogen kommerciel værdi og ikke får plads på redaktionen. Fotograferne og billedredaktørerne er imidlertid overbevist om, at billederne indeholder en *historisk dokumentation af uvurderlig betydning*, og kasserer derfor ikke noget som helst.

Hedestads-Kuriren blev grundlagt i 1922, og billedredaktionen havde eksisteret siden 1937. Avisens loftsmagasin indeholdt godt tolv hundrede billedmapper, sorteret efter dato. Billederne fra september 1966 omfattede fire billige arkivmapper i pap.

"Hvordan griber vi det an?" spurgte Mikael. "Jeg får brug for et lysbord, så jeg kan kopiere billeder af interesse."

"Vi har ikke noget mørkekammer længere. Alting bliver scannet ind. Ved du, hvordan man bruger en negativscanner?"

"Ja, jeg har arbejdet med billeder og har selv en Agfa-negativscanner. Jeg er vant til at arbejde med PhotoShop."

"Så bruger du samme udstyr som os."

Maja Blomberg tog Mikael med på en hurtig rundtur på den lille redaktion, installerede ham ved et lysbord og tændte for en computer og en scanner. Hun viste ham også, hvor han kunne finde kaffeautomaten i kantinen. De aftalte, at Mikael kunne blive der alene og arbejde, men at han skulle ringe til Maja Blomberg, før han gik, så hun kunne komme hen og låse efter ham og slå tyverialarmen til. Derefter forlod hun ham med et muntert "du må hygge dig".

DET TOG FLERE timer for Mikael at gennemgå mapperne. Dengang havde *Hedestads-Kuriren* haft to fotografer. Omtalte dag havde det været Kurt Nylund, der havde vagten, og Mikael kendte ham faktisk. Kurt Nylund havde været i tyverne i 1966. Han var siden hen flyttet til Stockholm og var blevet en anerkendt fotograf, der både arbejdede som freelancer og som ansat på Pressens Bild i Marieberg. Mikaels og Kurt Nylunds veje havde krydset hinanden flere gange i halvfemserne, hvor *Millennium* havde købt billeder hos Pressens Bild. Mikael huskede ham som en mager og tyndhåret mand. Kurt Nylund havde brugt en dagslysfilm, der ikke var alt for kornet, og som mange pressefotografer benyttede.

Mikael tog arkene med den unge Nylunds billeder ud af mappen og placerede dem på lysbordet, hvor han med en lup granskede dem ét for ét. At læse negativbilleder er imidlertid et arbejde, der kræver en vis rutine, og det havde Mikael ikke. Det stod ham efterhånden klart, at for at afgøre, om billederne indeholdt nogen information af værdi, var han i realiteten nødt til at scanne hvert eneste billede ind på computeren og studere dem på skærmen. Det ville tage adskillige timer. Han foretog derfor en grovsortering og udvalgte de billeder, han eventuelt var interesseret i.

Han begyndte med at markere alle de billeder, der var taget i forbindelse med tankbilulykken. Mikael kunne konstatere, at Henrik Vangers album med hundrede og firs billeder ikke var komplet; den person, der havde kopieret samlingen – muligvis Nylund selv – havde frasorteret cirka tredive billeder, der enten var uskarpe eller af en så dårlig kvalitet, at de ikke egnede sig til at gå i trykken.

Mikael slukkede for avisens computer og koblede Agfa-scanneren til sin egen iBook. Han brugte to timer på at scanne de resterende billeder ind.

Ét billede fangede straks hans interesse. På et tidspunkt mellem klokken 15.10 og 15.15 – det vil sige inden for nøjagtig det tidsrum, hvor Harriet forsvandt – havde nogen åbnet vinduet i hendes værelse. Henrik Vanger havde forgæves prøvet at finde ud af hvem. Pludselig havde Mikael et billede på skærmen, der måtte være taget i præcis det øjeblik, hvor vinduet blev åbnet. Han kunne se en skikkelse og et ansigt, om end begge dele var sløret. Han besluttede at vente med en egentlig billedanalyse, til han havde fået scannet samtlige billeder ind på computeren.

I de følgende timer studerede Mikael billederne fra Barnets Dag. Kurt Nylund havde taget seks ruller, det vil sige godt to hundrede billeder i alt. Der var en uendelig strøm af børn med balloner, voksne, trængsel på gaderne, pølsevogne, selve optoget, en lokal kunstner på scenen og en prisuddeling af en slags.

Til sidst besluttede Mikael at scanne hele samlingen ind. Efter seks timer havde han samlet en mappe med halvfems billeder. Han ville blive nødt til at vende tilbage til *Hedestads-Kuriren*.

Ved nitiden om aftenen ringede han til Maja Blomberg, takkede for hjælpen og tog hjem til Hedeby-øen.

Han vendte tilbage klokken ni søndag morgen. Der var stadig mennesketomt, da Maja Blomberg lukkede ham ind. Han havde glemt, at det var pinse, og at avisen først ville udkomme igen om tirsdagen. Han fik lov at låne det samme bord som dagen før og brugte herefter hele dagen på scanningen. Ved sekstiden om aftenen var der kun knap fyrre billeder tilbage fra Barnets Dag. Mikael havde gransket negativerne og besluttet, at han ikke havde nogen interesse i nærbilleder af nuttede småbørn eller optrædende kunstnere. Det, han havde scannet ind, var gadeliv og sammenstimlen af tilskuere.

MIKAEL TILBRAGTE ANDEN pinsedag med at studere det nye billedmateriale. Han gjorde to opdagelser: Den første fyldte ham med forfærdelse. Den anden satte hans puls i vejret.

Den første opdagelse var ansigtet i Harriet Vangers vindue. Billedet var uskarpt, fordi motivet havde bevæget sig, og det var derfor blevet kasseret i den oprindelige udvælgelse. Fotografen havde stået på kirkebakken med kameraet rettet mod broen. Bygningerne lå i baggrunden. Mikael beskar billedet, så det kun omfattede det omtalte vindue, og eksperimenterede derpå med at justere kontrasten og øge skarpheden, indtil han opnåede, hvad han mente måtte være den bedst tænkelige kvalitet.

Resultatet var et kornet billede i en skala af grå nuancer, der viste et rektangulært vindue, et gardin, et stykke af en arm og et sløret, halvmåneformet ansigt lidt længere inde i værelset.

Han kunne konstatere, at ansigtet ikke tilhørte Harriet Vanger, der havde kulsort hår, men en person med en betydeligt lysere hårfarve.

Han kunne også udskille mørkere partier omkring øjne, næse og mund, men det var umuligt at skelne ansigtstrækkene tydeligt. Han var derimod overbevist om, at det var en kvinde; det lysere parti ved ansigtet fortsatte ned til skulderhøjde og antydede en kvindefrisure. Han kunne konstatere, at personen var iført lyst tøj.

Han vurderede personens højde i forhold til vinduet; det var en kvinde på omkring 170 centimeter.

Da han klikkede på andre billeder fra ulykken på broen, så han, at én af personerne matchede det signalement, han var nået frem til – den tyveårige Cecilia Vanger.

KURT NYLUND HAVDE taget sammenlagt atten billeder fra vinduet på første sal hos Sundströms Herreekvipering. Harriet Vanger kunne ses på de sytten.

Harriet og hendes klassekammerater var kommet hen på Järnvägsgatan samtidig med, at Kurt Nylund begyndte at fotografere. Mikael regnede ud, at billederne måtte være taget inden for godt fem minutter. På det første foto var Harriet og hendes kammerater på vej ned ad gaden og ind i billedet. På billederne 2-7 stod de stille og kiggede på optoget. Derefter havde de flyttet sig omkring seks meter længere ned ad gaden. På det allersidste billede, der muligvis var taget en smule senere, var hele gruppen forsvundet.

Mikael lavede en serie billeder, hvor han beskar Harriet ved taljen, og som han herefter bearbejdede for at få den størst mulige kontrast frem. Han lagde billederne ind i en særlig mappe, åbnede programmet Graphic Converter og startede billedfunktionen. Effekten blev en hoppende stumfilm, hvor hvert billede blev vist i to sekunder.

Harriet ankommer og ses i profil. Harriet standser op og kigger ned ad gaden. Harriet drejer ansigtet ind mod gaden. Harriet åbner munden for at sige noget til sin kammerat. Harriet ler. Harriet rører ved sit øre med venstre hånd. Harriet smiler. Harriet ser pludselig overrasket ud, ansigtet er vendt i en vinkel på omkring tyve grader til venstre for kameraet. Harriet spærrer øjnene op og smiler ikke længere. Hendes mund bliver en smal streg. Harriet fæster blikket på noget. I hendes ansigt er aftegnet ... hvad? Sorg, chok, raseri? Harriet slår blikket ned. Harriet er væk.

Mikael afspillede sekvensen den ene gang efter den anden.

Den bekræftede med al ønskelig tydelighed den teori, han var nået frem til. Der skete noget på Järnvägsgatan i Hedestad. Logikken var iøjnefaldende.

Hun ser noget – nogen – på den anden side af gaden. Hun bliver chokeret. Senere kontakter hun Henrik Vanger, men får aldrig talt med ham under fire øjne. Derefter forsvinder hun sporløst.

Der skete noget den dag, men billederne fortalte ikke hvad.

KLOKKEN TO NATTEN til tirsdag lavede Mikael kaffe og smurte sig nogle madder, som han indtog på slagbænken i køkkenet. Han var både modfalden og ophidset. Mod alle forventninger havde han fundet nyt bevismateriale. Problemet var bare, at selvom det kastede nyt lys over hændelsesforløbet, så bragte det ham ikke én millimeter nærmere gådens løsning.

Han spekulerede intenst på, hvilken rolle Cecilia Vanger havde spillet i dramaet. Henrik Vanger havde nidkært kortlagt alle indblandede personers gøren og laden den dag, og Cecilia Vanger var ikke nogen undtagelse. Hun havde boet i Uppsala i 1966, men var kommet til Hedestad to dage før den ulyksalige lørdag. Hun havde boet i et gæsteværelse hos Isabella Vanger. Hun påstod, at hun muligvis havde set Harriet Vanger tidligt om morgenen, men at hun ikke havde talt med hende. Om lørdagen var hun taget ind til Hedestad for at ordne nogle ærinder. Hun havde ikke set Harriet inde i byen og var vendt tilbage til Hedeby-øen ved ettiden, det vil sige nogenlunde samtidig med, at Kurt Nylund tog billedserien på Järnvägsgatan. Hun havde skiftet tøj, og ved totiden havde hun hjulpet med at dække bord til aftenens middagsselskab.

Som alibi betragtet var det svagt. Tidspunkterne var omtrentlige, især spørgsmålet om, hvornår hun var vendt tilbage til Hedeby-øen, men Henrik Vanger havde på den anden side heller aldrig fundet noget, der tydede på, at hun løj. Cecilia Vanger var et af de familiemedlemmer, som Henrik syntes allerbedst om. Desuden havde hun været Mikaels elskerinde. Han havde som følge heraf svært ved at forholde sig objektivt, og han havde uhyre vanskeligt ved at forestille sig hende som morder.

Nu tydede et kasseret billede på, at hun havde løjet, da hun påstod, at hun ikke havde været inde på Harriets værelse den dag. Mikael spekulerede som en gal på, hvad det kunne indebære.

Hvis du har løjet om det her, hvad mere har du så løjet om?

Mikael opsummerede, hvad han vidste om Cecilia. Han opfattede hende som et i bund og grund reserveret menneske, der tydeligvis var mærket af sin fortid, hvilket betød, at hun boede alene, ikke havde noget sexliv og svært ved at åbne sig for andre mennesker. Hun holdt afstand til folk, og da hun for én gangs skyld gav los og kastede sig over en mand, så valgte hun Mikael, en fremmed på gennemrejse. Cecilia havde sagt, at hun afbrød deres forhold, fordi hun ikke kunne leve med tanken om, at han lige pludselig ville forsvinde ud af hendes liv. Mikael gik ud fra, at det netop var derfor, hun overhovedet havde turdet tage skridtet til at have et forhold til ham. Eftersom han kun boede der midlertidigt, behøvede hun ikke være bange for, at han ville vende op og ned på hendes tilværelse. Han sukkede og skubbede lommepsykologien til side.

DEN ANDEN OPDAGELSE gjorde han sent om natten. Nøglen til gåden – det var han overbevist om – var, hvad Harriet havde set på Järnvägsgatan i Hedestad. Det ville Mikael aldrig få at vide, medmindre han da kunne opfinde en tidsmaskine, stille sig bag ved hende og kigge med over skulderen.

Næppe havde han tænkt tanken, før han slog sig for panden med håndfladen og styrtede tilbage til sin iBook. Han klikkede på de endnu ikke redigerede billeder fra Järnvägsgatan og kiggede ... *der*!

Bag Harriet Vanger og omkring en meter til højre for hende stod et ungt par, han iført en stribet bluse og hun en lys jakke. Hun holdt et kamera i hånden. Da Mikael forstørrede billedet, kunne han se, at det formentlig var et Kodak instamatic med indbygget blitz – et billigt feriekamera til mennesker, der ikke kan fotografere.

Kvinden holdt kameraet i højde med sin hage. Derefter løftede hun det og fotograferede klovnene, netop som Harriets ansigtsudtryk skiftede.

Mikael sammenlignede kameraets placering med Harriets sigtelinje. Kvinden havde fotograferet næsten præcist i samme retning, som Harriet Vangers blik var rettet.

Mikael blev med ét opmærksom på, at han havde hjertebanken. Han lænede sig tilbage og trak sin cigaretpakke op af brystlommen. *Nogen havde taget et billede.* Men hvordan skulle han identificere kvinden? Hvordan skulle han få fat i hendes billede? Var filmen overhovedet blevet fremkaldt, og eksisterede billedet i givet fald stadig?

Mikael åbnede mappen med Kurt Nylands billeder fra menneskemylderet på festdagen. I den følgende time forstørrede han samtlige billeder og studerede dem minutiøst. Først på det allersidste billede fandt han parret igen. Kurt Nylund havde fotograferet en anden klovn med balloner i hånden, som poserede grinende foran hans kamera. Billedet var taget på parkeringspladsen ved indgangen til idrætspladsen, hvor festen foregik. Klokken måtte have været over to – Nylund var derefter blevet gjort opmærksom på tankbilulykken og havde afbrudt dækningen af Barnets Dag.

Kvinden var næsten helt skjult, men manden i den stribede bluse sås tydeligt i profil. Han havde nogle nøgler i hånden og bøjede sig frem for at åbne en bildør. Klovnen i forgrunden var i fokus af billedet, og bilen var en anelse sløret. Nummerpladen var delvis skjult, men begyndte med AC3 ...

I 1960'erne begyndte nummerpladerne med amtsbogstaverne, og som barn havde Mikael lært at identificere, hvor de forskellige biler kom fra. AC var betegnelsen for Västerbotten.

Og så fik Mikael øje på noget andet. I bagruden var der opklæbet en streamer af en slags. Han zoomede ind, men teksten forsvandt i en tåge. Han klippede streameren ud og begyndte at bearbejde den med kontrast og skarphed. Det tog et stykke tid. Han kunne stadig ikke læse teksten, men forsøgte at udskille bogstaverne ud fra de slørede omrids. Mange af bogstaverne så vildledende ens ud. Et O kunne forveksles med et D, ligesom B med E og så videre. Efter at have puslet med papir og pen og udelukket visse bogstaver kom han frem til en uforståelig tekst:

R JÖ NI K RIFA RIK

Han stirrede på billedet, indtil øjnene begyndte at løbe i vand. Så med ét så han teksten. NORSJÖ SNICKERIFABRIK, efterfulgt af nogle mindre tegn, der var komplet umulige at tyde, men som formodentlig var et telefonnummer.

KAPITEL 17

Onsdag den 11. juni – lørdag den 14. juni

DEN TREDJE BRIK i puslespillet fik Mikael hjælp med fra uventet side.

Efter at have arbejdet med billederne hele natten sov han tungt til ud på eftermiddagen. Han vågnede med en ubestemmelig hovedpine, tog bad og gik op til Susannes Brocafé for at spise morgenmad. Han burde gå hen til Henrik Vanger og rapportere sine opdagelser, men i stedet gik han over til Cecilia Vanger og bankede på. Han ville spørge hende, hvad hun havde lavet på Harriets værelse, og hvorfor hun havde løjet og sagt, at hun ikke havde været derinde. Der blev ikke åbnet.

Han skulle netop til at gå, da han hørte en stemme.

"Din luder er ikke hjemme."

Gollum var kommet ud af sin grotte. Han var høj, næsten to meter, men så krumbøjet af alder, at hans øjne var i niveau med Mikaels. Huden var skæmmet af mørke leverpletter. Han var iført pyjamas og en brun morgenkåbe og støttede sig til en stok. Han lignede Hollywood-udgaven af en ondskabsfuld olding.

"Hvad sagde du?"

"Jeg sagde, at din luder ikke er hjemme."

Mikael gik så tæt på, at hans næse næsten berørte Harald Vanger.

"Det er din egen datter, du snakker om, dit lede svin."

"Det er ikke mig, der sniger mig herhen om natten," svarede Harald Vanger med et tandløst grin. Han lugtede ubehageligt. Mikael gik uden om ham og fortsatte hen ad vejen uden at se sig tilbage. Han gik op til Henrik Vanger og fandt ham i arbejdsværelset.

"Jeg har lige mødt din bror," sagde Mikael med slet skjult raseri.

"Harald? Javel ja, så har han vovet sig udenfor. Han plejer at gøre det et par gange om året."

"Jeg bankede på hos Cecilia, da han dukkede op. Han sagde ... jeg citerer: 'Din luder er ikke hjemme.' Citat slut."

"Ja, det lyder godt nok som Harald," svarede Henrik Vanger roligt.

"Han kaldte sin egen datter for luder."

"Det har han gjort i mange år. Det er derfor, de ikke er på talefod."

"Hvorfor siger han den slags?"

"Cecilia mistede sin mødom, da hun var enogtyve. Det skete her i Hedestad i forbindelse med en sommerromance året efter, at Harriet forsvandt."

"Og?"

"Manden, hun kastede sin kærlighed på, hed Peter Samuelsson og arbejdede i Vangerkoncernens økonomiafdeling. En kvik knægt. Arbejder i dag for ABB. En fyr, jeg ville have været stolt over at få til svigersøn, hvis hun havde været min datter, men han havde jo én fejl."

"Sig nu ikke, at det var det, jeg tror ..."

"Harald målte hans hoved eller tjekkede hans stamtavle, eller hvad ved jeg, og opdagede, at han var kvart jøde."

"Gudfader bevares."

"Han har kaldt hende luder lige siden."

"Han vidste, at Cecilia og jeg har ..."

"Det ved alle i landsbyen formentlig, måske med undtagelse af Isabella, eftersom ingen med sin forstands fulde brug fortæller hende noget som helst, og hun gudskelov har den venlighed at gå i seng klokken otte om aftenen. Harald har sandsynligvis fulgt hvert af dine skridt."

Mikael satte sig med et fjoget ansigtsudtryk.

"Så du mener altså, at alle ved ..."

"Selvfølgelig."

"Og det har du ikke noget imod?"

"Kæreste Mikael, det kommer virkelig ikke mig ved."

"Hvor er Cecilia?"

"Skoleåret er forbi. Hun fløj til London i lørdags for at besøge sin søster, og derefter rejser hun på ferie til ... hmm, det var vist Florida. Hun er tilbage om en måneds tid."

Mikael følte sig endnu mere tåbelig.

"Vi har ligesom lagt vores forhold på hylden."

"Det kan jeg forstå, men det kommer stadig ikke mig ved. Hvordan skrider arbejdet?"

Mikael skænkede sig noget kaffe fra Henriks termokande. Han kiggede på den gamle.

"Jeg har fundet noget nyt materiale, og jeg tror, jeg bliver nødt til at låne en bil."

Mikael brugte et godt stykke tid på at gøre rede for sine overvejelser. Han tog sin iBook op af skuldertasken og afspillede billedsekvensen, der viste, hvordan Harriet havde reageret på Järnvägsgatan. Han viste også, hvordan han havde fundet tilskuerne med kameraet og deres bil med streameren fra Norsjö Snickerifabrik. Da han var færdig med sin fremlæggelse, bad Henrik Vanger Mikael vise ham billedserien endnu en gang.

Da Henrik Vanger kiggede op fra computerskærmen, var han grå i ansigtet. Mikael blev pludselig forskrækket og lagde hånden på hans skulder. Henrik Vanger viftede den væk. Han sad tavs et øjeblik.

"Du har fandengalemig gjort det, jeg troede var umuligt. Du har opdaget noget helt nyt. Hvordan vil du gå videre?"

"Jeg skal have fundet frem til den bil, hvis den da overhovedet eksisterer endnu."

Han nævnte ikke noget om ansigtet i vinduet og sin mistanke om, at det var Cecilia Vanger. Hvilket formodentlig viste, at han langtfra var nogen objektiv privatdetektiv.

Harald Vanger var forsvundet fra vejen – måske tilbage til sin hule – da Mikael atter kom ud. Da han drejede om hjørnet, opdagede han, at nogen sad med ryggen til ham på trappen til hans gæstehytte og læste i en avis. I brøkdelen af et sekund troede han, det var Cecilia Vanger, men blev øjeblikkelig klar over, at det ikke var tilfældet. På trappen sad en mørkhåret pige, som han straks genkendte, da han kom nærmere.

"Hej, far," sagde Pernilla Abrahamsson.

Mikael gav sin datter et stort knus.

"Hvor i alverden kommer du fra?"

"Hjemmefra, selvfølgelig. På vej til Skellefteå. Jeg bliver her i nat."

"Og hvordan har du fundet herhen?"

"Mor vidste jo, hvor du var. Og jeg spurgte efter din adresse henne på cafeen. Hun forklarede vejen. Er jeg velkommen?"

"Selvfølgelig. Kom med ind. Hvis du havde forberedt mig, ville jeg have købt noget lækker mad eller den slags."

"Det var en pludselig indskydelse. Jeg ville hilse dig velkommen tilbage fra fængslet, men du ringede aldrig."

"Om forladelse."

"Det er helt i orden. Mor har fortalt, at du altid går rundt i dine egne tanker."

"Er det sådan, hun beskriver mig?"

"Mere eller mindre, men det gør ikke noget. Jeg elsker dig alligevel."

"Jeg elsker også dig, men du ved ..."

"Ja, jeg ved det. Men jeg er faktisk ved at være voksen."

MIKAEL LAVEDE TE og satte kager frem. Han blev pludselig klar over, at det, hans datter havde sagt, faktisk var sandt. Hun var ikke nogen lille pige mere, hun var næsten sytten år og snart en voksen kvinde. Han måtte lære at holde op med at behandle hende som et barn.

"Så hvordan var det?"

"Hvad?"

"Fængslet."

Mikael lo.

"Ville du tro mig, hvis jeg sagde, det var som en betalt ferie, hvor jeg fik fred til at tænke og skrive?"

"Helt sikkert. Jeg tror ikke, der er nogen større forskel på et fængsel og et kloster, og folk er altid gået i kloster for at udvikle sig."

"Tja, sådan kan man jo også se på det. Jeg håber ikke, du har fået problemer, fordi din far har siddet i spjældet."

"Overhovedet ikke. Jeg er stolt af dig og udnytter enhver chance for at prale med, at du har siddet inde for det, du tror på."

"Tror på?"

"Jeg så Erika Berger i fjernsynet."

Mikael blegnede. Han havde ikke så meget som skænket sin datter en tanke, da Erika havde lagt strategien, og hun troede åbenbart, at han var uskyldig som et nyfødt barn.

"Pernilla, jeg var ikke uskyldig. Jeg er ked af, at jeg ikke kan diskutere det, der skete, men jeg blev ikke uretfærdigt dømt. Domstolen dømte ud fra det, der kom frem under retssagen."

"Men du fortalte aldrig din version af historien."

"Nej, fordi jeg ikke kan bevise den. Jeg begik en megabrøler, og derfor måtte jeg i fængsel."

"Okay, men svar mig så på det her spørgsmål: Er Wennerström en slyngel, eller er han ikke?"

"Han er en af de værste banditter, jeg nogensinde er stødt på."

"Godt. Mere behøver jeg ikke at vide. Jeg har en gave til dig."

Hun tog en pakke op af sin taske. Mikael åbnede den og fremdrog en cd-collection med Eurythmics' største hits. Hun vidste, det var en af hans yndlingsgrupper. Han gav hende et knus, satte cd'en i sin iBook, og sammen lyttede de til *Sweet Dreams*.

"Hvad skal du lave oppe i Skellefteå?" spurgte Mikael.

"Jeg skal på bibelskole i en sommerlejr hos nogen, der hedder Livets lys," svarede Pernilla, som om det var det mest naturlige i verden.

Mikael mærkede pludselig sine nakkehår rejse sig.

Det gik op for ham, hvor meget hans datter og Harriet Vanger lignede hinanden. Pernilla var seksten år, ligesom Harriet var, da hun forsvandt. Begge havde en fraværende far. Begge blev draget mod et religiøst sværmeri og kontroversielle sekter; Harriet mod den lokale pinsemission og Pernilla mod en lokal aflægger af noget, der var nogenlunde lige så tåbeligt som Livets ord.

Mikael vidste ikke rigtigt, hvordan han skulle håndtere datterens gryende interesse for religion. Han var bange for at buse frem og indskrænke hendes ret til selv at afgøre, hvilken livsvej hun ville følge. Samtidig var Livets lys i allerhøjeste grad en sekt af den type, som han og Erika uden tvivl kunne finde på at sværte til i *Millennium*. Han besluttede, at han ved først givne lejlighed ville drøfte sagen med Pernillas mor.

Pernilla sov i Mikaels seng, mens han tilbragte natten på slagbænken i køkkenet. Han vågnede med stiv nakke og ømme muskler. Pernilla var ivrig efter at rejse videre, så Mikael lavede morgenmad og fulgte hende til stationen. De var i god tid, så de købte sig en kop kaffe på jernbanecafeteriaet og satte sig derefter på en bænk på perronen og snakkede om alt muligt. Lige før toget ankom, skiftede hun emne.

"Du er ikke meget for, at jeg tager til Skellefteå," sagde hun pludselig.

Mikael vidste ikke, hvad han skulle svare.

"Det er helt i orden, men du er ikke kristen, vel?"

"Nej, jeg er vist ikke nogen god kristen."

"Tror du ikke på Gud?"

"Nej, jeg tror ikke på Gud, men jeg respekterer, at du gør det. Alle mennesker har brug for noget at tro på."

Da hendes tog kørte ind på stationen, omfavnede de hinanden længe, indtil Pernilla var nødt til at stige om bord. På vej ind vendte hun sig om.

"Far, jeg vil ikke missionere. For min skyld kan du tro på, hvad du vil, og jeg vil altid elske dig, men jeg synes, du skal fortsætte dine bibelstudier."

"Hvad mener du?"

"Jeg bemærkede det citat, du havde på væggen," sagde hun. "Men hvorfor vælge sådan nogle dystre og neurotiske nogen? Møsmøs. Hej med dig."

Hun vinkede og forsvandt. Mikael blev stående perpleks på perronen og så toget rulle nordpå. Først da det forsvandt i svinget, fæstede betydningen af hendes afskedsord sig i hans bevidsthed, og han blev opfyldt af en isnende fornemmelse.

Mikael stormede ud fra stationen, mens han så på uret. Der var fyrre minutter, til bussen til Hedeby skulle afgå. Så længe havde han ikke nerver til at vente. Han spænede over til taxaholdepladsen på den anden side af jernbanetorvet og fandt Hussein med den norrlandske dialekt.

Ti minutter senere betalte Mikael taxaen og gik direkte ind i sit arbejdsværelse. Han havde tapet papiret op på væggen over skrivebordet.

Magda - 32016
Sara - 32109
RJ - 30112
RL - 32027
Mari - 32018

Han så sig omkring i værelset. Så gik det op for ham, at han ikke ville finde en bibel. Han tog papirlappen med sig, fandt nøglerne, som han havde lagt i en skål i vinduet, og gik i rask trav hele vejen ud til Gottfrieds sommerhus. Hans hænder rystede næsten, da han tog Harriets bibel ned fra reolen.

Harriet havde ikke noteret telefonnumre. Tallene angav kapitel og vers i Tredje Mosebog. Om ofre og straf.

> (Magda) Tredje Mosebog, kapitel 20, vers 16:
> *"Hvis en kvinde kommer noget som helst dyr nær, for at det skal parre sig med hende, skal du dræbe både kvinden og dyret. De skal lide døden. De har selv skylden for deres død."*

> (Sara) Tredje Mosebog, kapitel 21, vers 9:
> *"Hvis en præstedatter vanærer sig ved at bedrive hor, er det sin far, hun vanærer. Hun skal brændes."*

> (RJ) Tredje Mosebog, kapitel 1, vers 12:
> *"Så skal han skære det ud, også hoved og nyrefedt, og præsten skal lægge det til rette på brændet over ilden på alteret."*

(RL) Tredje Mosebog, kapitel 20, vers 27:
"Når en mand eller en kvinde har en dødemaners eller en sandsigers ånd i sig, skal de lide døden. I skal stene dem. De har selv skylden for deres død."

(Mari) Tredje Mosebog, kapitel 20, vers 18:
"Hvis en mand har samleje med en kvinde med menstruation og blotter hendes køn, har han blotlagt hendes kilde, og hun selv har blottet sit blods kilde. De skal begge udryddes fra deres folk."

Mikael gik ud og satte sig på verandaen foran huset. At det var dette, Harriet havde henvist til, da hun nedskrev tallene i sin kalender, herskede der ingen tvivl om. Hvert citat var omhyggeligt streget under i Harriets bibel. Han tændte en cigaret og lyttede til fuglesangen.

Han havde opklaret tallenes betydning, men ikke navnenes. Magda, Sara, Mari, RJ og RL.

Lige pludselig åbnede en afgrund sig, da Mikaels hjerne foretog et intuitivt spring. Han kom i tanker om det brændoffer i Hedestad, som kriminalkommissær Gustaf Morell havde fortalt om. Rebecka-sagen fra engang sidst i fyrrerne, pigen, der var blevet voldtaget og myrdet ved, at hendes hoved var blevet lagt på glødende kul. *"Så skal han skære det ud, også hoved og nyrefedt, og præsten skal lægge det til rette på brændet over ilden på alteret."* Rebecka. RJ. Hvad hed hun til efternavn?

Hvad i himlens navn havde Harriet været rodet ind i?

Henrik Vanger var pludselig blevet sløj og var allerede gået i seng, da Mikael bankede på om eftermiddagen. Anna lukkede ham ikke desto mindre ind, så han kunne aflægge den gamle et kort besøg.

"En sommerforkølelse," forklarede Henrik snøftende. "Hvad vil du?"

"Jeg har et spørgsmål."

"Spyt ud."

"Har du hørt om et mord, der skulle være begået her i Hedestad engang i fyrrerne? En pige ved navn Rebecka, der blev myrdet ved at få sit hoved stukket ind i en åben pejs."

"Rebecka Jacobsson," sagde Henrik Vanger uden et øjebliks tøven. "Det er et navn, jeg aldrig vil glemme, men det er år og dag, siden jeg hørte om hende."

"Men du kender til mordet?"

"I allerhøjeste grad. Rebecka Jacobsson var treogtyve eller fireogtyve, da hun blev myrdet. Det må have været i ... det var i 1949. Der pågik en intensiv efterforskning, og jeg var faktisk selv en smule involveret."

"Var *du*?" udbrød Mikael forundret.

"Ja. Rebecka Jacobsson var ansat som kontordame i Vanger-koncernen. Hun var en populær og meget køn pige. Men hvorfor spørger du lige pludselig om hende?"

Mikael vidste ikke, hvad han skulle svare. Han rejste sig og gik hen til vinduet.

"Jeg er ikke helt sikker, Henrik. Jeg har muligvis fundet noget, men jeg er nødt til at tænke lidt mere over det."

"Du antyder med andre ord, at der kan være en forbindelse mellem Harriet og Rebecka. Der var ... cirka sytten år mellem begivenhederne."

"Lad mig tænke over sagen. Jeg kigger herhen i morgen, hvis du har det bedre."

MIKAEL MØDTE IKKE Henrik Vanger dagen efter. Ved ettiden om natten, hvor han endnu sad ved bordet og læste i Harriets bibel, hørte han lyden af en bil, der kørte over broen med stor fart. Han skævede ud ad køkkenvinduet og så et glimt af en ambulances blinklys.

Opfyldt af bange anelser stormede Mikael ud af huset og fulgte efter ambulancen. Den havde parkeret uden for Henrik Vangers hus. Der var tændt lys i stueetagen, og Mikael var øjeblikkelig klar over, at der var sket noget. Han tog trappen op til hoveddøren i to skridt og blev i entreen mødt af en rystet Anna Nygren.

"Hjertet," sagde hun. "Han vækkede mig for lidt siden og klagede over smerter i brystet. Så faldt han sammen."

Mikael slog armene om den loyale husholderske og blev stående, da ambulancefolkene kom ud med en tilsyneladende livløs

Henrik Vanger på båren. En tydeligt oprevet Martin Vanger fulgte i hælene på dem. Han var netop gået i seng, da Anna havde ringet efter ham; han havde bare fødder i hjemmesko og havde ikke nået at lyne gylpen på sine bukser. Han hilste kort på Mikael og henvendte sig så til Anna.

"Jeg tager med på hospitalet. Ring til Birger og Cecilia," lød hans instrukser. "Og giv Dirch Frode besked."

"Jeg kan gå hen til Frode," tilbød Mikael. Anna nikkede taknemmeligt.

At banke på en dør efter midnat betyder ofte dårlige nyheder, tænkte Mikael, da han satte fingeren på Dirch Frodes dørklokke. Det varede flere minutter, før en søvndrukken Frode lukkede op.

"Jeg har dårlige nyheder. Henrik Vanger er lige blevet kørt på hospitalet. Det er tilsyneladende et hjerteanfald. Martin bad mig underrette dig."

"Åh gud dog," sagde Dirch Frode. Han kiggede på sit armbåndsur. "Og det er fredag den 13.," tilføjede han med uforståelig logik og et forvirret ansigtsudtryk.

DA MIKAEL VAR kommet hjem igen, var klokken halv tre om natten. Han tøvede et øjeblik, men besluttede sig så for at udsætte opringningen til Erika. Først ved titiden næste formiddag, efter at han havde ført en kort samtale med Dirch Frode på mobilen og forvisset sig om, at Henrik Vanger fortsat var i live, ringede han til Erika og fortalte, at *Millenniums* nye medejer var kommet på hospitalet med et hjerteanfald. Beskeden blev ikke uventet modtaget med stor forstemthed og bekymring.

FØRST SENT OM aftenen kom Dirch Frode over til Mikael og redegjorde mere udførligt for Henrik Vangers tilstand.

"Han lever, men han har det ikke godt. Han har haft et alvorligt slagtilfælde og har derudover også pådraget sig en infektion."

"Har du talt med ham?"

"Nej, han ligger på intensivafdelingen. Martin og Birger sidder hos ham."

"Chancerne?"

Dirch Frode trak på skuldrene.

"Han har overlevet slagtilfældet, og det er jo altid et godt tegn. Og Henrik er faktisk i ret god form, men han er gammel. Vi må vente og se."

De sad tavse lidt og tænkte over livets skrøbelighed. Mikael skænkede kaffe op. Dirch Frode så mistrøstig ud.

"Jeg er nødt til at vide, hvad der kommer til at ske nu," sagde Mikael.

Frode kiggede op på ham.

"Dine ansættelsesvilkår vil ikke blive ændret. De er fastsat i kontrakten, der løber året ud, uanset om Henrik overlever eller ej. Det behøver du ikke bekymre dig om."

"Det gør jeg heller ikke, og det var ikke det, jeg havde i tankerne. Jeg spekulerer på, hvem jeg skal rapportere til i hans fravær."

Dirch Frode sukkede.

"Mikael, du ved lige så vel som jeg, at hele den historie om Harriet Vanger blot er et tidsfordriv for Henrik."

"Det er jeg ked af at høre."

"Hvad mener du?"

"Jeg har fundet nyt bevismateriale," sagde Mikael. "Jeg informerede Henrik om noget af det i går. Jeg er bange for, det kan have været med til at udløse hans slagtilfælde."

Dirch Frode så på Mikael med et uudgrundeligt blik.

"Det er din spøg."

Mikael rystede på hovedet.

"Dirch, inden for de seneste dage har jeg gravet mere materiale frem om Harriets forsvinden, end det er lykkedes hele den officielle efterforskning på mindst femogtredive år. Mit problem lige nu er, at vi aldrig har fået lagt fast, hvem jeg skal rapportere til, hvis Henrik ikke er her."

"Du kan fortælle det til mig."

"Okay. Jeg er nødt til at gå videre med det her. Har du tid nu?"

Mikael redegjorde så pædagogisk, som det var ham muligt, for sine nye opdagelser. Han afspillede billedsekvensen fra Järnvägsgatan og fremlagde sin teori. Derefter fortalte han, hvordan hans egen datter havde knækket telefonnummerkoden. Endelig omtalte han det brutale mord på Rebecka Jacobsson i 1949.

Den eneste oplysning, han endnu beholdt for sig selv, var Cecilia Vangers ansigt i Harriets vindue. Han ønskede stadig at tale med hende selv, før han bragte hende i en position, hvor hun kunne komme under mistanke for noget.

Dirch Frode rynkede bekymret panden.

"Du mener med andre ord, at mordet på Rebecka hænger sammen med Harriets forsvinden?"

"Jeg ved det ikke. Det virker usandsynligt, men vi kan ikke se bort fra det faktum, at Harriet havde noteret initialerne RJ i sin kalender sammen med henvisningen til bibelcitatet om brændoffer. Rebecka Jacobsson blev brændt til døde. Koblingen til familien Vanger er umiskendelig – hun arbejdede i Vangerkoncernen."

"Og hvordan vil du forklare alt det her?"

"Det kan jeg ikke endnu, men jeg vil gå videre med det. Jeg betragter dig som Henriks repræsentant. Du må tage beslutninger i hans sted."

"Vi burde måske kontakte politiet."

"Nej. I hvert fald ikke uden Henriks tilladelse. Mordet på Rebecka har været forældet i årevis, og politiefterforskningen er afsluttet. De vil ikke genoptage en mordsag, der er fireoghalvtreds år gammel."

"Jeg er helt med. Hvad har du tænkt dig at gøre?"

Mikael rejste sig og gik en runde i køkkenet.

"For det første vil jeg følge op på fotografierne. Hvis vi kan finde ud af, hvad Harriet så ... jeg tror, det kan være en nøgle til det hele. For det andet har jeg brug for en bil, så jeg kan køre til Norsjö og følge sporet, hvor det så end fører mig hen. Og for det tredje vil jeg følge op på bibelcitaterne. Ét af citaterne kan vi koble til et helt igennem modbydeligt mord, men vi har fire citater tilbage. For at følge op på dem ... så får jeg brug for hjælp."

"Hvilken slags hjælp?"

"Jeg får brug for en researchmedarbejder, der kan grave sig igennem gamle pressearkiver og finde Magda og Sara og de andre navne. Hvis det forholder sig, som jeg tror, er Rebecka ikke det eneste offer."

"Du vil altså indvie andre i ..."

"Der er pludselig blevet tale om en masse kulegravning. Hvis jeg var ansat ved kriminalpolitiet og havde en aktuel sag, ville jeg have nogle ressourcer og få folk til at arbejde for mig. Jeg har brug for en prof, der har forstand på at grave i arkiver, og som samtidig er pålidelig."

"Jeg kan se, hvor du vil hen ... og jeg kender faktisk en dygtig researcher. Det var hende, der tjekkede dig for mig," sagde Frode, før han nåede at styre sin tunge.

"HVAD SNAKKER DU om?" spurgte Mikael skarpt.

Det gik pludselig op for Dirch Frode, at han havde sagt noget, han muligvis burde have holdt mund med. Jeg er ved at blive gammel, tænkte han.

"Jeg tænkte højt. Det var ikke noget," sagde han prøvende.

"Har du fået mig tjekket?"

"Det er ikke noget dramatisk, Mikael. Vi ville hyre dig og tjekkede, hvad du var for en fyr."

"Det er altså derfor, Henrik Vanger altid synes at vide, præcis hvor han har mig. Hvor grundig var undersøgelsen af mig?"

"Den var temmelig grundig."

"Kom den ind på *Millenniums* problemer?"

Dirch Frode trak på skuldrene. "Det lå jo lige for."

Mikael tændte en cigaret. Det var dagens femte. Han var klar over, at det var ved at blive en dårlig vane.

"Blev der udfærdiget en skriftlig rapport?"

"Det er ikke noget at hidse sig op over, Mikael."

"Jeg vil læse rapporten," sagde han.

"Lad nu være. Den slags er helt normalt. Vi ville bare tjekke dig, før vi ansatte dig."

"Jeg vil læse rapporten," gentog Mikael.

"Så må du skaffe Henriks tilladelse."

"Jaså? Lad mig sige det sådan her: Jeg vil have rapporten i hånden, inden der er gået en time. Hvis jeg ikke får det, siger jeg op på stående fod og tager aftentoget til Stockholm. Hvor har I rapporten?"

Dirch Frode og Mikael målte hinanden med blikket i nogle sekunder, hvorefter Frode sukkede og slog blikket ned.

"Hjemme på mit kontor."

HARRIET VANGER-SAGEN var uden nogen tvivl den mest bizarre historie, Mikael nogensinde havde været involveret i. I det hele taget havde hele det sidste år fra det øjeblik, han offentliggjorde historien om Hans-Erik Wennerström, været én lang rutsjebanetur – primært ned ad bakke. Og den var tilsyneladende ikke overstået endnu.

Dirch Frode havde undslået sig i det uendelige. Først klokken seks om aftenen sad Mikael med Lisbeth Salanders rapport i hånden. Det var en godt firs siders afhandling plus hundrede sider med kopier af artikler, afskrifter af karakterbøger samt diverse andet, der detaljeret beskrev Mikaels liv.

Det var en besynderlig oplevelse at læse om sig selv i noget, som nærmest måtte opfattes som en kombineret selvbiografi og efterretningsrapport. Mikael følte en voksende forbløffelse over, hvor detaljeret rapporten var. Lisbeth Salander havde anført småting, som han havde troet var for evigt begravet i historiens kompostbunke. Det var lykkedes hende at opspore et forhold, han i sin pureste ungdom havde haft til en kvinde, der havde været rødglødende syndikalist, og som nu var levebrødspolitiker. *Hvem i alverden havde hun snakket med?* Hun havde fundet frem til hans rockband Bootstrap, som der ellers næppe var nogen i dag, der havde den fjerneste erindring om. Hun kendte hans privatøkonomi ned til mindste detalje. *Hvordan fanden havde hun båret sig ad med det?*

Som journalist havde Mikael brugt årevis på at finde information om personer og kunne derfor bedømme arbejdets kvalitet professionelt. I hans øjne herskede der ingen tvivl om, at Lisbeth Salander var fandens til sporhund. Han tvivlede på, at han selv ville kunne præstere en tilsvarende rapport om en for ham fuldstændigt ukendt person.

Mikael noterede sig også, at han og Erika aldrig havde haft grund til at holde en høflig distance i deres omgang med Henrik

Vanger; han var i forvejen – og det ned til mindste detalje – informeret om deres mangeårige forhold samt trekanten med Greger Beckman. Lisbeth Salander havde også foretaget en uhyggeligt præcis vurdering af *Millenniums* situation; Henrik Vanger havde vidst, hvor dårligt det stod til, da han kontaktede Erika og tilbød at blive medejer. *Hvad har han egentlig gang i?*

Wennerström-affæren blev kun behandlet flygtigt, men hun havde åbenbart siddet blandt tilskuerne under retssagen. Hun satte også spørgsmålstegn ved Mikaels mærkværdige vægren ved at udtale sig i retten. *Kvik tøs, hvem hun så end var.*

Og så rykkede Mikael i sædet og troede ikke sine egne øjne. Lisbeth Salander havde skrevet en kort passus om, hvad hun forventede, der ville ske efter retssagen. Hun havde næsten ordret gengivet den pressemeddelelse, han og Erika havde udsendt, da han forlod posten som ansvarshavende redaktør for *Millennium.*

Men Lisbeth Salander havde brugt hans originaludkast. Han kiggede endnu en gang på rapportens omslag. Den var dateret, tre dage før Mikael stod med domsafsigelsen i hånden. *Det var simpelthen umuligt.*

Den dag eksisterede pressemeddelelsen kun ét eneste sted i hele verden: i Mikaels egen computer. I hans iBook og ikke i computeren på redaktionen. Teksten var aldrig blevet printet ud. End ikke Erika Berger havde haft en kopi, selvom de havde diskuteret emnet som sådan.

Mikael lagde langsomt Lisbeth Salanders PU fra sig. Han blev enig med sig selv om ikke at tænde endnu en cigaret. I stedet tog han sin jakke på og gik ud i den lyse nat, en uge før midsommer. Han fulgte stranden langs sundet forbi Cecilias hus og den prangende lystyacht neden for Martin Vangers villa. Han gik langsomt og grublede. Til sidst satte han sig på en sten og kiggede på de blinkende fyr ude i Hedestadbugten. Der var kun én forklaring.

Du har været inde i min computer, frøken Salander, sagde han højt til sig selv. *Du er en skide hacker.*

KAPITEL 18

Onsdag den 18. juni

LISBETH SALANDER VÅGNEDE med et sæt af en drømmeløs søvn. Hun havde en smule kvalme. Hun behøvede ikke dreje hovedet for at vide, at Mimmi allerede var gået på arbejde, men duften af hende hang endnu i den indelukkede luft i soveværelset. Hun havde drukket for mange øl på tirsdagsmødet på Kvarnen aftenen forinden sammen med *Evil Fingers*. Lige før lukketid var Mimmi dukket op og var gået med hende hjem i seng.

Til forskel fra Mimmi havde Lisbeth Salander aldrig opfattet sig selv som lesbisk. Hun havde aldrig givet sig tid til at fundere over, om hun var hetero-, homo- eller muligvis biseksuel. I det hele taget ville hun skide på etiketter, og efter hendes mening ragede det ikke nogen, hvem hun var sammen med om natten. Hvis hun absolut skulle vælge side seksuelt, så foretrak hun fyre – det var i hvert fald dem, der indtog førstepladsen på scoringslisten. Problemet var bare at finde en fyr, der ikke var totalt hjernedød og samtidig også var til noget i sengen, og Mimmi var et behageligt og kønt kompromis, der kunne tænde hende. Hun havde mødt Mimmi i et øltelt ved Pridefestivalen året før, og hun var den eneste person, Lisbeth selv havde introduceret i *Evil Fingers*. De havde været sammen nu og da i det forløbne år, men ingen af dem opfattede det som noget alvorligt. Mimmi var en varm og blød krop at putte sig ind til, men hun var også et menneske, som Lisbeth gad vågne op ved siden af og sågar spise morgenmad sammen med.

Uret på natbordet viste halv ti om formiddagen, og hun begyndte at undre sig over, hvad der havde vækket hende, da dørklokken ringede igen. Hun rejste sig forvirret op. Der var *ingen*, der nogensinde ringede på hos hende på den tid af dagen.

I det hele taget var der meget få, der ringede på. Hun var pludselig lysvågen, trak dynen rundt om sig og vaklede ud i entreen og åbnede. Hun kiggede direkte ind i Mikael Blomkvists øjne, mærkede panikken bruse gennem kroppen og trådte instinktivt et skridt baglæns.

"Godmorgen, frøken Salander," hilste han muntert. "Jeg kan forstå, at det blev sent i går. Må jeg komme ind?"

Uden at vente på at blive budt indenfor gik han ind og lukkede døren efter sig. Han kiggede nysgerrigt på stakken af tøj på entrégulvet og bjerget af poser med aviser og skævede ind ad soveværelsesdøren, mens Lisbeths verden slog kolbøtter. *Hvordan, hvad, hvem?* Mikael morede sig over hendes forfjamskelse.

"Jeg gik ud fra, at du ikke havde spist morgenmad endnu, så jeg har medbragt nogle bagels. En med roastbeef, en med kalkun og dijonsennep og en vegetarisk med avocado. Jeg ved ikke, hvad du foretrækker. Roastbeef?" Han forsvandt ind i køkkenet og fandt straks hendes kaffemaskine. "Hvor gemmer du kaffen?" råbte han. Salander stod som paralyseret i entreen, indtil hun hørte ham åbne vandhanen. Så kom der liv i hende.

"Stop!" Det gik op for hende, at hun havde råbt, så hun dæmpede stemmen. "Du kan sgu da ikke bare tromle ind, som om du bor her. Vi kender ikke engang hinanden."

Mikael tøvede med hånden på kaffemaskinens kande, kiggede på hende og svarede så:

"Der tager du fejl! Du kender mig bedre end nogen! Har jeg ret?"

Han vendte ryggen til hende og fortsatte med at hælde vand op og åbne dåser på køkkenbordet. "Og apropos det, så ved jeg, hvordan du gør. Jeg kender dine hemmeligheder."

LISBETH SALANDER LUKKEDE øjnene og ønskede, gulvet ville forsvinde under hendes fødder. Hun befandt sig i en tilstand af intellektuel lammelse. Hun havde tømmermænd. Situationen var uvirkelig, og hendes hjerne nægtede at fungere. Hun havde aldrig før mødt nogen af sine undersøgelsesobjekter ansigt til ansigt. *Han ved, hvor jeg bor!* Han stod inde i hendes køkken. Det var umuligt. Det burde ikke kunne ske. *Han ved, hvem jeg er!*

Hun opdagede pludselig, at dynen var gledet til side, og svøbte den tættere om kroppen. Han sagde et eller andet, som hun lige først ikke opfattede. "Vi må tale om det her," gentog han. "Men du skulle måske gå ud under bruseren først."

Hun gjorde et forsøg på at lyde fornuftig. "Hør lige her – hvis du er ude på ballade, så er du gået helt galt i byen. Jeg gjorde, hvad jeg fik besked på, så du må hellere snakke med min chef."

Han stillede sig foran hende og holdt håndfladerne op. *Jeg er ubevæbnet.* Et universelt fredstegn.

"Jeg har allerede snakket med Dragan Armanskij. Han vil for øvrigt bede dig ringe til ham – du har ikke svaret på hans mobilbesked i aftes."

Han gik hen mod hende. Hun følte sig ikke truet, men trak sig alligevel nogle centimeter tilbage, da han rørte ved hendes arm og pegede mod døren til badeværelset. Hun brød sig ikke om, at nogen prikkede til hende, selvom det var i al venskabelighed.

"Jeg er ikke ude på ballade," sagde han stille, "men jeg vil meget gerne tale med dig. Når du er kommet til hægterne, mener jeg. Kaffen er klar, når du er kommet i tøjet, så få lige lidt vand i øjnene, skatter."

Hun adlød ham viljeløst. *Lisbeth Salander er aldrig viljeløs,* tænkte hun.

INDE PÅ BADEVÆRELSET lænede hun sig op ad døren og prøvede at samle tankerne. Hun var mere rystet, end hun ville have troet muligt. Så indså hun, at hendes blære var ved at sprænges, og at en tur under bruseren ikke bare var et fornuftigt råd, men en nødvendighed efter nattens eskapader. Da hun var færdig, smuttede hun ind i soveværelset og iførte sig trusser, cowboybukser og en T-shirt med inskriptionen *Armageddon was yesterday – today we have a serious problem.*

Efter at have tænkt sig om et kort øjeblik fandt hun sin læderjakke, der var slængt hen over en stol. Hun tog sin stungun op af lommen, tjekkede batteriet og stak den ned i bukselommen. En duft af kaffe bredte sig i lejligheden. Hun tog en dyb indånding og vendte tilbage til køkkenet.

"Gør du aldrig rent?" lød hans velkomsthilsen.

Han havde fyldt vasken med snavset porcelæn, tømt askebægrene, fjernet gamle mælkekartoner og ryddet bordet for fem ugers dynger af aviser, tørret dugen af og sat kopper og – det havde ikke været hans spøg – bagels frem. Det så indbydende ud, og hun var faktisk sulten efter natten med Mimmi. *Okay, nu må vi jo se, hvad der sker.* Hun tog afventende plads foran ham.

"Du svarede aldrig på mit spørgsmål. Roastbeef, kalkun eller vegetarisk?"

"Roastbeef."

"Så tager jeg kalkunen."

De indtog morgenmaden i tavshed, mens de studerede hinanden. Da hun havde spist sin bagel, snuppede hun også resten af den vegetariske, som han havde levnet. Så tog hun en krøllet pakke cigaretter i vindueskarmen og fiskede en smøg frem.

"Okay, så ved jeg dét," sagde han og brød tavsheden. "Jeg er muligvis ikke så god som dig til at tjekke folk, men nu ved jeg i hvert fald, at du hverken er veganer eller – som Dirch Frode troede – anorektiker. Det må jeg huske at indføje i min rapport."

Lisbeth stirrede på ham, men da hun så hans ansigt, forstod hun, at han lavede sjov med hende. Han så i virkeligheden ud til at more sig, så hun kunne ikke lade være med at reagere på samme måde. Hun sendte ham et skævt smil. Situationen var totalt absurd. Hun skubbede tallerkenen væk. Han havde venlige øjne. Hvad han end var, så var han formentlig ikke et ondt menneske, afgjorde hun med sig selv. Der var heller ikke noget i den PU, hun havde foretaget, der tydede på, at han var en led stodder, der tævede sine kærester eller den slags. Hun mindede sig selv om, at det var hende, der vidste alt om ham – ikke omvendt. *Viden er magt.*

"Hvad griner du ad?" spurgte hun.

"Undskyld. Jeg havde faktisk ikke planlagt at gøre sådan en entré. Det var ikke min hensigt at skræmme dig, som jeg åbenbart har gjort, men du skulle have set dig selv, da du åbnede døren. Ubetaleligt. Jeg kunne ikke modstå fristelsen til at lave fis med dig."

Tavshed. Til sin egen overraskelse oplevede Lisbeth Salander pludselig hans ubudne selskab som acceptabelt – eller i hvert fald ikke ubehageligt.

"Du kan betragte det som min frygtelige hævn over, at du snager i mit privatliv," sagde han muntert. "Er du bange for mig?"

"Nej," svarede Salander.

"Godt. Jeg er her ikke for at gøre dig fortræd eller komme i klammeri med dig."

"Hvis du så meget som rører mig, er du ude at skide. Alvorligt."

Mikael betragtede hende. Hun var godt 150 centimeter høj og så ikke ud til at kunne gøre nævneværdig modstand, hvis han havde været en voldsmand, der var trængt ind i hendes lejlighed. Men hendes blik var udtryksløst og koldt.

"Det bliver ikke aktuelt," sagde han. "Jeg har ingen onde hensigter. Jeg vil snakke med dig. Hvis du vil have mig til at gå, skal du bare sige til." Han holdt inde et øjeblik. "Det føles faktisk lidt pudsigt at ... nå nej." Han afbrød sin sætning.

"Hvad?"

"Det her lyder måske helt åndssvagt, men for fire dage siden vidste jeg ikke engang, at du eksisterede. Men så læste jeg din analyse af mig" – han ledte i skuldertasken og fandt rapporten – "og det var ikke just morsom læsning."

Han tav og kiggede ud ad køkkenvinduet et øjeblik. "Må jeg få en smøg?" Hun skubbede pakken over til ham.

"Lige før sagde du, at vi ikke kendte hinanden, og jeg svarede, at det gør vi." Han pegede på rapporten. "Jeg har langtfra indhentet dig – jeg har kun foretaget et lille rutinetjek og fundet din adresse og fødselsdato og den slags – men du ved tydeligvis meget mere om mig. En hel del er temmelig private oplysninger, som kun mine nærmeste venner har kendskab til. Og nu sidder jeg her i dit køkken og spiser bagels sammen med dig. Vi har kendt hinanden i en halv time, og pludselig får jeg en følelse af, at vi har kendt hinanden i flere år. Forstår du, hvad jeg mener?"

Hun nikkede.

"Du har kønne øjne," sagde han.

"Du har rare øjne," svarede hun. Han kunne ikke afgøre, om hun var ironisk.

Tavshed.

"Hvorfor er du her?" spurgte hun pludselig.

Kalle Blomkvist – hun kom til at tænke på øgenavnet og beherskede en trang til at sige det højt – så pludselig alvorlig ud. Der var en træthed i hans øjne. Den selvsikkerhed, han havde udstrålet, da han brasede ind hos hende, var forsvundet, og hun konkluderede, at komediespillet var slut eller om ikke andet skubbet til side. For første gang følte hun, at han granskede hende indgående og med eftertænksom alvor. Hun kunne ikke afgøre, hvad der rørte sig i hans hoved, men hun fornemmede straks, at hans besøg varslede et eller andet.

LISBETH SALANDER VAR klar over, at hendes ro kun var overfladisk, og at hun ikke rigtig havde kontrol over sine nerver. Blomkvists totalt uventede besøg havde rystet hende på en måde, hun aldrig tidligere havde oplevet i forbindelse med sit job. Hun levede af at udspionere mennesker. Hun havde egentlig aldrig defineret det, hun lavede for Dragan Armanskij, som et *rigtigt arbejde*, men snarere som et indviklet tidsfordriv, ja, næsten en hobby.

Sandheden var – som hun havde forstået for længe siden – at hun kunne lide at bore i andre menneskers liv og afsløre hemmeligheder, som de prøvede at skjule. Hun havde gjort det – i en eller anden form – så langt tilbage hun kunne huske. Og hun gjorde det den dag i dag, ikke kun når Armanskij gav hende opgaver, men sommetider udelukkende for sin fornøjelses skyld. Det gav hende et kick af tilfredsstillelse – det var nøjagtig som et kompliceret computerspil blot med den forskel, at det handlede om levende mennesker. Og nu sad hendes hobby pludselig i køkkenet og inviterede hende på bagels. Situationen føltes fuldkommen absurd.

"Jeg har et fascinerende problem," sagde Mikael. "Sig mig engang ... da du lavede din PU om mig til Dirch Frode, havde du så nogen anelse om, hvad den skulle bruges til?"

"Nej."

"Formålet var at skaffe oplysninger om mig, fordi Frode, eller rettere sagt hans klient, ville ansætte mig til en freelanceopgave."

"Jaså."

Han sendte hende et lille smil.

"En dag skal vi to have os en lille snak om de moralske aspekter ved at snage i et andet menneskes privatliv, men lige nu har jeg helt andre problemer ... Det job, jeg fik, og som jeg af en eller anden ubegribelig grund påtog mig, er uden sammenligning den mest bizarre opgave, jeg nogensinde har haft. Kan jeg stole på dig, Lisbeth?"

"Hvad mener du?"

"Dragan Armanskij siger, du er helt igennem pålidelig, men jeg spørger alligevel. Kan jeg betro dig nogle hemmeligheder, uden at du fortæller dem videre til nogen?"

"Lige et øjeblik. Du har altså snakket med Dragan. Er det ham, der har sendt dig?"

Jeg slår dig ihjel, din skide armenier.

"Nja, egentlig ikke. Du er ikke den eneste, der kan finde folks adresser, så det klarede jeg helt på egen hånd. Jeg slog dig op i folkeregistret. Der findes tre personer med navnet Lisbeth Salander, og de andre to var udelukket. Men jeg kontaktede Armanskij i går, og vi fik os en lang snak. Han troede også først, jeg var kommet for at brokke mig over, at du havde snaget i mit privatliv, men til sidst fik jeg ham overbevist om, at jeg var kommet i et helt legitimt ærinde."

"Og det er?"

"Dirch Frodes klient har som sagt hyret mig til et job, og jeg er nu kommet til et punkt, hvor jeg har brug for hjælp af en dygtig researcher, og det haster som ind i helvede. Frode fortalte om dig og sagde, du var dygtig. Det røg bare ud af munden på ham, og det var på den måde, jeg fik at vide, at du havde lavet en PU på mig. I går talte jeg med Armanskij og satte ham ind i sagen. Han gav grønt lys og prøvede at ringe til dig, men du tog ikke telefonen, så ... her har du mig. Du kan ringe og tjekke det med Armanskij, hvis du har lyst."

DET TOG LISBETH Salander flere minutter at finde sin mobiltelefon under den bunke med tøj, som Mimmi havde hjulpet hende af med. Mikael Blomkvist betragtede hendes forlegenhed med stor interesse og gik så en runde i lejligheden. Stort set alle hendes møbler lignede noget, hun havde fundet i en affaldscontainer. Hun havde en imponerende PowerBook af nyeste model på et lille arbejdsbord i dagligstuen. På en reol stod der en cd-afspiller, men hendes cd-samling var alt andet end imponerende – ti-tyve plader med grupper, Mikael aldrig havde hørt om, og hvor musikerne på coveret lignede vampyrer fra det ydre rum. Han måtte konstatere, at musik ikke var hendes stærke side.

Salander kunne se, at Armanskij havde ringet til hende ikke mindre end syv gange den foregående aften og to gange om morgenen. Hun tastede hans nummer, mens Mikael stod lænet op ad dørkarmen og lyttede med.

"Det er mig ... beklager, men den var slukket ... jeg ved, at han vil hyre mig ... nej, han står her i min stue ..." Hun hævede stemmen. "Dragan, jeg har tømmermænd og ondt i hovedet, så klap nu bare i. Siger du god for ham eller ej? Tak."

Klik.

Lisbeth Salander skævede hen til Mikael. Han gloede på hendes cd'er, løftede på bøgerne i reolen og havde lige fundet en brun medicinflaske uden etiket, som han nysgerrigt holdt op mod lyset. Da han skulle til at skrue låget af, rakte hun hånden frem og tog medicinflasken fra ham, gik ud i køkkenet, satte sig på en stol og masserede sin pande, indtil Mikael tog plads igen.

"Reglerne er enkle," sagde hun. "Intet af det, du diskuterer med mig eller Dragan Armanskij, vil komme nogen udenforstående for øre. Vi vil underskrive en kontrakt, der påbyder Milton Security tavshedspligt. Jeg vil vide, hvad opgaven går ud på, før jeg beslutter, om jeg vil arbejde for dig eller ej. Det betyder, at uanset om jeg tager jobbet eller ej, røber jeg ikke noget af det, du fortæller mig, medmindre det viser sig, at der er tale om grov kriminel virksomhed. I så fald vil jeg rapportere det til Dragan, som herefter vil kontakte politiet."

"Udmærket." Han tøvede. "Armanskij er måske ikke helt klar

over, hvad du skal hjælpe mig med ..."

"Han sagde, jeg skulle hjælpe dig med noget historisk research."

"Ja, det stemmer, men i virkeligheden skal du hjælpe mig med at finde frem til en morder."

DET TOG MIKAEL mere end en time at fortælle alle de komplicerede detaljer i Harriet Vanger-sagen. Han udelod intet. Han havde fået Frodes tilladelse til at ansætte hende, og for at kunne det måtte han kunne stole fuldt og fast på hende.

Han fortalte også om sit forhold til Cecilia Vanger, og hvordan han havde opdaget hendes ansigt i Harriets vindue. Han gav Lisbeth så mange præcise detaljer om hendes personlighed, som han kunne komme i tanker om. Det begyndte at gå op for ham, at Cecilia var klatret højt op på listen over mistænkte. Men han var endnu langt fra at forstå, hvordan Cecilia kunne have forbindelse med en morder, der var aktiv, mens hun ikke var andet end et lille barn.

Da han var færdig, gav han Lisbeth en kopi af listen fra kalenderen.

Magda – 32016
Sara – 32109
RJ – 30112
RL – 32027
Mari – 32018

"Hvad vil du have mig til?"

"Jeg har identificeret RJ, Rebecka Jacobsson, og koblet hende til et bibelcitat om brændofre. Hun blev myrdet, ved at hendes hoved blev anbragt på nogle ulmende gløder, hvilket er næsten præcis, som det beskrives i citatet. Hvis det forholder sig, som jeg tror, vil vi finde endnu fire ofre – Magda, Sara, Mari og RL."

"Du tror altså, de er døde? Myrdet?"

"Af en morder, der huserede i halvtredserne og måske helt op i tresserne, og som på en eller anden måde har forbindelse med Harriet Vanger. Jeg har gennemgået gamle numre af *Hedestads-Kuriren*. Mordet på Rebecka er den eneste groteske forbrydelse, jeg har fundet, med tilknytning til Hedestad. Jeg vil have dig til at grave videre i resten af Sverige."

Lisbeth spekulerede i tavshed og uden at fortrække en mine i så lang tid, at Mikael begyndte at røre utålmodigt på sig. Han overvejede, om han havde henvendt sig til den forkerte person, da hun omsider løftede blikket.

"Okay, jeg tager jobbet, men du skal skrive kontrakt med Armanskij."

DRAGAN ARMANSKIJ UDPRINTEDE kontrakten, som Mikael Blomkvist skulle tage med til Hedestad og lade Dirch Frode underskrive. Da han vendte tilbage til Lisbeth Salanders kontor, så han gennem glasruden, hvordan hun og Mikael Blomkvist stod bøjet over hendes PowerBook. Mikael lagde hånden på hendes skulder – *han rørte ved hende* – og pegede på noget. Armanskij standsede op.

Mikael sagde noget, som syntes at forundre Salander. Så grinede hun højt.

Armanskij havde aldrig tidligere hørt hende le, selvom han i flere år havde forsøgt at vinde hendes fortrolighed. Mikael Blomkvist havde kendt hende i et par timer, og hun grinede allerede sammen med ham.

Pludselig følte han et så voldsomt had til Mikael Blomkvist, at det overraskede ham selv. Han rømmede sig i døråbningen og rakte ham plasticchartekket med kontrakten.

MIKAEL NÅEDE AT aflægge en kort visit på *Millenniums* redaktion om eftermiddagen. Det var første gang, siden han ryddede sit skrivebord før jul, og det føltes pludselig underligt at løbe op ad den velkendte trappe. De havde ikke udskiftet låsekoden, og han kunne ubemærket smutte ind ad døren til redaktionen og kigge sig om et øjeblik.

Millennium havde et L-formet kontorlokale. Selve entreen var et stort rum, der optog en masse plads uden at kunne bruges til noget fornuftigt. De havde møbleret den med en sofagruppe, hvor de kunne tage imod besøgende. Bag sofagruppen lå en frokoststue med tekøkken, toiletter samt to lagerrum med bogreoler og arkivskabe. Der var også et skrivebord, hvor de skiftende praktikanter holdt til. Til højre for entreen var der en glasvæg ind til Christer Malms tegnestue; han havde sit eget firma, der havde til huse på 80 kvadratmeter og havde egen indgang. Til venstre lå selve redaktionen på omkring 150 kvadratmeter og med vinduer ud mod Götgatan.

Erika havde stået for indretningen og opsat glasskillevægge, så redaktionen bestod af tre adskilte kontorer samt et åbent kontorlandskab til de resterende tre medarbejdere. Hun havde lagt beslag på det største kontor længst inde og anbragt Mikael i et kontor i den modsatte ende af lokalet. Det var det eneste kontor, man kunne kigge ind i fra entreen. Han bed mærke i, at ingen var flyttet derind.

Det tredje kontor lå lidt for sig selv og husede tresårige Sonny Magnusson, som i nogle år med succes havde arbejdet som *Millenniums* annoncesælger. Erika havde fundet Sonny, da han blev offer for nedskæringer i den virksomhed, hvor han havde arbejdet i hovedparten af sit erhvervsaktive liv. Sonny havde på det tidspunkt nået en alder, hvor han ikke forventede at blive tilbudt fast arbejde. Erika havde håndplukket ham og tilbudt ham en lille, men fast månedsløn plus procenter af annonceindtægterne. Sonny havde slået til, og det havde ingen af dem fortrudt. Men i det forløbne år havde selv ikke hans store sælgertalent haft nogen betydning; annonceindtægterne var styrtdykket. Sonnys løn var mindsket dramatisk, men i stedet for at se sig om efter et andet arbejde havde han spændt livremmen ind og var loyalt blevet på sin post. *Til forskel fra mig, der var skyld i problemerne*, tænkte Mikael.

Til sidst tog Mikael mod til sig og trådte ind på redaktionen, der var halvtom. Han kunne se Erika sidde inde på sit kontor med et telefonrør for øret. Kun to af medarbejderne var inde på redaktionen. Monika Nilsson på syvogtredive var en dreven journalist med speciale i dækning af det politiske stof og formentlig den mest inkarnerede kyniker, Mikael nogensinde havde mødt. Hun havde arbejdet på *Millennium* i ni år og trivedes fortrinligt. Henry Cortez var fireogtyve år og redaktionens yngste medarbejder; han var tiltrådt som praktikant to år tidligere og havde fra første færd kundgjort, at det var på *Millennium* og ingen andre steder, han ville arbejde. Erika havde ikke råd til at fastansætte ham, men tilbød ham et skrivebord i et hjørne og engagerede ham som fast freelancer.

Begge kom med henrykte udråb, da de fik øje på Mikael. Han fik kys på kinden og dunk i ryggen. De spurgte straks, om han var klar på banen igen, og sukkede skuffet, da han fortalte, at han stadig havde et halvt år tilbage af sin udstationering i Norrland og bare kom forbi for at hilse på og tale med Erika.

Erika blev også glad for at se ham, skænkede kaffe og lukkede døren til sit kontor. Hun spurgte straks til Henrik Vanger. Mikael sagde, at han ikke vidste mere, end hvad Dirch Frode havde fortalt: Den gamle mands tilstand var alvorlig, men han levede endnu.

"Hvad bestiller du her i byen?"

Mikael følte sig pludselig usikker. Eftersom han havde befundet sig på Milton Security blot nogle gader væk, var det faldet ham helt naturligt lige at smutte inden om redaktionen. Men han orkede ikke forklare Erika, at han lige havde hyret en privat sikkerhedskonsulent, der havde hacket sig ind på hans computer. I stedet trak han på skuldrene og sagde, at han havde været nødt til at tage ned til Stockholm i et ærinde, der havde noget med Vanger at gøre, og at han skulle tilbage nordpå med det samme. Han spurgte, hvordan det stod til på redaktionen.

"Ud over de behagelige nyheder om, at både annonceindtægterne og antallet af abonnenter bliver ved at vokse, er der desværre også et voksende problem."

"Siger du det?"

"Janne Dahlman."

"Ja, selvfølgelig."

"Jeg var nødt til at tale med ham under fire øjne i april, lige efter at vi havde offentliggjort nyheden om, at Henrik Vanger var blevet medejer. Jeg ved ikke, om det simpelthen bare er hans natur at være negativ, eller om der ligger noget alvorligere bag.

Om han spiller en slags spil."
"Hvad skete der?"
"Jeg har ikke tillid til ham mere. Da vi havde underskrevet kontrakten med Henrik Vanger, havde Christer og jeg valget mellem straks at orientere hele redaktionen om, at vi ikke længere risikerede at måtte dreje nøglen om til efteråret, eller ..."
"Eller nøjes med at orientere nogle få medarbejdere."
"Netop. Jeg er måske paranoid, men jeg ville ikke risikere, at Dahlman lækkede historien, så vi besluttede at orientere hele redaktionen samme dag, som vi offentliggjorde nyheden. Vi forholdt os med andre ord tavse i mere end en måned."
"Og?"
"Tja, det var den første gode nyhed, redaktionen havde fået i et år. Alle jublede, på nær Dahlman. Jeg mener – vi er jo ikke verdens største redaktion. Der var altså tre personer, der jublede, plus praktikanten, og en, der blev stiktosset over, at vi ikke havde informeret medarbejderne om aftalen tidligere."
"Han er inde på noget ..."
"Det ved jeg godt, men sagen er, at han fortsatte med at brokke sig i dagevis, og stemningen på redaktionen styrtdykkede. Efter at have hørt på hans lort i to uger kaldte jeg ham ind på mit kontor og fortalte ham, at grunden til, jeg ikke havde informeret redaktionen, var, at jeg ikke havde tillid til ham og ikke var sikker på, han ville holde tæt."
"Hvordan tog han det?"
"Han blev selvfølgelig meget såret og oprevet, men jeg stod fast og gav ham et ultimatum: Enten tog han sig sammen, eller han kunne begynde at lede efter et andet job."
"Og?"
"Han har taget sig sammen, men han holder sig for sig selv, og der er en anspændt stemning mellem ham og resten af redaktionen. Christer kan ikke tåle synet af ham og demonstrerer det helt åbenlyst."
"Hvad er det, du mistænker Dahlman for?"
Erika sukkede.
"Jeg ved det ikke. Vi ansatte ham for et år siden, da hele balladen med Wennerström allerede var i gang. Jeg kan ikke bevise

en skid, men jeg har en fornemmelse af, at han ikke arbejder for os."

Mikael nikkede.

"Stol på dine instinkter."

"Måske er han bare en malplaceret skiderik, der spreder dårlig stemning."

"Det er muligt, men jeg er enig med dig i, at vi foretog en fejlvurdering, da vi ansatte ham."

Tyve minutter senere var Mikael på vej nordpå over Slussen i den bil, han havde lånt af Dirch Frodes kone. Det var en ti år gammel Volvo, som hun aldrig brugte. Mikael havde fået lovning på at kunne benytte den, så meget han ville.

DET VAR SMÅBITTE detaljer, som Mikael let ville have overset, hvis han ikke havde været opmærksom. En stak papirer lå mere skævt, end han mente at huske. En mappe var ikke skubbet helt ind i reolen. Skrivebordsskuffen var lukket helt i – Mikael var sikker på, at den havde stået en smule åben, da han dagen før havde forladt Hedeby-øen for at tage til Stockholm.

Et øjeblik blev han siddende stille og tvivlede på sig selv. Derefter voksede en vished inden i ham om, at der havde været nogen i huset.

Han gik ud på trappen og så sig om. Han havde låst døren, men det var en almindelig, gammel lås, som man formodentlig kunne dirke op med en lille skruetrækker, og det var desuden umuligt at vide, hvor mange nøgler der var i omløb. Han gik ind igen og gennemgik systematisk sit arbejdsværelse for at se, om der var forsvundet noget. Lidt efter kunne han konstatere, at alt tilsyneladende var der endnu.

Et faktum var det dog, at nogen var gået ind i huset og havde siddet og bladret i hans papirer og mapper inde i arbejdsværelset. Computeren havde han haft med, så den havde vedkommende ikke fået fingre i. To spørgsmål indfandt sig: Hvem var det? Og hvor meget havde den mystiske gæst fundet ud af?

Mapperne var en del af Henrik Vangers samling, som han havde taget med tilbage til gæstehytten, efter at han kom ud af fængslet. De indeholdt ikke noget nyt materiale. Notesblokkene på skrivebordet var kryptiske for den uindviede – men var den person, der havde gennemsøgt skrivebordet, uindviet?

Det værste af det hele var, at han havde efterladt en plasticlomme midt på skrivebordet med kalendersiden og en renskrift af de bibelcitater, tallene henviste til. Den, der havde gennemsøgt arbejdsværelset, vidste nu, at han havde knækket bibelkoden.

Hvem?

Henrik Vanger lå på hospitalet. Han mistænkte ikke husholdersken Anna. Dirch Frode? Men ham havde han allerede fortalt alle detaljer. Cecilia Vanger havde aflyst sin Florida-rejse og var kommet tilbage fra London sammen med sin søster. Han havde ikke mødt hende, siden hun kom, men han havde set hende køre over broen dagen inden. Martin Vanger. Harald Vanger. Birger Vanger – dagen efter Henriks slagtilfælde var han mødt op til en familierådslagning, hvortil Mikael ikke var inviteret. Alexander Vanger. Isabella Vanger – hun var alt andet end sympatisk.

Hvem havde Frode talt med? Hvor meget var han kommet til at røbe? Hvor mange af de nærmeste havde fundet ud af, at Mikael faktisk havde oplevet et gennembrud i efterforskningen?

Klokken var over otte om aftenen. Han ringede til *Låseeksperten* inde i Hedestad og bestilte en ny lås til hytten. Låsesmeden sagde, han kunne komme næste dag, men Mikael lovede ham dobbelt betaling, hvis han kom omgående. De aftalte, at han ville komme halv elleve og installere en systemlås.

MENS MIKAEL VENTEDE på låsesmeden, gik han over og bankede på hos Dirch Frode ved halvnitiden. Frodes kone tog ham med om i baghaven og tilbød ham en kold pilsner, som han taknemmeligt tog imod. Han spurgte, hvordan det gik med Henrik Vanger.

Dirch Frode rystede på hovedet.

"De har opereret ham. Han har forkalkninger i kranspulsåren. Lægen sagde, det giver grund til håb, at han overhovedet lever, men at den nærmeste tid er kritisk."

Det tænkte de lidt over, mens de drak deres øl.

"Har du talt med ham?"

"Nej, han har ikke været i stand til at tale. Hvordan gik det i Stockholm?"

"Lisbeth Salander har sagt ja. Her er kontrakten fra Dragan Armanskij. Du skal underskrive og returnere den."

Frode skimmede dokumentet.

"Hun er dyr i drift," konstaterede han.

"Henrik har penge nok."

Frode nikkede, tog en pen op af brystlommen og nedkradsede sin underskrift.

"Det er nok bedst, jeg skriver under, mens Henrik endnu er i live. Gider du smide den i postkassen henne ved Konsum?"

MIKAEL GIK I seng allerede ved midnat, men havde svært ved at falde i søvn. Indtil nu havde hele hans besøg på Hedeby-øen haft karakter af efterforskning af historiske kuriosa, men hvis nogen interesserede sig så meget for hans projekt, at pågældende invaderede hans arbejdsværelse, var historien måske mere nutidig, end han havde troet.

Med ét slog det Mikael, at der også var andre, der kunne være interesseret i, hvad han rendte og lavede. Henrik Vangers pludselige opdukken i *Millenniums* bestyrelse var næppe forbigået Hans-Erik Wennerströms opmærksomhed. Eller var sådanne tanker et tegn på, at han var ved at blive paranoid?

Mikael stod ud af sengen, stillede sig nøgen ved køkkenvinduet og kiggede eftertænksomt i retning af kirken på den anden side af broen. Han tændte en cigaret.

Han kunne ikke blive klog på Lisbeth Salander. Hun havde en aparte opførsel med lange pauser midt i samtalen. Hendes hjem var rodet på grænsen til det kaotiske med et bjerg af poser med aviser i entreen og et køkken, der ikke var gjort rent i år og dag. Hendes tøj lå i bunker på gulvet, og hun var åbenbart vågnet efter en lang nat på værtshus. Hun havde sugemærker på halsen og havde tydeligvis haft nogen med hjem om natten. Hun havde adskillige tatoveringer og var piercet et par steder i ansigtet og sikkert også på steder, han ikke havde set. Hun var kort sagt særpræget.

På den anden side havde Armanskij forsikret ham om, at hun var firmaets absolut bedste researcher, og hendes omfattende rapport om ham selv antydede unægtelig, at hun gik grundigt til værks. *Underligt pigebarn.*

LISBETH SALANDER SAD ved sin PowerBook og spekulerede over, hvordan hun havde reageret på Mikael Blomkvist. Hun havde aldrig før i sit voksne liv ladet nogen træde ind over hendes dørtærskel, som hun ikke udtrykkelig havde inviteret, og den lille flok kunne tælles på én hånd. Mikael var helt ugenert trampet lige ind i hendes liv, og hun var kun kommet med vage protester.

Ikke nok med det – han havde drillet hende. Gjort nar ad hende.

Normalt ville sådan en opførsel have fået hende til mentalt at afsikre en pistol, men hun havde ikke følt bare antydningen af trusler eller fjendtlighed fra hans side. Han havde haft al mulig grund til at give hende det glatte lag – sågar melde hende til politiet, da han fandt ud af, at hun havde hacket sig ind på hans computer. I stedet havde han lavet sjov selv med dét.

Det havde været den allermest pinagtige del af deres samtale. Det virkede, som om Mikael helt bevidst undlod at tage tråden op, og til sidst havde hun ikke kunnet dy sig for at stille spørgsmålet.

"Du sagde, du vidste, hvad jeg havde gjort."

"Du er hacker. Du har været inde i min computer."

"Hvordan ved du det?" Lisbeth var fuldstændigt sikker på, at hendes indtrængen ikke kunne spores, medmindre en sikkerhedskonsulent af højeste kaliber sad og scannede harddisken samtidig med, at hun gik ind i computeren.

"Du begik en fejl." Han fortalte, at hun havde citeret en version af en tekst, der kun fandtes på hans computer og ingen andre steder.

Lisbeth Salander sad tavs i lang tid. Til sidst kiggede hun på ham med udtryksløse øjne.

"Hvordan bar du dig ad?" spurgte han.

"Det er min hemmelighed. Hvad vil du gøre ved det?"

Mikael trak på skuldrene.

"Hvad kan jeg gøre? Jeg burde muligvis tage en snak med dig om etik og moral og faren ved at rode i andre menneskers privatliv."

"Ligesom du selv gør som journalist."

Han nikkede.

"Helt rigtigt. Og netop derfor har vi journalister et presseetisk nævn, der holder styr på de moralske aspekter. Når jeg skriver en artikel om en svindler i bankverdenen, så omtaler jeg for eksempel ikke vedkommendes sexliv. Jeg skriver ikke, at en checkrytter er lesbisk eller har sex med sin hund eller den slags, selvom det tilfældigvis skulle være sandt. Selv slyngler har ret til et privatliv, og det er så let at skade mennesker ved at angribe deres livsstil. Kan du følge mig?"

"Ja."

"Du krænker med andre ord min integritet. Min arbejdsgiver behøver ikke vide, hvem jeg har sex med. Det vedkommer kun mig."

Lisbeth Salanders ansigt kløvedes af et skævt smil.

"Du synes altså ikke, jeg burde have nævnt det."

"I mit tilfælde havde det ikke den store betydning. Halvdelen af byen ved alligevel, at jeg og Erika har et forhold. Det er princippet."

"I så fald vil det måske more dig at vide, at jeg også har principper, der svarer til dit presseetiske nævn. Jeg kalder dem *Salanders principper*. Jeg mener, at en svindler er en svindler, og hvis jeg kan skade ham ved at støve en masse lort op om ham, så har han fortjent det. Jeg gør bare gengæld."

"Okay," sagde Mikael smilende. "Jeg ræsonnerer helt anderledes end dig, men ..."

"Men sagen er, at når jeg laver en PU, så kigger jeg også på, hvad jeg synes om personen. Jeg er ikke neutral. Hvis det ser ud til at være et godt menneske, kan jeg finde på at nedtone min rapport."

"Det siger du ikke?"

"I dit tilfælde tonede jeg ned. Jeg kunne have skrevet en bog om dit sexliv. Jeg kunne have fortalt Frode, at Erika Berger har en fortid i Club Xtreme og flirtede med bondage og SM i firserne – hvilket uvægerlig ville have ført til visse associationer omkring dit og hendes sexliv."

Mikael mødte Lisbeth Salanders blik. Lidt efter kiggede han ud ad vinduet og lo.

"Du går virkelig i dybden. Hvorfor indførte du ikke det i rapporten?"

"Du og Erika Berger er voksne mennesker, som åbenbart kan lide hinanden. Hvad I foretager jer i sengen, kommer ikke andre ved, og det eneste, jeg ville have opnået ved at fortælle om hende, var at skade jer eller forsyne nogen med afpresningsmateriale. Hvem ved – jeg kender ikke Dirch Frode, og materialet kunne være havnet hos Wennerström."

"Og du vil ikke forsyne Wennerström med oplysninger?"

"Hvis jeg skulle vælge side i kampen mellem dig og ham, ville jeg nok holde mig til dit ringhjørne."

"Jeg og Erika har et ... vores forhold er ..."

"Jeg vil skide på, hvad for et forhold I har, men du har ikke svaret på, hvad du vil gøre med din viden om, at jeg har hacket mig ind på din computer."

Hans pause var næsten lige så lang som hendes.

"Lisbeth, jeg er her ikke for at ryge i totterne på dig. Jeg har ikke i sinde at afpresse dig. Jeg er her for at bede dig lave noget research for mig. Du kan svare ja eller nej. Hvis du siger nej, så går jeg min vej og finder en anden, og du vil aldrig høre fra mig igen." Han tænkte sig om et øjeblik og smilede så til hende. "Medmindre jeg da finder dig i min computer igen."

"Og det betyder?"

"Du ved rigtig meget om mig – en del af det er privat og personligt. Men skaden er allerede sket. Jeg håber bare, du ikke har tænkt dig at bruge din viden om mig til at skade mig eller Erika Berger."

Hun kiggede på ham med et tomt blik.

KAPITEL 19

Torsdag den 19. juni – søndag den 29. juni

MIKAEL TILBRAGTE TO dage med at gennemgå sit materiale, mens han ventede på besked om, hvorvidt Henrik Vanger ville overleve eller ej. Han holdt tæt kontakt med Dirch Frode. Torsdag aften kom Frode over i gæstehytten og meddelte, at krisen tilsyneladende var ovre indtil videre.

"Han er svag, men jeg fik talt lidt med ham i dag. Han ønsker at se dig så snart som muligt."

Midt på dagen midsommeraften kørte Mikael derfor ind til hospitalet i Hedestad og fandt frem til den afdeling, hvor Henrik Vanger var indlagt. Han blev mødt af en irriteret Birger Vanger, der spærrede ham vejen og myndigt forklarede, at Henrik Vanger umuligt kunne tage imod besøg. Mikael blev roligt stående, mens han betragtede kommunalrådsmedlemmet.

"Det var underligt. Henrik Vanger har ellers udtrykkeligt bedt mig besøge ham i dag."

"Du tilhører ikke familien og har ikke noget at gøre her."

"Du har ret i, at jeg ikke tilhører familien, men jeg arbejder for Henrik Vanger og modtager kun ordrer fra ham."

Det kunne have udviklet sig til en heftig ordveksling, hvis ikke Dirch Frode i samme øjeblik var kommet ud fra Henriks stue.

"Nå, der er du jo. Henrik spurgte netop efter dig."

Frode holdt døren for ham, og Mikael trådte forbi Birger Vanger og ind på stuen.

Henrik Vanger så ud til at være blevet ti år ældre i løbet af den sidste uge. Han lå med halvt lukkede øjne, han havde en slange i næsen, og håret var mere pjusket end nogensinde. En sygeplejerske standsede Mikael ved at lægge en hånd på hans arm.

"To minutter, ikke mere. Og sørg for ikke at ophidse ham."

Mikael nikkede og satte sig på en stol, så han kunne se Henriks ansigt. Han følte en ømhed for manden, der forbavsede ham selv, og rakte hånden frem og trykkede forsigtigt den gamles slappe hånd. Henrik Vanger talte stødvis og med svag stemme.

"Noget nyt?"

Mikael nikkede.

"Du får en udførlig rapport, så snart du har det bedre. Jeg har ikke løst gåden endnu, men jeg har fundet nyt materiale og er i gang med at følge op på nogle spor. Om en uge eller to kan jeg sige, om det fører til noget."

Henrik Vanger prøvede at nikke. Det blev snarere til en blinken som tegn på, at han havde forstået ham.

"Jeg er nødt til at rejse væk et par dage."

Henrik Vanger rynkede brynene.

"Nej, jeg forlader ikke skuden, men jeg skal foretage noget research. Jeg har aftalt med Dirch Frode, at jeg rapporterer til ham. Er det i orden med dig?"

"Dirch er ... min repræsentant ... i enhver henseende."

Mikael nikkede.

"Mikael ... hvis jeg ikke ... klarer det ... vil jeg bede dig gøre ... jobbet færdig alligevel."

"Jeg lover at gøre jobbet færdig."

"Dirch har alle ... fuldmagter."

"Henrik, du har bare at komme dig. Jeg ville blive skidesur, hvis du gik hen og døde nu, hvor jeg er nået så langt i projektet."

"To minutter," sagde sygeplejersken.

"Jeg er nødt til at gå. Næste gang, jeg kommer, skal vi to have en lang snak."

BIRGER VANGER VENTEDE på Mikael, da han kom ud på gangen, og standsede ham ved at lægge en hånd på hans skulder.

"Du skal ikke genere Henrik mere. Han er alvorligt syg og må under ingen omstændigheder forstyrres eller ophidses."

"Jeg forstår og sympatiserer med din bekymring, og jeg vil ikke ophidse ham."

"Alle ved, at Henrik har ansat dig til at pusle med hans lille hobby ... Harriet. Dirch Frode har fortalt, at Henrik blev meget oprevet over en samtale, I havde lige inden hans slagtilfælde. Han sagde, at du troede, du havde udløst hjerteanfaldet."

"Det tror jeg ikke længere. Henrik Vanger lider af alvorlig åreforkalkning. Han kunne have fået en blodprop af at gå på toilettet, og det ved du også godt selv."

"Jeg vil have fuld indsigt i de her tåbeligheder. Det er min familie, du snager i."

"Som sagt ... jeg arbejder for Henrik, ikke for familien."

Birger Vanger var tydeligvis ikke vant til at blive affærdiget. Et kort øjeblik stirrede han på Mikael med et blik, som formodentlig skulle virke respektindgydende, men som snarere fik ham til at ligne en oppustet hanekylling. Birger Vanger vendte sig om og gik ind på Henriks stue.

Mikael fik lyst til at grine, men beherskede sig. Det passede sig ikke at le på gangen uden for Henriks sygeseng, som måske ville blive hans dødsleje. Men Mikael var pludselig kommet i tanker om en linje fra en bog med rim og remser om alfabetet fra engang i tresserne, og som han af en eller anden grund havde lært udenad, da han lærte at læse og skrive. Linjen refererede til bogstavet H. *Hanen sig puster op og galer i det hærgede hønsehus.*

VED INDGANGEN TIL hospitalet løb Mikael på Cecilia Vanger. Han havde prøvet at ringe til hendes mobil en halv snes gange, efter at hun var kommet hjem fra sin afbrudte ferie, men hun havde aldrig ringet tilbage. Hun havde heller ikke været hjemme de gange, han havde banket på hos hende i Hedeby.

"Hej, Cecilia," sagde han. "Det gør mig ondt med Henrik."

"Tak," svarede hun og nikkede.

Mikael forsøgte at aflæse hendes følelser, men sporede hverken varme eller kulde.

"Vi må tale sammen," sagde han.

"Jeg er ked af, at jeg har lukket dig ude på denne måde. Jeg forstår godt, at du er vred, men jeg har det ikke så godt med mig selv for tiden."

Mikael stirrede forundret på hende, men forstod så, hvad

hun mente. Han lagde hurtigt en hånd på hendes arm og smilede til hende.

"Nej, du misforstår mig, Cecilia. Jeg er absolut ikke vred på dig. Jeg håber, vi stadig kan være venner, men hvis du ikke vil se mig ... hvis det er, hvad du har besluttet, så har jeg al mulig respekt for det."

"Jeg er ikke god til forhold," sagde hun.

"Det er jeg heller ikke. Skal vi tage en kop kaffe?" Han nikkede i retning af hospitalscafeteriaet.

Cecilia Vanger tøvede. "Nej, ikke i dag. Jeg skal besøge Henrik."

"Okay, men jeg er stadig nødt til at tale med dig. I embeds medfør."

"Hvad mener du?" Hun blev pludselig vagtsom.

"Husker du, da vi mødtes første gang i januar, hvor du kom over til gæstehytten? Jeg sagde, at vi talte *off the record*, og at jeg nok skulle sige til, hvis jeg ville stille dig nogle rigtige spørgsmål. Det drejer sig om Harriet."

Cecilia Vangers ansigt flammede pludselig op af raseri.

"Lede skid."

"Cecilia, jeg har fundet nogle ting, som jeg simpelthen *må* tale med dig om."

Hun trådte et skridt tilbage.

"Har du da ikke fattet, at hele denne skide jagt på den forbandede Harriet er ren beskæftigelsesterapi for Henrik? Er det ikke gået op for dig, at han måske ligger og dør deroppe, og at det sidste, han har brug for, er at blive oprevet igen og begynde at nære falske forhåbninger og ..."

Hun tav.

"Det er muligvis en hobby for Henrik, men jeg har faktisk fundet mere nyt materiale, end det er lykkedes nogen at grave frem i de sidste femogtredive år. Der er en række ubesvarede spørgsmål i efterforskningen, og Henrik har bedt mig finde svaret på dem."

"Hvis Henrik dør, vil efterforskningen blive indstillet i en helvedes fart, og du ryger ud med fuld musik," sagde Cecilia Vanger og skred forbi ham.

ALTING VAR LUKKET. Hedestad lå nærmest øde hen, og indbyggerne syntes at være taget i sommerhus for at holde midsommer. Endelig fandt Mikael et sted, der havde åbent, nemlig Stadshotellets udendørscafé, hvor han bestilte kaffe og et stykke smørrebrød og satte sig til at læse formiddagsaviserne. Der var ikke sket noget af betydning ude i verden.

Han lagde aviserne fra sig og tænkte på Cecilia Vanger. Han havde hverken indviet Henrik eller Dirch Frode i sin mistanke om, at det var hende, der havde åbnet vinduet i Harriets værelse. Han var bange for, at det ville mistænkeliggøre hende, og det sidste, han ønskede, var at skade hende. Men spørgsmålet måtte stilles før eller siden.

Han blev siddende på cafeen en time, før han besluttede sig for at skubbe problemet fra sig og bruge midsommeraftenen på noget andet end familien Vanger. Hans mobil var tavs. Erika var bortrejst og hyggede sig et eller andet sted sammen med sin mand, og han havde ingen at snakke med.

Han vendte tilbage til Hedeby-øen ved firetiden om eftermiddagen og tog endnu en beslutning – at holde op med at ryge. Han havde trænet regelmæssigt siden militærtjenesten, både på fitnesscentret og ved at løbe lange ture, men var kommet helt ud af rytmen, efter at problemerne med Hans-Erik Wennerström dukkede op. Det var først på Rullåker, han igen var begyndt at løfte jern, og da mest som terapi, men efter løsladelsen var det ikke blevet til ret meget. Det var på tide at komme i gang igen. Han iførte sig resolut noget joggingtøj og løb i et mageligt tempo ud ad vejen mod Gottfrieds sommerhus, drejede af mod Fæstningen og begav sig ind i et barskere terræn. Han havde ikke løbet orienteringsløb, siden han var værnepligtig, men havde altid syntes, det var sjovere at løbe i skovområder end på flade baner. Han fulgte gærdet ved Östergården tilbage til landsbyen. Han følte sig totalt smadret, da han forpustet løb det sidste stykke ned til gæstehytten.

Ved sekstiden havde han været i bad. Han kogte kartofler og anrettede sennepssild med purløg og æg på et vakkelvornt havebord på den side af hytten, der vendte ud mod broen. Han skænkede en snaps op og skålede med sig selv. Derefter gav han sig til at læse en krimi af Val McDermid med titlen *Sirenernes sang*.

VED SYVTIDEN KOM Dirch Frode over til ham og lod sig dumpe tungt ned i en havestol på den anden side af bordet. Mikael skænkede en snaps op til ham.

"Du vakte en del opstandelse i dag," sagde Frode.

"Ja, det bemærkede jeg."

"Birger Vanger er en nar."

"Det ved jeg."

"Men Cecilia Vanger er ikke nogen nar, og hun er rasende på dig."

Mikael nikkede.

"Hun bad mig sørge for, at du holder op med at snage i familiens anliggender."

"Javel ja. Og hvad svarede du?"

Dirch Frode kiggede på snapsen og skyllede den så ned i én mundfuld.

"Mit svar var, at Henrik har givet klare instrukser om, hvad han vil have dig til. Så længe han ikke ændrer sine instrukser, er du ansat på de vilkår, der fremgår af kontrakten. Jeg forventer, at du gør dit absolut bedste for at indfri din del af kontrakten."

Mikael nikkede. Han kiggede op på himlen, hvor nogle regnskyer var begyndt at samle sig.

"Det trækker op til uvejr," sagde Frode. "Hvis du kommer i kraftig modvind, skal jeg nok bakke dig op."

"Tak."

De sad lidt uden at sige noget.

"Må jeg få en dram mere?" spurgte Dirch Frode.

KUN NOGLE FÅ minutter efter, at Dirch Frode var gået hjem til sig selv, bremsede Martin Vanger op og parkerede sin bil ved vejkanten foran gæstehytten. Han kom hen og hilste. Mikael ønskede ham god midsommer og spurgte, om han ville have en snaps.

"Nej, det er vist ikke klogt. Jeg er bare tilbage for at skifte tøj og skal ind til byen igen og tilbringe aftenen sammen med Eva."

Mikael forholdt sig afventende.

"Jeg har talt med Cecilia. Hun er en smule oprevet for tiden – hun og Henrik står hinanden meget nær. Jeg håber, du kan tilgive hende, hvis hun siger noget ... ubehageligt."

"Jeg kan vældig godt lide Cecilia," svarede Mikael.

"Det har jeg forstået, men hun kan være lidt vanskelig. Jeg synes bare, du skal vide, at hun er meget imod, at du roder op i fortiden."

Mikael sukkede. Alle i Hedestad vidste tilsyneladende, hvorfor Henrik havde ansat ham.

"Hvad mener du selv?"

Martin Vanger slog ud med hånden.

"Det her med Harriet har været en besættelse hos Henrik i flere årtier. Jeg ved snart ikke ... Harriet var min søster, men det virker alligevel så fjernt. Dirch Frode fortalte, at du har en vandtæt kontrakt, som kun Henrik kan opsige, og jeg er bange for, at det i hans nuværende tilstand ville gøre mere skade end gavn."

"Du synes altså, jeg skal fortsætte?"

"Er du kommet nogen vegne?"

"Jeg beklager, Martin, men det ville være kontraktbrud, hvis jeg fortalte dig noget uden Henriks tilladelse."

"Javel." Han smilede pludselig. "Henrik er lidt af en konspirationsteoretiker, men jeg må bede dig om ikke at indgive ham falske forhåbninger."

"Det lover jeg at lade være med. Det eneste, jeg giver ham, er kendsgerninger, som jeg kan dokumentere."

"Godt. Og for resten ... for nu at skifte emne. Vi har jo også en anden kontrakt at spekulere på. Nu da Henrik er syg og ikke kan varetage sine pligter i *Millenniums* bestyrelse, er jeg forpligtet til at indtræde i hans sted."

Mikael forholdt sig afventende.

"Vi bør nok indkalde til bestyrelsesmøde og kigge på situationen."

"God idé, men så vidt jeg har forstået, er det allerede besluttet, at næste bestyrelsesmøde først skal finde sted i august."

"Det ved jeg, men vi kunne måske rykke det frem."

Mikael smilede høfligt.

"Muligvis, men du har fat i den forkerte. Lige nu sidder jeg ikke i *Millenniums* bestyrelse. Jeg forlod tidsskriftet i december og har ingen indflydelse på bestyrelsens beslutninger. Jeg vil foreslå, at du kontakter Erika Berger."

Det svar havde Martin Vanger ikke ventet. Han tænkte sig om et øjeblik og rejste sig så.

"Det har du selvfølgelig ret i. Jeg vil tale med hende." Han klappede Mikael på skulderen til farvel og gik hen til bilen.

Mikael kiggede eftertænksomt efter ham. Der var ikke blevet sagt noget konkret, men truslen hang helt klart i luften. Martin Vanger havde lagt *Millennium* i vægtskålen. Lidt efter skænkede Mikael sig endnu en snaps og læste videre i Val McDermid.

Ved nitiden kom den rødbrune kat forbi og gnubbede sig op ad hans ben. Han løftede den op og kløede den bag ørerne.

"Så er vi to, der keder os midsommeraften," sagde han.

Da de første regndråber begyndte at falde, gik han ind i seng. Katten foretrak at blive udenfor.

LISBETH SALANDER TRAK sin Kawasaki frem midsommeraften og brugte dagen på at give den et grundigt eftersyn. En letvægter på 125 kubik var muligvis ikke verdens sejeste kværn, men den var hendes, og hun kunne håndtere den. Hun havde egenhændigt renoveret den møtrik for møtrik, og hun havde tunet den til at kunne køre lidt over den lovlige hastighed.

Om eftermiddagen tog hun hjelm og læderdress på og kørte ud til Äppelvikens Plejehjem, hvor hun tilbragte aftenen i parken sammen med sin mor. Hun mærkede et stik af bekymring og dårlig samvittighed. Hendes mor virkede mere fraværende end nogensinde. I de tre timer, de var sammen, vekslede de kun nogle få ord, og da syntes hendes mor ikke at vide, hvem hun talte med.

MIKAEL SPILDTE FLERE dage på at prøve at identificere bilen med AC-nummerpladen. Efter en masse besvær og efter til sidst at have konsulteret en pensioneret automekaniker i Hedestad fandt han frem til, at bilen var af mærket Ford Anglia, som han aldrig havde hørt om. Derefter kontaktede han en embedsmand i Motorregistret og undersøgte muligheden for at fremskaffe en fortegnelse over samtlige Ford Anglia'er, hvis registreringsnummer i 1966 begyndte med AC3. Efter yderligere efterforskning lød beskeden, at en sådan arkæologisk udgravning af registret formodentlig var mulig, men at det ville tage tid og desuden var et arbejde, der lå uden for, hvad man kunne kræve af en offentlig forvaltning.

Først flere dage efter midsommer satte Mikael sig i sin lånte Volvo og kørte nordpå ad E4. Han havde aldrig brudt sig om at køre hurtigt og begav sig af sted i et mageligt tempo. Lige før Härnösand-broen gjorde han holdt og drak kaffe på Vesterlunds Konditori.

Næste stop var Umeå, hvor han kørte ind på et motel og spiste dagens ret. Han købte et vejatlas og fortsatte til Skellefteå, hvor han drejede til venstre mod Norsjö. Han var fremme ved sekstiden om aftenen og checkede ind på Hotel Norsjö.

Han indledte sin eftersøgning tidligt næste morgen. Norsjö Snickerifabrik stod ikke i telefonbogen, og hotellets receptionist, en pige i tyverne, havde aldrig hørt om firmaet.

"Hvem kan jeg så spørge?"

Receptionisten så forvirret ud et øjeblik, hvorefter hun lyste op og sagde, hun ville ringe til sin far. To minutter efter kunne hun fortælle, at Norsjö Snickerifabrik blev nedlagt først i firserne. Hvis Mikael havde brug for at tale med nogen, der vidste mere om firmaet, skulle han henvende sig til en vis Burman, der havde været værkfører på stedet og nu boede i en gade, der hed Solvändan.

Norsjö var en lille by med en hovedgade – meget passende kaldet Storgatan – der løb gennem hele byen og var kantet af forretninger og sidegader med beboelsesejendomme. Ved indfaldsvejen mod øst lå et lille industriområde og en rideskole; ved frakørselsvejen mod vest lå der en ualmindeligt smuk trækirke. Mikael noterede sig, at byen også husede en Missionskirke og en Pinsekirke. En plakat på en opslagstavle ved busstationen reklamerede for et jagt- og skisportsmuseum. En endnu ikke nedtaget plakat fortalte, at *Veronika* havde sunget på festpladsen midsommeraften. Han kunne spadsere fra den ene ende af byen til den anden på godt tyve minutter.

Solvändan bestod af en række byggeforeningshuse og lå cirka fem minutters gang fra hotellet. Burman åbnede ikke, da Mikael ringede på. Klokken var halv ti, og manden var formodentlig enten gået på arbejde eller, hvis han var pensionist, ude i et ærinde.

Næste stop var isenkramforretningen på Storgatan. Bor man i Norsjö, besøger man før eller senere den lokale isenkræmmer, ræsonnerede Mikael. Der var to ekspedienter i forretningen, og Mikael valgte den, der så ud til at være ældst, godt halvtreds.

"Hej. Jeg leder efter et ægtepar, der sandsynligvis boede her i Norsjö i tresserne. Manden arbejdede muligvis på Norsjö Snickerifabrik. Jeg ved ikke, hvad de hedder, men jeg har to billeder af dem fra 1966."

Ekspedienten kiggede længe og grundigt på billederne, men rystede til sidst på hovedet og sagde, at han hverken genkendte manden eller kvinden.

Ved frokosttid spiste Mikael en parisertoast ved pølsevognen på busstationen. Han havde opgivet forretningerne og havde allerede været inden om kommunekontoret, biblioteket og apoteket. Politistationen var ubemandet, og han gik nu over til at spørge ældre mennesker på må og få. Ved totiden om eftermiddagen spurgte han endog to yngre kvinder, der ganske vist ikke genkendte parret på billederne, men som kom med en god idé.

"Hvis billederne er taget i 1966, må personerne være i tresserne i dag. Du kunne jo gå ned på plejehjemmet ved Solbacka og spørge de gamle."

I plejehjemmets reception præsenterede Mikael sig for en kvinde i trediverne og gjorde rede for sit ærinde. Hun gloede mistænksomt på ham, men lod sig til sidst formilde og fulgte Mikael ind i opholdsstuen, hvor han den næste halve time viste billederne til en masse mennesker i alderen fra halvfjerds og opad. De var yderst hjælpsomme, men ingen af dem kunne identificere personerne, der var blevet fotograferet i Hedestad i 1966.

Ved femtiden vendte han tilbage til Solvändan og ringede på hos Burman. Denne gang var han mere heldig. Ægteparret Burman var begge pensionister og havde været ude tidligere på dagen. Han blev inviteret ind i køkkenet, hvor konen straks satte kaffe over, mens Mikael gjorde rede for sit ærinde. Ligesom med alle de andre forsøg i løbet af dagen havde han trukket en nitte. Burman kløede sig i håret, tændte en pibe og meddelte lidt efter, at han ikke genkendte personerne på billederne. Parret talte med kraftig Norsjö-dialekt indbyrdes, og indimellem havde Mikael svært ved at forstå, hvad de sagde.

"Men du har helt ret i, at det er en reklame for snedkeriet," sagde manden. "Det var kløgtigt tænkt af dig. Problemet er bare, at vi delte den slags klistermærker ud til højre og venstre. Til vognmænd, opkøbere og sælgere af tømmer, reparatører og teknikere og alle mulige."

"Jeg havde ikke troet, det ville blive så svært at finde frem til ægteparret."

"Hvorfor vil du finde dem?"

Mikael havde besluttet at fortælle sandheden, hvis folk spurgte. Det ville kun skabe forvirring, hvis han prøvede at opdigte en historie om parret.

"Det er en lang historie. Jeg er i gang med at undersøge en forbrydelse, der fandt sted i Hedestad i 1966, og jeg tror, der er en mulighed – om end mikroskopisk – for, at parret på billederne kan have set, hvad der skete. De er ikke på nogen måde under mistanke, og jeg tror ikke engang, de selv er klar over, at de måske ligger inde med oplysninger, der kan opklare forbrydelsen."

"En forbrydelse? Hvilken slags forbrydelse?"

"Jeg er ked af det, men jeg kan ikke røbe mere. Jeg kan godt se, at det må virke temmelig mystisk, at der kommer nogen efter næsten fyrre år og prøver at finde frem til de her mennesker, men forbrydelsen er stadig uopklaret, og det er først for nylig, der er dukket nye oplysninger op i sagen."

"Javel ja. Det er godt nok et ret usædvanligt ærinde, du er ude i."

"Hvor mange mennesker arbejdede der på snedkeriet?"

"Den normale arbejdsstyrke var fyrre personer. Jeg var ansat der, fra jeg var sytten i midten af halvtredserne, til fabrikken lukkede. Derefter blev jeg vognmand."

Burman sad og grublede lidt.

"Jeg kan sige så meget, at gutten på billederne aldrig har arbejdet på snedkeriet. Han kan muligvis have været vognmand, men så ville jeg nok have genkendt ham. Der er selvfølgelig også en anden mulighed. Det kan jo have været hans far eller en fra hans familie, der arbejdede på fabrikken, og måske havde han bare lånt bilen."

Mikael nikkede.

"Ja, der er åbenbart flere muligheder. Vil du foreslå nogen, jeg kunne tale med?"

"Ja," sagde Burman og nikkede. "Kig ind i morgen formiddag, så tager vi en runde og snakker med nogle af gutterne."

LISBETH SALANDER STOD over for et metodologisk problem af en vis betydning. Hun var ekspert i at finde information om hvem som helst, men hendes udgangspunkt havde altid været et navn og et personnummer på en nulevende person. Hvis personen var opført i et dataregister, hvilket alle mennesker uvægerlig var, så sad vedkommende inden længe uhjælpeligt fast i hendes net. Hvis personen ejede en computer med internetforbindelse og e-mailadresse og måske oven i købet havde sin egen hjemmeside – hvilket næsten alle hendes PU-objekter havde – kunne hun finde frem til deres dybeste hemmeligheder.

Det arbejde, hun havde påtaget sig at udføre for Mikael Blomkvist, var af en ganske anden art. Denne opgave drejede sig, for nu at udtrykke det enkelt, om at identificere fire personer ud fra et yderst spinkelt materiale. Desuden levede disse personer for flere årtier siden og fandtes efter al sandsynlighed ikke i noget dataregister.

Mikaels teori, som han baserede på Rebecka Jacobsson-sagen, var, at disse personer havde været ofre for en morder. De skulle med andre ord findes i diverse politirapporter om uopklarede mordsager. Der var ingen ledetråde, der angav, hvornår eller hvor disse mord skulle være begået; det stod kun klart, at de måtte være begået før 1966. Researchmæssigt stod hun over for en helt ny situation.

Nå, hvordan griber jeg det så an?

Hun tændte for computeren, gik ind på Google og indtastede søgeordene Magda + mord. Det var den enkleste form for research, hun overhovedet kunne foretage. Til hendes forbløffelse var der gevinst i første forsøg. Hendes først hit var en programoversigt for *TV Värmland* i Karlstad, der omtalte et afsnit i serien *Värmlandske mord*, som blev sendt i 1999. Derefter fandt hun et klip fra *Värmlands Folkblad*:

> I serien *Värmlandske mord* er turen nu kommet til Magda Lovisa Sjöberg fra Ranmoträsk – en uhyggelig mordgåde, der for flere årtier siden satte Karlstads Politi grå hår i hovedet. I april 1960 blev den 46-årige landmandskone Lovisa Sjöberg fundet brutalt myrdet i familiens kostald. Journalisten Claes Gunnars skildrer hendes sidste timer og den frugtesløse jagt på morderen. Mordet vakte stor opstandelse i sin tid, og der er fremført mange teorier om, hvem den skyldige var. I programmet møder vi en yngre slægtning, der fortæller, hvordan anklagen ødelagde hans liv. KL. 20.00.

Der var mere kød på artiklen *Lovisa-sagen rystede en hel landsby*, der i sin tid blev offentliggjort i tidsskriftet *Värmlandskultur*, og som siden hen var lagt ud på nettet i sin helhed. Med tydelig henrykkelse og i et causerende og medrivende sprog beskrev artiklen, hvordan Lovisa Sjöbergs mand, skovarbejderen Holger Sjöberg, havde fundet sin kone død, da han ved femtiden kom hjem fra arbejde. Hun var blevet seksuelt lemlæstet, dolket og til sidst myrdet med en høtyv. Mordet havde fundet sted i familiens stald, men det, der vakte størst opmærksomhed, var, at morderen efter udført dåd havde tøjret hende på alle fire i en hestebås.

Senere opdagede man, at en ko havde fået et knivstik på siden af halsen.

I første omgang mistænkte man ægtemanden for mordet, men denne kunne fremlægge et vandtæt alibi. Han havde siden klokken seks om morgenen befundet sig i en skovrydning fyrre kilometer fra gården sammen med sine arbejdskammerater. Lovisa Sjöberg havde påviseligt været i live så sent som klokken ti om formiddagen, hvor hun havde haft besøg af en nabokone. Ingen havde set eller hørt noget; gården lå næsten 400 meter fra den nærmeste nabo.

Efter at have afskrevet ægtemanden som hovedmistænkt rettede politiet søgelyset mod den myrdedes treogtyveårige nevø. Denne havde gentagne gange været i konflikt med loven, var i evigt bekneb for penge og havde flere gange lånt mindre beløb af sin faster. Nevøens alibi var væsentligt svagere, og han sad varetægtsfængslet et stykke tid, før han blev løsladt grundet mangel på bevis, som det hed. Mange i landsbyen mente, at han på trods heraf efter al sandsynlighed var den skyldige.

Politiet fulgte også en række andre spor. En stor del af efterforskningen koncentrerede sig om jagten på en mystisk bissekræmmer, der var blevet set på egnen, samt en flok "tyvagtige sigøjnere", som rygtet ville vide havde hærget i området. Det fremgik ikke, hvorfor disse i givet fald skulle have begået et brutalt seksualmord uden at stjæle noget ved samme lejlighed.

En tid rettedes interessen mod en nabo i landsbyen, en ungkarl, der i sine unge dage havde været mistænkt for en såkaldt homoseksuel forbrydelse – dengang var homoseksualitet stadig strafbart – og som ifølge flere vidneudsagn havde ry for at være "underlig". Hvorfor en eventuelt homoseksuel mand skulle voldtage og myrde en kvinde, stod heller ikke klart. Ingen af disse eller andre spor førte nogensinde til pågribelse eller domsafsigelse.

Lisbeth Salander så straks koblingen til listen i Harriet Vangers kalender. Bibelcitatet fra Tredje Mosebog 20:16 lød: "*Hvis en kvinde kommer noget som helst dyr nær, for at det skal parre sig med hende, skal du dræbe både kvinden og dyret. De skal lide døden. De har selv skylden for deres død.*" Det kunne ikke skyldes nogen tilfældighed, at en bondekone ved navn Magda var blevet fundet myrdet i en stald med kroppen anbragt på alle fire og tøjret i en hestebås.

Spørgsmålet var, hvorfor Harriet Vanger havde skrevet navnet Magda i stedet for Lovisa, som tydeligvis var ofrets kaldenavn.

Hvis det fulde navn ikke havde været anført i tv-programmet, ville Lisbeth aldrig have fundet hende.

Og så var der selvfølgelig det allervigtigste spørgsmål: Var der en kobling mellem mordet på Rebecka i 1949, mordet på Magda Lovisa i 1960 og Harriet Vangers forsvinden i 1966? Og hvordan i alverden havde Harriet Vanger i givet fald fundet ud af det?

BURMAN TOG MIKAEL med på en trøstesløs lørdagsrundtur i Norsjö. Om formiddagen besøgte de fem tidligere ansatte, der boede i gåafstand fra Burmans hjem. Tre af disse boede i byens centrum, to i Sörbyn i byens udkant. Alle serverede kaffe. Og alle studerede billederne og rystede på hovedet.

Efter en enkel frokost hjemme hos ægteparret Burman kørte de en runde med bilen. De besøgte fire landsbyer i omegnen af Norsjö, hvor der boede tidligere ansatte ved fabrikken. Hvert sted blev Burman varmt modtaget, men ingen kunne hjælpe dem. Mikael begyndte at miste modet og spekulerede på, om hele turen til Norsjö havde været en blindgyde.

Ved firetiden om eftermiddagen parkerede Burman uden for en rød Västerbottengård ved Norsjövallen uden for Norsjö og præsenterede Mikael for Henning Forsman, pensioneret snedkermester.

"Jamen det dér er jo Assar Brännlunds knægt," sagde Henning Forsman i samme øjeblik, Mikael viste ham billederne. *Bingo.*

"Jaså, er det Assars søn?" sagde Burman. Og henvendt til Mikael: "Han var opkøber."

"Hvor kan jeg få fat i ham?"

"Knægten? Ja, så må du sgu grave dybt. Han hed Gunnar og arbejdede for Boliden. Han døde i en sprængningsulykke i midten af halvfjerdserne." *Satans også.*

"Men konen lever endnu. Hende på billederne. Hun hedder Mildred og bor i Bjursele."

"Bjursele?"

"Det er godt og vel ti kilometer ud ad vejen mod Bastuträsk. Hun bor i det aflange, røde hus på højre side, når du kommer ind i landsbyen. Det er det tredje hus. Jeg kender familien temmelig godt."

"HEJ, JEG HEDDER Lisbeth Salander og er ved at skrive speciale i kriminologi om vold mod kvinder i 1900-tallet. Jeg vil godt besøge Landskrona Politidistrikt og læse rapporterne om en sag fra 1957. Det drejer sig om mordet på en 45-årig kvinde ved navn Rakel Lunde. Har du nogen anelse om, hvor jeg kan finde rapporterne?"

BJURSELE LIGNEDE EN veritabel turistreklame for västerbottnisk idyl. Landsbyen bestod af omkring tyve huse, der klumpede sig sammen i en halvcirkel for enden af en sø. Midt i landsbyen stod et vejskilt med en pil, der pegede mod Hemmingen, 11 km, og en anden pil, der pegede mod Bastuträsk, 17 km. Ved siden af vejskiltet var der en lille bro over et mindre vandløb. Nu i højsommeren var der smukt som på et postkort.

Mikael parkerede på gårdspladsen foran en nedlagt Konsumbutik skråt over for det tredje hus på højre hånd. Da han bankede på, var der ingen hjemme.

Han gik sig en timelang tur ud ad vejen mod Hemmingen. Han passerede et sted, hvor vandløbet forvandlede sig til en fossende elv. Han mødte to katte og så et rådyr, men ikke ét eneste menneskeligt væsen. Da han vendte tilbage, var Mildred Brännlunds dør stadig låst.

På en telefonpæl ved broen fandt han et flosset flyveblad, der inviterede til BTCC, der stod for *Bjursele Tukting Car Championship* 2002. At "tukta" en bil var åbenbart en vinterforlystelse, der gik ud på at køre en bil i smadder på den tilisede sø. Mikael betragtede tankefuldt plakaten.

Han ventede til klokken ti om aftenen, før han gav op og kørte tilbage til Norsjö, hvor han spiste en sen middag og gik i seng med resterne af Val McDermids krimi.

Den var elendig.

VED TITIDEN OM aftenen føjede Lisbeth Salander endnu et navn til Harriet Vangers liste. Hun gjorde det med stor tøven og efter at have overvejet sagen i flere timer.

Hun havde opdaget en smutvej. Med jævne mellemrum dukkede der artikler op i pressen om uopklarede mord, og i et søndagstillæg til et formiddagsblad havde hun fundet en artikel fra 1999 med overskriften *Kvindemordere på fri fod*. Artiklen var summarisk, men der var navne på og billeder af flere opsigtsvækkende mordofre. Der var Solveig-sagen i Norrtälje, Anita-mordet i Norrköping, Margareta i Helsingborg og flere andre.

De ældste af de omtalte sager var fra tresserne, og ingen af dem matchede den liste, Lisbeth havde fået af Mikael. Men én sag vakte hendes opmærksomhed.

I juni 1962 var en 32-årig prostitueret ved navn Lea Persson fra Göteborg taget til Uddevalla for at besøge sin mor og sin 9-årige søn, som moderen havde i pleje. Søndag aften et par dage senere havde Lea omfavnet sin mor, sagt farvel og var gået ned for at tage toget tilbage til Göteborg. Hun blev fundet to dage efter bag en container på en forladt industrigrund. Hun var blevet voldtaget, og hendes krop havde været udsat for exceptionelt grov vold.

Lea-mordet vakte stor opsigt som sommerføljeton i avisen, men nogen gerningsmand blev aldrig identificeret. Der var ingen Lea på Harriet Vangers liste, ligesom ingen af hendes bibelcitater passede på mordet.

Derimod var der en så bizar omstændighed, at Lisbeth Salander strittede med alle antenner. Omkring 10 meter fra det sted, hvor Leas døde krop blev fundet, lå der en urtepotte med en due i. Nogen havde bundet en snor om duens hals og trukket hovedet op gennem hullet i bunden af urtepotten. Derefter var potten blevet anbragt på et lille bål, der var anlagt mellem to mursten. Der var intet belæg for at antage, at dyrplageriet havde noget at gøre med Lea-mordet. Det kunne have været et barn, der havde leget en makaber sommerleg, men i medierne blev Lea-sagen kendt under navnet "Duemordet".

Lisbeth var ikke bibellæser – hun ejede ikke engang en – men om aftenen gik hun op til Högalidskyrkan, og efter en del besvær lykkedes det hende at låne en bibel. Hun satte sig på en parkbænk uden for kirken og læste Tredje Mosebog. Da hun nåede frem til kapitel 12, vers 8, løftede hun øjenbrynene. Kapitel 12 handlede om barselskvinders renselse:

"Men hvis hun ikke har råd til et lam, skal hun tage to turtelduer eller to dueunger, den ene til brændoffer og den anden til syndoffer. På den måde skaffer præsten hende soning; så er hun ren."

Lea havde meget vel kunnet stå på Harriet Vangers liste som Lea – 31208.

Lisbeth Salander forstod pludselig, at ingen research, hun nogensinde tidligere havde foretaget, havde haft blot brøkdelen af de dimensioner, som denne opgave rummede.

MILDRED BRÄNNLUND, DER nu var gift for anden gang og hed Berggren, åbnede døren, da Mikael bankede på ved titiden søndag morgen. Kvinden var næsten fyrre år ældre og stort set lige så mange kilo tungere, men Mikael genkendte hende straks fra fotografierne.

"Hej. Jeg hedder Mikael Blomkvist, og du må være Mildred Berggren."

"Ja, det stemmer."

"Du må undskylde, jeg bare kommer brasende, men jeg har prøvet at opspore dig angående en sag, der er temmelig kompliceret at forklare." Mikael smilede til hende. "Må jeg komme indenfor og tage lidt af din tid?"

Både Mildreds mand og en søn, der så ud til at være midt i trediverne, var hjemme, og hun inviterede uden videre betænkelighed Mikael indenfor og bad ham tage plads i køkkenet. Han gav hånd til alle. I de forløbne døgn havde Mikael drukket mere kaffe, end han havde præsteret i hele sit liv frem til nu, men på dette tidspunkt havde han lært, at det var uhøfligt at afslå en kaffetår i Norrland. Da kopperne var stillet frem, satte Mildred sig ned og spurgte nysgerrigt, hvad hun kunne være behjælpelig med. Mikael havde svært ved at forstå hendes dialekt, og hun skiftede over til rigssvensk.

Mikael tog en dyb indånding. "Det her er en lang og mærkværdig historie. I september 1966 befandt du dig i Hedestad sammen med din daværende mand Gunnar Brännlund."

Hun kiggede målløs på ham. Han ventede, til hun nikkede, før han lagde billederne fra Järnvägsgatan på bordet foran hende.

"De her billeder blev taget dengang. Kan du huske det?"

"Jamen du godeste," sagde Mildred Berggren. "Det er jo evigheder siden."

Hendes nye mand og sønnen stillede sig ved siden af hende og kiggede på billederne.

"Vi var på bryllupsrejse. Vi havde været nede i Stockholm og Sigtuna og var på vej hjem, og det her var kun et kort stop. Var det i Hedestad, sagde du?"

"Ja, det var i Hedestad. Billederne her blev taget omkring klokken et. Jeg har forsøgt at finde frem til dig gennem længere tid, og det var ikke nogen let sag."

"Du finder et gammelt billede af mig, hvorefter du støver mig op. Hvordan i alverden har du båret dig ad med det?"

Mikael lagde billedet fra parkeringspladsen frem.

"Det lykkedes mig at opspore dig takket være dette billede, der blev taget lidt senere." Mikael fortalte, hvordan han via Norsjö Snickerifabrik havde fundet frem til Burman, som herefter havde ført ham videre til Henning Forsman i Norsjövallen.

"Jeg går ud fra, at du har en god grund til din ihærdighed."

"Det har jeg. Pigen, der står skråt foran dig på det her billede, hed Harriet. Hun forsvandt samme dag, og den almindelige antagelse er, at hun blev offer for en morder. Lad mig vise dig, hvad der skete."

Mikael tog sin iBook frem og forklarede sammenhængen, mens computeren varmede op. Derefter afspillede han billedsekvensen, der viste, hvordan Harriets ansigtsudtryk skiftede.

"Det var, da jeg gennemgik alle de gamle billeder, at jeg fik øje på dig. Du står med et kamera skråt bag ved Harriet og ser ud til at fotografere præcis det, hun kigger på, og som udløste denne reaktion hos hende. Jeg ved godt, at chancerne er minimale, men jeg har opsøgt dig for at spørge, om du tilfældigvis skulle have beholdt billederne fra den dag."

Mikael var forberedt på, at Mildred Berggren skulle slå ud med armene og sige, at billederne var forsvundet for længst, at filmen aldrig var blevet fremkaldt, eller at hun havde smidt dem ud. I stedet så hun på Mikael med sine blå øjne og sagde, som var det noget indlysende, at hun selvfølgelig havde gemt alle sine gamle feriebilleder.

Hun gik ind i et andet værelse og vendte kort efter tilbage med en papkasse, hvor hun opbevarede en række fotoalbummer. Det tog lidt tid at finde billederne fra bryllupsrejsen. Hun havde taget tre billeder i Hedestad. Det ene var uskarpt og viste hovedgaden. Det andet viste hendes daværende ægtemand. Det tredje viste klovnene i festoptoget.

Mikael lænede sig ivrigt frem. Han kunne se en skikkelse på den anden side af gaden. Billedet sagde ham ikke det fjerneste.

KAPITEL 20

Tirsdag den 1. juli – onsdag den 2. juli

DET FØRSTE, MIKAEL gjorde om morgenen, efter at han var kommet tilbage til Hedeby, var at gå over til Dirch Frode og forhøre sig om, hvordan det gik med Henrik Vanger. Han fik at vide, at den gamle havde fået det betragteligt bedre i løbet af den forgangne uge. Han var stadig svag og skrøbelig, men kunne nu sidde op i sengen. Hans tilstand blev ikke længere betragtet som kritisk.

"Herren være lovet," sagde Mikael. "Det er gået op for mig, at jeg faktisk kan lide ham."

Dirch Frode nikkede. "Det ved jeg, og Henrik kan også lide dig. Hvordan gik turen op nordpå?"

"Den var både en succes og en skuffelse, men det kan vi vende tilbage til. Lige nu vil jeg godt stille dig et spørgsmål."

"Værsgo."

"Hvad sker der med *Millennium*, hvis Henrik skulle gå hen og dø?"

"Ingenting. Martin indtræder i bestyrelsen."

"Er der, rent hypotetisk, nogen risiko for, at Martin vil skabe problemer for *Millennium*, hvis jeg ikke stopper min efterforskning af Harriet Vangers forsvinden?"

Dirch Frode sendte pludselig Mikael et skarpt blik.

"Hvad er der sket?"

"Egentlig ikke noget." Mikael refererede den samtale, han havde haft med Martin Vanger midsommeraften. "Da jeg kørte hjem fra Norsjö, ringede Erika og fortalte, at Martin havde talt med hende og bedt hende indskærpe over for mig, at der er brug for mig på redaktionen."

"Javel ja. Mit gæt er, at Cecilia har haft fat i ham, men jeg tror ikke, Martin ville forsøge at afpresse dig. Dertil er han alt for hæderlig. Og glem ikke, at jeg også sidder i bestyrelsen for det lille datterselskab, vi stiftede, da vi købte os ind i *Millennium*."

"Men hvis tingene bliver sat på spidsen – hvordan stiller du dig så?"

"Kontrakter er til for at overholdes, og jeg arbejder for Henrik. Jeg og Henrik har været venner i femogfyrre år, og hvad angår den slags her, er vi af samme opfattelse. Hvis Henrik skulle gå hen og dø, er det faktisk mig – og ikke Martin – der arver Henriks andel i datterselskabet. Vi har en vandtæt kontrakt, der forpligter os til at bakke op om *Millennium* i fire år. Hvis Martin skulle stille sig på bagbenene – hvad jeg ikke tror, han vil – kan han muligvis bremse nogle få nye annoncører."

"Annoncørerne er selve grundlaget for *Millennium*s eksistens."

"Ja, men prøv at anskue det sådan her: Det er tidskrævende at tage sig af den slags småtterier. Lige nu slås Martin for koncernens overlevelse og arbejder fjorten timer i døgnet. Han har ikke tid til andet."

Mikael sad tankefuld et stykke tid.

"Må jeg spørge – ja, jeg ved godt, det ikke kommer mig ved, men hvordan går det egentlig for koncernen?"

Dirch Frode så alvorlig ud.

"Vi har problemer."

"Ja, det har selv en almindelig dødelig journalist som mig opfattet, men hvor alvorlig er situationen?"

"Bliver det her mellem os?"

"Kun mellem os."

"Vi har mistet to store ordrer inden for elektronikindustrien de sidste fjorten dage og er ved at ryge ud af det russiske marked. I september måtte vi fritstille 1600 medarbejdere i Örebro og Trollhättan. Ikke den bedste nyhed til folk, der har arbejdet for koncernen i mange år. Hver gang vi nedlægger en fabrik, udhules tilliden til koncernen yderligere."

"Martin Vanger er med andre ord i en presset situation."

"Han trækker en okses læs og færdes på meget tynd is."

Mikael gik hjem til sig selv og ringede til Erika. Hun var ikke på redaktionen, og han talte med Christer Malm i stedet.

"Sådan her ligger landet: Erika ringede til mig i går, da jeg var på vej tilbage fra Norsjö. Martin Vanger har haft fat i hende og – hvordan skal jeg udtrykke det – opmuntret hende til at foreslå, at jeg begynder at tage et større ansvar på redaktionen."

"Det synes jeg også, du skulle," sagde Christer.

"Ja, det kan jeg forstå, men sagen er, at jeg har en kontrakt med Henrik Vanger, som jeg ikke kan løbe fra, og Martin handler på opfordring af en person heroppe, der vil have mig til at holde op med at snage og forsvinde fra landsbyen. Han er med andre ord ude på at få mig væk herfra."

"Javel."

"Sig til Erika, at jeg kommer til Stockholm, når jeg er færdig heroppe. Ikke før."

"Javel ja. Du er rablende gal, og jeg skal nok give beskeden videre."

"Christer, der er gang i et eller andet heroppe, og jeg har ikke i sinde at bakke ud."

Christer sukkede dybt.

Mikael gik hen og bankede på hos Martin Vanger. Eva Hassel åbnede døren og hilste venligt.

"Hej. Er Martin hjemme?"

Som svar på spørgsmålet kom Martin Vanger ud med sin mappe i hånden. Han kyssede Eva Hassel på kinden og hilste på Mikael.

"Jeg er på vej til kontoret. Ville du snakke med mig?"

"Vi kan tage det senere, hvis du har travlt."

"Nej, spyt ud."

"Jeg agter ikke at genoptage arbejdet i *Millennium*s redaktion, før jeg har fuldført den opgave, Henrik gav mig. Jeg lader dig det vide nu, så du ikke regner med at se mig i bestyrelsen før nytår."

Martin vippede lidt på hælene.

"Jeg er med. Du tror, jeg vil af med dig." Han tav et kort øjeblik. "Mikael, vi må tage det her senere. Jeg har ikke rigtig tid til at drive hobbyvirksomhed i *Millenniums* bestyrelse, og jeg ville ønske, jeg aldrig var gået med til Henriks forslag. Men tro mig – jeg vil gøre mit bedste for, at *Millennium* overlever."

"Det har jeg aldrig betvivlet," svarede Mikael høfligt.

"Hvis vi aftaler en tid i næste uge, kan vi gennemgå økonomien, og jeg kan fortælle, hvordan jeg ser på sagen. Men min grundholdning er, at *Millennium* faktisk ikke har råd til at have en af sine nøglepersoner siddende her i Hedeby og trille tommelfingre. Jeg kan godt lide tidsskriftet, og jeg tror, vi vil kunne styrke det i fællesskab, men i det arbejde er der brug for dig. For mig er det en loyalitetskonflikt. Enten at følge Henriks ønsker eller at varetage min post i *Millenniums* bestyrelse."

MIKAEL SKIFTEDE TIL joggingtøj og løb en runde ud til Fæstningen og ned til Gottfrieds sommerhus, før han i langsommere tempo vendte næsen hjemad langs vandet. Dirch Frode sad ved havebordet. Han ventede tålmodigt, mens Mikael drak en flaske vand og tørrede sveden af ansigtet.

"Det dér kan umuligt være sundt i denne hedebølge."

"Nja," svarede Mikael.

"Jeg tog fejl. Det er ikke først og fremmest Cecilia, der bearbejder Martin. Det er Isabella, der er i gang med at mobilisere Vangerklanen til at dyppe dig i tjære og rulle dig i fjer og eventuelt brænde dig på bålet bagefter. Hun får støtte af Birger."

"Isabella?"

"Hun er en ondsindet og smålig person, der ikke kan fordrage andre mennesker i al almindelighed. Lige nu ser det ud til, at hun har kastet sit had på dig i særdeleshed. Hun udspreder rygter om, at du er en svindler, der har lokket Henrik til at ansætte dig, og at du har gejlet ham sådan op, at han fik en blodprop."

"Er der nogen, der tror på det?"

"Der er altid mennesker, der er villige til at tro onde tunger."

"Jeg prøver at finde ud af, hvad der skete med hendes datter – og hun hader mig. Hvis det var min datter, det drejede sig om, ville jeg nok reagere en smule anderledes."

VED TOTIDEN OM eftermiddagen ringede Mikaels mobiltelefon.

"Hej, jeg hedder Conny Torsson og arbejder på *Hedestads-Kuriren*. Har du tid til at svare på nogle spørgsmål? Vi fik et tip om, at du bor her i Hedeby."

"I så fald er I langsomme i optrækket. Jeg har boet her siden nytår."

"Det var jeg ikke klar over. Hvad laver du i Hedestad?"

"Skriver. Og holder en slags sabbatår."

"Hvad skriver du om?"

"Beklager. Det får du at vide, når det udkommer."

"Du har lige været i fængsel ..."

"Ja?"

"Hvad mener du om journalister, der forfalsker oplysninger?"

"Journalister, der forfalsker oplysninger, er nogle idioter."

"Så du opfatter altså dig selv som idiot?"

"Hvorfor skulle jeg det? Jeg har aldrig forfalsket noget."

"Men du blev dømt for bagvaskelse."

"Og?"

Reporteren Conny Torsson tøvede så længe, at Mikael var nødt til at hjælpe ham på gled.

"Jeg blev dømt for bagvaskelse, ikke for at have forfalsket baggrundsmaterialet."

"Men du offentliggjorde dit materiale."

"Hvis du ringer for at diskutere min dom, har jeg ingen kommentarer."

"Jeg kunne tænke mig at komme ud og lave et interview."

"Beklager, men jeg har intet at sige om den sag."

"Du vil altså ikke diskutere retssagen?"

"Rigtigt opfattet," svarede Mikael og lagde røret på. Han blev siddende i lang tid, før han vendte tilbage til sin computer.

Lisbeth Salander fulgte vejanvisningen og styrede sin Kawasaki over broen til Hedeby-øen. Hun standsede ved det første lille hus på venstre hånd. Hun var langt ude på bøhlandet, men så længe klienten betalte, var hun såmænd parat til at rejse til Nordpolen. Desuden havde hun nydt at give den gas ud ad E4. Hun parkerede kværnen og løsnede remmen, der holdt hendes weekendtaske på plads.

Mikael åbnede døren og vinkede til hende. Han kom ud og inspicerede hendes motorcykel med uforstilt forbavselse.

"Hvor sejt. Du kører motorcykel ..."

Lisbeth Salander sagde ikke noget, men iagttog ham årvågent, da han pillede ved styret og tog på gashåndtaget. Hun brød sig ikke om, at folk ragede på hendes ejendele. Så lagde hun mærke til hans drengede smil, hvilket hun opfattede som et forsonende element. De fleste mc-interesserede plejede at fnyse ad hendes letvægter.

"Jeg havde en kværn, da jeg var nitten," sagde han og vendte sig om mod hende. "Tak, fordi du kom. Kom med indenfor, så vi kan få dig installeret."

Mikael havde lånt en feltseng af Nilsson på den anden side af vejen og havde stillet den i arbejdsværelset. Lisbeth gik mistroisk en runde i huset, men syntes at slappe af, da hun ikke opdagede umiddelbare tegn på fælder. Mikael viste hende badeværelset.

"Hvis du har lyst til at blive frisket lidt op."

"Jeg er nødt til at klæde om. Gider ikke vade rundt i læderdress."

"Jeg laver mad, mens du skifter."

Mikael lavede lammekoteletter i rødvinssauce og dækkede op ude i aftensolen, mens Lisbeth gik i bad og skiftede tøj. Hun kom barfodet ud iført en sort top og en kort cowboynederdel. Der lugtede godt, og hun satte to store portioner til livs. I smug skævede Mikael fascineret til hendes tatovering på ryggen.

"FEM PLUS TRE," sagde Lisbeth Salander. "Fem fra din Harrietliste og tre, som jeg mener burde have været med på listen."

"Fortæl."

"Jeg har kun arbejdet med det her i elleve dage og har simpelthen ikke nået at finde alle rapporter frem. I nogle tilfælde er politiefterforskningen overført til landsarkivet, i andre tilfælde opbevares den stadig i det lokale politidistrikt. Jeg har foretaget tre dagsudflugter til forskellige politidistrikter, men resten har jeg ikke kunnet nå. Alle fem er dog identificeret."

Lisbeth Salander anbragte en stor stak papirer på bordet, godt og vel fem hundrede A4-sider. Hun sorterede hurtigt materialet i forskellige bunker.

"Lad os tage dem i kronologisk rækkefølge." Hun rakte Mikael en liste.

```
1949 - Rebecka Jacobsson, Hedestad (30112)
1954 - Mari Holmberg, Kalmar (32018)
1957 - Rakel Lunde, Landskrona (32027)
1960 - (Magda) Lovisa Sjöberg, Karlstad (32016)
1960 - Liv Gustavsson, Stockholm (32016)
1962 - Lea Persson, Uddevalla (31208)
1964 - Sara Witt, Ronneby (32109)
1966 - Lena Andersson, Uppsala (30112)
```

"Den første i rækken er tilsyneladende Rebecka Jacobsson, sagen fra 1949, som du allerede kender i detaljer. Den næste sag, jeg har fundet, er Mari Holmberg, en 32-årig prostitueret fra Kalmar, der blev myrdet i sit hjem i oktober 1954. Selve mordtidspunktet står hen i det uvisse, eftersom hun havde ligget der et stykke tid, før hun blev fundet. Formodentlig i ni dage."

"Og hvordan kobler du hende til Harriets liste?"

"Hun var bundet og voldsomt lemlæstet, men dødsårsagen var kvælning. Morderen havde proppet hendes menstruationsbind ned i halsen på hende."

Mikael tav et øjeblik, før han slog op på det angivne bibelsted, Tredje Mosebog, kapitel 20, vers 18:

"*Hvis en mand har samleje med en kvinde med menstruation og blotter hendes køn, har han blotlagt hendes kilde, og hun selv har blottet sit blods kilde. De skal begge udryddes fra deres folk.*"

Lisbeth nikkede.

"Harriet Vanger foretog den samme kobling. Okay, næste."

"Maj 1957, Rakel Lunde, 45 år. Denne kvinde arbejdede som rengøringsassistent og var lidt af en landsbyoriginal. Hun var spåkone, spåede i kort og læste i hånden og den slags. Rakel boede uden for Landskrona i et afsidesliggende hus, hvor hun blev myrdet tidligt om morgenen. Hun blev fundet nøgen og bundet fast til et tørrestativ bag ved huset, og munden var tapet til. Hun blev stenet til døde og havde et utal af snitsår og knoglebrud."

"For helvede, Lisbeth. Det her er sgu rigtig ulækkert."

"Det bliver værre endnu. Initialerne RL passer – husker du bibelcitatet?"

"Også i dén grad. *Når en mand eller en kvinde har en dødemaners eller en sandsigers ånd i sig, skal de lide døden. I skal stene dem. De har selv skylden for deres død.*"

"Og så er der Lovisa Sjöberg fra Ranmoträsk uden for Karlstad. Det er hende, der er anført som Magda. Hendes fulde fornavn var Magda Lovisa, men hun blev kaldt Lovisa."

Mikael lyttede opmærksomt, mens Lisbeth gengav de bizarre detaljer omkring Karlstad-mordet. Da hun tændte en cigaret, pegede han spørgende på pakken. Hun skubbede den over til ham.

"Morderen havde altså også lemlæstet et dyr?"

"Bibelcitatet siger, at hvis en kvinde har omgang med et dyr, skal begge dræbes."

"Sandsynligheden for, at denne kvinde havde sex med en ko, må siges at være nærmest lig nul."

"Bibelcitatet kan tolkes bogstaveligt. Det er nok, at hun har *omgang* med et dyr, hvilket en bondekone unægtelig har hver eneste dag."

"Okay, fortsæt."

"Næste sag på Harriets liste er Sara. Jeg har identificeret hende som Sara Witt, 37 år og fra Ronneby. Hun blev myrdet i januar 1964. Hun blev fundet bundet i sin seng. Hun havde været udsat for grov seksuel vold, men dødsårsagen var kvælning. Hun blev stranguleret. Morderen gjorde sig også skyldig i brandstiftelse. Det var formentlig meningen at brænde hele huset ned til grunden, men dels slukkede ilden af sig selv, dels ankom brandvæsnet meget hurtigt."

"Og koblingen?"

"Dyrk lige det her: Sara Witt var både præstedatter og gift med en præst. Hendes mand var bortrejst netop den weekend."

"*Hvis en præstedatter vanærer sig ved at bedrive hor, er det sin far, hun vanærer. Hun skal brændes.* Okay, det matcher med listen.

Du sagde, du havde fundet flere sager ..."

"Jeg har fundet endnu tre kvinder, der blev myrdet under så bizarre omstændigheder, at de burde være med på Harriets liste. Den første er en ung kvinde ved navn Liv Gustavsson. Hun var toogtyve år og fra Farsta. Hun var en rigtig hestepige – konkurrencerytter og et lovende talent. Hun havde også en lille dyrehandel sammen med sin søster."

"Fortsæt."

"Hun blev fundet i forretningen. Hun havde arbejdet over med regnskaberne og var alene. Hun må have lukket morderen ind frivilligt. Hun blev voldtaget og kvalt."

"Det passer ikke helt til Harriets liste, gør det?"

"Nej, hvis ikke det var for én ting. Morderen fuldendte værket med at proppe en undulat op i hendes skede, hvorefter han slap alle dyrene i forretningen fri. Katte, skildpadder, hvide mus, kaniner, fugle. Til og med akvariefiskene. Det var med andre ord et temmelig ubehageligt syn, der mødte hendes søster næste morgen."

Mikael nikkede.

"Hun blev myrdet i august 1960, fire måneder efter mordet på bondekonen Magda Lovisa i Karlstad. I begge tilfælde var det kvinder, der arbejdede med dyr, og i begge tilfælde blev der ofret et dyr. Koen i Karlstad overlevede ganske vist, men jeg kan forestille mig, at det er sin sag at tage livet af en ko med en dolk. Så er det noget nemmere med en undulat. Og så har vi for øvrigt endnu et dyreoffer."

"Hvad mener du?"

Lisbeth fortalte om det spektakulære *Duemord* på Lea Persson i Uddevalla. Mikael blev siddende tankefuld så længe, at selv Lisbeth blev utålmodig.

"Okay," sagde han endelig. "Jeg køber din teori. Og så mangler vi bare det sidste."

"Af dem, jeg har *fundet.* Jeg kan have overset flere andre."

"Lad mig høre."

"Februar 1966 i Uppsala. Det yngste offer var en 17-årig gymnasieelev, der hed Lena Andersson. Hun forsvandt efter en klassefest og blev fundet tre dage efter i en grøft på Uppsalaslätten et godt stykke uden for Uppsala. Hun var blevet myrdet et andet sted og dumpet derude."

Mikael nikkede.

"Dette mord fik stor opmærksomhed i pressen, men de helt præcise omstændigheder omkring hendes død blev aldrig offentliggjort. Pigen var blevet maltrakteret i nærmest grotesk grad. Jeg har læst ligsynsrapporten. Hun var blevet torteret med ild. Hendes hænder og bryster havde store brandsår, og der var blevet sat ild til hende på flere steder af kroppen. Man fandt rester af stearin på hende, der viste, at der havde været brugt et stearinlys, men hænderne var så forkullede, at de måtte have været stukket ind i en kraftigere flamme. Endelig havde morderen savet hendes hoved af og smidt det ved siden af kroppen."

Mikael blev bleg.

"Gudfader," sagde han.

"Jeg kan ikke finde nogen matchende bibelcitater, men der er flere afsnit, der handler om brændofre og syndofre, og et par steder anbefales det, at offerdyret – som regel en tyr – parteres på en sådan måde, at *hovedet skilles fra kroppen*. Brugen af ild minder også om det første mord på Rebecka her i Hedestad."

DA MYGGENE BEGYNDTE at sværme ud på aftenen, ryddede de havebordet og rykkede ind i køkkenet for at snakke videre.

"Det betyder ikke så meget, at du ikke kan finde et præcist bibelcitat. Det drejer sig ikke om citater. Det her er en grotesk parodi på det, der står i Bibelen – det er udlægninger af tilfældige skriftsteder."

"Ja, og det er ikke engang logisk. Tag bare citatet om, at begge skal tilintetgøres, hvis nogen har sex med en pige, der har menstruation. Hvis det skulle tolkes bogstaveligt, burde morderen have begået selvmord."

"Og hvad kan vi så udlede af alt det her?" spurgte Mikael.

"Enten havde din Harriet en temmelig bizar hobby, der bestod i at samle på bibelcitater og associere dem med mordofre, hun havde hørt om ... eller også vidste hun, at der fandtes en forbindelse mellem mordene."

"Mellem 1949 og 1966, og måske både før og efter. Der skulle altså have været en splittergal sadist af en seriemorder med en bibel under armen på spil, der slog kvinder ihjel igennem mindst sytten år, uden at nogen forbandt mordene med hinanden ... Det lyder helt usandsynligt."

Lisbeth Salander skubbede stolen tilbage og hentede mere kaffe fra kanden på komfuret. Hun tændte en cigaret og pustede røg ud. Mikael bandede indvendig og snuppede endnu en af hendes smøger.

"Nej, det er faktisk ikke så usandsynligt," sagde hun og holdt en finger i vejret. "Der har fundet adskillige uopklarede kvindemord sted i 1990'erne. Ham der professoren i kriminologi, Leif GW Persson, sagde engang i fjernsynet, at seriemordere er meget sjældne i Sverige, men at vi sikkert har haft nogen, der bare aldrig er blevet opdaget."

Mikael nikkede. Hun løftede endnu en finger.

"De mord her er blevet begået over en meget lang periode og på vidt forskellige steder i landet. To af mordene fandt sted lige efter hinanden i 1960, men omstændighederne var relativt forskellige – en midaldrende bondekone i Karlstad og en toogtyveårig hestefreak i Stockholm."

Tre fingre.

"Der er ikke noget indlysende, entydigt mønster. Mordene er begået på forskellig måde, og der er ikke nogen egentlig signatur, men der er visse gennemgående træk. Dyr. Ild. Grov seksuel vold. Og – som du påpegede – en parodi på bibeltolkning. Men der er tydeligvis ingen fra politiet, der har anskuet nogen af mordene ud fra Bibelen."

Mikael nikkede og skævede til hende. Med sin spinkle krop, sin sorte top, tatoveringerne og ringene i ansigtet virkede Lisbeth Salander mildt sagt malplaceret i gæstehytten i Hedeby. Da han prøvede at være social under middagen, svarede hun med enstavelsesord – om overhovedet. Men når hun arbejdede, var hun professionel til fingerspidserne. Hendes lejlighed nede i Stockholm havde lignet et bombekrater, men Mikael var ikke i tvivl om, at Lisbeth Salander i sit hoved havde fuldt tjek på sagerne. *Besynderligt!*

"Det er svært at se en sammenhæng mellem en prostitueret i

KAPITEL 21

Torsdag den 3. juli – torsdag den 10. juli

LISBETH SALANDER VÅGNEDE før Mikael ved sekstiden om morgenen. Hun satte vand over til kaffe og tog sig et bad. Da Mikael vågnede klokken halv otte, sad hun og læste hans opsummering af Harriet Vanger-sagen i iBook'en. Han kom ud i køkkenet med et lagen viklet om livet og gned søvnen af øjnene.

"Der er kaffe på komfuret," sagde hun.

Mikael sendte hende et blik over skulderen.

"Det dér dokument var beskyttet med et password," sagde han.

Hun drejede hovedet og kiggede op på ham.

"Det tager tredive sekunder at downloade et program fra nettet, der kan knække Words krypteringskode," svarede hun.

"Vi må have os en snak om det dér med dit og mit," sagde Mikael og gik ud på badeværelset.

Da han kom tilbage, havde Lisbeth slukket for hans computer og stillet den tilbage på dens plads i arbejdsværelset. Hun havde nu tændt for sin egen PowerBook, og Mikael var temmelig overbevist om, at hun allerede havde overført indholdet af hans computer til sin egen.

Lisbeth Salander var en informationsnarkoman med en højst liberal opfattelse af moral og etik.

MIKAEL HAVDE NETOP taget plads ved morgenbordet, da det bankede på hoveddøren. Han gik ud og åbnede. Martin Vanger så så sammenbidt ud, at Mikael et kort øjeblik troede, han kom for at meddele, at Henrik Vanger var død.

"Nej, Henriks tilstand er uforandret. Jeg kommer i en ganske anden anledning. Må jeg komme indenfor et øjeblik?"

Uddevalla, der bliver slået ihjel bag en container på en industrigrund, og en præstekone i Ronneby, der bliver stranguleret og udsat for mordbrand. Medmindre man har den nøgle, Harriet gav os, vel at mærke."

"Hvilket fører til næste spørgsmål," sagde Lisbeth.

"Hvordan fanden Harriet blev rodet ind i det her. En sekstenårig pige fra et rimeligt beskyttet miljø."

"Der er kun én forklaring," sagde hun.

Mikael nikkede igen.

"Der må være en kobling til familien Vanger."

VED ELLEVETIDEN OM aftenen havde de i dén grad tærsket langhalm på mordene, diskuteret eventuelle sammenfald og bizarre detaljer, at Mikael var ved at blive totalt bims. Han gned sig i øjnene, strakte sig og spurgte, om hun havde lyst til at gå en aftentur. Lisbeth Salander så ud, som om hun anså den slags eskapader for spild af tid, men nikkede efter en kort betænkningstid. Mikael foreslog, at hun skiftede til lange bukser på grund af myggene.

De gik en tur ned om lystbådehavnen og begav sig derefter ud ad vejen mod Martin Vangers odde. Mikael udpegede de forskellige huse og fortalte, hvem der boede hvor. Han tøvede lidt, da han pegede på Cecilia Vangers hus. Lisbeth skævede til ham.

De passerede Martin Vangers pralebåd og nåede ud til odden, hvor de satte sig på en klippe og delte en smøg.

"Der er endnu en kobling mellem mordofrene," sagde Mikael pludselig. "Det har du måske allerede tænkt på."

"Hvad?"

"Navnene."

Lisbeth tænkte sig om et øjeblik, hvorefter hun rystede på hovedet.

"Det er alle sammen bibelske navne."

"Det passer ikke," svarede Lisbeth hurtigt. "Hverken Liv eller Lena findes i Bibelen."

Mikael rystede på hovedet. "Jo, det gør de faktisk. Liv betyder at leve, og det betyder det bibelske navn Eva også. Og tag dig lige sammen, Lisbeth – hvad er Lena en forkortelse af?"

Lisbeth Salander kneb irriteret øjnene sammen og bandede indvendig. Mikael havde tænkt hurtigere end hende. Det huede hende ikke.

"Magdalena," sagde hun.

"Skøgen, den første kvinde, jomfru Maria ... de er der alle sammen. Det her er så langt ude, at selv en psykolog ville flippe ud, men der er faktisk også en anden ting med navnene."

Lisbeth ventede tålmodigt.

"Det er også traditionelle jødiske kvindenavne. Familien Vanger har haft mere end sin andel af afsindige jødehadere, nazister og konspirationsteoretikere. Harald Vanger dernede er i halvfemserne og var i sine bedste år i 1960'erne. Den eneste gang, jeg har mødt ham, stod han og hvæsede, at hans egen datter var en luder. Han har tydeligvis et problem med kvinder."

DA DE VENDTE tilbage til hytten, lavede de kaffe og smurte natmadder. Mikael skævede til de cirka fem hundrede sider, som Dragan Armanskijs yndlingsresearcher havde udfærdiget til ham.

"Du har udført et fantastisk arbejde på rekordtid," sagde han.

"Tak. Og du skal også have tak, fordi du var så venlig at tage herop og afrapportere."

"Hvad skal der ske nu?" spurgte Lisbeth.

"Jeg taler med Dirch Frode i morgen, så du kan få dine penge."

"Det var ikke det, jeg mente."

Mikael kiggede på hende.

"Nja ... du har jo lavet det grove arbejde, jeg bad dig om," sagde han forsigtigt.

"Jeg er ikke færdig med det her."

Mikael lænede sig tilbage i slagbænken og mødte hendes blik. Han kunne ikke læse noget i hendes øjne overhovedet. I et halvt år havde han arbejdet alene med Harriets forsvinden, og lige pludselig var der et andet menneske – en dreven researcher – der kunne se komplikationerne. Han tog instinktivt en beslutning.

"Det ved jeg. Den her historie er også gået mig i blodet. J
snakker med Dirch Frode i morgen. Vi kan hyre dig en uge ell
to mere som ... researchmedarbejder. Jeg ved ikke, om han
betale samme takst som til Armanskij, men vi skulle nok kun
presse en anstændig månedsløn ud af ham."

Lisbeth Salander sendte ham et hurtigt smil. Hun havde
absolut ikke lyst til at blive koblet af sagen og ville gerne væ
fortsat uden betaling.

"Jeg er ved at falde i søvn," sagde hun og gik uden videre d
kussion ind til sig selv og lukkede døren.

To minutter efter åbnede hun døren og stak hovedet ud.

"Jeg tror, du tager fejl. Det er ikke en sindssyg seriemord
der har misforstået Bibelen. Det er bare et helt almindeligt s
der hader kvinder."

Mikael lukkede ham ind og præsenterede ham for "researchmedarbejderen" Lisbeth Salander. Hun sendte industrilederen et ligegyldigt blik og et hurtigt nik, før hun vendte tilbage til sin computer. Martin Vanger hilste automatisk, men var så distræt, at han knap nok lagde mærke til hende. Mikael skænkede kaffe og bad ham sidde ned.

"Hvad drejer det sig om?"

"Abonnerer du på *Hedestads-Kuriren*?"

"Nej, men jeg læser den sommetider oppe på Susannes Brocafé."

"Så har du altså ikke læst dagens avis."

"Du lyder, som om jeg burde gøre det."

Martin Vanger lagde *Hedestads-Kuriren* på bordet foran Mikael. Han havde fået to spalter som appetitvækker på forsiden, og artiklen fortsatte på side fire. Han studerede overskriften:

HER GEMMER DEN INJURIEDØMTE JOURNALIST SIG

Artiklen var illustreret med et billede, der var taget med teleobjektiv fra kirkebakken på den anden side af broen, og viste Mikael, der var på vej ud ad døren.

Reporteren Conny Torsson havde udført et glimrende håndværk, da han flikkede sit smædeportræt af Mikael sammen. Artiklen resumerede Wennerström-affæren og pointerede, at Mikael havde forladt *Millennium* i vanære, og at han for nylig havde afsonet en fængselsstraf. Indlægget blev afsluttet med den obligatoriske påstand om, at Mikael havde afslået at udtale sig til *Hedestads-Kuriren*. Artiklen var holdt i en sådan tone, at indbyggerne i Hedestad uvægerlig måtte grue for Den Suspekte Stockholmer, der huserede på egnen. Ingen af påstandene var så grove, at der kunne rejses tiltale, men de var vinklet på en sådan måde, at de stillede Mikael i et dårligt lys; hele layoutet lignede det, man brugte i omtalen af politiske terrorister. *Millennium* blev beskrevet som et "agitatorisk tidsskrift" uden troværdighed, og Mikaels bog om erhvervsjournalistik præsenteredes som en samling "kontroversielle påstande" om velrenommerede journalister.

"Mikael ... jeg kan ikke beskrive, hvad jeg føler, når jeg læser den artikel. Den er nedrig."

"Det her er et bestillingsarbejde," svarede Mikael roligt. Han kiggede forskende på Martin Vanger.

"Jeg håber, du forstår, at jeg ikke har noget som helst med det her at gøre. Jeg fik kaffen galt i halsen, da jeg læste avisen."

"Hvem står bag?"

"Jeg har foretaget et par opringninger her til morgen. Conny Torsson er sommervikar, men han skrev artiklen på Birgers opfordring."

"Jeg troede ikke, Birger havde nogen indflydelse på redaktionen – han er jo trods alt kommunalpolitiker."

"Formelt har han ingen indflydelse, men *Kurirens* chefredaktør er Gunnar Karlman, søn af Ingrid Vanger fra Johan Vangers gren af familien. Birger og Gunnar har været nære venner i årevis."

"Jeg er helt med."

"Torsson bliver fyret omgående."

"Hvor gammel er han?"

"Det ved jeg ærlig talt ikke. Jeg har aldrig mødt ham."

"Lad være med at fyre ham. Da han ringede, lød han som en temmelig ung og uerfaren journalist."

"Det her kan simpelthen ikke passere uden at få konsekvenser."

"Hvis du vil høre min mening, virker det en anelse absurd, at chefredaktøren for en avis, der ejes af familien Vanger, går til angreb på et tidsskrift, hvor Henrik Vanger er medejer, og du sidder i bestyrelsen. Chefredaktør Karlman går med andre ord til angreb på dig og Henrik."

Martin Vanger overvejede Mikaels ord, men rystede så langsomt på hovedet.

"Jeg forstår, hvad du mener. Jeg bør placere ansvaret, hvor det rettelig hører hjemme. Karlman er medejer af koncernen og har altid ført skyttegravskrig mod mig, men det her er nok snarere Birgers hævn, fordi du jordede ham inde på hospitalet. Du er en torn i øjet på ham."

"Det er jeg klar over. Det er derfor, jeg tror, at Torsson i virkeligheden er den, der har mest rent mel i posen. Det kræver meget af en ung vikar at sige nej, når chefredaktøren giver ham ordrer."

"Jeg kan forlange, at de bringer en officiel undskyldning i morgen på et synligt sted i avisen."

"Lad være med det. Det vil bare trække striden i langdrag og forværre situationen."

"Du mener altså, at jeg ikke skal foretage mig noget?"

"Det er ikke umagen værd. Karlman vil tage til genmæle, og i værste fald bliver du fremstillet som en skurk, der i egenskab af ejer helt illegitimt forsøger at påvirke den frie opinionsdannelse."

"Undskyld, Mikael, men her er jeg ikke enig med dig. Jeg har faktisk også ret til at udtrykke min mening, og den er, at denne artikel stinker – og jeg agter at gøre min personlige holdning helt klar. Jeg er trods alt Henriks stedfortræder i *Millennium*s bestyrelse, og i den egenskab kan jeg ikke lade sådanne insinuationer passere upåtalt."

"Som du vil."

"Jeg vil kræve spalteplads, og den vil jeg bruge til at fremstille Karlman som en idiot. Og det kan han takke sig selv for."

"Okay, du må handle efter din bedste overbevisning."

"For mig er det også vigtigt at slå fast over for dig, at jeg ikke har noget med dette infame angreb at gøre."

"Jeg tror dig," svarede Mikael.

"Desuden – jeg har egentlig ikke lyst til at bringe det på bane lige nu, men denne sag gør vores tidligere diskussion endnu mere aktuel. Det er vigtigt at få dig tilbage i *Millennium*s redaktion, så vi kan gøre fælles front udadtil. Så længe du er væk, vil de fortsætte med deres beskidte løgnehistorier. Jeg tror på *Millennium*, og jeg er overbevist om, at vi kan vinde denne kamp sammen."

"Jeg kan godt forstå dit synspunkt, men nu er det min tur til at være uenig. Jeg kan ikke bryde kontrakten med Henrik, og faktum er, at jeg ikke *ønsker* at bryde den. Jeg kan faktisk lide manden, skal du vide. Og det der med Harriet ..."

"Ja?"

"Jeg er klar over, at det må være smerteligt for dig, og jeg ved, at det i mange år har været en ren besættelse hos Henrik ..."

"Mellem os to – jeg elsker Henrik, og han er min mentor, men hvad Harriet angår, grænser hans besættelse til rethaveri."

"Da jeg gik i gang med projektet, var jeg overbevist om, at det var spild af tid, men sagen er, at vi mod al forventning har fundet nyt materiale. Jeg tror, vi står over for et gennembrud, og at det måske er muligt at give et svar på, hvad der skete."

"Men du vil ikke fortælle, hvad I har fundet?"

"Ifølge kontrakten må jeg ikke diskutere det med nogen uden Henriks udtrykkelige samtykke."

Martin Vanger hvilede hagen i hånden. Mikael læste tvivl i hans øjne. Til sidst tog Martin en beslutning.

"Okay, i så fald er det bedste, vi kan gøre, at få løst gåden om Harriet så hurtigt som muligt. Lad mig sige det sådan her: Jeg vil give dig al den støtte, jeg kan, så du kan afslutte arbejdet på tilfredsstillende vis i en fart og derefter vende tilbage til *Millennium*."

"Fint. Jeg vil nødig skulle slås med dig også."

"Det kommer du ikke til. Du har min fulde opbakning, og du kan trygt henvende dig til mig, hvis du render ind i problemer. Jeg lover at tage fat i kraven på Birger, så han ikke lægger dig hindringer i vejen. Og jeg vil forsøge at tale med Cecilia og få hende til at dæmpe sig lidt ned."

"Tak. Jeg er nødt til at stille hende nogle spørgsmål, men hun har ikke villet tale med mig i en måned."

Martin Vanger smilede pludselig.

"I har måske også andre tråde at rede ud, men det blander jeg mig ikke i."

De gav hånd.

LISBETH SALANDER HAVDE siddet i tavshed og lyttet til ordvekslingen mellem Mikael og Martin Vanger. Da Martin var gået, rakte hun ud efter *Hedestads-Kuriren*, skimmede artiklen og lagde derefter avisen fra sig uden kommentarer.

Mikael satte sig og grublede i stilhed. Gunnar Karlman var

født i 1942 og havde således været fireogtyve år i 1966. Han var også en af de personer, der havde befundet sig på øen, da Harriet forsvandt.

EFTER MORGENMADEN SATTE Mikael sin researchmedarbejder til at gennemlæse politirapporterne om Harriets forsvinden. Han gav hende alle billederne fra broulykken samt den lange, redigerede sammenfatning af Henriks private efterforskning.

Derefter gik Mikael over til Dirch Frode og fik ham til at udfærdige en ansættelseskontrakt på en måned til Lisbeth.

Da han kom tilbage til gæstehytten, var Lisbeth flyttet ud i haven og sad fordybet i politirapporterne. Mikael gik ind og varmede kaffen. Han betragtede hende fra køkkenvinduet. Det virkede, som om hun skimmede papirerne og højst brugte ti-femten sekunder på hver side. Hun bladrede mekanisk, og Mikael var overrasket over, at hun sløsede sådan med gennemlæsningen; det forekom selvmodsigende, eftersom hendes egen efterforskning var så grundig. Han gik udenfor med to kopper kaffe og tog plads ved havebordet.

"Dine notater om Harriets forsvinden er skrevet, før du kom på den tanke, at vi jagter en seriemorder."

"Det stemmer. Jeg noterede ting, jeg fandt vigtige, spørgsmål, jeg ville stille Henrik Vanger, og den slags. Som du sikkert har lagt mærke til, var det temmelig ustruktureret. Helt frem til nu har jeg egentlig bare famlet rundt i blinde og prøvet at forfatte en historie – et kapitel i biografien om Henrik Vanger."

"Og nu?"

"Hidtil har al efterforskning fokuseret på Hedeby-øen, men nu er jeg overbevist om, at historien begyndte inde i Hedestad tidligere på dagen. Det flytter perspektivet."

Lisbeth nikkede og tænkte sig om et øjeblik.

"Det var ret sejt af dig at finde på at tjekke de der billeder," sagde hun.

Mikael hævede brynene. Lisbeth Salander syntes ikke at være en person, der strøede om sig med ros, og Mikael følte sig sært smigret. På den anden side – rent journalistisk var det faktisk lidt af en bedrift.

"Nu vil jeg godt høre de nærmere detaljer. Hvordan gik det med det billede, du jagtede oppe i Norsjö?"

"Vil du påstå, at du *ikke* tjekkede billederne i min computer?"

"Jeg havde ikke tid. Jeg ville hellere læse om, hvilke tanker du gjorde dig, og hvilke konklusioner du nåede frem til."

Mikael sukkede, tændte for sin iBook og klikkede på billedmappen.

"Det er fascinerende. Besøget i Norsjö var en succes og en total skuffelse. Jeg fandt billedet, men det siger mig ikke ret meget. Hende kvinden, Mildred Berggren, havde limet alle billederne fra bryllupsrejsen ind i et album, stort som småt, og det foto, jeg ledte efter, var et af dem. Det var taget med en billig farvefilm. Efter syvogtredive år var kopien falmet og gulnet, men hun havde stadig negativet i en skotøjsæske. Jeg fik lov til at låne alle tre negativer fra Hedestad og har scannet dem ind. Det her er, hvad Harriet så."

Han klikkede på et billede, der havde filnavnet "HARRIET/bd-19.eps".

Lisbeth forstod hans skuffelse. Hun kiggede på et let sløret foto taget med vidvinkel, som viste nogle klovne i Barnets Dag-optoget. I baggrunden sås hjørnet af Sundströms Herreekvipering. På fortovet foran bygningen mellem klovnene og køleren på den efterfølgende lastbil stod omkring ti personer.

"Jeg tror, det var den person hér, hun så. Dels fordi jeg har beregnet retningen af hendes blik – jeg har lavet en præcis opmåling af gadekrydset – dels fordi det er den eneste person, der tilsyneladende kigger lige ind i kameraet. Han stirrede med andre ord på Harriet."

Lisbeth kunne se en uskarp skikkelse, der stod lidt bag de øvrige tilskuere og et stykke ude på den tværgående gade. Han var iført en mørk dynejakke med et rødt område på skuldrene samt mørke bukser, muligvis cowboybukser. Mikael zoomede ind, så skikkelsen fyldte hele skærmen, fra taljen og opefter. Billedet blev øjeblikkelig mere sløret.

"Det er en mand. Han er omkring 1,80 høj, almindelig af bygning. Han har mellemblondt, halvlangt hår og er glatbarberet.

Men det er umuligt at udskille ansigtstrækkene eller bedømme hans alder. Han kan være alt fra teenager til midaldrende."

"Man kan manipulere billedet ..."

"Det har jeg gjort. Jeg har sågar sendt en kopi til Christer Malm på *Millennium*, der er eminent til billedbehandling." Mikael klikkede på et nyt billede. "Det her er det absolut bedste, jeg kan præstere. Kameraet var simpelthen for dårligt og afstanden for stor."

"Har du vist billedet til nogen? Måske kan man genkende kropsholdningen ..."

"Jeg har vist det til Dirch Frode, men han har ingen anelse om, hvem personen er."

"Dirch Frode er måske ikke den mest opvakte person i Hedestad."

"Nej, men det er ham og Henrik Vanger, jeg arbejder for. Jeg vil vise Henrik billedet, før jeg begynder at forhøre mig rundt omkring."

"Han er måske bare en tilfældig tilskuer."

"Muligvis, men i så fald lykkedes det ham at udløse en besynderlig reaktion hos Harriet."

I DEN FØLGENDE uge arbejdede Mikael og Lisbeth med Harriet-sagen i praktisk taget hvert eneste vågent øjeblik. Lisbeth fortsatte gennemlæsningen af efterforskningsmaterialet og stillede det ene spørgsmål efter det andet, som Mikael prøvede at besvare. Der kunne kun findes én sandhed, og ethvert svævende svar og enhver uklarhed førte til uddybende spekulationer. De brugte en hel dag på at studere tidsskemaet for aktørerne i perioden omkring ulykken på broen.

Lisbeth Salander forekom Mikael mere og mere modsætningsfyldt. Selvom hun kun skimmede de forskellige rapporter og notater, syntes hun hele tiden at bide mærke i de mest obskure og selvmodsigende detaljer.

De indstillede arbejdet om eftermiddagen, når varmen i haven blev ulidelig. Nogle gange gik de ned og badede ved broen eller spadserede op til terrassen uden for Susannes Brocafé. Susanne behandlede pludselig Mikael med en vis demonstrativ kulde. Det gik op for ham, at Lisbeth så højst suspekt ud, og det faktum, at hun på trods heraf åbenbart alligevel boede hjemme hos ham, fik ham til i Susannes øjne at fremstå som en gammel gris. Det føltes ubehageligt.

Mikael fortsatte med at løbe hver aften. Lisbeth kommenterede ikke hans træning, når han vendte forpustet tilbage til hytten. At løbe over stok og sten var tydeligvis ikke hendes forestilling om sommerforlystelser.

"Jeg er i fyrrerne," sagde Mikael. "Jeg er nødt til at motionere for ikke at ende med bodegamuskel."

"Javel."

"Træner du aldrig?"

"Jeg bokser en gang imellem."

"Bokser?"

"Ja, med handsker, du ved."

Mikael gik i bad og prøvede at forestille sig Lisbeth i en boksering. Han var ikke sikker på, at hun ikke tog gas på ham. Ét spørgsmål var i hvert fald uomgængeligt.

"Hvilken vægtklasse bokser du i?"

"Ikke nogen. Jeg er bare sparringspartner en gang imellem for fyrene i en bokseklub på Söder."

Hvorfor overrasker det mig ikke? tænkte Mikael. Men hun havde i det mindste fortalt noget om sig selv. Han vidste stadig ikke noget om hendes baggrund; hvorfor hun var begyndt at arbejde for Armanskij, hvilken uddannelse hun havde, og hvad hendes forældre lavede. Så snart Mikael prøvede at spørge til hendes privatliv, klappede hun i som en østers, svarede med enstavelsesord eller ignorerede ham simpelthen.

EN EFTERMIDDAG LAGDE Lisbeth Salander pludselig en mappe fra sig og kiggede på Mikael med rynkede bryn.

"Hvad ved du om Otto Falk? Præsten."

"Meget lidt. Jeg mødte den nuværende præst et par gange i begyndelsen af året, og hun fortalte, at Falk lever endnu, men bor på et alderdomshjem i Hedestad. Altzheimers."

"Hvor kom han fra?"

"Her fra Hedestad. Han studerede i Uppsala og var omkring

de tredive, da han flyttede hjem igen."

"Han var ugift. Og Harriet omgikkes ham."

"Hvorfor spørger du?"

"Jeg har bare bemærket, at strisseren, ham der Morell, var temmelig blid ved ham under afhøringerne."

"I tresserne havde præster stadigvæk en helt anden position i samfundet, og det var naturligt, at han boede herude på øen nær magtens centrum, så at sige."

"Jeg gad vide, hvor grundigt politiet gennemsøgte præstegården. Efter billederne at dømme var det et stort træhus, og der må have været masser af steder at gemme et lig af vejen et stykke tid."

"Rigtigt nok, men der er intet i materialet, der tyder på, at han skulle have en kobling til seriemord eller Harriets forsvinden."

"Jo, det er der faktisk," sagde Lisbeth Salander og smilede skævt til Mikael. "For det første var han præst, og præster har om nogen et særligt forhold til Bibelen. For det andet var han den sidste, der så og talte med Harriet."

"Men han gik omgående ned til ulykkesstedet og blev der i flere timer. Han er med på masser af billederne, ikke mindst dem, der er taget inden for det tidsrum, hvor Harriet må være forsvundet."

"Det alibi skal jeg sgu nok få gennemhullet, men det var faktisk noget helt andet, jeg havde i tankerne. Den her historie handler om en sadistisk kvindemorder."

"Ja?"

"Jeg var ... jeg havde lidt tid tilovers i foråret og læste en del om sadister i en helt anden sammenhæng. En af de ting, jeg læste, var en håndbog fra FBI i USA, der hævdede, at påfaldende mange seriemordere kommer fra dysfunktionelle hjem og har været dyrplagere som børn. Flere af de amerikanske seriemordere havde desuden været anholdt for mordbrand."

"Dyreofringer og brændofre, mener du."

"Ja, både dyrplageri og ild forekommer i flere af mordsagerne på Harriets liste. Men det, jeg egentlig tænkte på, var, at præstegården nedbrændte sidst i halvfjerdserne."

Mikael spekulerede et øjeblik.

"Det er for tyndt," sagde han til sidst.

Lisbeth Salander nikkede. "Enig, men det er værd at notere sig. Jeg har ikke fundet noget i rapporterne om brandårsagen, og det kunne være spændende at få at vide, om der forekom andre mystiske brande i tresserne. Det kunne også være interessant at finde ud af, om der forekom tilfælde af dyrplageri eller lemlæstelse af dyr her på egnen i den periode."

DA LISBETH GIK i seng den syvende nat i Hedeby, var hun en lille smule irriteret på Mikael Blomkvist. I en uge havde hun tilbragt så godt som hvert eneste vågent minut sammen med ham; normalt plejede syv minutter i selskab med et andet menneske at være nok til at give hende hovedpine.

Hun var for længst blevet klar over, at hun ikke var noget socialt menneske, og havde indstillet sig på et liv som enspænder. Det havde hun det helt fint med, hvis ellers folk bare ville lade hende være i fred og passe sit. Desværre var omgivelserne ikke så fornuftige, og hun måtte forsvare sig mod socialforvaltningen, børne- og ungdomsforsorgen, Overformynderiet, skattevæsnet, politiet, advokater, psykologer, psykiatere, skolelærere og sågar dørmænd (bortset fra dem på Kvarnen, som efterhånden kendte hende), der aldrig ville lukke hende ind på værtshusene, selvom hun nu var fyldt femogtyve. Der var en hel hær af mennesker, som tilsyneladende ikke havde noget bedre at tage sig til end at forsøge at styre hendes liv og, om muligt, lave om på den måde, hun havde valgt at leve.

Hun havde tidligt lært, at det ikke tjente noget formål at græde. Hun havde også lært, at hver gang hun havde prøvet at gøre nogen opmærksom på noget i sit liv, var situationen bare blevet værre. Som følge heraf var det op til hende selv at løse sine problemer med de metoder, hun fandt nødvendige. Noget, advokat Bjurman havde måttet sande.

Mikael Blomkvist havde den samme irriterende vane som alle andre mennesker med at snage i hendes privatliv og stille spørgsmål, som hun ikke ønskede at besvare. Derimod reagerede han overhovedet ikke som flertallet af de mænd, hun havde mødt.

Når hun ignorerede hans spørgsmål, trak han bare på skuldrene, droppede emnet og lod hende være i fred. *Forbløffende.*

Det første, hun gjorde den første morgen i hytten, da hun havde åbnet hans iBook, havde selvfølgelig været at overføre alle oplysninger til sin egen computer. På den måde spillede det ikke så stor en rolle, hvis han tog hende af sagen; hun ville have adgang til materialet alligevel.

Men derefter havde hun helt bevidst provokeret ham ved at sidde og læse dokumenterne i hans iBook, da han vågnede. Hun havde forventet et raserianfald, men i stedet havde han set nærmest opgivende ud, havde fremmumlet en ironisk bemærkning og var gået i bad, hvorefter han var begyndt at diskutere det, hun havde læst. Mærkværdig fyr. Man skulle næsten tro, han havde tillid til hende.

Men at han kendte til hendes meritter som hacker, var temmelig alvorligt. Lisbeth Salander var klar over, at det juridiske udtryk for den hacking, hun bedrev både professionelt og som hobby, var "ulovlig indtrængning i datasystemer" og kunne straffes med op til to års fængsel. Det var et følsomt område – hun ville ikke låses inde, og en fængselsstraf ville desuden med stor sandsynlighed indebære, at hun blev frataget sine computere og dermed det eneste arbejde, hun var virkelig god til. Hun havde aldrig så meget som overvejet at fortælle Dragan Armanskij eller nogen anden, hvordan hun fandt frem til de oplysninger, de betalte for.

Med undtagelse af Plague og nogle få personer på nettet, der ligesom hende bedrev hacking på professionelt niveau – og de fleste af disse kendte hende kun som *Wasp* og vidste ikke, hvem hun var, eller hvor hun boede – så var det kun *Kalle Blomkvist*, der kendte til hendes hemmelighed. Han havde afsløret hende, fordi hun havde begået en brøler, som ikke engang tolvårige nybegyndere i branchen ville lave, og det beviste kun, at hendes hjerne var ved at smuldre, og at hun fortjente en tur med spanskrøret. Men han var ikke blevet vild af raseri og havde sat himmel og jord i bevægelse – han havde ansat hende i stedet.

Og derfor var hun en lille smule irriteret på ham.

Da de havde snuppet sig en natmad, lige inden hun gik i seng, havde han pludselig spurgt hende, om hun var en dygtig hacker.

Til sin egen forundring svarede hun spontant på spørgsmålet.

"Jeg er formentlig den bedste i Sverige. Der er måske to eller tre personer på nogenlunde mit niveau."

Hun tvivlede ikke på sandheden i sit svar. Plague havde engang været bedre end hende, men hun havde overhalet ham for længst.

Men det føltes underligt at udtale ordene. Det havde hun aldrig gjort før. Hun havde ikke engang kendt nogen udenforstående, hun kunne føre sådan en samtale med, og pludselig nød hun, at han virkede imponeret over hendes evner. Derefter havde han ødelagt den dejlige fornemmelse ved at spørge, hvor hun havde lært at hacke.

Hun vidste ikke, hvad hun skulle svare. *Det har jeg altid kunnet.* I stedet var hun gået i seng uden at sige godnat.

Og hun blev endnu mere irriteret over, at Mikael tilsyneladende ikke reagerede på, at hun bare gik sin vej. Hun lå og lyttede til hans bevægelser ude i køkkenet, hvordan han ryddede af bordet og vaskede op. Han blev altid længere oppe end hende, men nu var han åbenbart også på vej i seng. Hun hørte ham rumstere ude på badeværelset, hvorefter han gik ind i sit soveværelse og lukkede døren. Lidt efter hørte hun den velkendte knirken, da han lagde sig i sengen en halv meter fra hende, men på den anden side af væggen.

I den uge, hun havde boet hos ham, havde han ikke flirtet med hende. Han havde arbejdet sammen med hende, spurgt om hendes mening, givet hende et rap over fingrene, når hun tog fejl, og værdsat det, når hun irettesatte ham. Han havde sgu behandlet hende som et menneske.

Det gik pludselig op for hende, at hun kunne lide at være sammen med Mikael Blomkvist, og at hun måske oven i købet stolede på ham. Hun havde aldrig stolet på nogen, måske lige med undtagelse af Holger Palmgren, men det havde været af helt andre grunde. Palmgren havde været et godt, men forudsigeligt menneske.

Pludselig rejste hun sig, stillede sig ved vinduet og kiggede rastløst ud i natten. Det sværeste, hun vidste, var at vise sig nøgen for et andet menneske første gang. Hun var overbevist om, at hendes spinkle krop var frastødende. Hendes bryster var ynkelige. Hun havde ingen hofter, der var værd at tale om. I sine egne øjne havde hun ikke ret meget at byde på. Men bortset fra det var hun en helt almindelig kvinde med samme begær og seksualdrift som alle andre. Hun blev stående og overvejede sagen i næsten tyve minutter, før hun besluttede sig.

MIKAEL HAVDE LAGT sig og åbnet en roman af Sara Paretsky, da han hørte dørhåndtaget blive trykket ned og kiggede op på Lisbeth Salander. Hun havde viklet et lagen om kroppen og stod tavs i døråbningen et øjeblik. Hun så ud, som om hun spekulerede på noget.

"Noget galt?" spurgte Mikael.

Hun rystede på hovedet.

"Hvad vil du?"

Hun gik hen til ham, tog hans bog og lagde den på natbordet. Så bøjede hun sig ned og kyssede ham på munden. Tydeligere kunne hun ikke vise sine hensigter. Hun krøb hurtigt op i hans seng og satte sig og kiggede på ham med et forskende blik. Hun lagde en hånd på dynen over hans mave. Da han ikke protesterede, lænede hun sig frem og bed i en af hans brystvorter.

Mikael var fuldstændig befippet. Efter nogle sekunder greb han fat i hendes skuldre og skubbede hende fra sig, så han kunne se hendes ansigt. Han så ikke uberørt ud.

"Lisbeth ... jeg ved ikke, om det her er nogen god idé. Vi skal arbejde sammen."

"Jeg vil have sex med dig. For mit vedkommende vil det ikke volde problemer at arbejde sammen med dig bagefter, men jeg vil have et forbandet problem med dig, hvis du smider mig ud nu."

"Men vi kender dårlig nok hinanden."

Hun udstødte pludselig en kort latter, næsten som en hosten.

"Da jeg lavede min PU på dig, kunne jeg konstatere, at du ikke plejer at lade den slags stå dig i vejen. Du kan tværtimod ikke holde fingrene fra kvinder. Hvad er der galt? Er det, fordi jeg ikke er sexet nok?"

Mikael rystede på hovedet og prøvede at finde på noget begavet at sige. Da han ikke svarede, trak hun dynen af ham og satte sig overskrævs på ham.

"Jeg har ikke nogen kondomer," sagde Mikael.

"Skid hul i det."

DA MIKAEL VÅGNEDE, var Lisbeth allerede stået op. Han hørte hende larme med kaffekanden ude i køkkenet. Klokken var lidt i syv. Han havde kun sovet i to timer og blev liggende med lukkede øjne.

Han kunne ikke blive klog på Lisbeth. Ikke på noget tidspunkt havde hun med så meget som et blik antydet, at hun var det mindste interesseret i ham.

"Godmorgen," sagde Lisbeth fra døråbningen. Hun smilede faktisk en anelse.

"Hej," sagde Mikael.

"Vi er løbet tør for mælk, så jeg kører op til benzintanken. De åbner klokken syv."

Hun vendte omkring så hurtigt, at Mikael ikke nåede at svare. Han hørte, hvordan hun tog sko på, greb sin taske og styrthjelm og forsvandt ud ad døren. Han lukkede øjnene. Så hørte han hoveddøren blive åbnet igen, og nogle sekunder efter var hun tilbage i døråbningen. Denne gang smilede hun ikke.

"Du må hellere komme med ud og kigge," sagde hun med en mærkelig stemme.

Mikael kom straks på benene og trak sine bukser på. I løbet af natten havde nogen besøgt gæstehytten med en uvelkommen gave. Ude på trappestenen lå det halvvejs forkullede lig af en parteret kat. Kattens ben og hoved var skåret af, hvorefter pelsen var blevet flået af kroppen, tarme og mavesæk taget ud, og det hele smidt ned ved siden af kadaveret, der så ud til at være blevet ristet på et bål. Kattehovedet var intakt og anbragt på Lisbeths motorcykelsadel. Mikael genkendte den rødbrune pels.

KAPITEL 22

Torsdag den 10. juli

De spiste morgenmad i haven i tavshed og uden mælk i kaffen. Lisbeth havde fundet et lille digitalkamera frem og fotograferet det makabre tableau, før Mikael hentede en affaldssæk og fjernede det. Han havde anbragt katten i bagagerummet på sin lånte bil, men var ikke sikker på, hvad han skulle stille op med kadaveret. Strengt taget burde han vel indgive en politianmeldelse om dyrplageri, og muligvis trusler på livet, men han vidste ikke helt, hvordan han skulle forklare, hvorfor han blev truet.

Ved halvnitiden gik Isabella Vanger forbi på vej over broen. Hun så dem ikke eller lod, som om hun ikke så dem.

"Hvordan har du det?" spurgte Mikael omsider Lisbeth.

"Udmærket." Hun kiggede forvirret på ham. *Jamen så okay da. Han synes, jeg skal være oprørt.* "Når jeg finder det svin, der har pint og dræbt en uskyldig kat bare for at give os en advarsel, vil jeg bruge et baseballbat."

"Du tror altså, det er en advarsel?"

"Har du da en bedre forklaring? Og den er alvorligt ment."

Mikael nikkede. "Uanset hvordan hele den her historie hænger sammen, så er der åbenbart nogen, der er blevet så nervøs, at vedkommende er villig til at foretage sig noget drastisk. Men der er også noget andet påfaldende."

"Jeg ved det. Vi har at gøre med en dyreofring ligesom i 1954 og 1960. Men det virker ikke sandsynligt, at en morder, der var aktiv for halvtreds år siden, nu sniger sig omkring og lægger lemlæstede dyrekadavere på dit dørtrin."

Det måtte Mikael give hende ret i.

"De eneste, der i givet fald kan komme i betragtning, er Harald og Isabella Vanger. Der findes også nogle ældre slægtninge på

Johan Vanger-siden, men ingen af dem bor her i området."

Mikael sukkede.

"Isabella er en led satan, der sikkert godt kunne finde på at tage livet af en kat, men jeg tvivler på, at hun for rundt og myrdede kvinder på stribe i halvtredserne. Harald Vanger ... jeg ved snart ikke. Han virker så kraftesløs, at han dårlig kan holde sig på benene, og jeg har vanskeligt ved at tro, at han har listet sig ud midt om natten, opstøvet en kat og gjort det her."

"Det kan være to personer. En ældre og en yngre."

Mikael hørte pludselig en bil, og da han kiggede op, så han Cecilia Vanger forsvinde over broen. *Harald og Cecilia*, tænkte han. Men tanken indeholdt et stort spørgsmålstegn: Far og datter omgikkes ikke og var knap nok på talefod. På trods af Martin Vangers løfte om at snakke med hende havde hun endnu ikke besvaret nogen af Mikaels telefonopringninger.

"Det må være nogen, der ved, at vi borer i sagen, og at vi har gjort fremskridt," sagde Lisbeth, rejste sig og gik ind i huset. Da hun kom ud igen, havde hun iført sig sit læderantræk.

"Jeg kører til Stockholm og er tilbage i aften."

"Hvad skal du?"

"Hente nogle ting. Hvis nogen er sindssyg nok til at tage livet af en kat på denne måde, kan han eller hun sikkert finde på at kaste sig over os næste gang. Eller sætte ild til huset, mens vi ligger og sover. Tag ind til Hedestad i dag og køb to brandslukkere og to brandalarmer. Den ene af dem skal være en halonslukker."

Uden flere ord til afsked tog hun styrthjelmen på, sparkede motorcyklen i gang og forsvandt over broen.

MIKAEL SMED KATTELIGET i en skraldespand ved benzinstationen, før han kørte ind til Hedestad og købte brandslukkerne og brandalarmerne, som han lagde i bilens bagagerum, hvorefter han kørte hen på hospitalet. Han havde ringet til Dirch Frode og aftalt at møde ham i cafeteriaet. Han fortalte, hvad der var sket om morgenen, og Dirch Frode blev bleg.

"Mikael, jeg havde ikke regnet med, at denne historie kunne blive farlig."

"Hvorfor ikke? Opgaven bestod jo i at afsløre en morder."

"Men hvem ville have troet ... det her er jo vanvittigt. Hvis dit og frøken Salanders liv på nogen måde er i fare, er vi nødt til at indstille efterforskningen. Jeg skal nok tale med Henrik."

"Nej, lad endelig være med det. Jeg vil ikke risikere, at han får endnu et slagtilfælde."

"Han spørger hele tiden, hvordan arbejdet skrider frem."

"Du kan fortælle ham, at jeg knokler videre."

"Hvad vil I gøre nu?"

"Jeg har nogle spørgsmål. Den første episode fandt sted, lige efter at Henrik havde fået sit slagtilfælde, og mens jeg var nede i Stockholm. Nogen havde gennemrodet mit arbejdsværelse. Det var lige efter, at jeg havde knækket bibelkoden og opdaget billederne fra Järnvägsgatan. Jeg havde fortalt det til dig og Henrik. Martin vidste det også, fordi det var ham, der skaffede mig adgang til *Hedestads-Kurirens* arkiv. Hvor mange flere vidste noget om det?"

"Tja, jeg kan jo ikke vide, hvem Martin har talt med, men både Birger og Cecilia var informeret. De har diskuteret din jagt på billeder indbyrdes. Alexander ved det også. Og Gunnar og Helena Nilsson, for resten. De var oppe og besøge Henrik og blev inddraget i samtalen. Og Anita Vanger."

"Anita? Hende, der bor i London?"

"Cecilias søster, ja. Hun fløj hjem sammen med Cecilia, da Henrik blev syg, men boede på hotel og har, så vidt jeg ved, ikke været ude på øen. I lighed med Cecilia ønsker hun ikke at møde sin far. Men hun rejste tilbage for en uge siden, da Henrik blev flyttet fra intensiv afdeling."

"Hvor bor Cecilia? Jeg så hende i morges, da hun kørte over broen, men der er mørkt og tilskoddet hjemme hos hende."

"Mistænker du hende?"

"Nej, jeg undrer mig bare over, hvor hun bor for tiden."

"Hun bor hos sin bror Birger. Det er i gåafstand fra Henrik."

"Ved du, hvor hun er lige nu?"

"Nej, men hun er i hvert fald ikke oppe hos Henrik."

"Tak," sagde Mikael og rejste sig.

Familien Vanger kredsede rundt om hospitalet i Hedestad. I foyeren var Birger Vanger på vej hen mod elevatorerne. Mikael havde ikke lyst til at rende ind i ham og ventede, til han var forsvundet, før han gik ud i foyeren. I stedet løb han ind i Martin Vanger henne ved udgangen på næsten præcis samme sted, hvor han havde mødt Cecilia Vanger ved sit forrige besøg. De hilste og gav hånd.

"Har du været oppe og besøge Henrik?"

"Nej, jeg har bare haft et kort møde med Dirch Frode."

Martin Vanger så træt og huløjet ud. Det slog Mikael, at han var ældet betragteligt i løbet af det halve år, de havde kendt hinanden. Kampen for at redde Vangerimperiet tog på kræfterne, og Henriks pludselige sygdom havde ikke gjort sagen bedre.

"Hvordan går det med arbejdet?" spurgte Martin Vanger.

Mikael understregede med det samme, at han ikke havde i sinde at indstille efterforskningen og tage hjem til Stockholm.

"Jo tak. Det bliver mere og mere interessant, for hver dag der går. Når Henrik får det bedre, håber jeg at kunne stille hans nysgerrighed."

Birger Vanger boede i et hvidt murstensrækkehus på den anden side af vejen, kun fem minutters gang fra hospitalet. Han havde udsigt til havet og havnen. Der blev ikke åbnet, da Mikael ringede på. Han ringede til Cecilias mobil, men den blev ikke taget. Han blev siddende lidt i bilen og trommede med fingrene på rattet. Birger Vanger var et ubeskrevet blad i fortællingen; født 1939 og derfor kun ti år gammel, da mordet på Rebecka Jacobsson blev begået. Han var imidlertid syvogtyve år, da Harriet forsvandt.

Ifølge Henrik Vanger havde Birger og Harriet stort set ikke haft noget med hinanden at gøre. Han var vokset op hos sin familie i Uppsala og flyttede til Hedestad for at arbejde i koncernen, men var sprunget fra efter et par år for at satse på sin politiske karriere. Men han havde befundet sig i Uppsala, da Lena Andersson blev myrdet.

Mikael kunne ikke hitte hoved og hale på historien, men episoden med katten havde efterladt en følelse af overhængende fare, og han begyndte at komme i bekneb for tid.

HEDEBYS GAMLE PRÆST Otto Falk havde været seksogtredive år gammel, da Harriet forsvandt. Nu var han tooghalvfjerds, yngre end Henrik Vanger, men i betragteligt dårligere intellektuel form. Mikael opsøgte ham på plejehjemmet Svalen, en gul murstensbygning et stykke oppe ad Hede-åen i den anden ende af byen. Mikael præsenterede sig i receptionen og bad om at måtte tale med pastor Falk. Han fortalte, at han var klar over, at præsten led af Alzheimers, og spurgte, om det var muligt at kommunikere med ham. En sygeplejerske svarede, at pastor Falk havde fået stillet diagnosen tre år tidligere, og at sygdommen havde et aggressivt forløb. Man kunne godt tale med Falk, men han havde en elendig korttidshukommelse, genkendte kun nogle få af sin familie og var i det hele taget på vej ind i tågerne. Mikael blev også advaret om, at den gamle kunne få angstanfald, hvis man pressede på med spørgsmål, han ikke kunne besvare.

Den gamle præst sad på en bænk ude i haven sammen med tre andre patienter og en plejer. Mikael tilbragte en time med at prøve at tale med Falk.

Pastor Falk påstod, at han sagtens kunne huske Harriet Vanger. Han lyste op og beskrev hende som en indtagende pige. Det stod dog hurtigt Mikael klart, at det var lykkedes præsten at glemme, at hun havde været savnet i snart syvogtredive år; han talte om hende, som om han havde mødt hende for ganske nylig, og bad Mikael hilse hende og opfordre hende til at komme på besøg en dag. Det lovede Mikael.

Da Mikael kom ind på, hvad der var sket den dag, Harriet forsvandt, blev præsten forvirret. Han mindedes tydeligvis ikke ulykken på broen. Først i slutningen af deres samtale nævnte han noget, der fik Mikael til at spidse ører.

Da Mikael bragte samtalen ind på Harriets interesse for religion, så pastor Falk med ét tankefuld ud. Det var, som om en sky drog hen over hans ansigt. Præsten sad og rokkede frem og tilbage et øjeblik, kiggede så pludselig op på Mikael og spurgte, hvem han var. Mikael præsenterede sig på ny, og den gamle grublede videre et stykke tid. Til sidst rystede han på hovedet og så irriteret ud.

"Hun er endnu en søgende sjæl. Hun skal vogte sig, og du må advare hende."

"Hvad skal jeg advare hende mod?"

Pastor Falk blev pludselig ophidset. Han rystede på hovedet med rynkede bryn.

"Hun skal holde sig til *sola Scriptura* og forstå, at den er *sufficientia Scripturae*. Kun sådan kan hun finde *sola fide*. Josef udelukker dem på det bestemteste. De blev aldrig optaget i kanonen."

Mikael fattede ikke en brik, men gjorde flittigt notater. Så lænede pastor Falk sig hen mod ham og hviskede fortroligt:

"Jeg tror, hun er katolik. Hun sværmer for magi og har endnu ikke fundet Gud. Hun skal vejledes."

Ordet katolik havde tydeligvis en negativ klang for pastor Falk.

"Jeg troede, hun var interesseret i pinsebevægelsen."

"Nej, nej, ikke i pinsebevægelsen. Hun søger den forbudte sandhed. Hun er ingen god kristen."

Derefter syntes pastor Falk at glemme både Mikael og emnet og begyndte at snakke med en af de andre patienter.

Mikael var hjemme på Hedeby-øen lidt over to om eftermiddagen. Han gik over og bankede på hos Cecilia Vanger, men uden held. Han prøvede hendes mobil igen, men den blev ikke taget.

Han monterede en brandalarm i køkkenet og en i entreen. Han anbragte den ene brandslukker ved brændeovnen uden for soveværelsesdøren og den anden ved døren ind til toilettet. Derefter lavede han sig en frokost bestående af kaffe og nogle madder og satte sig ud i haven, hvor han førte sine notater fra samtalen med pastor Falk ind i sin iBook. Han sad og tænkte et stykke tid og kiggede dernæst op på kirken.

Hedebys nye præstegård var en helt almindelig, moderne villa og lå et par minutters gang fra kirken. Ved firetiden bankede Mikael på hos pastor Margareta Strandh og sagde, at han gerne ville høre hendes mening om et teologisk spørgsmål. Margareta Strandh var en mørkhåret kvinde på hans egen alder og var iført cowboybukser og ternet skjorte. Hun var barfodet og havde lakerede tånegle. Han var rendt ind i hende et par gange på Susannes Brocafé og havde snakket med hende om pastor Falk. Mikael blev venligt modtaget og opfordret til at slå sig ned i haven.

Mikael fortalte, at han havde interviewet Otto Falk, og refererede, hvad denne havde sagt, men at han ikke forstod, hvad præsten havde ment. Margareta Strandh lyttede og bad så Mikael gentage ordret, hvad Falk havde sagt. Hun tænkte efter et øjeblik.

"Jeg overtog embedet her i Hedeby for kun tre år siden og har faktisk aldrig mødt pastor Falk. Han gik på pension flere år tidligere, men jeg har forstået, at han var temmelig højkirkelig. Det, han sagde til dig, betyder noget i retning af, at man skal holde sig til Skriften alene – *sola Scriptura* – og at den er *sufficientia Scripturae*. Det sidste er et udtryk, der betyder, at Den Hellige Skrift er tilstrækkelig for den rettroende. *Sola fide* betyder 'troen alene' eller 'den rene tro'."

"Javel ja."

"Alt dette er så at sige grundlæggende dogmer. Det er det, kirken bygger på, og ikke spor mystisk. Han sagde simpelthen: *Læs Bibelen – den giver den fornødne viden og borger for den rene tro.*"

Mikael følte sig en smule forlegen.

"I hvilken sammenhæng kom det her på tale?"

"Jeg spurgte ham om et menneske, han havde kendt for mange år siden, og som jeg skriver om."

"En søgende sjæl?"

"Noget i den retning."

"Okay, så tror jeg, jeg forstår sammenhængen. Pastor Falk sagde to ting mere – at *Josef udelukker dem på det bestemteste*, og at *de aldrig blev optaget i kanonen*. Kan du muligvis have hørt forkert? Kan han have sagt Josefus i stedet for Josef? I virkeligheden er det det samme navn."

"Det vil jeg ikke udelukke," sagde Mikael. "Jeg optog samtalen, hvis du har lyst til at høre den."

"Nej, det er vist ikke nødvendigt. De to sætninger viser temmelig klart, hvad han hentydede til. Josefus var en jødisk historieskriver, og udtalelsen *de blev aldrig optaget i kanonen* henviser formentlig til, at de aldrig blev optaget i den hebræiske kanon."

"Og det betyder?"

Hun lo.

"Pastor Falk påstod, at omtalte person sværmede for esoteriske kilder, nærmere bestemt Apokryferne. Ordet *apokryphos* betyder skjult, og Apokryferne er med andre ord de skjulte bøger, nogle opfatter som yderst kontroversielle, og andre mener bør indgå i Det Gamle Testamente. Det er Tobits, Judits, Esters, Baruks og Siraks bog samt Makkabæerbøgerne plus nogle andre."

"Tilgiv mig min uvidenhed. Jeg har hørt om Apokryferne, men aldrig læst dem. Hvad specielt er der ved dem?"

"Der er i virkeligheden ikke noget specielt ved dem ud over, at de kom til noget senere end resten af Det Gamle Testamente. Apokryferne er derfor ikke med i den hebræiske bibel – ikke fordi de jødiske skriftkloge nærede nogen modvilje mod deres indhold, men simpelthen fordi de blev forfattet, efter at Skabelsesberetningen var nedskrevet. Apokryferne findes derimod i den gamle græske bibeloversættelse. De opfattes ikke som kontroversielle i for eksempel den romerskkatolske kirke."

"Jaså."

"I den protestantiske kirke betragtes de dog som yderst kontroversielle. Under reformationen søgte teologerne tilbage til den gamle hebræiske bibel. Martin Luther fjernede Apokryferne fra reformationens bibel, og senere erklærede Calvin, at Apokryferne under ingen omstændigheder måtte ligge til grund for trosbekendelsen. De indeholder altså ting, der modsiger eller på en eller anden måde strider mod *claritas Scriptura* – Skriftens klarhed."

"Det er med andre ord censurerede bøger."

"Lige præcis. Apokryferne hævder for eksempel, at magi godt må praktiseres, at løgne i visse tilfælde kan tillades plus lignende udsagn, der selvfølgelig oprører dogmatiske tolkere af Den Hellige Skrift."

"Javel ja. Så hvis nogen sværmer for religion, er det ikke utænkeligt, at Apokryferne dukker op på listen over lekture, og at en som pastor Falk forarges over dette."

"Nemlig. Hvis man interesserer sig for bibelkundskab eller katolicisme, vil man næsten uundgåeligt støde på Apokryferne, og det er lige så sandsynligt, at et menneske, der interesserer sig for esoteriske emner i almindelighed, vil læse dem."

"Du har vel ikke tilfældigvis et eksemplar af Apokryferne?"

Hun lo igen. En munter, venlig latter.

"Naturligvis. Apokryferne udkom faktisk i 1980'erne i Bibelselskabets særlige udgave."

DRAGAN ARMANSKIJ UNDREDE sig over, hvad der var på færde, da Lisbeth Salander bad om en samtale under fire øjne. Han lukkede døren og gjorde tegn til, at hun skulle tage plads. Hun fortalte, at arbejdet for Mikael Blomkvist var afsluttet – Dirch Frode ville betale frem til månedens udgang – men at hun havde besluttet sig for at fortsætte efterforskningen, selvom Mikael havde tilbudt hende en væsentlig mindre månedsløn.

"Jeg har mit eget firma," sagde Lisbeth Salander. "Indtil nu har jeg aldrig taget imod opgaver fra andre end dig. Det, jeg godt vil vide, er, hvilke konsekvenser det vil få for vores fremtidige samarbejde, hvis jeg finder mine egne kunder."

Dragan Armanskij slog ud med hænderne.

"Du er selvstændig, du kan skaffe dig andre kunder, når det passer dig, og til hvilket honorar du ønsker. Jeg er kun glad for, at du selv kan tjene penge. Det ville derimod være illoyalt af dig at snuppe de kunder, du får gennem os."

"Det har jeg ingen planer om. Jeg har opfyldt den kontrakt, vi havde med Blomkvist, og arbejdet er fuldført. Det her handler om, at *jeg* ønsker at køre videre med sagen. Om nødvendigt vil jeg arbejde gratis."

"Du skal aldrig gøre noget gratis."

"Du ved godt, hvad jeg mener. Jeg vil vide, hvor den her historie fører hen. Jeg overtalte Mikael Blomkvist til at bede Dirch Frode give mig en kontraktansættelse som researchmedarbejder."

Hun gav kontrakten til Armanskij, der læste den igennem.

"Med den løn kunne du lige så godt arbejde gratis. Lisbeth, du har evnerne. Du er ikke nødt til at arbejde for lommepenge. Du ved, du kunne tjene betydeligt mere hos mig, hvis du gik op på fuld tid."

"Jeg vil ikke arbejde fuldtids. Men min loyalitet ligger hos dig, Dragan. Du har behandlet mig ordentligt lige fra første dag. Jeg vil sikre mig, at kontrakten er okay for dig, så der ikke opstår problemer mellem os."

"Javel." Han funderede lidt over sagen. "Det er helt okay, og du skal have tak, fordi du spurgte. Hvis der skulle opstå lignende situationer i fremtiden, vil jeg bede dig rådspørge mig, så der ikke sker misforståelser."

Lisbeth Salander tav lidt, mens hun overvejede, om der var noget at tilføje. Så fangede hun Dragan Armanskijs blik uden at sige noget, nikkede blot og rejste sig og gik, som altid uden at sige farvel. Da hun havde fået det svar, hun ønskede, mistede hun fuldstændigt interessen for Armanskij. Han smilede hen for sig. At hun overhovedet havde spurgt ham til råds, var en ny landvinding i hendes socialiseringsproces.

Han åbnede en mappe med en rapport om sikkerheden på et museum, der inden længe skulle have en stor udstilling af franske impressionister. Så lagde han mappen fra sig og kiggede hen på døren, hvor Salander lige var gået ud. Han tænkte på, hvordan hun havde grinet sammen med Mikael Blomkvist inde på sit kontor, og spekulerede på, om hun mon var ved at blive voksen, eller om det var Blomkvist, der trak. Han følte også en pludselig uro. Han havde aldrig kunnet frigøre sig fra følelsen af, at Lisbeth Salander var det perfekte offer. Og nu jagtede hun en galning ude i ødemarken.

PÅ VEJ NORDPÅ tog Lisbeth Salander efter en pludselig indskydelse en afstikker til Äppelvikens Plejehjem og besøgte sin mor. Bortset fra besøget midsommeraften havde hun ikke set sin mor siden jul, og hun havde dårlig samvittighed, fordi hun så sjældent gav sig tid. Endnu et besøg inden for et par uger var noget af en rekord.

Hendes mor sad inde i opholdsstuen. Lisbeth blev der i godt en time og gik en tur med hende ned til andedammen i plejehjemmets park. Moderen blev ved med at forveksle Lisbeth med hendes søster. Som altid var hun ikke rigtig nærværende, men virkede foruroliget over besøget.

Da Lisbeth sagde farvel, ville moderen ikke slippe hendes hånd. Lisbeth lovede snart at besøge hende igen, mens hendes mor kiggede uroligt og ulykkeligt efter hende.

Det var, som om hun havde en forudanelse om en kommende katastrofe.

MIKAEL TILBRAGTE TO timer i haven bag sin hytte med at bladre i Apokryferne uden at finde ud af andet, end at han spildte sin tid.

Derimod slog en tanke ham. Hvor religiøs havde Harriet Vanger egentlig været? Interessen for bibelstudier var opstået det sidste år, før hun forsvandt. Hun havde knyttet en række bibelcitater til en serie mord og havde derefter ikke kun læst Bibelen grundigt, men også Apokryferne plus interesseret sig for katolicismen.

Havde hun i virkeligheden foretaget den samme efterforskning, som Mikael og Lisbeth var i gang med nu syvogtredive år senere? Var det en morderjagt, der havde ansporet hende, snarere end religiøsitet? Pastor Falk havde antydet, at hun – i hvert fald i hans øjne – havde været en søgende sjæl og ikke en god kristen.

Han blev afbrudt i sine grublerier af telefonen. Det var Erika.

"Jeg ville bare fortælle, at Greger og jeg tager på ferie i næste uge. Jeg bliver væk i fire uger."

"Hvor skal I hen?"

"Til New York. Greger skal udstille, og bagefter har vi tænkt os at tage til Caribien. Vi har lånt et hus på Antigua af en af Gregers bekendte og bliver der i to uger."

"Det lyder skønt. Hav det godt, og hils Greger."

"Jeg har ikke holdt en ordentlig ferie i tre år. Det nye nummer er klar til at gå i trykken, og vi er næsten færdige med næste nummer. Jeg ville ønske, du kunne træde til som redaktør, men Christer har lovet at stå for det."

"Han kan ringe til mig, hvis han får brug for hjælp. Hvordan går det med Janne Dahlman?"

Hun tøvede et øjeblik.

"Han går også på ferie i næste uge. Jeg har udpeget Henry til midlertidig redaktionssekretær. Han og Christer passer butikken."

"Fint."

"Jeg stoler ikke på Dahlman, men han arter sig. Jeg er tilbage den 7. august."

VED SYVTIDEN HAVDE Mikael prøvet at ringe til Cecilia Vanger fem gange. Han havde SMS'et en besked til hende om at ringe tilbage, men havde ikke hørt fra hende.

Han lagde beslutsomt Apokryferne fra sig, tog joggingtøj på og låste døren, før han begav sig ud på sin daglige løbetur.

Han fulgte den smalle vej langs stranden, inden han drejede ind i skoven. Han forcerede buskads og væltede træer i opskruet tempo og nåede udmattet frem til Fæstningen med alt for høj puls. Han standsede op ved et af de gamle skyttehuller og lavede strækøvelser i nogle minutter.

Pludselig hørte han et skarpt smæld samtidig med, at en kugle slog ind i en grå betonmur nogle centimeter fra hans hoved. Derefter mærkede han en sviende smerte ved hårgrænsen, hvor han havde fået en dyb flænge.

I hvad der forekom som en evighed, stod Mikael som lammet og ude af stand til at fatte, hvad der var sket. Så kastede han sig hovedkulds ned i skyttegraven og slog sig næsten fordærvet, da han landede på skulderen. Det andet skud faldt i samme øjeblik, som han kastede sig ned. Kuglen ramte betonfundamentet, hvor han lige havde stået.

Mikael kom på benene og så sig om. Han befandt sig omtrent midt i fæstningsværket. Til højre og venstre løb smalle, meterdybe, tilgroede skyttegrave, der var bredt ud over en linje på godt to hundrede halvtreds meter. Sammenkrøbet begyndte han at løbe sydpå gennem labyrinten.

Pludselig hørte han et ekko af kaptajn Adolfssons uefterlignelige stemme under en vinterøvelse i jægerkorpset i Kiruna. *For helvede, Blomkvist, hold hovedet nede, hvis du ikke vil have skudt røven af.* Endnu i dag, tyve år senere, mindedes han de ekstraøvelser, kaptajn Adolfsson plejede at kommandere dem ud på.

Efter omkring tres meter standsede han med hamrende hjerte og gispede efter vejret. Han kunne ikke høre andre lyde end sin egen vejrtrækning. *Det menneskelige øje opfatter bevægelse langt hurtigere end former og omrids. Bevæg dig langsomt, mens du spejder.* Mikael løftede langsomt blikket nogle centimeter op over kanten af skyttegraven. Solen skinnede ham lige i ansigtet og gjorde det umuligt at udskille detaljer, men han kunne ikke se nogen bevægelser.

Mikael trak hovedet ned igen og fortsatte videre til den sidste skyttegrav. *Det er ligegyldigt, hvor gode våben fjenden har. Hvis han ikke kan se dig, kan han ikke ramme dig. Dæk dig, dæk dig, dæk dig. Sørg for aldrig at være blottet.*

Mikael befandt sig nu omkring tre hundrede meter fra Östergårdens jorder. Fyrre meter fra ham lå der er en næsten ufremkommelig kratskov, men for at nå hen til kratskoven måtte han forlade skyttegraven og bevæge sig ned ad en skråning, hvor han ville være fuldstændigt blottet. Det var den eneste vej væk. Bag ham lå havet.

Mikael satte sig på hug og overvejede situationen. Han blev pludselig opmærksom på smerten i tindingen og opdagede, at han blødte voldsomt, og at hans T-shirt var gennemvædet af blod. Splinter af projektilet eller stumper af betonfundamentet havde lavet en dyb flænge ved hårgrænsen. *Sår i hovedbunden bliver ved med at bløde*, tænkte han, før han atter koncentrerede sig om sin situation. Ét skud kunne have været et vådeskud. To skud betød, at nogen havde forsøgt at slå ham ihjel. Han vidste ikke, om skytten befandt sig derude endnu og ventede på, at han skulle komme til syne igen.

Han prøvede at falde til ro og tænke rationelt. Han havde to valgmuligheder: at vente eller at komme væk på en eller anden måde. Hvis skytten stadig var derude, var det sidste alternativ så afgjort ikke tiltrækkende. Men hvis han ventede, kunne skytten stille og roligt vade op til Fæstningen, finde frem til ham og skyde ham på klos hold.

Han (eller hun?) kan ikke vide, om jeg er gået til højre eller venstre. Våben? Måske et jagtgevær, formodentlig med kikkertsigte. Det betød, at skytten havde et begrænset synsfelt, hvis han holdt udkig efter Mikael gennem linsen.

Hvis du er i knibe – tag initiativet. Det er bedre end at vente. Han ventede og lyttede efter lyde i to minutter, hævede sig derefter op af skyttegraven og piskede ned ad skråningen, så hurtigt han kunne.

Et tredje skud blev affyret, da han var halvvejs nede ved kratskoven, men ramte langt ved siden af. I næste øjeblik kastede han sig, så lang han var, ind gennem buskadset og rullede ind i et hav af brændenælder. Han kom straks på benene og bevægede sig krumbøjet væk fra skytten. Efter halvtreds meter standsede han op og lyttede. Pludselig hørte han en gren knage et sted mellem ham og fæstningsværket. Han lod sig forsigtigt glide ned på maven.

Ål dig frem havde været et andet af kaptajn Adolfssons yndlingsudtryk. Mikael tilbagelagde de næste hundrede halvtreds meter helt nede i underskoven. Han bevægede sig lydløst og var meget opmærksom på kviste og grene. To gange hørte han en pludselig knagen inde i kratskoven. Den første syntes at komme fra et sted lige i nærheden, måske tyve meter til højre for ham. Han stivnede og lå musestille. Lidt efter løftede han forsigtigt hovedet og spejdede rundt, men kunne ikke få øje på noget. Han lå helt stille i lang tid med dirrende nerver, parat til flugt eller muligvis et desperat modangreb, hvis *fjenden* skulle kaste sig over ham. Den næste knagen, han hørte, kom fra et sted betydeligt længere væk. Så blev der stille.

Han ved, jeg er her, men har han taget opstilling et sted, hvor han venter på, at jeg skal begynde at røre på mig, eller har han trukket sig tilbage?

Han fortsatte med at mave sig frem gennem underskoven, til han nåede hen til gærdet ved Östergårdens eng.

Det her var det næste kritiske øjeblik. Der løb en sti langs gærdet. Han lå udstrakt på jorden og spejdede. Han kunne skimte gårdbygningerne omkring fire hundrede meter væk oppe på en lav skråning, og til højre for dem kunne han se en halv snes græssende køer. *Hvorfor var der ingen, der havde hørt skuddene og var kommet ud for at undersøge sagen? Sommer. Det er ikke sikkert, der er nogen hjemme på gården.*

At begive sig ud på engen kunne ikke komme på tale – der ville han være helt ubeskyttet – men den lige sti langs med gærdet var på den anden side det sted, han selv ville have taget opstilling for at komme på skudhold. Han mavede sig forsigtigt tilbage ind i krattet, indtil det overgik til åben fyrreskov.

Mikael tog omvejen hjem rundt om Östergården og Söderberget. Da han passerede gården, bemærkede han, at bilen var væk, og at der tilsyneladende ikke var nogen hjemme. På toppen af Söderberget standsede han op og kiggede ned på Hedeby. Der var sommergæster i de gamle fiskerhytter i lystbådehavnen; nogle kvinder i badetøj sad på en badebro og snakkede. Der lugtede af grillmad. Nogle børn soppede i havnebassinet.

Mikael kiggede på sit armbåndsur. Lidt over otte. Det var halvtreds minutter, siden det sidste skud var faldet. Gunnar Nilsson gik med bar overkrop og shorts og vandede sin græsplæne. *Hvor længe har du været der?* I Henrik Vangers hus boede der for tiden kun husholdersken Anna Nygren, og hun var ikke at se. Harald Vangers hus virkede øde som altid. Pludselig fik han øje på Isabella Vanger, der sad ude i sin baghave og talte med en eller anden. Det varede et øjeblik, før Mikael genkendte den skrantende Gerda Vanger. Hun var født i 1922 og boede med sin søn Alexander i et af husene bag ved Henriks. Han havde aldrig talt med hende, men set hende nogle få gange i hendes have. Cecilia Vangers hus virkede mennesketomt, men pludselig så Mikael lyset blive tændt i hendes køkken. *Hun er hjemme. Havde skytten været en kvinde?* Han tvivlede ikke et øjeblik på, at Cecilia kunne håndtere et gevær. Længere borte kunne han se Martin Vangers bil på gårdspladsen foran hans hus. *Hvor længe har du været hjemme?*

Eller var det en anden, som han end ikke havde overvejet endnu? Frode? Alexander? Der var for mange muligheder.

Han klatrede ned ad Söderberget, fulgte vejen ind til landsbyen og gik direkte hjem uden at møde nogen. Han opdagede med det samme, at døren stod på klem. Han dukkede sig næsten instinktivt. Så mærkede han duften af kaffe og fik øje på Lisbeth gennem ruden ind til køkkenet.

LISBETH HØRTE MIKAEL i entreen og vendte sig om mod ham. Hun stivnede. Hans ansigt så forfærdeligt ud med udtværet blod, der var begyndt at størkne. Den venstre side af hans hvide T-shirt var gennemvædet af blod. Han pressede en klud ind mod hovedet.

"Det er en flænge, der bløder som ind i helvede, men det er ikke farligt," sagde Mikael, inden hun nåede at sige et ord.

Hun vendte sig om og fandt førstehjælpskassen frem, der stod i spisekammeret og ikke indeholdt andet end noget plaster, en myggestift og en lille rulle kirurgtape. Han tog tøjet af og slæbte det hen ad gulvet og med ind på badeværelset, hvor han så sig i spejlet.

Såret i tindingen var en cirka tre centimeter lang flænge, der var så dyb, at Mikael kunne løfte op i hudfligene. Den blødte endnu og burde sys, men den ville formentlig hele, hvis han kom tape på, tænkte han. Han fugtede et håndklæde og gned blodet af ansigtet.

Han holdt håndklædet mod tindingen, mens han stillede sig under bruseren med lukkede øjne. Så bankede han en knytnæve ind i fliserne med en sådan kraft, at han skrabede knoerne. *Fuck you*, tænkte han. *Du kan vente dig.*

Da Lisbeth rørte ved hans arm, gav det et spjæt i ham, som om han havde fået stød, og han stirrede så vredt på hende, at hun ufrivilligt trådte et skridt baglæns. Hun gav ham et stykke sæbe og gik tilbage til køkkenet uden at mæle et ord.

MIKAEL PLASTREDE FLÆNGEN til med tre stykker kirurgtape, da han havde badet færdig. Han gik ind i soveværelset, tog rene cowboybukser og en ny T-shirt på og greb mappen med udprintede billeder. Han var så vred, at han næsten rystede.

"Bliv her," brølede han til Lisbeth.

Han gik over til Cecilia Vanger og pressede hånden mod dørklokken. Det varede halvandet minut, før hun åbnede.

"Jeg vil ikke tale med dig," sagde hun. Så fik hun øje på hans ansigt, hvor blodet allerede var begyndt at sive ud under plasteret. "Hvad har du lavet?"

"Luk mig ind. Vi skal tale sammen."

Hun tøvede.

"Vi har ikke noget at tale om."

"Det har vi nu, og vi kan enten diskutere det herude på trappen eller inde i køkkenet."

Mikael lød så indædt, at Cecilia uvilkårligt trådte et skridt tilbage og derefter lukkede ham ind. Han marcherede direkte ud i køkkenet.

"Hvad har du gjort?" spurgte hun igen.

"Du påstår, at min efterforskning af Harriet Vanger er en latterlig beskæftigelsesterapi for Henrik. Det er meget muligt, men for en time siden forsøgte en eller anden at blæse hjernen ud på mig, og i nat var der nogen, der efterlod en parteret kat på min trappe."

Cecilia Vanger åbnede munden, men Mikael afbrød hende.

"Cecilia, jeg vil skide på, hvad for nogle fikse ideer du har, og hvad der rider dig, og at du pludselig ikke kan udstå det blotte syn af mig. Jeg vil aldrig røre dig igen, og du behøver ikke være bange for at have mig rendende i røven på dig. Lige nu ville jeg ønske, at jeg aldrig havde hørt om dig eller nogen anden i Vangerfamilien. Men jeg vil have svar på mine spørgsmål. Jo hurtigere du svarer, jo hurtigere slipper du af med mig."

"Hvad vil du vide?"

"Et: Hvor var du for en time siden?"

Cecilias ansigt blev mørkt af vrede.

"For en time siden var jeg inde i Hedestad. Jeg kom hjem for en halv time siden."

"Kan nogen bevidne, hvor du befandt dig?"

"Ikke hvad jeg ved af. Og i øvrigt skylder jeg dig ikke svar på noget."

"To: Hvorfor åbnede du vinduet i Harriets værelse, den dag hun forsvandt?"

"Hvad?"

"Du hørte spørgsmålet. I alle disse år har Henrik prøvet at finde ud af, hvem der åbnede vinduet i Harriets værelse inden for de kritiske minutter, hvor hun forsvandt. Alle har benægtet at have gjort det. Nogen lyver."

"Og hvad i helvede får dig til at tro, det var mig, der gjorde det?"

"Det her billede," sagde Mikael og klaskede det slørede foto op på bordet.

Cecilia Vanger gik hen til bordet og betragtede billedet. Mikael mente at kunne se både forbløffelse og skræk i hendes ansigt. Hun så op på ham. Mikael mærkede, hvordan en lille stribe blod piblede ned ad hans kind og dryppede på blusen.

"Der befandt sig omkring tres personer på øen den dag," sagde han. "Otteogtyve af dem var kvinder. Fem eller seks havde skulderlangt, lyst hår. Kun én af dem var iført en lys kjole."

Hun stirrede opmærksomt på billedet.

"Og du tror, det dér er mig?"

"Hvis det ikke er dig, vil jeg meget gerne vide, hvem du så tror, det er. Dette billede har ikke været kendt tidligere. Jeg har haft det i flere uger og har prøvet at komme i kontakt med dig. Det er sikkert idiotisk af mig, men jeg har ikke vist det til Henrik eller nogen anden, fordi jeg så nødig ville mistænkeliggøre dig eller skade dig. Men jeg er nødt til at få et svar."

"Du skal få et svar." Hun rakte ham billedet. "Jeg var ikke inde på Harriets værelse den dag. Det er ikke mig på det billede. Jeg havde intet med hendes forsvinden at gøre."

Hun gik hen til døren.

"Du har fået dit svar, og nu vil jeg bede dig gå. Du bør nok få en læge til at kigge på det sår."

LISBETH SALANDER KØRTE ham til hospitalet i Hedestad. Det var nok med to sting og et ordentligt plaster for at lukke såret. Han fik noget kortisonsalve til at dulme udslættet efter brændenælderne på halsen og hænderne.

Da de forlod hospitalet, spekulerede Mikael på, om han ikke burde gå til politiet, men så så han pludselig overskrifterne for sig: *Injuriedømt journalist i skuddrama.* Han rystede på hovedet. "Kør bare hjem," sagde han til Lisbeth.

Solen var gået ned, da de vendte tilbage til Hedeby-øen, og det passede Lisbeth Salander glimrende. Hun plantede en sportstaske på bordet i køkkenet.

"Jeg har lånt noget udstyr hos Milton Security, og det er på tide at gøre brug af det. Du kan sætte kaffe over imens."

Hun placerede fire batteridrevne sensorer rundt om huset og forklarede, at hvis nogen nærmede sig huset i en afstand på mindre end seks-syv meter, ville et radiosignal aktivere en alarm inde i Mikaels soveværelse. Samtidig ville to lysfølsomme videokameraer, som hun havde anbragt på bagsiden og forsiden af huset, begynde at sende signaler til en bærbar pc, som hun placerede i skabet i entreen. Hun maskerede kameraerne med et mørkt stof, så kun objektivet var frit.

Et tredje kamera placerede hun i en fuglekasse oven for døren og borede et hul i væggen, så hun kunne føre ledningen igennem. Kameraet var rettet mod havegangen fra lågen og op til hoveddøren. Det tog et billede hvert sekund, og billederne blev lagret på endnu en pc, der var anbragt i klædeskabet.

Derefter installerede hun en trykfølsom dørmåtte i entreen. Hvis det skulle lykkes nogen at undgå IR-detektorerne og trænge ind i huset, ville en sirene på 115 decibel gå i gang. Lisbeth viste, hvordan Mikael kunne frakoble detektorerne med en nøgle til en stikdåse i klædeskabet. Hun havde også lånt en natkikkert, som hun stillede på bordet i arbejdsværelset.

"Du overlader ikke meget til tilfældighederne," sagde Mikael og skænkede kaffe op til hende.

"Og så lige én ting til: Ikke flere joggingture, før det her er opklaret."

"Tro mig – jeg har mistet interessen for motion."

"Jeg laver ikke sjov. Det her begyndte som en historisk research, men i morges lå der en død kat på trappen, og nu til aften prøvede en eller anden at slå dig ihjel. Vi er på sporet af nogen."

De indtog en sen middag med kødpålæg og kartoffelsalat. Mikael var pludselig dødtræt og havde en voldsom hovedpine.

Han orkede ikke snakke og gik i seng.

Lisbeth Salander blev oppe og læste videre i efterforskningsmaterialet til klokken to om natten. Jobbet i Hedeby havde udviklet sig til noget både farefyldt og kompliceret.

KAPITEL 23

Fredag den 11. juli

MIKAEL VÅGNEDE KLOKKEN seks ved, at solen skinnede ham i øjnene gennem en sprække i gardinet. Han havde en murrende hovedpine, og det gjorde ondt, da han rørte ved plasteret. Lisbeth lå på maven med armen hen over ham. Han kiggede ned på dragen, der snoede sig ned over hendes ryg, fra højre skulderblad og ned til balden.

Han talte hendes tatoveringer. Foruden dragen på ryggen og hvepsen på halsen havde hun en løkke rundt om den ene ankel, en anden løkke rundt om venstre overarm, et kinesisk tegn på hoften og en rose på læggen. Bortset fra dragen var tatoveringerne små og diskrete.

Mikael kravlede forsigtigt ud af sengen og trak gardinet helt for. Han gik på toilettet og listede derefter tilbage til sengen og prøvede at krybe ned uden at vække hende.

Et par timer senere spiste de morgenmad ude i haven. Lisbeth kiggede på Mikael.

"Vi har en gåde, der skal løses. Hvad gør vi nu?"

"Opsummerer de fakta, vi har. Prøver at finde flere."

"Et faktum er, at nogen her i nærheden er ude efter dig."

"Men spørgsmålet er hvorfor. Er det, fordi vi er ved at opklare mysteriet med Harriet, eller fordi vi er på sporet af en ukendt seriemorder?"

"Det må hænge sammen."

Mikael nikkede.

"Hvis det lykkedes Harriet at finde ud af, at der var en seriemorder på spil, måtte det have været nogen i hendes nærhed. Kigger vi på persongalleriet i tresserne, var der mindst fyrre mulige kandidater. I dag er der stort set ingen af dem tilbage ud over Harald Vanger, og jeg kan simpelthen ikke forestille mig, at han i en alder af snart femoghalvfems skulle rende rundt med en bøsse ude i skoven. Han ville næppe være i stand til overhovedet at løfte et gevær. Personerne er enten for gamle til at være farlige i dag eller for unge til at have været på spil i halvtredserne. Og så er vi tilbage ved start."

"Medmindre det er to, der samarbejder. En ældre og en yngre."

"Harald og Cecilia. Det tror jeg ikke. Jeg tror, hun talte sandt, da hun påstod, det ikke var hende i vinduet."

"Men hvem var det så?"

De åbnede Mikaels iBook og brugte den følgende time på endnu en gang nøje at studere alle de mennesker, der optrådte på billederne fra ulykken på broen.

"Jeg kan ikke tro andet, end at alle i landsbyen må have været nede og kigge på opstandelsen. Det var september. De fleste har jakke eller sweater på. Der er kun én med langt, lyst hår og lys kjole."

"Cecilia Vanger er med på virkelig mange af billederne. Hun ser ud til at have bevæget sig frem og tilbage mellem husene og tilskuerne på ulykkesstedet. Her taler hun med Isabella. Her står hun sammen med præsten Falk. Her er hun sammen med Greger, den mellemste af Vangerbrødrene."

"Hov," sagde Mikael pludselig. "Hvad er det, Greger har i hånden?"

"Noget firkantet. Det ligner en kasse af en slags."

"Det er jo et Hasselblad. Han havde også et kamera."

De gennemgik billederne endnu en gang. Greger var med på flere af dem, men oftest delvis skjult. På ét billede kunne man tydeligt se, at han havde en firkantet genstand i hånden.

"Jeg tror, du har ret. Det er et kamera."

"Hvilket betyder, at vi må ud på en ny fotosafari."

"Okay, det vender vi tilbage til," sagde Lisbeth. "Lad mig først komme med en hypotese."

"Værsgo."

"Hvad nu, hvis nogen i den yngre generation er klar over, at nogen i den ældre generation var seriemorder, men ikke ønsker, det skal komme frem? Familiens ære og alt det der. Det ville betyde, at der er to personer indblandet, men at de ikke samarbejder. Morderen kan være død for længe siden, mens vores plageånd bare vil have os til at droppe efterforskningen og rejse hjem."

"Det har jeg også tænkt på," svarede Mikael, "men hvorfor så lægge en parteret kat på vores trappetrin? Det er jo en direkte reference til mordene." Mikael bankede på Harriets bibel. "Endnu en parodi på Moseloven om brændofre."

Lisbeth lænede sig tilbage og kiggede op på kirken, mens hun tankefuldt citerede Bibelen. Det lød, som om hun talte med sig selv.

"*Dernæst skal han slagte tyrekalven for Herrens ansigt, og præsterne, Arons sønner, skal bringe blodet hen og stænke det hele vejen rundt på alteret, som står ved indgangen til Åbenbaringsteltet. Så skal han flå brændofferdyret og skære det ud.*"

Hun tav og blev pludselig opmærksom på, at Mikael betragtede hende spændt. Han slog op i Tredje Mosebog, kapitel 1.

"Kan du også vers 12?"

Lisbeth svarede ikke.

"Så skal han ..." begyndte Mikael og nikkede til hende.

"*Så skal han skære det ud, også hoved og nyrefedt, og præsten skal lægge det til rette på brændet over ilden på alteret.*" Hendes stemme var iskold.

"Og næste vers?"

Hun rejste sig pludselig.

"Lisbeth, du har fotografisk hukommelse!" udbrød Mikael forundret. "Det er derfor, du kan læse en side på ti sekunder."

Reaktionen var næsten eksplosiv. Hun naglede Mikael fast med blikket med et så vildt raseri, at han mistede mælet. Så fyldtes hendes øjne med fortvivlelse, og hun vendte sig pludselig om og løb hen mod lågen.

"Lisbeth!" råbte Mikael forbløffet efter hende.

Hun forsvandt hen ad vejen.

MIKAEL BAR HENDES computer indenfor, slog alarmen til og låste døren, før han begav sig ud for at lede efter hende. Han fandt hende tyve minutter senere på en bådebro nede i lystbådehavnen, hvor hun sad med fødderne i vandet og røg en cigaret. Hun hørte ham komme ud på broen, og han så hende stivne en anelse i skuldrene. Han standsede to meter fra hende.

"Jeg ved ikke, hvad jeg gjorde forkert, men det var ikke min mening at såre dig."

Hun svarede ikke.

Han gik hen og satte sig ved siden af hende og lagde forsigtigt hånden på hendes skulder.

"Sødeste Lisbeth, tal til mig."

Hun drejede hovedet og kiggede på ham.

"Der er ikke noget at tale om," sagde hun. "Jeg er simpelthen bare et misfoster."

"Jeg ville være glad, hvis jeg bare havde en halvt så god hukommelse som dig."

Hun smed cigaretskoddet i vandet.

Mikael sagde ikke noget i lang tid. *Hvad skal jeg sige? Du er en helt almindelig pige. Det gør da ikke noget, at du er en smule anderledes. Hvordan opfatter du egentlig dig selv?*

"Jeg har opfattet dig som anderledes fra første øjeblik, jeg så dig," sagde han. "Og ved du hvad? Det var meget længe siden, jeg spontant syntes så godt om nogen, jeg mødte første gang."

Nogle børn kom ud fra en hytte i den anden side af havnen og sprang i vandet. Eugen Norman, maleren, som Mikael endnu ikke havde vekslet ét ord med, sad på en stol uden for sit hus og bakkede på en pibe, mens han betragtede Mikael og Lisbeth.

"Jeg vil meget gerne være din ven, hvis du vil have mig som ven," sagde Mikael. "Men det er noget, du selv bestemmer. Jeg går hjem og laver kaffe. Kom tilbage, når du har lyst."

Han rejste sig og lod hende være i fred. Han var kun nået halvvejs op ad bakken, da han hørte hendes skridt bag sig. De fulgtes ad uden at sige noget.

HUN STANDSEDE HAM, lige før de var fremme ved gæstehytten.

"Jeg var i gang med at formulere en tanke før ... Vi talte om, at det hele er en parodi på Bibelen. Han parterede ganske vist en kat, for det er nok lidt problematisk at få fat på en okse, men han følger konceptet. Jeg gad vide ..."

Hun kiggede op mod kirken.

"*... og Arons sønner skal bringe blodet hen og stænke det hele vejen rundt på alteret, der står ved indgangen til Åbenbaringsteltet.*"

De gik over broen og op til kirken og så sig om. Mikael tog i kirkedøren; den var låst. De gik rundt et stykke tid, kiggede lidt på gravstenene og nåede hen til kapellet, der befandt sig et stykke ned mod vandet. Pludselig spærrede Mikael øjnene op. Det var ikke noget almindeligt kirkekapel, men et gravkapel. Oven over døren kunne han læse det indhuggede navn Vanger og en linje på latin, som han ikke vidste hvad betød.

"At hvile til evig tid," sagde Lisbeth.

Mikael stirrede på hende. Hun trak på skuldrene.

"Jeg har set de ord et sted før," sagde hun.

Pludselig skreg Mikael af grin. Hun stivnede og så først rasende ud, men blev så klar over, at han ikke grinede ad hende, men ad hele det absurde i situationen, hvorefter hun slappede af.

Mikael tog i døren. Den var låst. Han tænkte lidt og bad så Lisbeth sætte sig et sted og vente på ham. Mikael gik over til Anna Nygren og bankede på. Han fortalte, at han godt ville kigge nærmere på Vangerfamiliens gravkapel, og spurgte, hvor Henrik opbevarede nøglen. Anna tøvede lidt, men gav sig så, da Mikael mindede hende om, at han arbejdede for Henrik. Hun hentede nøglen i hans skrivebord.

Så snart Mikael og Lisbeth åbnede døren, vidste de, at de havde haft ret. Stanken af brændt og forkullet kød hang tungt i luften. Men katteplageren havde ikke lavet noget bål. I et hjørne stod der en blæselampe af den slags, skiløbere bruger, når de vokser deres ski. Lisbeth fiskede sit digitalkamera op af en lomme i cowboynederdelen og tog nogle billeder. Hun tog blæselampen med.

"Den kan være bevismateriale. Han har måske efterladt fingeraftryk," sagde hun.

"Ja, og nu beder vi hele Vangerfamilien få taget deres fingeraftryk," sagde Mikael sarkastisk. "Det kunne være sjovt at se dig prøve at få Isabellas."

"Der er metoder til den slags," svarede Lisbeth.

Der var en masse blod på gulvet, og der lå også en boltsaks, som de antog var blevet brugt til at klippe hovedet af katten med.

Mikael kiggede sig om. En katafalk tilhørte Alexandre Vangeersad, og fire grave i gulvet husede de tidligste medlemmer af slægten. Derefter var familien Vanger åbenbart gået over til kremering. Omkring tredive nicher i væggen havde navne på klanmedlemmer. Mikael gik kronologisk frem og spekulerede på, hvor de begravede dem, der ikke fik en plads i kapellet – dem, der måske ikke blev betragtet som betydningsfulde nok.

"SÅ VED VI det," sagde Mikael, da de krydsede broen. "Vi jagter en rablende sindssyg."

"Hvad mener du?"

Mikael standsede midt på broen og lænede sig op ad rækværket.

"Hvis det havde været et almindeligt røvhul, der prøvede at skræmme os, havde han slæbt katten ind i garagen eller måske ud i skoven, men han gik hen i familiekapellet. Det var en tvangshandling. Tænk på, hvilken risiko han må have løbet. Det er sommer, og folk går faktisk tur om natten. Stien gennem kirkegården er en genvej mellem det nordlige og sydlige Hedeby. Selvom han lukkede døren, må katten have lavet en farlig larm, og der må have lugtet brændt."

"Han?"

"Jeg tror ikke, Cecilia Vanger sneg sig rundt med en blæselampe forleden nat."

Lisbeth trak på skuldrene.

"Jeg stoler ikke på nogen af de typer, inklusive Frode og din kære Henrik. Den familie vil skide dig en lang march. Så hvad gør vi nu?"

De tav et stykke tid, men så var Mikael nødt til at spørge:

"Jeg har fundet ud af ret mange hemmeligheder om dig. Hvor mange ved, at du er hacker?"

"Ingen."

"Ingen ud over mig, mener du."

"Hvor vil du hen med det her?"

"Jeg vil vide, om du har det okay med mig. Om du stoler på mig."

Hun betragtede ham i lang tid. Til sidst trak hun atter på skuldrene.

"Det har jeg ingen indflydelse på."

"Stoler du på mig?" gentog Mikael stædigt.

"Indtil videre," svarede hun.

"Godt. Lad os gå hen til Dirch Frode."

ADVOKAT FRODES KONE, der så Lisbeth Salander for første gang, betragtede hende med store øjne, men smilede høfligt og viste dem ud i haven bagved. Frode lyste op, da han fik øje på Lisbeth. Han rejste sig og hilste høfligt.

"Det glæder mig at se dig," sagde han. "Jeg har haft dårlig samvittighed, fordi jeg ikke har fået takket dig ordentligt for det flotte arbejde, du har udført for os. Både i vinter og nu i sommer."

Lisbeth skævede mistroisk til ham.

"Jeg fik penge for det," sagde hun.

"Ja, men jeg havde forudfattede meninger om dig, da vi mødtes. Det vil jeg godt undskylde."

Mikael blev overrasket. Dirch Frode var i stand til at bede en femogtyveårig piercet og tatoveret pige tilgive ham noget, han overhovedet ikke behøvede undskylde. Advokaten steg pludselig nogle grader i Mikaels agtelse. Lisbeth kiggede lige ud og ignorerede ham.

Frode så på Mikael.

"Hvad er der sket med din tinding?"

De tog plads, og Mikael refererede de sidste døgns begivenheder. Da han fortalte, hvordan nogen havde affyret tre skud mod ham ude ved Fæstningen, fløj Frode op. Han virkede oprigtigt chokeret.

"Jamen det er jo helt sindssygt." Han holdt inde og fangede Mikaels blik. "Jeg er ked af det, men det her må få en ende. Jeg kan ikke sætte jeres liv på spil. Jeg må tale med Henrik og få opsagt kontrakten."

"Sæt dig ned," sagde Mikael.

"Men forstår du da ikke ..."

"Jeg forstår så meget, at Lisbeth og jeg er nået så tæt på, at den, der står bag det her, er begyndt at handle sindsforvirret og i panik. Vi har nogle spørgsmål. For det første: Hvor mange nøgler findes der til Vangerfamiliens gravkapel, og hvem er i besiddelse af dem?"

Frode tænkte sig om et øjeblik.

"Sandt at sige ved jeg det ikke. Jeg vil tro, at flere familiemedlemmer har adgang til kapellet. Jeg ved, at Henrik har en nøgle, og at Isabella plejer at sidde derinde en gang imellem, men jeg ved ikke, om hun har sin egen nøgle, eller om hun låner Henriks."

"Okay. Du sidder stadig i Vangerkoncernens bestyrelse. Findes der et firmaarkiv? Et bibliotek eller lignende, hvor der gennem årene er indsamlet presseudklip og diverse skriverier om virksomheden?"

"Ja, sådan et arkiv har vi på hovedkontoret inde i Hedestad."

"Vi skal have adgang til det. Er der også gamle personaleblade og den slags?"

"Jeg må endnu en gang blive dig svar skyldig. Jeg har ikke selv været inde i arkivet i mindst tredive år. Men du skal tale med en kvinde, der hedder Bodil Lindgren og er ansvarlig for opbevaringen af koncernens dokumenter."

"Gider du ringe til hende og sørge for, at Lisbeth får mulighed for at besøge arkivet allerede nu i formiddag? Hun ønsker at læse alle gamle presseudklip om Vangerkoncernen. Det er overordentlig vigtigt, at hun får adgang til alt, der kan være af interesse."

"Det skulle jeg nok kunne ordne. Ellers andet?"

"Ja, Greger Vanger stod med et Hasselblad i hånden den dag, broulykken fandt sted. Det betyder, at han også kan have taget billeder. Hvor kan de være havnet efter hans død?"

"Det er ikke godt at vide, men hos enken eller sønnen vil vel være mest oplagt."

"Kunne du ..."

"Jeg ringer til Alexander og spørger."

"HVAD SKAL JEG lede efter?" spurgte Lisbeth, da de havde forladt Frode og var på vej hjem over broen.

"Presseudklip og personaleblade. Jeg vil bede dig gennemlæse alt, der knytter an til de datoer i halvtredserne og tresserne, hvor mordene blev begået. Notér alt, hvad du studser over, eller som virker den mindste smule underligt. Jeg tror, det er bedst, du tager dig af det. Du har en bedre hukommelse end mig, ser det ud til."

Hun puffede ham i siden. Fem minutter efter brølede hendes letvægter hen over broen.

MIKAEL OG ALEXANDER Vanger gav hånd. I størstedelen af den tid, Mikael havde tilbragt i Hedeby, havde Alexander været bortrejst, og Mikael havde kun fået et flygtigt glimt af ham. *Han var tyve år, da Harriet forsvandt.*

"Dirch Frode sagde, du ville kigge på nogle gamle fotos."

"Din far havde et Hasselblad."

"Ja, det stemmer. Det findes endnu, men der er ingen, der bruger det."

"Du ved sikkert, at Henrik har bedt mig forske i Harriet-sagen."

"Ja, det kan jeg forstå. Og der er mange, der ikke er specielt vilde med det."

"Dem om det. Du behøver selvfølgelig ikke vise mig noget."

"Styr dig. Hvad vil du vide?"

"Om din far tog nogle billeder den dag, Harriet forsvandt."

De gik op på loftet. Det varede et par minutter, før det lykkedes Alexander at finde en papkasse med en masse usorterede billeder.

"Du kan låne hele kassen med hjem," sagde han. "Hvis der er nogen, må de ligge dér."

MIKAEL BRUGTE EN time på at sortere billederne i Greger Vangers efterladte papkasse. Som illustrationer til slægtshistorien indeholdt kassen en del lækkerbiskner, blandt andet en masse billeder af Greger Vanger i selskab med 1940'ernes store svenske nazileder Sven Olof Lindholm. Mikael lagde dem til side.

Han fandt flere kuverter med fotos, som Greger Vanger åbenbart selv havde taget, og som viste forskellige personer og familiesammenkomster samt en masse typiske feriebilleder fra fisketure i fjeldet og en Italiensrejse med familien. De havde blandt andet besøgt det skæve tårn i Pisa.

Endelig fandt han fire billeder fra tankbilulykken. Selvom Gregers kamera var af bedst tænkelige kvalitet, var han en elendig fotograf. Billederne zoomede enten ind på selve tankbilen eller viste folk bagfra. Cecilia Vanger optrådte kun på ét billede, og da i halvprofil.

Mikael scannede billederne ind på computeren, men vidste allerede, at de ikke ville tilføre sagen noget nyt. Han pakkede billederne ned igen og spiste en mad, mens han spekulerede. Ved tretiden gik han op til Anna Nygren.

"Har Henrik flere fotoalbummer end dem, der indgår i hans efterforskning af Harriets forsvinden?"

"Ja. Så vidt jeg ved, har Henrik været fotointeresseret helt fra ungdommen. Han har mange albummer oppe i arbejdsværelset."

"Vil du vise mig dem?"

Anna Nygren tøvede. Én ting var at udlevere nøglen til gravkapellet – dér rådede i det mindste Gud – det var noget ganske andet at lukke Mikael ind i Henriks arbejdsværelse. Dér rådede nemlig Guds overordnede. Mikael foreslog Anna at ringe til Dirch Frode, hvis hun havde betænkeligheder. Til sidst gik hun modvilligt med til at lukke Mikael ind. Omkring en hyldemeter helt nederst ved gulvet var optaget af fotoalbummer. Mikael satte sig ved Henriks skrivebord og slog op i det første album.

Henrik Vanger havde gemt alle mulige familiebilleder. Mange af dem stammede fra længe før hans egen tid. Nogle af de ældste billeder var fra 1870'erne og forestillede barske mænd og stramtandede kvinder. Der var billeder af Henriks forældre og andre slægtninge. På ét billede fra 1906 holdt Henriks far midsommer med nogle gode venner i Sandhamn. Et andet Sandhamnbillede viste Fredrik Vanger og hans kone Ulrika sammen med

Anders Zorn og Albert Engström siddende omkring et bord med optrukne flasker. Han fandt et billede af Henrik som teenager, på cykel og iført jakkesæt. Andre billeder viste mennesker på fabriksgulve og i direktionslokaler. Han fandt kaptajn Oskar Granath, der under krigen havde bragt Henrik og hans elskede Edith Lobach i sikkerhed i Karlskrona.

Anna kom op med en kop kaffe til ham. Han takkede. Han nåede frem til nyere tid og bladrede forbi billeder af Henrik Vanger i hans velmagtsdage, hvor han indviede fabrikker eller gav hånd til Tage Erlander. Et foto fra først i tresserne viste Henrik sammen med Marcus Wallenberg. De to storkapitalister stirrede bistert på hinanden og udstrålede ikke just den store forbrødring.

Han bladrede videre og standsede pludselig på en side, hvor Henrik med blyant havde skrevet *Familieråd* 1966. To farvebilleder viste nogle herrer, der snakkede og røg cigar. Mikael genkendte Henrik, Harald, Greger og flere af de mænd, der havde giftet sig ind i Johan Vangers gren af familien. To billeder var taget under middagen, hvor omkring fyrre mænd og kvinder sad til bords og kiggede ind i kameraet. Det gik op for Mikael, at billederne var taget, efter at dramatikken på broen var overstået, men før nogen var blevet klar over, at Harriet var forsvundet. Han studerede deres ansigter. Dette var den middag, hun skulle have deltaget i. Vidste nogen af herrerne allerede, at hun var væk? Billederne gav intet svar.

Så fik Mikael pludselig kaffen i den gale hals. Han hostede og rettede sig op i stolen.

Ved bordenden længst væk sad Cecilia Vanger i sin lyse kjole og smilede til kameraet. Ved siden af hende sad en anden blond kvinde med langt hår og en identisk lys kjole. De var så ens, at de kunne have været tvillinger. Og med ét faldt brikken på plads i puslespillet. Det var ikke Cecilia Vanger, der havde stået i Harriets vindue – det var hendes to år yngre søster Anita, nu bosat i London.

Hvad var det, Lisbeth havde sagt? *Cecilia Vanger er med på mange af billederne og ser ud til at bevæge sig frem og tilbage mellem bygningerne og tilskuerne.* Vel gjorde hun ej. Der var to personer, og ved en tilfældighed havde de ikke optrådt på samme billede. På de sort-hvide fotos, der var taget på lang afstand, havde de set identiske ud. Henrik havde formodentlig hele tiden kunnet se forskel på pigerne, men for Mikael og Lisbeth havde de lignet hinanden så meget, at de var gået ud fra, det var én og samme person. Og ingen havde påtalt misforståelsen, fordi de aldrig havde overvejet at spørge.

Mikael vendte en side og mærkede nakkehårene rejse sig. Det var, som om et koldt vindpust var faret gennem værelset.

Billederne var taget dagen efter, hvor man havde indledt eftersøgningen af Harriet. En ung vicekommissær Gustaf Morell gav instrukser til to uniformerede betjente og omkring ti mænd i gummistøvler om at finkæmme området. Henrik Vanger var iført knælang regnfrakke og sixpence.

Længst til venstre i billedet sås en ung, lidt kraftig mand med mellemblondt, halvlangt hår. Han var iført en mørk dynejakke med et rødt mønster på skuldrene. Billedet var skarpt. Mikael genkendte ham omgående, men tog for en sikkerheds skyld billedet ud af albummet, gik ned til Anna Nygren og spurgte, om hun genkendte manden.

"Ja da, det er Martin. Han er omkring atten på det billede."

LISBETH GIK KRONOLOGISK frem og gennempløjede år efter år med presseudklip om Vangerkoncernen. Hun begyndte i 1949 og arbejdede sig fremad. Problemet var, at arkivet var enormt. I den aktuelle periode blev koncernen omtalt i medierne praktisk taget hver dag – ikke kun i de landsdækkende aviser, men først og fremmest i lokalpressen. Der blev skrevet om økonomiske analyser, fagforeninger, forhandlinger om boykot- og strejkevarsler, fabriksindvielser og fabrikslukninger, årsregnskaber, direktørskift, introduktion af nye produkter ... det var en strøm af nyheder. *Klik. Klik. Klik.* Hendes hjerne kørte på højtryk og registrerede hvert et gulnet presseudklip.

Efter en times tid fik hun en idé. Hun spurgte arkivchefen Bodil Lindgren, om der fandtes en fortegnelse over Vangerkoncernens fabrikker og andre virksomheder i 1950'erne og 1960'erne.

Bodil Lindgren betragtede Lisbeth Salander med tydelig mistro og kulde. Det huede hende så afgjort ikke, at et vildfremmed menneske havde fået lov til at trænge ind i koncernens allerhelligste og snuse i alle de papirer, hun lystede. Og så oven i købet et pigebarn, der lignede en sindssyg anarkist på femten. Men Dirch Frodes instrukser var ikke til at misforstå. Lisbeth Salander skulle have lov til at kigge på alt. Og det hastede. Hun hentede trykte årsregnskaber fra de år, Lisbeth spurgte til; hvert årsregnskab indeholdt et kort over koncernens udposter rundt omkring i Sverige.

Lisbeth kastede et blik på kortene og noterede sig, at koncernen havde mange fabrikker, kontorer og salgslokaler. Hun kunne også konstatere, at der på hvert af de steder, hvor der var begået et mord, også var en rød prik – blandt flere andre – der markerede det lokale Vangerforetagendes placering.

Den første kobling var fra 1957. Rakel Lunde fra Landskrona blev fundet død dagen efter, at firmaet V & C Bygg havde hjembragt en millionordre på opførelsen af et nyt butikscenter i området. V & C stod for Vanger & Carlén Bygg og indgik i Vangerkoncernen. Lokalavisen havde interviewet Gottfried Vanger, der var rejst ned for at underskrive kontrakten.

Lisbeth kom i tanker om noget, hun havde læst i de falmede politirapporter i landsarkivet i Landskrona. Rakel Lunde, spåkone i fritiden, var rengøringsassistent. Hun havde arbejdet på V & C Bygg.

KLOKKEN SYV OM aftenen havde Mikael ringet til Lisbeth en halv snes gange og hver gang konstateret, at hendes mobil var slukket. Hun ville ikke afbrydes, mens hun gennempløjede arkivet.

Han vandrede rastløst frem og tilbage i gæstehytten. Han havde fundet Henriks optegnelser frem om Martin Vangers gøren og laden i tiden omkring Harriets forsvinden.

I 1966 gik Martin Vanger i 3. g i Uppsala. *Uppsala. Lena Andersson, 17-årig gymnasieelev. Hovedet skilt fra kroppen.*

Henrik havde nævnt det på et tidspunkt, men Mikael måtte konsultere sine notater for at finde passagen. Dér var det: Martin havde været en indadvendt dreng, og de havde været bekymrede for ham. Da hans far druknede, havde Isabella besluttet at sende ham til Uppsala, så han kunne komme lidt væk. Han var blevet indlogeret hos Harald Vanger. *Harald og Martin?* Det virkede forkert.

Der havde ikke været plads i bilen til Martin Vanger, da man kørte op til familietræffet i Hedestad, og han var kommet for sent til toget. Han var ankommet sidst på eftermiddagen og havde således været en af dem, der strandede på den forkerte side af broen. Først lidt over seks om aftenen kom han ud til øen med båd, hvor blandt andre Henrik selv tog imod ham. Af denne grund havde Henrik placeret Martin meget langt nede på listen over personer, der kunne have noget med Harriets forsvinden at gøre.

Martin Vanger påstod, at han overhovedet ikke havde set Harriet den dag. Han løj. Han var kommet til Hedestad tidligere på dagen og havde befundet sig på Järnvägsgatan, ansigt til ansigt med sin søster. Mikael kunne dokumentere løgnen med billeder, der havde ligget begravet i næsten fyrre år.

Harriet Vanger havde set sin bror og reageret med chok. Hun var taget ud til Hedeby-øen og havde prøvet at komme til at tale med Henrik Vanger, men var forsvundet, før der var blevet noget af samtalen. *Hvad ville du fortælle ham? Noget om Uppsala? Men Lena Andersson fra Uppsala var ikke med på din liste. Du havde ikke hørt om det mord.*

Mikael havde stadig svært ved at få historien til at hænge sammen. Harriet var forsvundet ved tretiden om eftermiddagen. På det tidspunkt havde Martin beviseligt befundet sig på den anden side af vandet. Han optrådte på fotografier fra kirkebakken. Han kunne umuligt have gjort Harriet Vanger fortræd ude på øen. Der manglede stadig en brik i puslespillet. *En medskyldig? Anita Vanger?*

Ud fra arkivet kunne Lisbeth konstatere, at Gottfried Vangers position i koncernen havde ændret sig gennem årene. Han var født i 1927. Som tyveårig havde han mødt Isabella, som hurtigt var blevet gravid; Martin Vanger blev født i 1948, så de unge havde været nødt til at gifte sig.

Da han var toogtyve, havde Henrik Vanger hentet ham ind til koncernens hovedkontor. Han var åbenbart begavet og blev muligvis anset for et kronprinseemne. Femogtyve år gammel blev han udnævnt til vicechef i udviklingsafdelingen og trådte ind i bestyrelsen. En opgående stjerne.

På et tidspunkt i midten af halvtredserne gik karrieren i stå. *Han drak. Ægteskabet med Isabella var i opløsning. Børnene Harriet og Martin led under det. Henrik sagde fra.* Gottfrieds karriere havde kulmineret. I 1956 oprettedes endnu en stilling som vicechef for udviklingsafdelingen. To vicechefer – den ene lavede arbejdet, mens Gottfried drak og var fraværende i lange perioder.

Men Gottfried var dog stadigvæk en Vanger, og så var han charmerende og veltalende. Fra 1957 syntes hans opgave at have været at rejse land og rige rundt og indvie fabrikker, løse lokale konflikter og markedsføre det image, at koncernledelsen faktisk interesserede sig for sine ansatte. *Vi sender en af vores sønner for at lytte til jeres problemer. Vi tager jer alvorligt.*

Den anden kobling fandt hun ved halvsyvtiden om aftenen. Gottfried Vanger havde deltaget i en forhandling i Karlstad, hvor Vangerkoncernen havde opkøbt en lokal tømmervirksomhed. Dagen efter fandt man bondekonen Magda Lovisa Sjöberg myrdet.

Den tredje kobling fandt hun blot et kvarter senere. Uddevalla 1962. Samme dag som Lea Persson forsvandt, havde lokalavisen interviewet Gottfried Vanger om en mulig udbygning af havnen.

Tre timer senere stod det Lisbeth Salander klart, at Gottfried Vanger havde befundet sig i nærheden af mindst fem af de otte gerningssteder i dagene før eller lige efter mordene. Hun manglede oplysninger om mordene i 1949 og 1954. Hun studerede et billede af ham i et presseudklip. En flot, slank mand med mørkeblondt hår; han lignede Clark Gable fra *Borte med blæsten* til forveksling.

I 1949 var Gottfried toogtyve år. Det første mord skete på hjemmebane. Hedestad. Rebecka Jacobsson, kontorassistent i Vangerkoncernen. Hvor mødte I hinanden? Hvad lovede du hende?

Da Bodil Lindgren ville lukke og gå hjem klokken syv, hvæsede Lisbeth Salander til hende, at hun ikke var færdig. Hun kunne bare gå og give Lisbeth en nøgle, så hun kunne låse efter sig. Arkivchefen var på dette tidspunkt så irriteret over at blive kostet rundt med af en ung pige, at hun ringede til Dirch Frode for at høre, hvad hun skulle stille op. Frode afgjorde på stedet, at Lisbeth kunne blive der hele natten, hvis hun havde lyst. Ville fru Lindgren være så venlig at orientere nattevagten, så de kunne lukke hende ud, når hun ville hjem?

Lisbeth Salander bed sig i underlæben. Problemet var selvfølgelig, at Gottfried Vanger var druknet i fuldskab i 1965, og at det sidste mord var begået i Uppsala i februar 1966. Hun spekulerede på, om det var en fejl, at hun havde skrevet den 17-årige Lena Andersson på listen. *Nej. Det var ganske vist ikke helt den samme signatur, men den samme parodi på Bibelen. Der måtte simpelthen være en forbindelse.*

KLOKKEN NI BEGYNDTE det at skumre udenfor. Luften var blevet køligere, og det støvregnede. Mikael sad ved bordet i køkkenet og trommede med fingrene, da Martin Vangers Volvo kørte over broen og forsvandt ud mod odden. På en eller anden måde satte det sagen på spidsen.

Mikael vidste ikke, hvad han skulle foretage sig nu. Hele hans krop brændte efter at stille spørgsmål – konfrontere. Det var ganske vist ikke klogt af ham, hvis han mistænkte Martin Vanger for at være en sindssyg morder, der havde dræbt sin søster og en pige i Uppsala, og som oven i købet havde prøvet at skyde Mikael selv. Men Martin Vanger var også en magnet. Og han vidste ikke, at Mikael vidste ... og han kunne jo bare gå hen til ham under det påskud, at han ... ville aflevere nøglen til Gottfried Vangers sommerhus? Mikael låste døren efter sig og gik langsomt ud mod odden.

Der var som sædvanlig bælgmørkt hos Harald Vanger. Hos Henrik Vanger var lyset slukket bortset fra i et værelse ud mod gårdspladsen. Anna var gået i seng. Der var mørkt hos Isabella. Cecilia var ikke hjemme. Der var lys på første sal hos Alexander Vanger, men der var mørkt i de to huse, der var beboet af mennesker, som ikke tilhørte Vangerklanen. Han så ikke en levende sjæl.

Han standsede ubeslutsomt op uden for Martin Vangers hus, tog mobilen frem og ringede til Lisbeth. Stadig intet svar. Han slukkede for mobilen, så den ikke kunne ringe og afsløre ham.

Der var lys i stueetagen. Mikael gik hen over græsplænen og blev stående nogle meter fra køkkenvinduet, men kunne ikke se nogen bevæge sig indenfor. Han fortsatte rundt om huset og standsede op ved hvert eneste vindue, men kunne ikke få øje på Martin Vanger. Derimod opdagede han, at sidedøren i garagen stod på klem. *Vær nu ikke sådan en forbandet idiot.* Han kunne ikke modstå fristelsen til at tage et hurtigt kig.

Det første, han så, var en høvlbænk, hvor der stod en åben æske med ammunition til et jagtgevær. Dernæst så han to benzindunke på gulvet nedenunder. *Forberedelser til endnu en natlig visit, Martin?*

"Kom indenfor, Mikael. Jeg så dig ude på vejen."

Mikaels hjerte gik i stå. Han drejede langsomt hovedet og så Martin Vanger stå i dunkelheden ved en dør, der førte ind i huset.

"Du kunne simpelthen ikke holde dig væk, hva'?"

Stemmen var rolig, næsten venlig.

"Hej, Martin," svarede Mikael.

"Kom indenfor," gentog Martin Vanger. "Denne vej."

Han trådte et skridt frem og til siden og vinkede ham nærmere med venstre hånd. Så løftede han højre hånd, og Mikael så et glimt af metal.

"Jeg står med en Glock, så find nu ikke på nogen dumheder. På den her afstand kan jeg ikke ramme ved siden af."

Mikael gik langsomt nærmere. Da han var henne ved Martin Vanger, blev han stående og så ham i øjnene.

"Jeg var nødt til at komme. Der er så mange spørgsmål."

"Det er jeg klar over. Ind med dig."

Mikael gik langsomt ind i huset. Entreen førte hen til køkkenet, men før han nåede så langt, stoppede Martin Vanger ham med en let hånd på hans skulder.

"Nej, ikke så langt. Til højre her. Åbn døren."

kælderen. Da Mikael var nået halvvejs ned ad kældertrappen, drejede Martin Vanger på en kontakt, og lyset blev tændt. Til højre lå fyrrummet. Lige foran fornemmede Mikael lugten af vaskemiddel. Martin Vanger styrede ham til venstre og ind i et pulterrum med gamle møbler og papkasser. Længst inde var der endnu en dør. En branddør i stål med systemlås.

"Værsgo," sagde Martin Vanger og kastede en nøgle hen til Mikael. "Lås op."

Mikael åbnede døren.

"Der er en lyskontakt til venstre."

Mikael havde åbnet døren til Helvede.

VED NITIDEN GIK Lisbeth ud på gangen uden for arkivet og trak et bæger kaffe og en indpakket sandwich i en automat. Hun fortsatte med at bladre i gamle papirer og prøvede at finde ud af, om Gottfried Vanger havde opholdt sig i Kalmar i 1954. Hun havde ikke heldet med sig.

Hun overvejede at ringe til Mikael, men besluttede sig for at gennemgå personalebladene, før hun holdt fyraften.

RUMMET VAR OMKRING 5 gange 10 meter. Mikael vurderede, at det lå et sted under husets nordlige gavl.

Martin Vanger havde indrettet sit private torturkammer med omhu. Til venstre kæder, jernringe i loft og gulv, et bord med læderremme, hvor han kunne fastspænde sine ofre. Og videoudstyr. Et film- og lydstudie. Bagest i rummet stod et stålbur, hvor hans gæster kunne holdes indespærret i længere tid. Til højre for døren stod en seng og et fjernsyn. På en reol kunne Mikael se en masse videofilm.

Så snart de var kommet ind i lokalet, sigtede Martin Vanger på Mikael med pistolen og beordrede ham til at lægge sig på maven på gulvet. Mikael nægtede.

"Okay," sagde Martin Vanger, "så skyder jeg dig i knæskallen."

Han tog sigte, og Mikael kapitulerede. Han havde ikke noget valg.

Han havde håbet, at Martin ville være uopmærksom et

kort sekund – han vidste, han ville vinde ethvert slagsmål med manden. Han havde haft en lille chance i entreen ovenpå, da Martin lagde hånden på hans skulder, men han havde tøvet. Siden da havde Martin ikke haft kropskontakt med ham, og uden knæskal ville han være chanceløs. Han lagde sig på gulvet.

Martin nærmede sig bagfra og beordrede Mikael til at lægge hænderne på ryggen. Han låste dem med håndjern, hvorefter han sparkede ham og overdængede ham med knytnæveslag.

Hvad der siden skete, fremstod som et mareridt. Martin Vanger skiftede mellem normalitet og sindssyge. Indimellem virkede han rolig, i næste sekund piskede han frem og tilbage i kælderen som et indespærret dyr. Han sparkede Mikael flere gange. Mikael kunne ikke gøre andet end at forsøge at beskytte hovedet og tage imod slagene med de bløde dele af kroppen. Efter nogle minutter værkede Mikaels krop af adskillige kvæstelser.

Den første halve time sagde Martin ikke et ord, og det var umuligt at kommunikere med ham. Derefter syntes han at falde lidt til ro. Han hentede en kæde, førte den rundt om halsen på Mikael og låste ham fast med en hængelås til en metalring i gulvet. Han forlod Mikael i godt et kvarter. Da han vendte tilbage, medbragte han en flaske mineralvand. Han tog plads på en stol og betragtede Mikael, mens han drak.

"Må jeg få lidt vand?" spurgte Mikael.

Martin Vanger bøjede sig ned og lod ham gavmildt drikke af flasken. Mikael drak grådigt.

"Tak."

"Stadig lige høflig, *Kalle Blomkvist*."

"Hvorfor sparkede du mig?" spurgte Mikael.

"Fordi du gør mig så vred. Du fortjener at blive straffet. Hvorfor rejste du ikke bare hjem? Der var brug for dig på *Millennium*. Det var mit alvor – vi kunne have gjort det til et stort tidsskrift. Vi kunne have arbejdet sammen i mange år."

Mikael skar en grimasse og prøvede at anbringe sin krop i en mere bekvem stilling. Han var forsvarsløs. Det eneste, han havde, var sin stemme.

"Jeg går ud fra, at du mener, jeg har forspildt den chance," sagde Mikael.

Martin Vanger lo.

"Det gør mig ondt, Mikael, men du ved selvfølgelig, at du kommer til at dø hernede."

Mikael nikkede.

"Hvordan fanden kom I på sporet af mig? Dig og hende det anorektiske gespenst, du fik rodet ind i det her?"

"Du løj om, hvad du lavede den dag, Harriet forsvandt. Jeg kan bevise, at du var i Hedestad under Barnets Dag-optoget. Du blev fotograferet, mens du stod og kiggede på Harriet."

"Var det derfor, du tog til Norsjö?"

"Ja, for at hente billedet. Det blev taget af en kvinde, der helt tilfældigt var i Hedestad. Hun og hendes mand gjorde bare et kort stop i byen."

Martin Vanger rystede på hovedet.

"Det var som satan," sagde han.

Mikael spekulerede som en gal på, hvad han skulle sige for at forhindre eller i det mindste udsætte sin likvidering.

"Hvor er det billede nu?"

"Negativet? Det ligger i min bankboks i Handelsbanken her i Hedestad ... Var du ikke klar over, at jeg havde skaffet mig en bankboks?" Han løj uden at blinke. "Og så er der kopier både her og der. I min og Lisbeths computer, i *Millenniums* database og i serveren hos Milton Security, hvor Lisbeth arbejder."

Martin Vanger skulede og prøvede at regne ud, om Mikael bluffede eller ej.

"Hvor meget ved Salander?"

Mikael tøvede. Lige nu var Lisbeth hans eneste håb om redning. Hvad ville hun gøre, når hun kom hjem og opdagede, at han var forsvundet? Han havde lagt billedet af Martin Vanger i dynejakken på bordet i køkkenet. Ville hun fatte sammenhængen? Ville hun slå alarm? *Hun er ikke typen, der ringer til politiet.* Det værst tænkelige scenarie var, at hun ville gå hen til Martin Vanger, ringe på og forlange at få at vide, hvor Mikael var.

"Svar," sagde Martin Vanger iskoldt.

"Jeg tænker. Lisbeth ved nogenlunde lige så meget som mig,

måske oven i købet mere. Ja, jeg vil gætte på, at hun ved mere end mig. Hun er kvik. Det var hende, der så forbindelsen til Lena Andersson."

"Lena Andersson?" Martin Vanger så desorienteret ud.

"Den 17-årige pige, du torterede og dræbte i Uppsala i februar 1966. Fortæl mig ikke, at du har glemt hende."

Der gik et lys op for Martin Vanger, og for første gang så han en smule rystet ud. Han var ikke klar over, at nogen havde opdaget forbindelsen – Lena Andersson havde jo ikke stået på Harriets liste.

"Martin," sagde Mikael med al den ro i stemmen, han kunne opbyde. "Martin, det er forbi. Du kan muligvis slå mig ihjel, men det er forbi. Der er for mange, der ved det her, og denne gang klapper fælden."

Martin Vanger kom på benene og begyndte atter at gå frem og tilbage. Pludselig hamrede han en knytnæve ind i væggen. *Jeg må huske på, at han er ude af sig selv. Katten. Han kunne have taget katten med herned, men han valgte familiens gravkapel. Han handler irrationelt.* Martin Vanger stod stille.

"Jeg tror, du lyver. Det er kun dig og Salander, der ved noget. I har ikke snakket med nogen om det, for i så fald var politiet allerede kommet. En bekvem lille ildebrand i gæstehytten, og beviserne er forsvundet."

"Og hvis du tager fejl?"

Pludselig smilede han.

"Hvis jeg tager fejl, så er det virkelig forbi. Men det tror jeg ikke. Jeg satser på, at du bluffer. Har jeg måske andet valg?" Han spekulerede et øjeblik. "Det er hende den satans møgfisse, der er det svage led. Jeg må finde hende."

"Hun tog til Stockholm ved middagstid."

Martin Vanger brød ud i latter.

"Jaså? Hvorfor har hun så siddet hele aftenen inde i Vanger-koncernens arkiv?"

Mikaels hjerte sprang et slag over. *Han vidste det. Han havde vidst det hele tiden.*

"Ja, hun ville køre et smut inden om arkivet, før hun tog til Stockholm," svarede Mikael så roligt, han kunne. "Jeg vidste ikke, hun ville blive der så længe."

"Gider du lige! Arkivchefen fortalte mig, at Dirch Frode havde givet hende ordre om at lade Salander blive der, så længe hun havde lyst. Det betyder, at hun kommer hjem engang i nat. Vagten lovede at ringe, når hun forlader kontoret."

Del 4

HOSTILE TAKEOVER

11. juli til 30. december

92 procent af alle svenske kvinder, der blev krænket seksuelt, sidste gang de var ofre for vold, har ikke anmeldt overgrebet til politiet

KAPITEL 24

Fredag den 11. juli – lørdag den 12. juli

Martin Vanger bøjede sig ned og undersøgte Mikaels lommer. Han fandt nøglen til gæstehytten.

"Smart af jer at skifte låsen ud," hoverede han. "Jeg vil tage mig af din kæreste, når hun kommer hjem."

Mikael svarede ikke. Han mindede sig selv om, at Martin Vanger var en dreven forhandler fra mange holmgange i storfinansen. Han kendte en bluffer, når han mødte ham.

"Hvorfor?"

"Hvorfor hvad?"

"Hvorfor alt det her?" Mikael gjorde et kast med hovedet ud i kælderrummet.

Martin Vanger bukkede sig ned, lagde en hånd under Mikaels hage og løftede hans hoved, så deres øjne mødtes.

"Fordi det er så let," sagde han. "Kvinder forsvinder hele tiden. Der er ingen, der savner dem. Indvandrere, ludere fra Rusland. Tusinder af mennesker passerer gennem Sverige hvert eneste år."

Han slap Mikaels hoved og rejste sig, næsten stolt over at demonstrere sin kløgtighed.

Martin Vangers ord ramte Mikael som et knytnæveslag.

Gudfader. Det er ikke nogen gåde fra fortiden. Martin Vanger myrder kvinder den dag i dag. Uden at ane det vadede jeg direkte ind i ...

"Jeg har ingen gæster for tiden, men det vil måske more dig at vide, at mens du og Henrik sad og knevrede i vinter og i foråret, havde jeg en pige hernede. Hun hed Irina og var fra Hviderusland. Mens du spiste til middag hos mig, sad hun indespærret i buret derhenne. Hyggelig aften, ikke sandt?"

Martin Vanger svang sig op på bordet og satte sig med dinglende ben. Mikael lukkede øjnene. Han mærkede pludselig et surt opstød og gjorde en voldsom synkebevægelse.

"Hvor gør du af ligene?"

"Min båd ligger fortøjet lige neden for huset. Jeg sejler dem langt ud på havet. Til forskel fra min far efterlader jeg ingen spor. Men han var også smart. Han spredte sine ofre ud over hele Sverige."

Endelig begyndte brikkerne i puslespillet at falde på plads.

Gottfried Vanger. Fra 1949 til 1965. Derefter overtog Martin Vanger i 1966, i Uppsala.

"Du beundrer din far ..."

"Det var ham, der oplærte mig. Han indviede mig, da jeg var fjorten."

"Uddevalla. Lea Persson."

"Netop. Jeg var med. Jeg kiggede bare på, men jeg var med."

"1964, Sara Witt i Ronneby."

"Jeg var seksten år. Det var første gang, jeg havde en kvinde. Gottfried oplærte mig. Det var mig, der kvalte hende."

Han praler. Gud fri mig ... mage til syg familie.

"Du er vel klar over, at det her er sygt?"

Martin Vanger trak på skuldrene.

"Jeg tror ikke, du forstår det guddommelige i at have total kontrol over et menneskes liv og død."

"Du nyder at tortere og myrde kvinder, Martin."

Koncernchefen grundede lidt over udtalelsen med blikket rettet mod en nøgen plet på væggen bag Mikael. Så smilede han sit charmerende, blændende smil.

"Det tror jeg egentlig ikke. Hvis jeg skal analysere min tilstand rent intellektuelt, så er jeg nok mere en serievoldtægtsmand end en seriemorder. I virkeligheden er jeg seriekidnapper. Aflivningen er så at sige en naturlig følge af, at jeg er nødt til at holde min forbrydelse skjult. Kan du følge mig?"

Mikael vidste ikke, hvad han skulle svare, og nøjedes med at nikke.

"Mine handlinger er selvfølgelig ikke socialt acceptable, men min forbrydelse er først og fremmest et brud med samfundets konventioner. Døden kommer først ind i billedet til allersidst, når jeg er blevet træt af mine gæster. Det er altid fascinerende at se deres skuffelse."

"Skuffelse?" spurgte Mikael forundret.

"Ja, deres *skuffelse*. De tror, at hvis bare de føjer mig, så vil de overleve. De spiller med. De begynder at nære tillid til mig og udvikler et kammeratskab med mig, og helt til det sidste håber de, at dette kammeratskab betyder noget. Skuffelsen indtræder, når de pludselig opdager, at de er blevet narret."

Martin Vanger gik rundt om bordet og lænede sig op ad stålburet.

"Du med dine småborgerlige konventioner vil aldrig kunne forstå det, men det rigtigt spændende er at planlægge selve kidnapningen. Der er ikke plads til impulsive handlinger – den slags kidnappere bliver altid knaldet. Det er en veritabel videnskab med tusinder af detaljer, der skal falde i hak. Først udser jeg mig et bytte og kortlægger hendes liv. Hvem er hun? Hvor kommer hun fra? Hvordan kommer jeg i kontakt med hende? Hvordan bærer jeg mig ad med at blive alene med mit bytte, uden at mit navn bliver nævnt eller nogensinde kommer til at optræde i en fremtidig politiefterforskning?"

Hold kæft, tænkte Mikael. Martin Vanger redegjorde for kidnapninger og mord i et næsten akademisk tonefald, som havde han afvigende synspunkter vedrørende et eller andet esoterisk eller religiøst spørgsmål.

"Interesserer det her dig virkelig, Mikael?"

Han bøjede sig ned og strøg Mikael over kinden. Hans berøring var blid, næsten kærlig.

"Du er nok klar over, at det her kun kan ende på én måde. Generer det dig, hvis jeg ryger?"

Mikael rystede på hovedet.

"Jeg vil gerne have en smøg," sagde han.

Martin Vanger lod ham få sin vilje. Han tændte to cigaretter og anbragte forsigtigt den ene mellem Mikaels læber og lod ham tage et sug, mens han holdt den.

"Tak," sagde Mikael automatisk.

Martin Vanger lo igen.

"Kan du se, hvad jeg mener? Du er allerede begyndt at underkaste dig. Jeg holder dit liv i mine hænder, Mikael. Du ved, jeg kan dræbe dig, hvornår det skal være. Du appellerede til mig om at forbedre din livskvalitet, og det gjorde du ved at bruge et rationelt argument og en smule smiger. Du fik din belønning."

Mikael nikkede. Hans hjerte hamrede, så det næsten var uudholdeligt.

KVART OVER ELLEVE drak Lisbeth noget vand af sin medbragte plasticflaske, mens hun vendte et blad. Til forskel fra Mikael tidligere på dagen fik hun ikke væsken i den gale hals. Derimod spærrede hun øjnene op, da forbindelsen gik op for hende.

Klik!

I to timer havde hun gennempløjet personaleblade fra alle Vangerkoncernens datterselskaber. Det centrale personaleblad hed slet og ret *Firmainformation* og var forsynet med koncernens logo – et svensk flag, der vajede i vinden, og hvis spids var formet som en pil. Bladet blev åbenbart fremstillet i koncernens reklameafdeling og indeholdt propaganda, der skulle få de ansatte til at føle sig som medlemmer af én stor familie.

I forbindelse med vinterferien i februar 1967 havde Henrik Vanger med en storsindet gestus inviteret halvtreds af hovedkontorets ansatte samt disses familie på en uges skiferie i Härjedalen. Invitationen skyldtes, at koncernen året inden havde opnået et rekordstort resultat – det var med andre ord en tak for mange timers arbejdsindsats. PR-afdelingen rejste med og lavede en fotoreportage fra det skisportssted, man havde lejet sig ind på.

Der var en masse fotos fra pisterne med skægge billedtekster. Andre fotos var taget i baren, hvor leende medarbejdere med vejrbidte ansigter hævede deres ølkrus. To billeder var fra et mindre formiddagsarrangement, hvor Henrik Vanger udnævnte den enogfyrreårige kontorassistent Ulla-Britt Mogren til Årets Medarbejder. Hun fik et gratiale på 500 kroner og en glasskål.

Prisuddelingen var foregået på skihotellets terrasse, lige før folk kastede sig ud på pisterne igen. Omkring tyve personer var med på billederne.

Længst til højre, lige bag Henrik Vanger, stod en mand med langt, mellemblondt hår. Han var iført en mørk dynejakke med afvigende farve på skulderpartiet. Billedet var i sort-hvid, så man kunne ikke bestemme farven, men Lisbeth Salander ville lægge hovedet på blokken og påstå, at skulderpartiet var rødt.

Billedteksten forklarede sammenhængen: *Længst til højre ses 19-årige Martin Vanger, der studerer i Uppsala. Inden for koncernledelsen taler man allerede nu om en fremtidig nøgleperson.*

"*Got you,*" hviskede Lisbeth Salander.

Hun slukkede skrivebordslampen og efterlod personalebladene hulter til bulter på bordet – *så har hende Bodil Lindgren-kællingen noget at lave i morgen.*

Hun gik ud på parkeringspladsen ad en sidedør. Hun var næsten nået hen til motorcyklen, da hun kom i tanker om, at hun havde lovet at give vagten besked, når hun gik. Hun standsede og kastede et blik hen over parkeringspladsen. Vagten sad i den anden side af bygningen, hvilket betød, at hun ville være nødt til gå hele vejen rundt om huset. *Fuck that,* tænkte hun.

Da hun kom hen til motorcyklen, åbnede hun sin mobiltelefon og indtastede Mikaels nummer. En stemme meddelte, at abonnenten ikke var at træffe på nummeret. Samtidig opdagede hun, at Mikael havde prøvet at ringe til hende ikke mindre end tretten gange mellem klokken halv fire og ni. Han havde ikke ringet de sidste to timer.

Lisbeth ringede til fastnettelefonen i gæstehytten, men ingen tog den. Hun rynkede brynene, fastgjorde tasken med computeren, tog hjelmen på og sparkede motorcyklen i gang. Turen fra hovedkontoret i Hedestads industrikvarter og ud til Hedebyøen tog ti minutter. Der var lys i køkkenet, men der var ingen hjemme.

Lisbeth gik udenfor og så sig om. Hendes første tanke var, at Mikael var gået over til Dirch Frode, men allerede henne fra broen kunne hun se, at der var mørkt i Frodes villa på den anden side af vandet. Hun kiggede på sit armbåndsur, der viste tyve minutter i tolv.

Hun gik hjem igen, åbnede klædeskabet og skabet i entreen og tog de to pc'er ud, der oplagrede billederne fra de overvågningskameraer, hun havde anbragt udenfor. Det tog hende et stykke tid at gennemgå hændelsesforløbet:

Klokken 15.32 var Mikael gået ind i huset.

Klokken 16.03 var han gået ud i haven med en kop kaffe. Han havde haft en mappe med, som han havde kigget i. Mens han sad ude i haven, havde han foretaget tre korte telefonopringninger. Alle matchede præcis klokkeslættet på tre af de opringninger, hun ikke havde besvaret.

Klokken 17.21 var Mikael gået en tur. Han vendte tilbage mindre end et kvarter senere.

Klokken 18.20 var han gået hen til lågen og havde kigget i retning af broen.

Klokken 21.03 var han gået ud, og han var ikke kommet tilbage.

Lisbeth bladrede hurtigt gennem billederne på det andet kamera, der fotograferede lågen og vejen udenfor. Hun kunne se, hvem der havde færdedes frem og tilbage i løbet af dagen.

Klokken 19.12 var Gunnar Nilsson kommet hjem.

Klokken 19.42 var nogen kørt i retning af Hedestad i den Saab, der tilhørte Östergården.

Klokken 20.02 var bilen vendt tilbage – en tur til kiosken på benzintanken?

Derefter var der ikke foregået noget indtil klokken 21, hvor Martin Vangers bil kørte forbi. Tre minutter efter havde Mikael forladt huset.

Knap en time senere, klokken 21.50, var Martin Vanger pludselig dukket op i kameraets synsfelt. Han havde stået ved lågen i over et minut og iagttaget huset og kigget ind ad køkkenvinduet. Han var gået op ad trappen, havde taget i døren og hevet en nøgle frem. Så måtte han have opdaget, at låsen var skiftet ud, og stod stille et kort øjeblik, før han drejede om på hælen og forlod hytten.

Lisbeth følte pludselig en isnende kulde brede sig i mellemgulvet.

MARTIN VANGER HAVDE endnu en gang ladet Mikael være alene i længere tid. Han lå stille i sin ubekvemme stilling med hænderne lænket på ryggen og halsen fæstet med en tynd kæde til en jernring i gulvet. Han fumlede med håndjernene, men vidste, han ikke kunne åbne dem. De sad så stramt, at han havde mistet følelsen i hænderne.

Han var chanceløs. Han lukkede øjnene.

Han vidste ikke, hvor lang tid der var gået, da han atter hørte Martin Vangers skridt. Industrimagnaten kom ind i hans synsfelt. Han så bekymret ud.

"Ligger du dårligt?" spurgte han.

"Ja," svarede Mikael.

"Det er din egen skyld. Du skulle være rejst hjem."

"Hvorfor myrder du?"

"Det er et valg, jeg har truffet. Jeg kunne diskutere de moralske og intellektuelle aspekter ved mine handlinger med dig hele natten, men det ændrer ikke ved kendsgerningerne. Prøv at anskue det sådan her: Et menneske er en skal af hud, der holder celler, blod og kemiske komponenter på plads. Nogle få kommer i historiebøgerne. De allerfleste bukker under og forsvinder sporløst."

"Du myrder kvinder."

"Vi, der myrder for nydelsens skyld – og jeg er jo ikke alene om denne hobby – vi lever fuldt og helt."

"Men hvorfor Harriet? Din egen søster?"

Martin Vanger skiftede pludselig ansigtsudtryk. I et spring var han henne ved Mikael og greb fat i hans hår.

"Hvad skete der med hende?"

"Hvad mener du?" gispede Mikael.

Han prøvede at dreje hovedet for at mindske smerten i hovedbunden, men øjeblikkelig strammede kæden om halsen.

"Du og Salander, hvad har I fundet ud af?"

"Slip mig, ellers kan jeg jo ikke sige noget."

Martin Vanger slap håret og satte sig i skrædderstilling foran Mikael. Pludselig trak han en kniv frem og placerede knivspidsen lige under Mikaels ene øje. Mikael tvang sig til at møde Martins blik.

"Hvad fanden skete der med hende?"

"Det her forstår jeg ikke. Jeg troede, du myrdede hende."

Martin Vanger stirrede længe på Mikael. Så slappede han af. Han rejste sig og vandrede tankefuldt rundt i kælderen. Han lod kniven falde ned på gulvet, begyndte at le og vendte sig om mod Mikael.

"Harriet, Harriet ... evig og altid denne Harriet. Vi prøvede at ... at tale med hende. Gottfried prøvede at oplære hende. Vi troede, hun var en af os, og at hun ville gøre sin pligt, men hun var bare endnu en ... *møgfisse*. Jeg troede, jeg havde styr på hende, men hun ville betro sig til Henrik, og jeg blev klar over, at jeg ikke kunne stole på hende. Før eller senere ville hun afsløre mig."

"Så du slog hende ihjel."

"Jeg *ville* slå hende ihjel. Jeg *havde* tænkt mig at gøre det, men jeg kom for sent. Jeg kunne ikke komme over på øen."

Mikaels hjerne forsøgte at absorbere oplysningen, men det føltes, som om der kom et skilt frem på skærmen med ordene *ingen tilgængelig plads på harddisken*. Martin Vanger vidste ikke, hvad der var sket med hans søster.

Pludselig trak Martin Vanger sin mobiltelefon op af lommen, kiggede på displayet og lagde den på stolen ved siden af pistolen.

"Tiden er inde til at få en ende på det her. Jeg skal også nå at tage mig af din anorektiske kælling i nat."

Han åbnede et skab, fandt en smal lædersnor og lagde den som en løkke om Mikaels hals. Han løsnede kæden, der holdt Mikael lænket til gulvet, trak ham op på benene og skubbede ham over til væggen. Han trak lædersnoren gennem en jernring oven over Mikaels hoved og strammede den, så han blev tvunget op på tæer.

"Er det for stramt? Kan du ikke få luft?" Han slækkede nogle centimeter på snoren og bandt den fast længere nede på væggen. "Du skulle jo nødig blive kvalt med det samme."

Løkken skar sig så dybt ind i Mikaels hals, at han var ude af stand til at sige noget. Martin Vanger kiggede undersøgende på ham.

Pludselig åbnede han Mikaels bukser og trak dem ned sammen med underbukserne. Idet han trak begge dele væk, mistede Mikael fodfæstet og hang og dinglede i løkken i et par sekunder, før hans tåspidser atter fik kontakt med gulvet. Martin Vanger gik hen til skabet og hentede en saks. Han klippede Mikaels T-shirt af og smed tøjstykkerne i en bunke på gulvet. Så tog han opstilling et stykke fra Mikael og betragtede sit offer.

"Jeg har aldrig haft en dreng her," sagde Martin Vanger alvorligt. "Jeg har aldrig rørt ved en anden mand ... ud over min far. Det var min pligt."

Mikaels tindinger dunkede. Han kunne ikke lægge vægten på fødderne uden at blive kvalt. Han prøvede at gribe fat med fingrene i betonvæggen bagved, men der var intet at gribe fat i.

"Så er tiden inde," sagde Martin Vanger.

Han lagde hånden på snoren og pressede nedad. Mikael mærkede, hvordan løkken skar sig dybere ind i hans hals.

"Jeg har altid spekuleret på, hvordan en mand smager."

Han strammede løkken lidt mere og lænede sig pludselig frem og kyssede Mikael på munden i samme øjeblik, som en iskold stemme skar sig gennem kælderrummet:

"Så stopper du, dit ækle svin! Den fyr er min!"

MIKAEL HØRTE LISBETHS stemme gennem en rød tåge. Det lykkedes ham at fokusere blikket, og han så hende stå henne i døråbningen. Hun stirrede udtryksløst på Martin Vanger.

"Nej ... løb," kvækkede Mikael.

Mikael kunne ikke se Martin Vangers ansigt, men fornemmede næsten fysisk hans chok, idet han snurrede omkring. Et sekund stod tiden stille. Så rakte Martin Vanger ud efter pistolen, som han havde lagt på stolen.

Lisbeth Salander trådte tre hurtige skridt frem og svingede en golfkølle, hun havde haft gemt ved siden. Jernet susede gennem luften i en stor bue og ramte Martin Vangers nøgleben lige ved skulderen. Slaget ramte med så stor kraft, at Mikael kunne høre noget knække. Martin Vanger udstødte et hyl.

"Du kan godt lide smerte, ikke?" spurgte Lisbeth Salander.

Hendes stemme var som sandpapir. Så længe Mikael levede, ville han aldrig glemme hendes ansigt, da hun gik til angreb. Tænderne var blottet som på et rovdyr. Øjnene var sorte. Hun bevægede sig med en jagtedderkops hurtighed og koncentration, da hun svingede golfkøllen igen mod sit bytte og ramte Martin Vanger i brystkassen.

Han snublede over stolen og faldt. Pistolen trillede ned på gulvet og landede for fødderne af Lisbeth. Hun sparkede den til side, væk fra ham.

Derefter slog hun en tredje gang, netop som Martin Vanger var ved at komme på benene. Hun ramte ham på hoften, og der hørtes en kvasende lyd. Et skrækindjagende brøl undslap Martin Vangers strube. Det fjerde slag ramte ham bagfra på skulderbladet.

"Lis ... errrth ..." kvækkede Mikael.

Han var ved at miste bevidstheden, og smerten i tindingerne var næsten uudholdelig.

Hun vendte sig om mod ham og så, at hans ansigt var tomatfarvet, at øjnene var vidt opspærrede, og at hans tunge begyndte at stikke ud af munden.

Hun kiggede sig hurtigt omkring og fik øje på kniven på gulvet. Så kastede hun et kort blik på Martin Vanger, der var kommet op på knæ og forsøgte at kravle væk fra hende med den ene arm hængende slapt ned. Han ville ikke udgøre nogen fare de nærmeste sekunder. Hun slap golfkøllen og greb kniven. Den var spids, men æggen var sløv. Hun stillede sig på tå og filede febrilsk i lædersnoren. Det varede flere sekunder, før Mikael drattede om på gulvet – stadig med løkken strammet om halsen.

LISBETH SALANDER KASTEDE endnu et blik på Martin Vanger. Han var kommet på benene, men stod foroverbøjet. Hun ignorerede ham og prøvede at få fingrene ind under løkken. Først turde hun ikke skære, men stak til sidst kniven ind under rebet og lavede en rift i Mikaels hals, da hun forsøgte at løsne løkken. Endelig fik hun den snittet over, og Mikael hev rallende efter vejret.

Et kort øjeblik fik Mikael en fantastisk oplevelse af, at krop og sjæl blev forenet. Hans syn blev optimalt, og han kunne udskille hvert et støvfnug i lokalet. Hans hørelse blev optimal, og han registrerede hvert et åndedrag og den mindste raslen af tøj, som om lydene blev overført via hovedtelefoner, og han fornemmede lugten af Lisbeths sved og duften af hendes læderjakke. Så bristede illusionen, da blodet igen begyndte at strømme til hovedet, og hans ansigt atter antog sin normale farve.

Lisbeth Salander drejede hovedet i samme øjeblik, som Martin Vanger forsvandt ud ad døren. Hun rejste sig lynhurtigt op og greb pistolen – tjekkede magasinet og afsikrede den. Det slog Mikael, at det så ud, som om hun havde haft med våben at gøre tidligere. Hun så sig om og kiggede på nøglerne til håndjernene, der lå fremme på bordet.

"Jeg ordner ham," sagde hun og stormede hen til døren. Hun fangede nøglerne i farten og smed dem med et baghåndskast hen på gulvet foran Mikael.

Mikael prøvede at råbe til hende, at hun skulle vente, men han fik kun en raspende lyd frem, og da var hun allerede forsvundet ud ad døren.

LISBETH VIDSTE, AT Martin Vanger havde et jagtgevær et eller andet sted, og standsede op med pistolen klar til skud, da hun nåede op i passagen mellem garagen og køkkenet. Hun lyttede, men kunne ikke høre nogen lyde, der sladrede om, hvor hendes bytte befandt sig. Instinktivt trak hun hen mod køkkenet og var næsten nået derhen, da hun hørte en bil blive startet ude på gårdspladsen.

Hun for tilbage og ud ad døren i garagen og så nogle billygter passere Henrik Vangers hus og dreje ned mod broen. Hun stormede ned ad vejen til gæstehytten. Hun stak pistolen i jakkelommen og gav pokker i styrthjelmen, da hun sparkede motorcyklen i gang. Få sekunder efter var hun på vej over broen.

Han havde måske halvandet minuts forspring, da hun nåede frem til rundkørslen ved opkørslen til E4. Hun kunne ikke få øje på ham. Hun kørte ind til siden, stoppede motoren og lyttede.

Himlen var dækket af tunge skyer. Ved horisonten anedes det første daggry. Så hørte hun motorlyd og så et glimt af Martin Vangers bil på E4 i sydgående retning. Lisbeth sparkede cyklen i gang igen, satte den i gear og kørte ind under viadukten. Hun holdt 80 km/t op gennem kurven til motorvejen. Foran hende var der en lige strækning. Der var ingen trafik, så hun gav den fuld gas og piskede derudad. Da vejen begyndte at krumme langs en bakkekam, lå hun på 170 km/t, hvilket var noget nær den tophastighed, hendes tunede kværn kunne præstere ned ad bakke. Efter to minutter fik hun øje på Martin Vangers bil omkring fire hundrede meter fremme.

Konsekvensanalyse. Hvad gør jeg nu?

Hun sagtnede farten til omkring 120 km/t og holdt trit med ham. Hun tabte ham af syne i nogle sekunder, da de passerede nogle skarpe sving. Så nåede de igen ud på en lige strækning, og hun holdt sig på en afstand af to hundrede meter.

Han måtte have set lyset fra hendes motorcykel, for han satte farten op, da de rundede en længere kurve. Hun gav den fuld gas, men sakkede agterud i svingene.

Hun så lysene fra lastbilen på lang afstand. Det samme gjorde Martin Vanger. Pludselig satte han farten op og gled over i den modsatte kørebane, da han befandt sig omkring hundrede halvtreds meter fra den modkørende vogn. Lisbeth så lastbilen bremse og blinke med lygterne, men kollisionen var uundgåelig. Martin Vanger tørnede ind i lastbilen med et øredøvende brag.

Lisbeth bremsede pr. refleks. Derefter så hun, hvordan lastbilen lagde sig på tværs hen over hendes vejbane. Det tog hende to sekunder at nå frem til ulykkesstedet. Hun satte atter farten op, styrede ud i rabatten og passerede bagenden af lastbilen på et par meters afstand. Ud af øjenkrogen så hun flammer slå op under lastbilens køler.

Hun fortsatte endnu hundrede halvtreds meter, før hun stoppede og vendte sig om. Hun så lastbilchaufføren hoppe ud af førerhuset i passagersiden, og gassede op igen. Ved Åkerby to kilometer længere mod syd drejede hun til venstre og fulgte den gamle landevej nordpå, parallelt med E4. Fra en bakketop havde hun udsigt til ulykkesstedet og så, at to personbiler var standset op. Det brændte voldsomt fra bilvraget, der var kilet ind under lastvognen. En mand forsøgte at slukke ilden med en skumslukker.

Hun satte farten op og var inden længe tilbage i Hedeby, hvor hun trillede over broen med lav hastighed. Hun parkerede uden for gæstehytten og gik tilbage til Martin Vangers hus.

MIKAEL KÆMPEDE FORTSAT med håndjernene. Hans hænder var så følelsesløse, at han ikke kunne holde fast på nøglen. Lisbeth åbnede håndjernene for ham og holdt om ham, mens blodcirkulationen i hans hænder langsomt vendte tilbage.

"Martin?" spurgte han hæst.

"Død. Han styrede direkte ind i en lastbil med 150 kilometer i timen et stykke sydpå ad E4."

Mikael gloede på hende. Hun havde kun været væk i et par minutter.

"Vi må ... ringe til politiet," kvækkede Mikael. Så hostede han pludselig voldsomt.

"Hvorfor det?" spurgte Lisbeth Salander.

I TI MINUTTER var Mikael ude af stand til at rejse sig. Han blev siddende på gulvet, nøgen og lænet op ad væggen. Han massede sin hals og løftede kluntet vandflasken op til munden. Lisbeth ventede tålmodigt, til han havde fået følelsen tilbage i kroppen. Hun brugte ventetiden til at udtænke deres næste træk.

"Kom i tøjet."

Hun brugte Mikaels ituklippede T-shirt til at fjerne sine fingeraftryk fra håndjernene, kniven og golfkøllen. Plasticflasken tog hun med.

"Hvad laver du?"

"Kom i tøjet. Solen står snart op. Skynd dig."

Mikael kom vaklende på benene og fik med besvær trukket sine underbukser og cowboybukser på. Han tog sine sko på, og Lisbeth stoppede hans strømper i jakkelommen, men standsede ham så.

"Helt præcist hvad har du rørt ved hernede i kælderen?"

Mikael så sig omkring og prøvede at huske tilbage. Til sidst sagde han, at han ikke havde rørt ved andet end døren og nøglerne til kælderrummet og gæstehytten. Lisbeth fandt nøglerne i Martin Vangers jakke, som han havde hængt over stolen. Hun aftørrede omhyggeligt dørhåndtaget og lyskontakten og slukkede lyset. Derpå førte hun Mikael op ad kældertrappen og bad ham vente i passagen, mens hun lagde golfkøllen tilbage på dens plads. Da hun kom tilbage, havde hun en af Martin Vangers T-shirts med.

"Tag den her på. Folk skal ikke se dig løbe rundt med nøgen overkrop i nat."

Det gik op for Mikael, at han befandt sig i en tilstand af chok. Lisbeth havde overtaget kommandoen, og han adlød viljeløst hendes ordrer. Hun holdt om ham, mens hun førte ham væk fra Martin Vangers hus. Hun standsede ham, straks de var kommet inden for døren i gæstehytten.

"Hvis nogen har set os og spørger, hvad vi lavede i nat, så var vi ude at gå tur og havde sex."

"Lisbeth, jeg kan ikke ..."

"Stil dig ind under bruseren. Nu."

Hun hjalp ham af med tøjet og sendte ham ind på badeværelset. Derefter satte hun kaffe over og smurte nogle madder med ost og leverpostej med agurkesalat. Hun sad optaget af egne tanker ved bordet, da Mikael humpede ind i køkkenet. Hun studerede blodudtrædningerne og rifterne på hans krop. Løkken havde strammet så meget, at han havde et mørkerødt mærke hele vejen rundt om halsen, og kniven havde efterladt en blodig rift i venstre side af halsen.

"Kom," sagde hun. "Læg dig på sengen."

Hun hentede noget plaster og lagde et kompres på såret. Derefter skænkede hun kaffe og rakte ham en mad.

"Jeg er ikke sulten," sagde Mikael.

"Spis," kommanderede Lisbeth Salander og tog selv en stor bid af en ostemad.

Mikael lukkede øjnene et øjeblik. Så satte han sig op og tog en bid. Det gjorde så ondt i halsen, at han kun med nød og næppe kunne synke.

Lisbeth tog sin læderjakke af og fandt noget tigerbalsam i sin toilettaske.

"Lad kaffen køle lidt af, og læg dig på maven."

De næste fem minutter masserede hun hans ryg efter at have smurt ham med balsammen. Derefter vendte hun ham om og gav ham samme behandling foran.

"Du vil have nogle blå mærker i et godt stykke tid."

"Lisbeth, vi er nødt til at ringe til politiet."

"Nej," svarede hun så sammenbidt, at Mikael forundret åbnede øjnene og kiggede på hende. "Hvis du ringer til politiet, så er jeg skredet. Jeg vil ikke have noget med dem at gøre. Martin Vanger er død. Han døde i en bilulykke. Han var alene i bilen. Der er vidner. Lad politiet eller nogle andre opdage det forpulede torturkammer. Du og jeg er præcis lige så uvidende om dets eksistens som alle andre i landsbyen."

"Men hvorfor?"

Hun ignorerede ham og masserede hans smertende lår.

"Lisbeth, vi kan ikke bare ..."

"Hvis du sladrer, slæber jeg dig tilbage til Martins kælder og lænker dig fast igen."

Mens hun snakkede, faldt Mikael i søvn lige så pludseligt, som var han besvimet.

KAPITEL 25

Lørdag den 12. juli – mandag den 14. juli

MIKAEL VÅGNEDE MED et spjæt ved femtiden om morgenen og kradsede sig på halsen for at fjerne løkken. Lisbeth gik ind til ham, greb fat i hans hænder og holdt ham nede. Han åbnede øjnene og kiggede på hende med et sløret blik.

"Jeg vidste ikke, du spillede golf," mumlede han og lukkede øjnene igen. Hun blev siddende hos ham et par minutter, til hun var sikker på, han var faldet i søvn igen. Mens Mikael havde sovet, var Lisbeth gået tilbage til Martin Vangers kælder for at undersøge gerningsstedet. Ud over torturredskaberne havde hun fundet en stor samling voldspornografiske blade og en masse polaroidbilleder, der var sat ind i nogle albummer.

Der var ikke nogen dagbog, men derimod fandt hun to A4-ringbind med pasfotos og håndskrevne notater om kvinder. Hun lagde mapperne i en indkøbspose sammen med Martin Vangers bærbare Dell-pc, som hun havde fundet på entrébordet ovenpå. Da Mikael var faldet i søvn igen, fortsatte Lisbeth gennemgangen af Martin Vangers computer og mapper. Klokken var over seks om morgenen, da hun slukkede for pc'en. Hun tændte en cigaret og bed sig tankefuldt i underlæben.

Sammen med Mikael havde hun optaget jagten på det, de troede var en seriemorder fra fortiden. De havde fundet noget helt andet. Hun havde svært ved at forestille sig de rædsler, der havde udspillet sig i Martin Vangers kælder midt i den velordnede landsbyidyl.

Hun prøvede at forstå.

Martin Vanger havde dræbt kvinder siden tresserne, de sidste femten år et eller to ofre om året. Drabene var foregået så diskret og velorganiseret, at ingen overhovedet havde været klar over, at en seriemorder var på spil. Hvordan var det muligt?

Mapperne gav et delvist svar på spørgsmålet.

Hans ofre var anonyme kvinder, ofte relativt nyankomne indvandrerpiger, der ikke havde venner og sociale kontakter i Sverige. Der var også prostituerede og socialt udsatte kvinder med misbrug eller andre problemer i bagagen.

Fra sine egne studier i seksualsadismens psykologi havde Lisbeth Salander lært, at den slags mordere gerne samlede på souvenirer fra deres ofre. Sådanne souvenirer fungerede som minder, der kunne genopvække noget af den nydelse, morderen havde oplevet. Martin Vanger havde udviklet dette kendetegn ved at føre en slags dødebog. Han havde omhyggeligt katalogiseret sine ofre og givet dem karakterer. Han havde kommenteret og beskrevet deres lidelser. Han havde dokumenteret sine myrderier med videofilm og fotografier.

Volden og drabet var endemålet, men Lisbeth konkluderede, at det i virkeligheden var jagten, der var Martin Vangers hovedinteresse. På sin bærbare computer havde han lavet en database, hvor hundredvis af kvinder var registreret. Der var ansatte i Vangerkoncernen, servitricer på restauranter, han plejede at frekventere, hotelreceptionister, kontordamer i kommunen, sekretærer hos forretningsforbindelser og massevis af andre kvinder. Det virkede, som om Martin Vanger registrerede og kortlagde stort set hver eneste kvinde, han kom i kontakt med.

Martin Vanger havde kun myrdet en brøkdel af disse kvinder, men alle kvinder i hans nærhed var potentielle ofre, som han bogførte og efterforskede. Kortlægningen havde karakter af lidenskabelig hobbyvirksomhed, som han måtte have brugt utallige timer på.

Er hun gift eller enlig? Har hun børn og familie? Hvor arbejder hun? Hvor bor hun? Hvilken bil kører hun i? Hvad er hendes uddannelse? Hårfarve? Hudfarve? Kropsbygning?

Lisbeth konkluderede, at indsamlingen af personoplysninger om potentielle ofre måtte have udgjort en væsentlig del af Martin Vangers seksuelle fantasier. Han var først og fremmest voyeur, dernæst morder.

Da Lisbeth havde læst færdig, opdagede hun en lille kuvert

i en af mapperne. Hun fremdrog to slidte og falmede polaroidfotos. På det første billede sad en mørkhåret pige ved et bord. Pigen var iført mørke bukser og havde nøgen overkrop med små, spidse bryster. Hun vendte ansigtet væk fra kameraet og holdt armen løftet afværgende, som om fotografen pludselig havde overrasket hende med sit kamera. På det andet billede havde hun også nøgen underkrop. Hun lå på maven på en seng med blåt sengetæppe. Ansigtet var stadig vendt væk fra kameraet.

Lisbeth stoppede kuverten med billederne i sin jakkelomme. Derefter bar hun mapperne hen til brændeovnen og strøg en tændstik. Da bålet var døet ud, rodede hun op i asken. Det øsregnede, da hun gik sig en lille tur og diskret lod Martin Vangers bærbare glide ned i vandet under broen.

DA DIRCH FRODE flåede døren op klokken halv otte om morgenen, sad Lisbeth ude i køkkenet og røg og drak kaffe. Frode var askegrå i ansigtet og så ud, som om han havde fået en brutal opvågnen.

"Hvor er Mikael?" spurgte han.

"Han sover endnu."

Dirch Frode tog plads på en køkkenstol. Lisbeth skænkede kaffe og skubbede en kop hen til ham.

"Martin ... Jeg har lige fået at vide, at Martin kørte sig ihjel i nat."

"Hvor trist," sagde Lisbeth Salander og tog en slurk kaffe.

Dirch Frode løftede blikket. Først stirrede han uforstående på hende. Så spærrede han øjnene op.

"Hvad ...?"

"Han kørte galt. Hvor skrækkeligt."

"Ved du, hvad der skete?"

"Han styrede frontalt ind i en lastbil. Han begik selvmord. Mediebevågenheden, stresset og et vaklende finansimperium blev for meget for ham. Det kan jeg i hvert fald forestille mig, der vil stå på spisesedlerne."

Dirch Frode så ud, som om han var ved at få et slagtilfælde. Han rejste sig hurtigt, gik hen til soveværelset og åbnede døren.

"Lad ham sove," sagde Lisbeth skarpt.

Frode kiggede på den sovende skikkelse. Han så de blå mærker i ansigtet og blodudtrædningerne på overkroppen. Så fik han øje på den ildrøde streg, hvor løkken havde siddet. Lisbeth rørte ved hans arm og trak døren i. Frode gik baglæns og sank langsomt ned på slagbænken.

Lisbeth Salander fortalte kortfattet, hvad der var sket om natten. Hun gav en udførlig beskrivelse af, hvordan Martin Vangers rædselskabinet havde set ud, og hvordan hun havde fundet Mikael med en løkke om halsen og Vangerkoncernens administrerende direktør stående foran ham. Hun fortalte, hvad hun havde fundet i koncernens arkiv dagen før, og hvordan hun nu kunne forbinde Martins far til mindst syv kvindemord.

Dirch Frode afbrød hende ikke én eneste gang. Da hun holdt inde, sad han stum i flere minutter, før han åndede tungt ud og rystede langsomt på hovedet.

"Hvad skal vi dog gøre nu?"

"Det er ikke mit problem," svarede Lisbeth med udtryksløs stemme.

"Jamen ..."

"Som jeg ser det, har jeg aldrig sat mine ben i Hedestad."

"Nu er jeg ikke helt med ..."

"Jeg vil under ingen omstændigheder optræde i nogen politirapport. Hvad alt det her angår, så eksisterer jeg ikke. Hvis mit navn bliver nævnt i forbindelse med denne historie, vil jeg benægte, at jeg nogensinde har været her, og jeg vil ikke svare på ét eneste spørgsmål."

Dirch Frode så undersøgende på hende.

"Jeg forstår stadig ikke ..."

"Du behøver ikke forstå det."

"Hvad skal jeg så gøre?"

"Det må du selv om, bare du holder mig og Mikael udenfor."

Dirch Frode var ligbleg.

"Ansku det sådan her: Det eneste, du ved, er, at Martin Vanger er omkommet i en trafikulykke. Du har ingen anelse om, at han også var en sindssyg morder, og du har aldrig hørt om hans kælderrum."

Hun lagde nøglen på bordet mellem dem.

"Du har god tid, inden nogen går i gang med at rydde Martins kælder og opdager rummet. Det varer muligvis et godt stykke tid."

"Vi må gå til politiet med det her."

"Ikke vi. Du kan gå til politiet, hvis du synes. Det er din egen afgørelse."

"Det her kan ikke dysses ned."

"Jeg foreslår ikke, at vi dysser det ned, men at du holder Mikael og mig udenfor. Når du har set rummet, er det op til dig at afgøre, hvem du vil fortælle det til."

"Hvis det, du siger, er sandt, så betyder det, at Martin har kidnappet og myrdet kvinder ... der må være forældre, der er fortvivlede over ikke at kende deres døtres skæbne. Vi kan ikke bare ..."

"Helt rigtigt, men der er et problem. Ligene er væk. Måske finder du nogle pas eller id-kort i en eller anden skuffe. Muligvis kan nogle af ofrene identificeres ud fra videooptagelserne. Men du behøver ikke tage nogen beslutning i dag. Tænk sagen igennem."

Dirch Frode så panikslagen ud.

"Åh gud. Det her bliver dødsstødet for koncernen. Tænk på alle dem, der bliver arbejdsløse, hvis det kommer frem, at Martin ..."

Frode rokkede frem og tilbage ved tanken om dette moralske dilemma.

"Det er ét aspekt. Jeg formoder, at Isabella Vanger arver sin søn, så jeg tror ikke, det vil være skidesmart, hvis hun bliver den første, der informeres om Martins hobby."

"Jeg må hen og se ..."

"Jeg synes, du skal holde dig fra det rum i dag," sagde Lisbeth skarpt. "Du har masser af ting at ordne. Du skal orientere Henrik, og du skal hasteindkalde til bestyrelsesmøde, så I kan gøre det, I ville have gjort, hvis jeres administrerende direktør var omkommet under helt normale omstændigheder."

Dirch Frode overvejede hendes ord. Hans hjerte hamrede. Han var den gamle advokat og problemknuser, der forventedes altid at have en plan klar til at imødegå enhver forhindring, og i stedet følte han sig fuldkommen handlingslammet. Det gik pludselig op for ham, at han sad og tog imod instrukser fra en ung pige. Hun havde på en eller anden måde overtaget kontrollen over situationen og udstak de retningslinjer, han ikke selv kunne formulere.

"Og Harriet ...?"

"Jeg og Mikael er ikke færdige endnu, men du kan hilse Henrik Vanger og sige, at jeg tror, vi får sagen opklaret."

MARTIN VANGERS UVENTEDE bortgang var hovedindslaget i radioavisen klokken ni, da Mikael vågnede. Ingen af nattens hændelser blev nævnt ud over, at industrimanden af uforklarlige årsager og med høj hastighed var kommet over i den forkerte vejbane.

Han havde været alene i bilen. Lokalradioen havde et længere indslag, der var præget af bekymring for Vangerkoncernens fremtid og for, hvilke økonomiske konsekvenser dødsfaldet ville få for virksomheden.

Et i al hast redigeret telegram fra Ritzau havde overskriften *Landsby i chok* og opsummerede Vangerkoncernens akutte problemer. Det undgik ingens opmærksomhed, at alene i Hedestad var over 3000 af byens 21.000 indbyggere ansat i Vangerkoncernen eller på anden måde afhængige af virksomhedens trivsel. Vangerkoncernens administrerende direktør var død, og den tidligere direktør var en olding, der var alvorligt syg efter et hjerteanfald. Der var ingen naturlig arvtager. Og så netop på et tidspunkt, der blev anset for at være det mest kritiske i virksomhedens historie.

MIKAEL HAVDE HAFT mulighed for at tage ind til politiet i Hedestad og fortælle, hvad der var foregået om natten, men Lisbeth havde allerede sat en proces i gang. I og med at han ikke omgående havde kontaktet politiet, blev det stadigt sværere at gøre det, for hver time der gik. Han tilbragte formiddagen i dyster tavshed på slagbænken, hvorfra han betragtede regnen og de tunge skyer udenfor. Ved titiden kom der en kraftig tordenbyge, men omkring frokost holdt regnen op, og vinden løjede en smule af. Han gik udenfor, tørrede havemøblerne af og satte sig med et krus kaffe. Han havde taget en skjorte på med opslået krave.

Martins død sænkede sig selvfølgelig som en sort sky over Hedeby. Biler standsede uden for Isabella Vangers hus, efterhånden som klanen samledes. Der blev kondoleret. Lisbeth betragtede koldt processionen. Mikael sagde ikke et ord.

"Hvordan har du det?" spurgte hun omsider.

Mikael overvejede svaret et øjeblik.

"Jeg tror, jeg stadig er i chok," sagde han. "Jeg var hjælpeløs. I flere timer var jeg overbevist om, at jeg skulle dø. Jeg følte dødsangst og kunne ikke stille noget som helst op."

Han rakte hånden frem og lagde den på hendes knæ.

"Tak," sagde han. "Hvis du ikke var dukket op, havde han slået mig ihjel."

Lisbeth sendte ham et skævt smil.

"Selvom ... Hvordan fanden kunne du være sådan en forbandet idiot at give dig i kast med ham helt alene? Jeg lå på gulvet dernede og bad til, at du ville finde billedet på bordet og lægge to og to sammen og ringe til politiet."

"Hvis jeg havde ventet på politiet, havde du sikkert ikke overlevet. Jeg kunne ikke lade det svin tage livet af dig."

"Hvorfor vil du ikke tale med politiet?" spurgte Mikael.

"Jeg er ikke på talefod med myndighederne."

"Hvorfor ikke?"

"Det er min egen sag. Men hvad dig angår, så tror jeg ikke, det vil gavne karrieren at blive hængt ud som den journalist, der blev klædt af til skindet af den afskyelige seriemorder Martin Vanger. Hvis du ikke er vild med *Kalle Blomkvist*, vil du næppe synes om dit nye øgenavn."

Mikael så undersøgende på hende og lod emnet ligge.

"Vi har et problem," sagde Lisbeth.

Mikael nikkede. "Hvad skete der med Harriet?"

Lisbeth lagde de to polaroidfotos på bordet foran ham og fortalte, hvor hun havde fundet dem. Mikael studerede omhyggeligt billederne, før han løftede blikket.

"Det kan godt være hende," sagde han. "Jeg tør ikke sværge på det, men kropsbygningen og håret minder om alle de billeder af hende, jeg har set."

MIKAEL OG LISBETH blev siddende i haven en time og koordinerede detaljerne. De opdagede, at de hver for sig havde identificeret Martin Vanger som det manglende led.

Lisbeth havde ikke lagt mærke til det foto, Mikael havde efterladt på bordet i køkkenet. Efter at have studeret billederne fra overvågningskameraerne havde hun konkluderet, at Mikael havde kastet sig ud i noget meget tåbeligt. Hun havde fulgt strandpromenaden ud til Martin Vangers hus og kigget ind ad alle vinduerne uden at se skyggen af et menneske. Hun havde forsigtigt tjekket døre og vinduer i stueetagen for at se, om de var åbne. Til sidst var hun klatret op til en åben altandør på første sal. Det havde taget lang tid, og hun havde været yderst forsigtig, da hun gennemsøgte huset værelse for værelse. Efter et stykke tid havde hun fundet trappen ned til kælderen. Martin havde været sløset: Han havde ladet døren til rædselskabinettet stå på klem, og hun kunne derfor danne sig et godt overblik over situationen.

Mikael spurgte, hvor meget hun havde hørt af det, Martin sagde.

"Ikke ret meget. Jeg kom, da han udspurgte dig om, hvad der var sket med Harriet, lige inden han hængte dig op i løkken. Jeg forlod jer et minuts tid, mens jeg gik op og ledte efter et våben. Jeg fandt golfkøllerne i et klædeskab."

"Martin Vanger havde ingen anelse om, hvad der var blevet af Harriet," sagde Mikael.

"Tror du på det?"

"Ja," svarede Mikael uden betænkning. "Martin Vanger var splitterravende gal, men han tilstod alle sine forbrydelser. Han pralede uhæmmet, og jeg tror faktisk, han prøvede at imponere mig. Men hvad Harriet angik, var han nøjagtig lige så desperat som Henrik Vanger efter at finde ud af, hvad der egentlig var sket."

"Så ... hvad fortæller det os?"

"Vi ved, at Gottfried Vanger stod bag den første mordserie mellem 1949 og 1965."

"Ja, og han oplærte Martin Vanger."

"Der kan man sgu tale om en samspilsramt familie," sagde Mikael. "I virkeligheden havde Martin ikke en chance."

Lisbeth Salander sendte Mikael et underligt blik.

"Efter hvad Martin fortalte mig – selvom det kom frem i småbidder – oplærte hans egen far ham, da han kom i puberteten. Han var med, da Lea blev myrdet i Uddevalla i 1962. På det tidspunkt var han fjorten. Han var med til mordet på Sara i 1964. Denne gang deltog han aktivt. Han var seksten år."

"Og?"

"Han sagde, han ikke var homoseksuel og aldrig havde rørt ved en mand – bortset fra sin far. Det får mig til at tro, at ... Ja, den eneste konklusion er, at hans far voldtog ham, og de seksuelle overgreb må have stået på gennem længere tid. Han blev så at sige præget af sin far."

"Pis med dig," sagde Lisbeth Salander.

Hendes stemme var pludselig hård som flint, og Mikael kiggede forbløffet på hende. Hendes blik var fast og viste ikke antydning af medfølelse.

"Martin havde præcis samme mulighed som alle andre for at slå igen. Han traf sine valg. Han myrdede og voldtog, fordi han kunne lide det."

"Okay, det vil jeg ikke afvise, men Martin var en kuet dreng og blev præget af sin far, ligesom Gottfried var blevet kuet af sin egen far, nazisten."

"Javel, og hermed forudsætter du, at Martin ikke havde en fri vilje, og at mennesker bliver det, de opdrages til."

Mikael smilede forsigtigt. "Rammer jeg et ømt punkt?"

Lisbeth Salanders øjne flammede pludselig op af indestængt raseri, og Mikael fortsatte hurtigt.

"Jeg påstår ikke, at mennesker udelukkende præges af deres opdragelse, men jeg tror, opvæksten spiller en afgørende rolle. Gottfrieds far bankede ham sønder og sammen gennem mange år. Den slags sætter sit spor."

"Pis med dig," gentog Lisbeth. "Gottfried er ikke den eneste unge, der er blevet mishandlet. Det giver ham ikke frikort til at myrde kvinder. Det valg traf han selv. Og det samme gjorde Martin."

Mikael holdt afværgende en hånd i vejret.

"Lad os nu ikke skændes."

"Jeg skændes ikke. Jeg synes bare, det er ynkeligt, at den slags svin altid skal give andre skylden."

"Okay, de har et personligt ansvar, og det kan vi vende tilbage til senere. Pointen er, at Gottfried døde, da Martin var sytten år og ikke havde nogen, der kunne vejlede ham. Han prøvede at fortsætte i sin fars fodspor. I februar 1966 i Uppsala."

Mikael rakte ud efter en af Lisbeths cigaretter.

"Jeg gider ikke engang begynde at gruble over, hvilke behov Gottfried forsøgte at tilfredsstille, og hvordan han selv tolkede det, han foretog sig. Han havde et forkvaklet forhold til Bibelen og dens snak om straf og renselse, og guderne må vide hvad, og det vil en psykiater garanteret kunne få en masse ud af. Men hvordan vi end vender og drejer det, så var manden seriemorder."

Han spekulerede lidt, før han fortsatte.

"Gottfried havde lyst til at myrde kvinder og retfærdiggjorde sine handlinger med en eller anden pseudoreligiøs forklaring. Men Martin lod ikke, som om han havde nogen undskyldning. Han var organiseret og myrdede systematisk. Desuden havde han råd til at finansiere sin hobby. Og han var kløgtigere end sin far. Hver gang Gottfried efterlod sig et lig, afstedkom det en politiefterforskning og en risiko for, at nogen ville komme på sporet af ham eller om ikke andet se en forbindelse mellem de forskellige mord."

"Martin Vanger opførte sin villa i halvfjerdserne," sagde Lisbeth eftertænksomt.

"Jeg tror, Henrik nævnte årstallet 1978. Han fik indrettet et lydisoleret kælderrum uden vinduer og med ståldør, formodentlig under det påskud, at han havde brug for et sikret rum til vigtige dokumenter og den slags."

"Han har haft kælderrummet i femogtyve år."

De tav et stykke tid, mens Mikael prøvede at forestille sig, hvilke uhyrligheder der i et kvart århundrede måtte have fundet sted midt i idyllen på Hedeby-øen. Lisbeth behøvede ikke tage fantasien til hjælp; hun havde set samlingen af videooptagelser. Hun lagde mærke til, at Mikael ubevidst tog sig til halsen.

"Gottfried hadede kvinder og lærte sin søn at hade kvinder samtidig med, at han voldtog ham. Men der var også en undertone af ... Jeg tror, Gottfried fantaserede om, at hans søn skulle dele hans mildest talt perverterede verdensbillede. Da jeg spurgte til Harriet, hans egen søster, sagde Martin: *Vi prøvede at tale med hende, men hun var bare endnu en møgfisse. Hun ville betro sig til Henrik.*"

Lisbeth nikkede. "Jeg hørte ham. Det var omkring det tidspunkt, jeg kom ned i kælderen. Og det betyder, at vi ved, hvad hendes gådefulde samtale med Henrik skulle have handlet om."

Mikael rynkede panden.

"Ikke helt." Han sad og tænkte lidt. "Tænk på kronologien. Vi ved ikke, hvornår Gottfried voldtog sin søn første gang, men han tog Martin med i 1962, da han myrdede Lea Persson i Uddevalla. Han druknede i 1965. Inden da havde han og Martin forsøgt at *tale med* Harriet. Hvad fortæller det os?"

"Gottfried misbrugte ikke kun Martin. Han misbrugte også Harriet."

Mikael nikkede. "Gottfried var læreren, Martin var eleven. Harriet var deres ... hvad? Legetøj?"

"Gottfried lærte Martin at bolle sin søster." Lisbeth pegede på polaroidbillederne. "Det er svært at aflæse hendes sindstilstand ud fra de to fotos, fordi man ikke kan se ansigtet, men hun prøver at skjule sig for kameraet."

"Lad os antage, at det begyndte, da hun var fjorten år, i 1964. Hun gjorde modstand – *kunne ikke acceptere det*, som Martin udtrykte det. Det var dét, hun truede med at sladre om. Martin havde sikkert ikke meget at skulle have sagt i den forbindelse og rettede sig efter sin far, men han og Gottfried havde indgået en slags ... pagt, som de forsøgte at indvie Harriet i."

Lisbeth nikkede. "I dine notater har du anført, at Harriet flyttede hjem til Henrik Vanger i vinteren 1964."

"Henrik kunne se, at der var noget galt i hendes familie. Han troede, det var alle skænderierne og gnidningerne mellem Gottfried og Isabella, der gik hende på, og tog hende til sig, så hun kunne få fred og ro og koncentrere sig om sin skolegang."

"En streg i regningen for Gottfried og Martin. Nu havde de ikke samme lette adgang til hende og kunne ikke styre hendes liv som før. Men nu og da ... Hvor fandt overgrebene mon sted?"

"De må være foregået i Gottfrieds sommerhus. Jeg er næsten sikker på, det er dér, billederne er taget – men det kan vi nemt få tjekket. Sommerhuset ligger perfekt, isoleret og langt fra landsbyen. Men så drak Gottfried sig stiv en sidste gang og druknede helt udramatisk."

Lisbeth nikkede tankefuldt. "Harriets far havde eller forsøgte at have sex med hende, men formodentlig indviede han hende ikke i mordene."

Her var de på gyngende grund, kunne Mikael godt se. Harriet havde nedskrevet navnene på Gottfrieds ofre og knyttet dem til diverse bibelcitater, men hendes interesse for Bibelen opstod først det sidste år, da Gottfried allerede var død. Han grublede lidt over det og prøvede at finde en logisk forklaring.

"På et eller andet tidspunkt undervejs opdagede Harriet, at Gottfried ikke bare var en incestuøs seksualforbryder, men også en sindssyg seriemorder," sagde han.

"Vi ved ikke, hvornår hun opdagede det med mordene. Det kan have været lige før, Gottfried druknede. Det kan oven i købet have været efter, at han druknede. Han førte måske dagbog eller havde gemt nogle avisartikler om mordene. Noget bragte hende på sporet."

"Men det var ikke dét, hun truede med at fortælle Henrik," supplerede Mikael.

"Det var Martin," fortsatte Lisbeth. "Hendes far var død, men Martin blev ved med at forgribe sig på hende."

"Netop." Mikael nikkede.

"Men der gik et år, før hun valgte at lade bomben springe."

"Hvad ville du gøre, hvis du pludselig opdagede, at din far var en seriemorder, der lå i med din bror?"

"Slå svinet ihjel," sagde Lisbeth så lidenskabsløst, at Mikael gik ud fra, at det ikke var hendes spøg. Han så pludselig hendes ansigt for sig, da hun gik til angreb på Martin Vanger. Han smilede et glædesløst smil.

"Okay, men Harriet var ikke dig. Gottfried døde i 1965, før hun havde nået at foretage sig noget. Det virker også logisk nok. Da Gottfried døde, sendte Isabella Martin til Uppsala. Han kom muligvis hjem til jul og i ferierne, men i det følgende år mødte han ikke Harriet ret ofte. Hun fik ham på afstand."

"Og hun begyndte at studere Bibelen."

"Og at dømme ud fra det, vi ved nu, behøver det ikke have været af religiøse grunde. Måske prøvede hun ganske enkelt at fatte, hvad hendes far havde haft gang i. Hun spekulerede helt frem til Barnets Dag 1966. Så får hun pludselig øje på sin bror på Järnvägsgatan og forstår, at han er tilbage. Vi ved ikke, om de fik talt med hinanden, og hvad han i så fald sagde til hende. Men hvad der end skete, så fik det Harriet til at tage direkte hjem for at tale med Henrik."

"Hvorefter hun forsvandt."

DA DE HAVDE gennemgået hele begivenhedsrækken, voldte det ikke problemer at få resten af brikkerne til at falde på plads. Mikael og Lisbeth pakkede. Før de tog af sted, ringede Mikael til Dirch Frode og fortalte, at han og Lisbeth ville være væk et stykke tid, men at det var ham magtpåliggende at tale med Henrik Vanger, før de rejste.

Mikael spurgte Frode, hvad denne havde fortalt Henrik. Advokaten lød så anspændt, at Mikael blev bekymret for ham. Efter en kort betænkningstid sagde Frode, at han kun havde fortalt, at Martin var omkommet i en bilulykke.

Da Mikael parkerede uden for hospitalet i Hedestad, buldrede tordenen igen, og himlen var atter dækket af tunge regnskyer. Han skyndte sig hen over parkeringspladsen, mens de første regndråber begyndte at falde.

Henrik Vanger var iført morgenkåbe og sad ved et bord ved vinduet inde på sin stue. Der herskede ingen tvivl om, at sygdommen havde sat sine spor, men den gamle havde fået farve i kinderne igen og så ud til at være ved at komme sig. De gav hånd. Mikael bad sygeplejersken lade dem være alene et øjeblik.

"Du har holdt dig væk," sagde Henrik Vanger.

Mikael nikkede. "Med fuldt overlæg. Din familie vil ikke se mig her, men i dag er alle sammen henne hos Isabella."

"Stakkels Martin," sagde Henrik.

"Henrik ... du gav mig til opgave at finde ud af, hvad der skete med Harriet. Havde du regnet med, at sandheden ville være smertefri?"

Den gamle så på ham. Så spærrede han øjnene op.

"Martin?"

"Han er en del af historien."

Henrik Vanger lukkede øjnene.

"Jeg vil godt stille dig et spørgsmål."

"Ja?"

"Ønsker du stadig at vide, hvad der skete? Selvom det vil gøre ondt, og selvom sandheden er værre, end du havde forestillet dig?"

Henrik Vanger så længe på Mikael. Så nikkede han.

"Jeg vil vide det. Det var hele pointen med at ansætte dig."

"Godt. Jeg tror, jeg ved, hvad der skete med Harriet, men der mangler en brik i puslespillet, før jeg er helt sikker."

"Lad mig høre."

"Nej, ikke i dag. Du skal komme til kræfter først. Lægen siger, krisen er ovre, og at du bliver rask igen."

"Du skal ikke behandle mig som et barn."

"Jeg er ikke nået i havn endnu, og foreløbig er det bare en gisning. Jeg vil tage af sted for at finde den sidste brik i puslespillet. Når jeg kommer næste gang, får du hele historien. Det kan godt tage et stykke tid, men du skal vide, at jeg vender tilbage, og så får du hele sandheden."

LISBETH TRAK EN presenning over motorcyklen, stillede den om bag huset og satte sig ind til Mikael i hans lånte bil. Tordenvejret var vendt tilbage med fornyet styrke, og lige syd for Gävle kørte de ind i et så voldsomt skybrud, at Mikael dårlig nok kunne skelne kørebanen foran sig. Han valgte den sikre løsning og kørte ind på en benzinstation. De drak kaffe, mens de ventede på, at uvejret skulle drive over, og nåede først frem til Stockholm ved syvtiden om aftenen. Mikael gav hende koden til gadedøren i hans ejendom og satte hende af ved hovedbanegården. Lejligheden føltes fremmed, da han trådte ind ad døren.

Han støvsugede og tørrede støv af, mens Lisbeth smuttede hen til Plague i Sundbyberg. Hun bankede på hos Mikael omkring midnat og brugte ti minutter på omhyggeligt at tjekke hver en krog af lejligheden. Derefter blev hun stående længe ved vinduet og betragtede udsigten over Slussen.

Soveafdelingen var afskærmet med en række fritstående skabe og bogreoler fra Ikea. De klædte sig af og sov nogle timer.

VED TOLVTIDEN NÆSTE dag landede de i Gatwick uden for London. Det regnede. Mikael havde reserveret værelse på Hotel James ved Hyde Park, et nydeligt sted sammenlignet med alle de lurvede hoteller, han altid havde boet på under tidligere London-besøg. Regningen blev overført til Dirch Frodes konto for løbende udgifter.

Klokken fem om eftermiddagen stod de i baren, da en mand i trediverne kom hen til dem. Han var næsten skaldet, havde lyst skæg og var iført cowboybukser, sejlersko og en jakke, der var for stor.

"Wasp?" spurgte han.

"Trinity?" svarede hun. De nikkede til hinanden. Han spurgte ikke, hvad Mikael hed.

Trinitys makker blev præsenteret som Bob the Dog og ventede i et gammelt folkevognsrugbrød rundt om hjørnet. De klatrede ind ad skydedørene og satte sig på nogle vægfaste klapstole. Mens Bob navigerede gennem London-trafikken, diskuterede Wasp og Trinity.

"Plague sagde, det drejede sig om et *crash-bang*-job."

"Telefonaflytning og tjek af e-mail i en computer. Det kan gå rigtig hurtigt eller tage et par dage afhængigt af, hvor effektiv han er." Lisbeth viste Mikael en løftet tommelfinger. "Kan I fikse det?"

"Har hunde lopper?" svarede Trinity.

ANITA VANGER BOEDE i et lille rækkehus i den nydelige forstad St. Albans godt en times kørsel nordpå. Fra folkevognsrugbrødet kunne de se hende komme hjem og låse sig ind ved syvtiden om aftenen. De ventede, til hun havde været i bad, spist lidt mad og sat sig foran tv'et, før Mikael ringede på døren.

En næsten identisk kopi af Cecilia Vanger lukkede op med et høfligt spørgende ansigtsudtryk.

"Hej, Anita. Jeg hedder Mikael Blomkvist. Henrik Vanger har bedt mig kigge forbi. Jeg går ud fra, du har hørt nyhederne om Martin."

Hendes ansigtsudtryk skiftede fra overraskelse til vagtsomhed. Så snart hun hørte navnet, var hun klar over, hvem Mikael Blomkvist var. Hun havde haft kontakt med Cecilia, der havde udtrykt en vis irritation over Mikael. Men Henrik Vangers navn betød, at hun var nødt til at åbne døren. Hun bad Mikael tage plads i dagligstuen. Han så sig omkring. Anita Vangers hjem var smagfuldt møbleret og bar præg af, at indehaveren havde penge og succes, men ikke gad skilte med det. Han bemærkede et signeret litografi af Anders Zorn oven over en åben pejs, der var ombygget til gaskamin.

"Du må undskylde, jeg sådan bare dukker op, men jeg er tilfældigvis i London og har prøvet at ringe til dig i dag."

"Javel. Hvad drejer det sig om?" Hun lød forsvarsberedt.

"Har du tænkt dig at tage med til begravelsen?"

"Nej. Jeg og Martin stod ikke hinanden nær, og jeg kan ikke få fri."

Mikael nikkede. Anita Vanger havde så vidt muligt holdt sig fra Hedestad i tredive år. Efter at hendes far flyttede tilbage, havde hun stort set ikke sat sine ben på Hedeby-øen.

"Jeg vil vide, hvad der skete med Harriet Vanger. Det er på tide, sandheden kommer frem."

"Harriet? Jeg aner ikke, hvad du fabler om."

Mikael smilede ad hendes forstilte overraskelse.

"Du var Harriets nærmeste ven i familien. Det var dig, hun betroede sin rædselsvækkende historie."

"Du er ikke rigtig klog," sagde Anita Vanger.

"Det har du sikkert ret i," sagde Mikael lavmælt. "Anita, du var inde på Harriets værelse den dag. Jeg har et foto, der kan bevise det. Om nogle dage vil jeg fortælle det til Henrik, og så må han tage stilling til, hvad der skal ske. Hvorfor ikke fortælle mig, hvad der skete?"

Anita Vanger rejste sig.

"Forsvind herfra."

Også Mikael rejste sig.

"Som du vil, men før eller siden bliver du nødt til at tale med mig."

"Jeg har intet at tale med dig om."

"Martin er død," pointerede Mikael. "Du har aldrig brudt dig om Martin. Jeg tror, at du ikke kun flyttede til London for at slippe for at møde din far, men også for at undgå at møde Martin. Det betyder, at du også kendte sandheden, og den eneste, der kan have afsløret den, er Harriet. Spørgsmålet er bare, hvad du brugte din viden til."

Anita Vanger knaldede døren i for næsen af Mikael.

LISBETH SMILEDE FORNØJET til Mikael, mens hun befriede ham for den mikrofon, han havde under skjorten.

"Hun greb telefonen, før der var gået tredive sekunder, efter at hun havde lukket døren," sagde Lisbeth.

"Opkaldet var til Australien," meddelte Trinity, idet han tog hovedtelefonerne af og lagde dem på det lille arbejdsbord i folkevognsrugbrødet. "Jeg skal lige tjekke områdenummeret." Han tastede et eller andet på sin bærbare.

"Okay, hun ringede til et sted, der hedder Tennant Creek og ligger nord for Alice Springs i Northern Territory. Vil du høre samtalen?"

Mikael nikkede. "Hvad er klokken i Australien nu?"

"Cirka fem om morgenen." Trinity startede dvd'en og satte medhør på. Mikael kunne høre otte ringetoner, før røret blev taget. Samtalen var på engelsk.

"Hej, det er mig."

"Øh, jeg er godt nok morgenmenneske, men ..."

"Jeg ville have ringet i går ... Martin er død. Han kørte sig ihjel i forgårs."

Tavshed. Derefter noget, der lød som en hosten, men kunne tydes som "Godt".

"Men vi har et problem. En afskyelig journalist, som Henrik har hyret, har lige været her. Han stiller spørgsmål om, hvad der skete i 1966. Han har færten af noget."

Tavshed igen. Derpå en kommanderende stemme.

"Læg røret, Anita. Vi kan ikke have kontakt i et stykke tid."

"Jamen ..."

"Skriv et brev. Fortæl, hvad der er sket." Så blev samtalen afbrudt.

"Kvik tøs," sagde Lisbeth beundrende.

De vendte tilbage til hotellet lidt i elleve om aftenen. Receptionen var behjælpelig med at reservere pladser på første afgående fly til Australien. Lidt efter havde de billetter til et fly, der afgik 19.05 den følgende aften til Canberra, New South Wales.

Da alt var klappet og klar, klædte de sig af og gik i seng.

DET VAR LISBETHS første besøg i London, og de tilbragte formiddagen med at spadsere fra Tottenham Court Road og gennem Soho. De gjorde ophold på Old Compton Street og drak caffe latte. Ved tretiden vendte de tilbage til hotellet for at hente deres bagage. Mens Mikael betalte regningen, åbnede Lisbeth sin mobiltelefon og opdagede, at hun havde modtaget en SMS.

"Dragan Armanskij beder mig ringe tilbage."

Hun lånte en telefon i receptionen og ringede til sin chef. Mikael stod et stykke væk og så pludselig, hvordan Lisbeth vendte sig om mod ham med et forstenet ansigtsudtryk. Han skyndte sig hen til hende.

"Hvad er der sket?"

"Min mor er død. Jeg er nødt til at tage hjem."

Lisbeth så så fortvivlet ud, at Mikael slog armene om hende. Hun skubbede ham fra sig.

De købte sig en kop kaffe i hotellets bar. Da Mikael sagde, han ville afbestille billetterne til Australien og tage med hende hjem til Stockholm, rystede hun på hovedet.

“Nej, sagde hun kort for hovedet. “Vi kan ikke tabe det her på gulvet, men du bliver nødt til at rejse alene til Australien.”

De skiltes uden for hotellet og steg om bord på bussen til hver sin lufthavn.

KAPITEL 26

Tirsdag den 15. juli – torsdag den 17. juli

MIKAEL FLØJ FRA Canberra til Alice Springs med indenrigsfly, hvilket var hans eneste alternativ, da han ankom sent på eftermiddagen. Derefter kunne han vælge mellem at chartre et fly eller leje en bil og køre de sidste fire hundrede kilometer nordpå. Han valgte det sidste.

En ukendt person, der gik under det bibelske navn Joshua, og som var en del af Plagues eller muligvis Trinitys internationale netværk, havde efterladt en kuvert til Mikael i informationsskranken i lufthavnen, da han kom til Canberra.

Det telefonnummer, Anita havde ringet til, tilhørte en fårefarm ved navn Cochran Farm. En kortfattet redegørelse, der var hentet på nettet, angav detaljer om Australiens fåreindustri. Australien har 18 millioner indbyggere. 53.000 af disse er fåreavlere, der holder styr på omkring 120 millioner får. Alene eksporten af uld omsætter for godt 3,5 milliarder dollars om året. Hertil kommer en eksport af 700 millioner tons lammekød samt skind til beklædningsindustrien. Kød- og uldproduktion er en af landets vigtigste erhvervsgrene.

Cochran Farm, der blev grundlagt i 1891 af en Jeremy Cochran, var Australiens femtestørste landbrugsvirksomhed med en besætning på omkring 60.000 merinofår, hvis uld blev anset for at være overordentlig fin. Ud over fåreavl havde foretagendet indtægter fra køer, grise og høns.

Mikael kunne konstatere, at Cochran Farm var et storlandbrug med en imponerende årsomsætning, baseret på eksport til blandt andet USA, Japan, Kina og Europa.

De vedlagte personbiografier var endnu mere fascinerende.

I 1972 var Cochran Farm gået i arv fra en Raymond Cochran

til en Spencer Cochran, der var uddannet i Oxford, England. Spencer døde i 1994, og farmen blev drevet videre af hans enke. Hun figurerede på et sløret billede, der var blevet downloadet fra Cochran Farms hjemmeside, og som viste en kortklippet, blond kvinde, der stod med ansigtet halvt bortvendt og klappede et får. Ifølge Joshua havde parret giftet sig i Italien i 1971.

Hendes navn var Anita Cochran.

MIKAEL OVERNATTEDE I et udtørret hul af en flække med det håbefulde navn Wannado. På byens pub spiste han lammesteg og skyllede tre pints ned sammen med det lokale værtshusslæng, der kaldte ham *mate* og talte med en sjov dialekt. Han havde det, som var han trådt midt ind i indspilningen af *Crocodile Dundee.*

Inden han gik i seng sent på natten, ringede han til Erika Berger i New York.

"Du må undskylde, Ricky, men jeg har haft så travlt, at jeg ikke har haft tid til at ringe."

"Hvad pokker foregår der i Hedestad?" eksploderede hun. "Christer ringede og fortalte, at Martin Vanger var død i en bilulykke."

"Det er en længere historie."

"Og hvorfor tager du ikke telefonen? Jeg har ringet uafbrudt de sidste dage."

"Den virker ikke her."

"Hvor befinder du dig da?"

"Omkring 200 kilometer nord for Alice Springs. I Australien, vel at mærke."

Det var sjældent lykkedes Mikael at overraske Erika. Denne gang var hun tavs i næsten ti sekunder.

"Og hvad bestiller du i Australien, om jeg må spørge?"

"Jeg er ved at afslutte jobbet. Jeg er tilbage i Sverige om nogle dage. Jeg ringede kun for at fortælle, at jeg snart har løst opgaven for Henrik Vanger."

"Du mener, at du har fundet ud af, hvad der skete med Harriet?"

"Det ser ud til det."

Han ankom til Cochran Farm ved tolvtiden næste dag, blot for at blive mødt af den besked, at Anita Cochran opholdt sig i et distrikt, der hed Makawaka, og som lå yderligere 120 kilometer vestpå.

Klokken var blevet fire om eftermiddagen, før Mikael havde tilbagelagt afstanden ad et utal *backroads*. Han standsede ved en låge, hvor en flok fåreavlere havde samlet sig omkring motorhjelmen på en jeep for at drikke kaffe. Mikael steg ud, præsenterede sig og fortalte, at han ledte efter Anita Cochran. Fyrene skævede hen til en muskuløs mand i trediverne, der tydeligvis var den i flokken, der tog beslutninger. Han havde nøgen overkrop og var kraftigt solbrændt på nær der, hvor T-shirten havde siddet. På hovedet bar han en cowboyhat.

"*Well mate*, bossen befinder sig 20-30 kilometer i dén retning," sagde han og pegede med tommelfingeren.

Han kiggede skeptisk på Mikaels bil og tilføjede, at det nok ikke var skidesmart at fortsætte med den dér japanske legetøjsbil. Til sidst sagde det solbrændte muskelbundt, at han alligevel skulle derhen og kunne tage Mikael med i sin jeep, som var nødvendig i det uvejsomme terræn. Mikael takkede og tog sin computertaske med.

Manden præsenterede sig som Jeff og fortalte, at han var *studs manager at the station*. Mikael bad om en oversættelse. Jeff kiggede overrasket på ham og bemærkede, at Mikael åbenbart ikke var fra Australien. Han forklarede, at *studs manager* nærmest svarede til en bankbestyrer, om end han bestyrede får, og at *station* var det australske ord for ranch.

De snakkede videre, mens Jeff tålmodigt navigerede jeepen ned gennem en dyb kløft med 20 km/t. Mikael takkede sin skaber for, at han ikke havde forsøgt sig med sin lejede bil. Han spurgte, hvad der var nede i kløften, og fik at vide, at stedet var græsgang for 700 får.

"Jeg kan forstå, at Cochran Farm er en af de større."

"Vi er en af de største i Australien," svarede Jeff med en vis stolthed. "Vi har omkring 9000 får her i Makawaka-distriktet, men vi har *stations* både i New South Wales og i Western Australia. Sammenlagt har vi godt 63.000 får."

De nåede igennem kløften og kom ud i et kuperet, men mere karrigt landskab. Pludselig hørte Mikael skud. Han så døde fårekroppe, nogle store bål og en halv snes arbejdere, der alle så ud til at have geværer i hænderne. De var åbenbart i gang med at slagte får.

Ufrivilligt associerede Mikael til bibelske offerlam.

Så fik han øje på en kvinde i cowboybukser og hvid-og-rødternet skjorte og med kort, lyst hår. Jeff parkerede nogle meter fra hende.

"*Hi boss. We got a tourist*," sagde han.

Mikael steg ud af jeepen og kiggede på hende. Hun kiggede tilbage med et spørgende blik.

"Hej, Harriet. Det er længe siden," sagde Mikael på svensk.

Ingen af mændene, der arbejdede for Anita Cochran, forstod, hvad han sagde, men de kunne opfatte hendes reaktion. Hun trådte et skridt tilbage og så skrækslagen ud. Anita Cochrans folk havde en beskyttende holdning til deres boss. De bemærkede hendes reaktion, fik ansigtet i alvorlige folder og rettede sig op, parat til at kaste sig over den besynderlige fremmede, der åbenbart voldte deres arbejdsgiver ubehag. Jeffs venlighed var pludselig som blæst væk, da han trådte et skridt nærmere Mikael.

Det slog Mikael, at han befandt sig i et uvejsomt terræn på den anden side af jordkloden, omringet af en flok svedige fåreavlere bevæbnet med geværer. Ét ord fra Anita Cochran, og de ville slå ham til plukfisk.

Så var øjeblikket passeret. Harriet Vanger viftede afværgende med hånden, og mændene trak sig nogle skridt bagud. Hun gik hen til Mikael og mødte hans blik. Hun svedte og var snavset i ansigtet. Mikael lagde mærke til, at hendes blonde hår var mørkere ved hovedbunden. Hun var ældre og mere mager i ansigtet, men havde udviklet sig til præcis den smukke kvinde, som konfirmationsbilledet havde lovet.

"Har vi mødt hinanden før?" spurgte Harriet Vanger.

"Ja. Jeg hedder Mikael Blomkvist, og du passede mig en sommer, da jeg var tre år gammel. Du var tolv eller tretten år."

Det varede nogle sekunder, før der gik et lys op for hende,

og Mikael kunne se, at hun pludselig huskede ham. Hun så målløs ud.

"Hvad vil du?"

"Harriet, jeg er ikke din fjende. Jeg er ikke kommet for at gøre dig ondt, men vi er nødt til at tale sammen."

Hun vendte sig om mod Jeff og bad ham overtage arbejdet, hvorefter hun gav tegn til Mikael om at følge med. De gik omkring 200 meter hen til en gruppe hvide lærredstelte i en lille lund. Hun pegede på en campingstol ved et vakkelvornt bord, hældte vand i et vandfad og vaskede ansigtet, hvorefter hun tørrede sig og gik ind i teltet for at skifte skjorte. Hun tog to øl op af en køletaske og satte sig over for Mikael.

"Okay, så tal."

"Hvorfor skyder I fårene?"

"Vi har en smitsom epidemi. De fleste af fårene her er formodentlig helt raske, men vi kan ikke risikere, at smitten spreder sig. Vi må nødslagte over 600 får den kommende uge, så jeg er ikke i godt lune."

Mikael nikkede.

"Din bror kørte sig ihjel for nogle dage siden."

"Ja, det har jeg hørt."

"Af Anita Vanger, der ringede til dig."

Hun iagttog ham i lang tid. Så nikkede hun. Hun indså det meningsløse i at benægte det indlysende.

"Hvordan fandt du mig?"

"Vi aflyttede Anitas telefon." Mikael så heller ingen grund til at lyve. "Jeg var sammen med din bror, få minutter inden han døde."

Harriet Vanger rynkede brynene. Han mødte hendes blik. Så tog han det latterlige tørklæde af, han gik med, slog kraven ned og viste striben efter løkken. Den var ildrød og betændt, og han ville sandsynligvis få et ar til minde om Martin Vanger.

"Din bror havde hængt mig op i en løkke, da min makker dukkede op og bankede ham sønder og sammen."

Noget glimtede i Harriets øjne.

"Jeg tror, det er bedst, du fortæller historien fra begyndelsen."

DET TOG OVER en time. Mikael begyndte med at fortælle, hvem han var, og hvad han arbejdede med. Han beskrev, hvordan han havde fået opgaven af Henrik Vanger, og hvorfor han havde bosat sig i Hedeby. Han sammenfattede, hvordan politiefterforskningen var kørt fast, og fortalte om, hvordan Henrik gennem alle årene havde foretaget sin private efterforskning i den overbevisning, at nogen i familien havde myrdet Harriet. Han åbnede sin computer og fortalte, hvordan han havde fundet billederne fra Järnvägsgatan, og hvordan han og Lisbeth var kommet på sporet af en seriemorder, der viste sig at være to personer.

Mens han talte, faldt mørket på. Mændene holdt fyraften, der blev tændt bål, og gryder kom i kog. Mikael bemærkede, at Jeff holdt sig i nærheden af sin arbejdsgiver med et vagtsomt øje på Mikael. Kokken serverede mad til Harriet og Mikael, og de tog endnu en øl hver. Da Mikael var færdig med sin beretning, forholdt Harriet sig tavs et stykke tid.

"Åh gud," sagde hun.

"Du overså mordet i Uppsala."

"Jeg ledte ikke engang efter det. Jeg var så glad for, at min far var død, og det var slut med al den vold. Det faldt mig aldrig ind, at Martin ..." Hun holdt inde. "Jeg er glad for, han er død."

"Det forstår jeg godt."

"Men din fortælling forklarer ikke, hvordan I fandt ud af, at jeg var i live."

"Da vi havde fundet ud af, hvad der var sket, var det ikke så svært at regne resten ud. For at kunne forsvinde måtte du have fået hjælp. Anita Vanger var din fortrolige og den eneste, der kunne komme på tale. I var blevet venner, og hun havde tilbragt sommeren sammen med dig. I havde boet ude i Gottfrieds sommerhus. Hvis du havde betroet dig til nogen, måtte det være hende – og hun havde lige fået kørekort."

Harriet Vanger kiggede på ham med et neutralt ansigtsudtryk.

"Og nu hvor du ved, at jeg lever, hvad vil du så gøre?"

"Jeg vil fortælle det til Henrik. Han fortjener at få det at vide."

"Og derefter? Du er jo journalist."

"Harriet, jeg har ikke tænkt mig at hænge dig ud i medierne. Jeg har allerede overtrådt så mange presseetiske regler i denne sag, at Journalistforbundet formentlig ville ekskludere mig, hvis de vidste det." Han prøvede at lave sjov. "En fejl mere eller mindre gør hverken fra eller til, og jeg vil nødig genere min gamle barnepige."

Hun morede sig ikke.

"Hvor mange ved det?"

"At du er i live? Lige nu er det kun dig og mig og Anita og min makker Lisbeth. Dirch Frode kender måske to tredjedele af historien, men han tror stadig, du døde i tresserne."

Harriet Vanger så ud til at spekulere over noget. Hun kiggede ud i mørket. Mikael fik atter en ubehagelig følelse af at befinde sig i en udsat position og mindede sig selv om, at Harriet Vanger havde et gevær stående op ad teltvæggen en halv meter væk. Så tog han sig sammen og skiftede emne.

"Men hvordan bar du dig ad med at blive fåreavler i Australien? Jeg har allerede forstået, at Anita Vanger smuglede dig væk fra Hedeby-øen, formodentlig i bagagerummet på sin bil, da broen blev genåbnet dagen efter ulykken."

"Jeg lå såmænd bare på gulvet foran bagsædet med et tæppe over mig, men der var ingen, der kiggede efter. Jeg opsøgte Anita, da hun kom ud til øen, og fortalte, at jeg var nødt til at flygte. Du havde ret i, at jeg betroede mig til hende. Hun hjalp mig og har været en loyal ven gennem alle årene."

"Hvordan havnede du i Australien?"

"Først boede jeg nogle uger på Anitas kollegieværelse i Stockholm, før jeg forlod Sverige. Anita havde penge, som hun gavmildt lånte ud af. Jeg fik også hendes pas. Vi lignede hinanden til forveksling, og jeg behøvede kun at få lysnet håret. I fire år boede jeg i et kloster i Italien – jeg var ikke nonne, og der er klostre, hvor man kan indlogere sig for en beskeden sum og være i fred og tænke. Siden traf jeg Spencer Cochran ved et tilfælde. Han var nogle år ældre end mig, havde lige bestået sin eksamen i England og rejste på tommelfingeren rundt i Europa. Jeg blev forelsket, og det samme gjorde han. Mere mærkværdigt var det ikke. *Anita* Vanger giftede sig med ham i 1971, og det har jeg aldrig fortrudt. Han var en vidunderlig mand. Desværre døde han for otte år siden, og pludselig var jeg ejer af farmen."

"Men passet ... Var der ingen, som opdagede, at der var to Anita Vanger?"

"Nej, hvorfor skulle de det? En svensker, der hedder Anita Vanger og er gift med Spencer Cochran. Om hun bor i London eller i Australien, er ligegyldigt. I London er hun Spencer Cochrans separerede kone, i Australien er hun hans højst nærværende kone. De samkører ikke dataregistre mellem Canberra og London. Desuden fik jeg kort efter et australsk pas under navnet Cochran. Arrangementet fungerer glimrende. Det eneste, der kunne have væltet læsset, havde været, hvis Anita selv ønskede at gifte sig. Mit ægteskab er opført i det svenske folkeregister."

"Og det ønskede hun ikke."

"Hun påstår, hun aldrig har mødt den rette, men jeg ved jo, hun har afstået for min skyld. Hun har været en sand ven."

"Hvad lavede hun på dit værelse?"

"Jeg tænkte ikke klart den dag. Jeg var bange for Martin, men så længe han boede i Uppsala, kunne jeg skubbe problemet fra mig. Og så stod han pludselig der på gaden i Hedestad, og det gik op for mig, at jeg aldrig ville være i sikkerhed i resten af mit liv. Jeg vaklede mellem at betro mig til Henrik og at flygte. Da Henrik ikke havde tid, gik jeg bare hvileløst rundt i landsbyen. Jeg har selvfølgelig forstået, at den der ulykke på broen overskyggede alt andet for folk, men ikke for mig. Jeg havde mine egne problemer og var dårlig nok bevidst om, at der var sket en ulykke. Alting føltes uvirkeligt. Så rendte jeg ind i Anita, der boede i et lille gæstehus hos Gerda og Alexander. Det var på det tidspunkt, jeg besluttede mig og bad hende hjælpe mig. Jeg blev hos hende hele tiden og turde ikke engang gå uden for en dør. Men der var noget, jeg måtte have med – jeg havde skrevet alting ned i en dagbog, og noget tøj måtte jeg også have fat i. Anita hentede det for mig."

"Jeg går ud fra, hun ikke kunne modstå fristelsen til at åbne vinduet og kigge ned på ulykkesstedet," sagde Mikael og tænkte sig lidt om. "Det, jeg ikke forstår, er, hvorfor du ikke gik til Henrik, sådan som du havde tænkt dig."

"Hvorfor tror du selv?"

"Jeg ved det faktisk ikke. Jeg er overbevist om, at Henrik ville have hjulpet dig. Martin ville øjeblikkelig være blevet uskadeliggjort, og Henrik ville naturligvis ikke have hængt dig ud. Han ville have taget diskret hånd om det og skaffet terapi eller lægehjælp."

"Du har ikke forstået, hvad der skete."

Indtil nu havde Mikael kun omtalt Gottfrieds seksuelle overgreb på Martin, men ladet Harriets rolle hænge i luften.

"Gottfried forgreb sig på Martin," sagde Mikael forsigtigt. "Jeg har en mistanke om, at han også forgreb sig på dig."

HARRIET VANGER BEVÆGEDE ikke en muskel. Så tog hun en dyb indånding og begravede ansigtet i hænderne. Sekundet efter var Jeff henne ved hende og spurgte, om alting var *all right*. Harriet Vanger kiggede på ham og sendte ham et lille smil. Derpå overraskede hun Mikael ved at rejse sig og give sin *studs manager* et knus og et kys på kinden, hvorefter hun vendte sig om mod Mikael med armen om Jeffs skulder.

"Jeff, det her er Mikael, en gammel ... ven fra fortiden. Han kommer med problemer og dårlige nyheder, men vi skal ikke skyde budbringeren. Mikael, det her er Jeff Cochran, min ældste søn. Jeg har endnu en søn og en datter."

Mikael nikkede. Jeff var i trediverne, så Harriet Vanger måtte være blevet gravid kort efter, at hun giftede sig med Spencer Cochran. Han rejste sig, gav Jeff hånden og sagde, han var ked af, at han havde gjort hans mor oprevet, men at det desværre var nødvendigt. Harriet vekslede nogle ord med Jeff og sendte ham derpå væk. Hun satte sig atter over for Mikael og syntes at tage en beslutning.

"Ikke flere løgne. Jeg formoder, at det er forbi nu. På en eller anden måde har jeg ventet på denne dag siden 1966. I mange år var det min store skræk, at nogen skulle komme hen til mig og sige mit navn. Men ved du hvad – lige pludselig er jeg ligeglad. Min forbrydelse er forældet, og jeg vil skide på, hvad folk tænker om mig."

"Forbrydelse?" spurgte Mikael.

Hun så appellerende på ham, men han forstod stadig ikke, hvad hun snakkede om.

"Jeg var seksten år. Jeg var bange. Jeg skammede mig. Jeg var desperat. Jeg var ensom. De eneste, der kendte sandheden, var Anita og Martin. Jeg havde fortalt Anita om de seksuelle overgreb, men jeg havde ikke kunnet få mig selv til at fortælle, at min far også var en sindssyg kvindemorder. Det har Anita aldrig vidst noget om. Derimod fortalte jeg hende om den forbrydelse, jeg selv havde begået, og som var så forfærdelig, at jeg, når det kom til stykket, ikke turde fortælle det til Henrik. Jeg bad Gud tilgive mig, og jeg gemte mig i et kloster i flere år."

"Harriet, din far var voldtægtsmand og morder. Det var du uden skyld i."

"Det ved jeg godt. Min far udnyttede mig i et års tid. Jeg gjorde alt for at undgå at ... men han var min far, og jeg kunne ikke pludselig nægte at have noget med ham at gøre uden at forklare hvorfor. Så jeg smilede og spillede komedie og prøvede at lade, som om alt var i den skønneste orden, og sørgede for, at der var andre i nærheden, når jeg mødtes med ham. Min mor vidste selvfølgelig, hvad han gjorde, men hun var ligeglad."

"Vidste Isabella det?" udbrød Mikael bestyrtet.

Harriet Vanger fik en ny hårdhed i stemmen.

"Selvfølgelig vidste hun det. Der skete ikke noget i familien, som Isabella ikke kendte til. Men hun beskæftigede sig aldrig med noget, der var ubehageligt eller stillede hende i et dårligt lys. Min far kunne have voldtaget mig inde i stuen for øjnene af hende, uden at hun ville have bemærket det. Hun var ude af stand til at erkende, at der var noget galt i mit og hendes liv."

"Jeg har mødt hende. Hun er en led kælling."

"Det har hun været hele livet. Jeg har ofte spekuleret over hendes og min fars forhold. Jeg har forstået, at de sjældent eller aldrig havde sex med hinanden, efter at jeg blev født. Min far havde kvinder, men af en eller anden mærkelig grund var han bange for Isabella. Han undgik hende, men kunne ikke få sig selv til at blive skilt."

"Man bliver ikke skilt i familien Vanger."

Hun lo for første gang.

"Nej, det gør man ikke, men sagen er, at jeg ikke kunne få mig selv til at fortælle, hvad der foregik. Hele verden ville få det at vide. Mine klassekammerater, hele familien ..."

Mikael lagde en hånd på hendes. "Harriet, det gør mig frygtelig ondt."

"Jeg var fjorten, da han voldtog mig første gang, og det følgende år tog han mig med ud i sit sommerhus. Martin var med flere gange. Han tvang både mig og Martin til at gøre ting ved ham. Og han holdt mine arme fast, mens Martin ... tilfredsstillede sig på mig. Og da min far døde, var Martin parat til at overtage hans rolle. Han forventede, at jeg skulle være hans elskerinde, og mente, det var naturligt, at jeg underkastede mig. Og på det tidspunkt havde jeg ikke længere noget valg. Jeg var nødt til at gøre, som Martin ville. Jeg var sluppet af med én plageånd blot for at havne i kløerne på den næste, og det eneste, jeg kunne gøre, var at sørge for aldrig at blive alene med ham."

"Henrik ville have ..."

"Du har stadig ikke forstået det."

Hun hævede stemmen, og Mikael bemærkede, at nogle af mændene i teltet ved siden af skævede hen til ham. Hun dæmpede stemmen igen og lænede sig hen mod ham.

"Alt er lagt frem. Du kan selv regne resten ud."

Hun rejste sig og hentede to øl mere. Da hun kom tilbage, sagde Mikael ét eneste ord.

"Gottfried?"

Hun nikkede.

"Den 7. august 1965 havde min far tvunget mig med ud i sommerhuset. Henrik var bortrejst. Min far drak og prøvede at få sin vilje med mig. Han kunne ikke engang få den op at stå og blev mere og mere beruset. Han var altid ... grov og voldsom mod mig, når vi var alene, men denne gang gik han over stregen. *Han urinerede på mig*. Derefter beskrev han, hvad han ville gøre ved mig. Senere på aftenen fortalte han om de kvinder, han havde myrdet. Han pralede med det. Han citerede Bibelen. Det stod på i flere timer. Jeg begreb ikke halvdelen af det, han sagde, men jeg forstod, at han var totalt syg i hovedet."

Hun tog en slurk øl.

"På et tidspunkt omkring midnat gik han helt grassat. Han teede sig som en vanvittig. Vi var oppe på hemsen. Han viklede en T-shirt om halsen på mig og trak til af alle kræfter. Det sortnede for mine øjne. Jeg er ikke et øjeblik i tvivl om, at han virkelig prøvede at slå mig ihjel, og for første gang den nat lykkedes det ham at fuldbyrde voldtægten."

Harriet Vanger så på Mikael med et bønfaldende blik.

"Men han var så fuld, at det på en eller anden måde lykkedes mig at vriste mig løs. Jeg hoppede ned på stuegulvet fra hemsen og flygtede i panik. Jeg var nøgen og løb uden mål og med og endte ude på bådebroen nede ved vandet. Han kom dinglende efter mig."

Mikael ønskede pludselig, at hun ikke ville fortælle mere.

"Jeg var stærk nok til at skubbe en fuld stodder i vandet. Jeg brugte en åre for at holde ham under vandet, til han holdt op med at sprælle. Det tog ikke mere end nogle sekunder."

Stilheden var øredøvende, da hun holdt inde.

"Og da jeg kiggede op, stod Martin der. Han så skrækslagen ud og fnisede samtidig. Jeg ved ikke, hvor længe han havde været uden for huset og udspioneret os. Fra det øjeblik var jeg overladt til hans nåde og barmhjertighed. Han gik hen til mig, greb fat i mit hår, trak mig ind i huset og tilbage i Gottfrieds seng. Han bandt mig og voldtog mig, mens vores far stadig lå og flød i vandet nede ved bådebroen, og jeg kunne ikke engang gøre modstand."

Mikael lukkede øjnene. Med ét skammede han sig og ønskede, han havde ladet Harriet Vanger være i fred. Men hendes stemme havde fået en ny styrke.

"Fra den dag var jeg i hans vold. Jeg gjorde, hvad han bad mig om. Jeg var som lammet, og det, der reddede min forstand, var, at Isabella fik den idé, at Martin trængte til luftforandring efter sin fars tragiske død, og sendte ham til Uppsala. Det var selvfølgelig, fordi hun vidste, hvad han gjorde ved mig, og det var hendes måde at løse problemet på. Du kan tro, Martin var skuffet."

Mikael nikkede.

"Det følgende år var han kun hjemme i juleferien, og det lykkedes mig at holde mig på afstand af ham. Mellem jul og nytår var jeg med Henrik i København, og da det blev sommerferie, var Anita der. Jeg betroede mig til hende, og hun blev hos mig hele tiden og sørgede for, han ikke kom i nærheden af mig."

"Men så fik du øje på ham på Järnvägsgatan."

Hun nikkede.

"Jeg havde fået at vide, at han ikke ville komme til familiemødet, men blive i Uppsala. Men han skiftede tydeligvis mening, og lige pludselig stod han bare der på den anden side af gaden og stirrede på mig. Smilede til mig. Det føltes som en ond drøm. Jeg havde myrdet min far, og jeg vidste, at jeg aldrig ville slippe fri af min bror. Inden da havde jeg overvejet at tage livet af mig. Jeg valgte at flygte."

Hun så på Mikael med et næsten fornøjet blik.

"Det føles faktisk skønt at fortælle sandheden. Nu ved du det. Hvad vil du bruge din viden til?"

KAPITEL 27

Lørdag den 26. juli – mandag den 28. juli

MIKAEL HENTEDE LISBETH Salander uden for hendes gadedør på Lundagatan klokken ti om formiddagen og kørte hende hen til krematoriet på Norra Kirkegård. Han blev hos hende under mindehøjtideligheden. Lige først var Lisbeth og Mikael de eneste tilstedeværende ud over præsten, men da begravelsesceremonien begyndte, smuttede Dragan Armanskij pludselig ind ad døren. Han nikkede kort til Mikael, stillede sig bag Lisbeth og lagde forsigtigt en hånd på hendes skulder. Hun nikkede uden at se på ham, som om hun vidste, hvem der havde stillet sig bag hende. Derefter ignorerede hun både ham og Mikael.

Lisbeth havde ikke fortalt noget om sin mor, men præsten havde åbenbart talt med nogen på det plejehjem, hvor hun var død, og Mikael kunne forstå, at dødsårsagen havde været hjerneblødning. Lisbeth sagde ikke et ord under hele ceremonien. Præsten tabte tråden et par gange, når hun kiggede direkte på Lisbeth, som så hende i øjnene uden at reagere. Da det hele var overstået, drejede hun om på hælen og gik uden hverken at takke eller sige farvel. Mikael og Dragan sukkede dybt og skævede til hinanden. De havde ingen anelse om, hvad der foregik i hovedet på hende.

"Hun har det meget skidt," sagde Dragan.

"Ja, det kan jeg forstå," svarede Mikael. "Det var godt, du kom."

"Det er jeg langtfra sikker på."

Armanskij fastholdt Mikaels blik.

"I tager nordpå, ikke? Hold godt øje med hende."

Det lovede Mikael, og de skiltes uden for kirkedøren. Lisbeth sad allerede i bilen og ventede.

Hun var nødt til at tage med til Hedestad for at hente sin motorcykel og det udstyr, hun havde lånt af Milton Security. Først da de havde passeret Uppsala, brød hun tavsheden og spurgte, hvordan rejsen til Australien var gået. Mikael var landet i Arlanda sent den foregående aften og havde kun fået nogle få timers søvn. Mens de kørte videre, genfortalte han Harriet Vangers historie. Lisbeth sad tavs i en halv time, før hun åbnede munden.

"Lede kælling," sagde hun.

"Hvem?"

"Den forpulede Harriet Vanger. Hvis hun havde sagt fra i 1966, ville Martin Vanger ikke have kunnet fortsætte med at myrde og voldtage i syvogtredive år."

"Harriet vidste, hendes far var morder, men havde ingen anelse om, at Martin var indblandet. Hun flygtede fra en bror, der voldtog hende, og som truede med at afsløre, at hun havde druknet deres far, hvis hun ikke makkede ret."

"Sikken gang pis."

Derefter mælede de ikke et ord hele vejen op til Hedestad. Lisbeth var i ualmindelig dårligt humør. Mikael havde en aftale, men var forsinket og satte hende af ved afkørslen til Hedeby-øen og spurgte, om hun ville være der endnu, når han kom tilbage.

"Bliver du her natten over?" spurgte hun.

"Det går jeg ud fra."

"Vil du godt have, jeg er her, når du kommer hjem?"

Han steg ud af bilen og slog armene om hende. Hun skubbede ham fra sig, næsten voldsomt. Mikael bakkede bagud.

"Lisbeth, du er min ven."

Hun kiggede udtryksløst på ham.

"Vil du have mig til at blive, så du har en at bolle med i aften?"

Mikael sendte hende et langt blik. Så vendte han omkring, satte sig ind i bilen og startede motoren. Han rullede vinduet ned. Hendes fjendtlighed var til at tage og føle på.

"Jeg vil være din ven," sagde han. "Hvis du tror noget andet, så behøver du ikke være der, når jeg kommer hjem."

Henrik Vanger var oppe og fuldt påklædt, da Dirch Frode lukkede Mikael ind på hospitalsstuen. Mikael spurgte straks til den gamles tilstand.

"De vil lade mig deltage i Martins begravelse i morgen."

"Hvor meget har Dirch fortalt dig?"

Henrik Vanger så ned i gulvet.

"Han har fortalt, hvad Martin og Gottfried gjorde. Jeg kan forstå, at det her er langt værre, end jeg havde kunnet forestille mig."

"Jeg ved, hvad der skete med Harriet."

"Hvordan døde hun?"

"Harriet døde ikke. Hun lever stadig. Hvis du ønsker det, vil hun meget gerne møde dig."

Både Henrik Vanger og Dirch Frode stirrede på Mikael, som om de netop havde fået vendt op og ned på deres tilværelse.

"Jeg måtte overtale hende til at rejse herop, men hun lever, hun har det godt, og hun er her i Hedestad. Hun ankom i morges og kan være her om en time. Hvis du vil se hende, vel at mærke."

Mikael måtte endnu en gang fortælle historien fra ende til anden. Henrik Vanger lyttede med en koncentration, som var der tale om en moderne udgave af Bjergprædikenen. Et par gange indskød han et spørgsmål eller bad Mikael gentage noget. Dirch Frode sagde ikke et ord.

Da Mikael var nået til vejs ende, sad den gamle stille et stykke tid. Selvom lægerne havde forsikret, at Henrik Vanger var kommet sig efter sit hjerteanfald, havde Mikael frygtet det øjeblik, hvor han skulle fortælle historien – han havde været bange for, det ville blive for meget for den gamle mand. Men Henrik viste overhovedet ingen tegn på bevægelse ud over, at hans stemme måske var en anelse grødet, da han brød tavsheden.

"Stakkels Harriet. Hvis hun dog bare var kommet til mig."

Mikael kiggede på sit ur. Den var fem minutter i fire.

"Vil du godt tale med hende? Hun er bange for, du vil støde hende fra dig, når du har hørt, hvad hun gjorde."

"Og blomsterne?" spurgte Henrik.

"Jeg spurgte hende i flyet hjem. Der var ét eneste menneske i familien, som hun elskede, og det var dig. Det var selvfølgelig hende, der sendte blomsterne. Hun sagde, hun håbede, du ville forstå, at hun var i live og havde det godt, uden at hun var nødt til at træde frem. Men eftersom hendes eneste informationskilde var Anita, der aldrig besøgte Hedestad, og som flyttede til udlandet, så snart hun havde afsluttet sine studier, så var det begrænset, hvad Harriet vidste om, hvad der foregik her. Hun blev aldrig klar over, hvor frygteligt du led, og at du troede, det var hendes morder, der hånede dig."

"Jeg formoder, det var Anita, der postede blomsterne."

"Hun arbejdede i et flyselskab og rejste over hele verden. Hun postede dem, hvor hun tilfældigvis befandt sig på det givne tidspunkt."

"Men hvordan vidste du, at det lige netop var Anita, der hjalp hende?"

"Fra fotografiet, hvor hun ses i vinduet på Harriets værelse."

"Men hun kunne jo have været indblandet i ... hun kunne have været morderen. Hvordan blev du klar over, at Harriet var i live?"

Mikael sendte Henrik Vanger et langt blik. Så smilede han for første gang, siden han var vendt tilbage til Hedestad.

"Anita var indblandet i Harriets forsvinden, men hun kunne ikke have myrdet hende."

"Hvordan kunne du være sikker på det?"

"Fordi det her ikke er nogen skide krimi. Hvis Anita havde myrdet Harriet, ville du have fundet liget for længe siden. Ergo var det eneste logiske, at hun havde hjulpet hende med at flygte og holde sig skjult. Vil du tale med hende?"

"Selvfølgelig vil jeg tale med Harriet."

MIKAEL HENTEDE HARRIET nede ved elevatorerne i foyeren. Først genkendte han hende ikke; efter at de var skiltes i Arlanda den foregående aften, havde hun fået sin mørke hårfarve tilbage. Hun var klædt i sorte bukser, hvid skjorte og en elegant grå jakke. Hun så strålende ud, og Mikael bøjede sig frem og gav hende et opmuntrende kys på kinden.

Henrik rejste sig fra sin stol, da Mikael åbnede døren for Harriet Vanger. Hun tog en dyb indånding.

"Goddag, Henrik," sagde hun.

Den gamle studerede hende fra top til tå. Så gik Harriet hen og kyssede ham på kinden. Mikael nikkede til Dirch Frode, lukkede døren og lod dem være alene.

LISBETH VAR DER ikke, da Mikael vendte tilbage til Hedeby-øen. Overvågningsudstyret og motorcyklen var væk ligesom hendes tøj og toiletsagerne på badeværelset. Der føltes tomt.

Mikael gik en runde i huset i en dyster stemning. Det virkede pludselig fremmed og uvirkeligt. Han kiggede på papirdyngerne i arbejdsværelset. De skulle lægges i kasser og bæres tilbage til Henrik Vanger, men han orkede ikke engang begynde på det. Han gik op til Konsum og købte brød, mælk, ost og noget aftensmad. Da han kom tilbage, satte han kaffe over, slog sig ned ude i haven og læste formiddagsbladene med hovedet tømt for tanker.

Ved halvsekstiden kørte en taxa over broen. Den vendte tilbage efter tre minutter, og Mikael så et glimt af Isabella Vanger på bagsædet.

Han var døset hen i havestolen, da Dirch Frode kom over ved syvtiden og vækkede ham.

"Hvordan går det med Henrik og Harriet?" spurgte Mikael.

"Intet er så dårligt, at det ikke er godt for noget," svarede Dirch Frode med et skævt smil. "Isabella kom pludselig stormende ind på Henriks stue. Hun havde opdaget, at du var kommet tilbage, og teede sig som en sindssyg. Hun skreg, at det måtte være slut med alle disse vanvittige spekulationer om Harriet, og sagde, det var dig, der havde drevet hendes søn i døden med din snagen."

"Tja, det kan hun for så vidt have ret i."

"Hun beordrede Henrik til at afskedige dig og få dig sendt væk og insisterede på, at han holdt op med at jagte spøgelser."

"Ser man det."

"Hun havde ikke så meget som kastet et blik på kvinden, der

sad og talte med Henrik. Hun troede sikkert, det var en af personalet. Jeg vil aldrig glemme det øjeblik, da Harriet rejste sig, kiggede på Isabella og sagde *Hej, mor*."

"Hvad skete der?"

"Vi måtte tilkalde en læge for at få liv i Isabella igen. Lige nu benægter hun, at det virkelig er Harriet, og påstår, det er en bedrager, som du har støvet op."

Dirch Frode var på vej hen til Cecilia og Alexander for at overbringe dem nyheden om, at Harriet var genopstået fra de døde. Han skyndte sig videre og lod Mikael være alene igen.

LISBETH SALANDER STANDSEDE og tankede op på en benzinstation lige nord for Uppsala. Hun havde været sammenbidt og stirret stift frem for sig, mens hun kørte. Nu betalte hun hurtigt og satte sig op på motorcyklen. Hun startede og trillede hen til udkørslen, hvor hun standsede ubeslutsomt igen.

Hun var stadig i et elendigt humør. Hun havde været rasende, da hun forlod Hedeby, men raseriet var langsomt aftaget under kørslen. Hun var ikke sikker på, hvorfor hun var så rasende på Mikael Blomkvist, eller om det overhovedet var ham, hun var rasende på.

Hun tænkte på Martin Vanger og forpulede Harriet Vanger og forpulede Dirch Frode og hele den skide Vangerfamilie, der sad i Hedestad og regerede deres lille imperium og intrigerede mod hinanden. De havde haft brug for hendes hjælp. Under normale omstændigheder ville de ikke engang have hilst på hende, endsige betroet hende deres hemmeligheder.

Lede svin.

Hun tog en dyb indånding og tænkte på sin mor, som hun havde begravet samme morgen. Det ville aldrig blive godt. Moderens død betød, at såret aldrig ville læge, fordi Lisbeth aldrig ville få svar på de spørgsmål, hun havde villet stille.

Hun tænkte på Dragan Armanskij, der havde stået bag ved hende under begravelsen. Hun burde have sagt noget til ham eller i det mindste ladet ham vide, at hun vidste, han var der. Men hvis hun havde gjort det, ville han have taget det som en opfordring til at begynde at organisere hendes liv. Hvis hun rakte ham en lillefinger, ville han tage hele hånden. Og han ville aldrig forstå hende.

Hun tænkte på den forpulede advokat Nils Bjurman, der var hendes formynder, og som i det mindste var uskadeliggjort for en tid og gjorde, hvad han fik besked på.

Hun følte et uforsonligt had og bed tænderne sammen.

Og hun tænkte på Mikael Blomkvist og spekulerede på, hvad han ville sige, når han fandt ud af, at hun var umyndiggjort, og at hendes liv var helt til rotterne.

Det gik op for hende, at hun i virkeligheden ikke var vred på ham. Han var tilfældigvis bare den person, hun havde ladet sit raseri gå ud over, da hun mest af alt havde lyst til at myrde nogen. Det var meningsløst at blive tosset på ham.

Hun nærede en underlig ambivalent følelse for ham.

Han stak næsen i alt og snagede i hendes privatliv og ... Men hun havde også nydt at arbejde sammen med ham. Alene dét var en besynderlig følelse – at arbejde *sammen* med nogen. Det var hun ikke vant til, men det var faktisk gået uventet smertefrit. Der var ikke så meget pis med ham. Han prøvede ikke at fortælle, hvordan hun skulle leve sit liv.

Det var hende, der havde forført ham, ikke omvendt.

Og det havde desuden været tilfredsstillende.

Så hvorfor havde hun lyst til at sparke ham i fjæset?

Hun sukkede, løftede fortvivlet blikket og betragtede en lastbil, der susede forbi på E4.

MIKAEL SAD STADIG i haven klokken otte om aftenen, da han hørte brølet fra en motorcykel og så Lisbeth Salander køre over broen. Hun parkerede og tog hjelmen af. Hun gik hen til havebordet og mærkede på kaffekanden, der var både tom og kold. Mikael kiggede forbavset på hende. Hun tog kaffekanden og gik ind i køkkenet. Da hun kom ud igen, havde hun afført sig læderdresset og taget cowboybukser på og en T-shirt med teksten *I can be a regular bitch. Just try me.*

"Jeg troede, du var rejst," sagde Mikael.

"Jeg vendte om i Uppsala."

"Lidt af en køretur."

"Jeg har også ondt i røven."

"Hvorfor vendte du om?"

Hun svarede ikke. Mikael insisterede ikke, men forholdt sig afventende, mens de drak kaffe. Efter ti minutter brød hun tavsheden.

"Jeg kan lide at være sammen med dig," tilstod hun modvilligt.

Det var ord, hun aldrig tidligere havde taget i sin mund.

"Det var ... interessant at arbejde sammen med dig i den sag her."

"Jeg har også sat pris på at arbejde sammen med dig," sagde Mikael.

"Hmm."

"Sagen er, at jeg aldrig nogensinde har arbejdet sammen med nogen, der er så skidegod. Okay, jeg ved, du er en forbandet hacker og færdes i suspekte kredse, hvor du tydeligvis bare behøver løfte røret for at fikse en ulovlig telefonaflytning i London inden for 24 timer, men jeg skal love for, det giver resultater."

Hun kiggede på ham for første gang, efter at hun havde sat sig ved bordet. Han kendte så mange af hendes hemmeligheder. Hvordan var det gået til?

"Sådan er det bare. Jeg kan det dér med computere. Jeg har aldrig haft problemer med at læse en tekst og forstå, præcis hvad der står."

"Din fotografiske hukommelse," sagde han lavmælt.

"Formentlig. Jeg ved simpelthen, hvordan lortet virker. Det er ikke kun computere og telefoner, men også motoren i min kværn og tv-apparater og støvsugere og kemiske processer og astrofysiske formler. Jeg er en nørd. En freak."

Mikael rynkede brynene og var tavs i lang tid.

Aspergers syndrom, tænkte han. *Eller noget i den stil. En evne til at se mønstre og forstå abstrakte sammenhænge, hvor andre bare ser flimmer.*

Lisbeth stirrede ned i bordet.

"De fleste mennesker ville give meget for at have sådan en gave."

"Jeg vil ikke snakke om det."

"Okay, så dropper vi det. Hvorfor kom du tilbage?"

"Det ved jeg ikke. Det var måske en fejltagelse."

Han kiggede undersøgende på hende.

"Lisbeth, vil du definere ordet venskab for mig?"

"At man kan lide nogen."

"Ja, men hvad er det, der gør, at man kan lide nogen?"

Hun trak på skuldrene.

"Venskab – som jeg definerer det – bygger på to ting," sagde han pludselig. "Respekt og tillid. Begge faktorer skal være til stede. Og det skal være gensidigt. Man kan have respekt for nogen, men hvis man ikke har tillid, så visner venskabet."

Hun forholdt sig stadig tavs.

"Jeg har forstået, at du ikke ønsker at tale med mig om dig selv, men på et eller andet tidspunkt må du beslutte dig for, om du har tillid til mig eller ej. Jeg ønsker, at vi skal være venner, men vi skal være to om det."

"Jeg kan lide at have sex med dig."

"Sex har ikke noget med venskab at gøre. Selvfølgelig kan venner have sex, men Lisbeth, hvis jeg skulle vælge mellem sex og venskab, når det drejer sig om dig, så er jeg ikke i tvivl om, hvad jeg ville vælge."

"Det forstår jeg ikke. Vil du have sex med mig eller ej?"

Mikael bed sig i læben. Til sidst sukkede han.

"Man bør ikke have sex med dem, man arbejder sammen med," mumlede han. "Det ender uvægerlig med ballade."

"Er der noget, jeg har misforstået, eller forholder det sig ikke sådan, at du og Erika Berger boller ved enhver given lejlighed? Og hun er for øvrigt gift."

Mikael svarede ikke med det samme.

"Jeg og Erika ... har en fælles fortid, der begyndte, længe før vi blev kolleger. At hun er gift, kommer ikke dig ved."

"Javel ja. Lige pludselig er det dig, der ikke vil snakke om dig selv. Var venskab ikke et spørgsmål om tillid?"

"Jo, men jeg vil bare ikke diskutere en ven bag hendes ryg. Det ville være misbrug af hendes tillid. Jeg ville heller ikke diskutere dig med Erika bag din ryg."

Lisbeth Salander overvejede hans ord. Det havde udviklet

sig til en besværlig samtale. Hun brød sig ikke om besværlige samtaler.

"Jeg kan lide at have sex med dig," sagde hun igen.

"I lige måde ... men jeg er ikke desto mindre gammel nok til at være din far."

"Jeg vil sgu da skide på din alder."

"Du kan ikke skide på aldersforskellen. Det er ikke noget godt udgangspunkt for et varigt forhold."

"Hvem sagde, det skulle vare ved?" sagde Lisbeth. "Vi har lige afsluttet en sag, hvor nogle ualmindeligt perverterede mænd spillede en fremtrædende rolle. Hvis jeg kunne bestemme, skulle den slags mænd udryddes, hver eneste en."

"Du går i hvert fald ikke på kompromis."

"Nej," sagde hun og smilede sit skæve ikke-smil. "Men du er faktisk ikke en af dem."

Hun rejste sig.

"Nu går jeg i bad, og bagefter har jeg tænkt mig at lægge mig nøgen i din seng. Hvis du mener, du er for gammel, kan du jo lægge dig i feltsengen."

Mikael kiggede efter hende. Lisbeth havde givetvis nogle blokeringer, men ingen kunne beskylde hende for blufærdighed. Han kom altid til kort under deres diskussioner. Lidt efter bar han kopperne ind i køkkenet og gik derefter ind i soveværelset.

De stod op ved titiden, gik i bad sammen og spiste morgenmad ude i haven. Klokken elleve ringede Dirch Frode og sagde, at begravelsen ville finde sted klokken to om eftermiddagen, og spurgte, om de havde tænkt sig at deltage.

"Det kan jeg ikke forestille mig," sagde Mikael.

Dirch Frode bad om at måtte komme over ved sekstiden, og Mikael svarede, at det ville være helt i orden.

Han brugte nogle timer på at lægge papirer i flyttekasser og bære dem op i Henriks arbejdsværelse. Tilbage var der kun hans egne notesblokke og de to mapper om Hans-Erik Wennerström-sagen, som han ikke havde åbnet i et halvt år. Han sukkede og proppede dem ned i sin rejsetaske.

DIRCH FRODE VAR forsinket og kom først ved ottetiden. Han var stadig iført begravelsestøj og så hærget ud, da han satte sig på slagbænken og taknemmeligt tog imod den kop kaffe, Lisbeth tilbød ham. Hun satte sig ved anretterbordet og kastede sig over sin computer, mens Mikael spurgte, hvordan Harriets genopstandelse var blevet modtaget af familien.

"Man kan sige, at den overskyggede Martins bortgang, og nu har medierne også fået nys om hende."

"Og hvordan forklarer I situationen?"

"Harriet har talt med en journalist på *Kuriren*. Hendes historie er, at hun stak af hjemmefra, fordi hun kom dårligt ud af det med familien, men at hun har klaret sig godt i verden og leder en virksomhed med lige så stor omsætning som Vangerkoncernen."

Mikael fløjtede.

"Jeg var klar over, at der var penge i australske får, men jeg vidste ikke, at ranchen gik så godt."

"Hendes ranch går glimrende, men den er ikke den eneste indtægtskilde. Cochranfirmaet er også involveret i minedrift, opaler, fabrikker, transport, elektronik og en masse andet."

"Ser man det. Og hvad sker der så nu?"

"Helt ærlig så ved jeg det ikke. Folk er dukket op hele dagen, og familien er blevet samlet for første gang i mange år. Vi taler både om Fredrik Vangers og Johan Vangers side, og der er dukket mange fra den yngre generation op – dem, der er i tyverne og opefter. Der er formentlig omkring fyrre medlemmer af Vangerfamilien i Hedestad nu til aften, og halvdelen sidder inde på hospitalet og udmatter Henrik, mens den anden halvdel sidder på Stadshotellet og snakker med Harriet."

"Harriet er tydeligvis den helt store sensation. Hvor mange ved alt det med Martin?"

"Foreløbig er det kun mig, Henrik og Harriet. Vi har haft en lang, fortrolig samtale. Det her med Martin og hans ... hans perversioner, det overskygger næsten alt lige nu. Hans død har forårsaget en kolossal krise for koncernen."

"Det forstår jeg."

"Der er ingen naturlig arving, men Harriet bliver i Hedestad et stykke tid. Vi må blandt andet finde ud af, hvem der ejer hvad, hvordan der skal skiftes og al den slags. Hun har jo faktisk en arvelod, der ville have været temmelig stor, hvis hun havde været her hele tiden. Det er et mareridt."

Mikael lo. Dirch Frode lo ikke.

"Isabella er klasket totalt sammen og blevet indlagt. Harriet nægter at besøge hende."

"Det forstår jeg så udmærket."

"Men Anita kommer herover fra London. Vi indkalder til familieråd i næste uge. Det bliver første gang i femogtyve år, at hun deltager."

"Hvem bliver ny administrerende direktør?"

"Birger er ude efter posten, men han kommer ikke på tale. Der vil ske det, at Henrik indtræder som midlertidig direktør fra sin sygeseng, indtil vi enten ansætter nogen udefra eller nogen i familien ..."

Han afsluttede ikke sætningen. Mikael hævede pludselig øjenbrynene.

"Harriet? Det er ikke dit alvor!"

"Hvorfor ikke? Vi taler om en overordentlig kompetent og respekteret forretningskvinde."

"Hun har en virksomhed i Australien at passe ..."

"Ja, men hendes søn, Jeff Cochran, passer biksen i hendes fravær."

"Han er bestyrer på en fårefarm! Hvis jeg har forstået det ret, går hans viden på, hvordan man finder de rette væddere til de rette får!"

"Han har også en eksamen i økonomi fra Oxford og juridisk embedseksamen fra Melbourne."

Mikael tænkte på den svedige og muskuløse mand med nøgen overkrop, der havde kørt ham ned i kløften, og prøvede at iføre ham nålestribet jakkesæt. Hvorfor ikke?

"Det her vil ikke kunne løses i en håndevending," sagde Dirch Frode, "men hun ville blive en perfekt administrerende direktør. Med den rette opbakning ville hun kunne give koncernen et helt nyt løft."

"Men hun kender jo intet til ..."

"Rigtigt nok. Harriet kan selvfølgelig ikke dukke op udefra efter flere årtier og begynde at styre koncernen efter forgodtbefindende. På den anden side er det her en international koncern, og alternativet er at støve en eller anden amerikansk direktør op, der ikke kan et ord svensk ... Sådan er business."

"Før eller senere er I nødt til at forholde jer til det i Martins kælderrum."

"Jeg ved det, men vi kan ikke træde frem uden at knuse Harriet fuldstændigt ... Jeg er glad for, det ikke er mig, der skal tage en beslutning i det spørgsmål."

"For fanden da, Dirch! I kan sgu da ikke mørklægge, at Martin var seriemorder!"

Dirch Frode vred sig. Mikael fik pludselig en dårlig smag i munden.

"Mikael, jeg befinder mig i en ... yderst ubehagelig position."

"Fortæl."

"Jeg har en meddelelse fra Henrik. Den er meget enkel. Han takker for det arbejde, du har udført, og siger, at han betragter kontrakten som opfyldt. Det betyder, at han frigør dig fra øvrige forpligtelser, og at du ikke længere behøver bo og arbejde her i Hedestad etc. Du kan med andre ord med øjeblikkelig virkning flytte tilbage til Stockholm og kaste dig over andre opgaver."

"Ønsker han, at jeg forsvinder her og nu?"

"Så afgjort ikke. Han vil gerne have en samtale med dig om fremtiden. Han siger, at han håber, hans virke i *Millennium*s bestyrelse kan fortsætte som hidtil. Men ..."

Dirch Frode så om muligt endnu mere utilpas ud.

"Men han ønsker ikke længere, at jeg skriver en slægtshistorie om familien Vanger."

Dirch Frode nikkede. Han fandt en notesblok frem, som han slog op i og skubbede hen til Mikael.

"Han skrev det her brev til dig."

Kære Mikael.

Jeg har al respekt for din integritet, og jeg har ikke i sinde at forulempe dig ved at forsøge at fortælle dig, hvad du skal skrive. Du kan skrive og publicere, hvad du vil, og jeg agter ikke at lægge noget som helst pres på dig.

Vores kontrakt står ved magt, hvis du ønsker at håndhæve den. Du har materiale nok til at afslutte slægtshistorien. Mikael, jeg har aldrig i mit liv bønfaldet nogen om noget. Jeg har altid ment, at et menneske skal følge sin moral og sin overbevisning. I denne situation har jeg intet valg.

Jeg beder dig, både som ven og som medejer af *Millennium*, om at undlade at afsløre sandheden om Gottfried og Martin. Jeg ved, det er forkert, men jeg kan ikke se nogen vej ud af dette mørke. Jeg må vælge mellem to onder, og her vil kun være tabere.

Jeg beder dig undlade at skrive noget, der kan skade Harriet yderligere. Du har selv oplevet, hvad det vil sige at være genstand for en mediehetz. Hetzen mod dig har været af temmelig beskedne proportioner, så du kan formodentlig forestille dig, hvilke konsekvenser det ville få for Harriet, hvis sandheden kom frem. Hun er blevet martret i fyrre år og skal ikke være nødt til at pines endnu mere på grund af de ugerninger, hendes bror og far har begået. Jeg beder dig også gennemtænke, hvilke konsekvenser denne historie kan få for tusinder af ansatte i koncernen. Det ville knuse hende og ødelægge os.

Henrik

"Henrik siger også, at hvis du kræver kompensation for et eventuelt økonomisk tab som følge af, at du afholder dig fra at offentliggøre historien, så er han helt åben for diskussion. Du kan nævne din pris, og han betaler."

"Henrik Vanger prøver at bestikke mig. Fortæl ham, at jeg ville ønske, han ikke havde givet mig tilbuddet."

"Denne situation er lige så smertelig for Henrik som for dig. Han har stor sympati for dig og betragter dig som sin ven."

"Henrik Vanger er fandens kløgtig," sagde Mikael. Han var pludselig rasende. "Han vil dysse historien ned. Han spiller på mine følelser, og han ved, jeg også kan lide ham. Og det, han siger, betyder i praksis, at jeg har frie hænder til at offentliggøre hele historien, men hvis jeg gør det, vil det få konsekvenser for *Millennium*."

"Alting ændrede sig, da Harriet trådte ind på scenen."

"Og nu undersøger Henrik, hvad jeg koster. Jeg har ikke tænkt mig at hænge Harriet ud, men *en eller anden* er nødt til at fortælle om de kvinder, der endte i Martins kælder. Dirch, vi ved ikke engang, hvor mange kvinder han slagtede. Hvem skal tale deres sag?"

Lisbeth Salander kiggede pludselig op fra sin computer. Hendes stemme var uhyggeligt blid, da hun henvendte sig til Dirch Frode.

"Er der ingen af jer i koncernen, der har tænkt sig at prøve at bestikke mig?"

Frode gloede forbløffet. Det var endnu en gang lykkedes ham at ignorere hende.

"Hvis Martin Vanger havde levet i dette øjeblik, ville jeg have afsløret ham for omverdenen," fortsatte hun. "Uanset hvilken aftale Mikael har med jer, ville jeg have videregivet hver eneste detalje til pressen. Og hvis jeg havde kunnet, ville jeg have nakket ham i hans eget torturkammer og spændt ham fast til bænken og spiddet hans nosser. Men han er død."

Hun henvendte sig til Mikael.

"Jeg er tilfreds med opklaringen. Vi vil aldrig kunne rette op på den skade, som Martin Vanger forvoldte sine ofre. Men vi har derimod en interessant situation. Du befinder dig i en position, hvor du kan fortsætte med at skade uskyldige kvinder – ikke mindst denne Harriet, som du forsvarede så varmt i bilen på vej herop. Så mit spørgsmål til dig er, hvad der er værst: At Martin Vanger voldtog hende ude i sommerhuset, eller at du gør det på spisesedlerne? Lidt af et dilemma, skulle jeg mene. Du skulle måske søge råd hos dit presseetiske nævn."

Lisbeth tav, og pludselig kunne Mikael ikke møde hendes blik. Han stirrede ned i bordet.

"Men jeg er jo ikke journalist," sagde hun.

"Hvad vil du have, vi skal gøre?" spurgte Dirch Frode.

"Martin videofilmede sine ofre. Jeg ønsker, at I prøver at identificere så mange, I kan, og sørger for at give deres pårørende en rimelig kompensation. Derudover ønsker jeg, at Vangerkoncernen donerer to millioner kroner hvert år fremover til ROKS, Rigsorganisationen for Kvindekrisecentre i Sverige."

Dirch Frode overvejede forslaget og nikkede så.

"Kan du leve med det, Mikael?" spurgte Lisbeth.

Pludselig fyldtes Mikael af fortvivlelse. I hele sit professionelle liv havde han beskæftiget sig med at afsløre det, andre prøvede at skjule, og hans moral forbød ham at medvirke til at mørklægge de frygtelige forbrydelser, der var blevet begået i Martin Vangers kælder. Hans jobbeskrivelse var jo netop at afsløre det, han fik nys om. Han var den, der kritiserede sine kolleger for ikke at fortælle sandheden. Alligevel sad han her og diskuterede den mest makabre dækhistorie, han nogensinde havde hørt om.

Han tav i lang tid, hvorefter han nikkede.

"Fint nok." Dirch Frode henvendte sig til Mikael. "Med hensyn til Henriks tilbud om økonomisk kompensation ..."

"Så kan han stikke den skråt op," sagde Mikael. "Dirch, vær venlig at gå. Jeg forstår din situation, men lige nu er jeg så vred på dig og Henrik og Harriet, at vi bliver alvorligt uvenner, hvis du bliver."

DIRCH FRODE BLEV siddende ved bordet uden at gøre mine til at rejse sig.

"Jeg kan ikke gå endnu," sagde han. "Jeg har ikke talt færdig. Jeg har endnu en besked, du ikke vil synes om. Henrik insisterede på, at jeg fortalte det allerede i aften. Du kan tage ind til hospitalet i morgen og hudflette ham, hvis du har lyst."

Mikael løftede langsomt blikket og så ham i øjnene.

"Det her er vist det sværeste, jeg har gjort i mit liv," sagde Dirch Frode, "men jeg tror, at det eneste, der kan redde situationen nu, er at være ærlig og lægge alle kortene på bordet."

"Hvad snakker du om?"

"Da Henrik i julen overtalte dig til at tage jobbet, troede hverken han eller jeg, at det ville føre til noget. Det var, som han sagde – han ville gøre et sidste forsøg. Han havde analyseret din situation nøje, ikke mindst ved hjælp af den rapport, som frøken Salander bragte til veje. Han spillede på din isolation, han tilbød en god betaling, og han lagde den rette madding ud."

"Wennerström," sagde Mikael.

Frode nikkede.

"Og I bluffede?"

"Nej."

Lisbeth Salander hævede interesseret et øjenbryn.

"Henrik vil holde alt, hvad han har lovet," sagde Dirch Frode. "Han vil stille op til interview og kaste sig ud i et offentligt frontalangreb på Wennerström. Du kan få alle detaljerne senere, men kort fortalt er sagen den, at da Hans-Erik Wennerström var tilknyttet Vangerkoncernens finansafdeling, brugte han flere millioner på valutaspekulationer. Det var længe før, den slags blev en nationalsport. Han gjorde det uden beføjelser og uden at have indhentet tilladelse fra koncernledelsen. Forretningerne gik dårligt, og pludselig sad han med et tab på 7 millioner kroner, som han prøvede at dække ind dels ved hjælp af kreativ bogføring, dels ved endnu mere spekulative investeringer. Han blev opdaget og fyret."

"Fik han nogen personlig vinding?"

"Ja, han fik raget omkring en halv million til sig, og det blev ironisk nok startkapitalen til Wennerstroem Group. Alt dette er dokumenteret. Du kan bruge oplysningerne, som det passer dig, og Henrik vil bakke dig op offentligt, men ..."

"Oplysningerne er værdiløse," sagde Mikael, idet han klaskede hånden ned i bordet.

Dirch Frode nikkede.

"Det skete for tredive år siden og er et afsluttet kapitel," sagde Mikael.

"Men du får en bekræftelse på, at Wennerström er uhæderlig."

"Det vil irritere Wennerström, at det kommer frem, men det vil ikke skade ham mere end et skud med en ært fra et pusterør. Han vil trække på skuldrene, blande kortene og udsende en pressemeddelelse om, at Henrik Vanger er en gammel nar, der prøver at snuppe hans markedsandele, ligesom han vil påstå, at han i virkeligheden i sin tid handlede efter ordre fra Henrik. Selvom han ikke kan bevise sin uskyld, kan han lægge så meget røgslør ud, at hele historien vil kunne affærdiges med et skuldertræk."

Dirch Frode så ulykkelig ud.

"I tog røven på mig," sagde Mikael.

"Mikael ... det var ikke meningen."

"Det er min egen skyld. Jeg greb ud efter et halmstrå og burde have forstået, hvad det handlede om." Han udstødte en kort latter. "Henrik er en garvet købmand. Han solgte et produkt og talte mig efter munden."

Mikael rejste sig og gik hen til køkkenbordet. Så vendte han sig om mod Frode og sammenfattede sine følelser i ét ord.

"Forsvind."

"Mikael, jeg er ked af, at ..."

"Dirch. Gå."

LISBETH SALANDER VIDSTE ikke, om hun skulle gå hen til Mikael, eller om hun skulle lade ham være. Han løste problemet ved pludselig og uden et ord at tage sin jakke på og smække døren efter sig.

I mere end en time travede hun frem og tilbage i køkkenet. Hun havde det så elendigt, at hun vaskede op – noget, hun ellers overlod til Mikael. Fra tid til anden gik hun hen til vinduet og spejdede efter ham. Til sidst blev hun så bekymret, at hun tog sin læderjakke på og gik ud for at lede efter ham.

Først gik hun ned til lystbådehavnen, hvor der stadig var lys i feriehusene, men Mikael var ingen steder at se. Hun fulgte stien langs med vandet, hvor de plejede at gå aftentur. Martin Vangers hus var mørkt og virkede allerede ubeboet. Hun gik ud til klipperne yderst på odden, hvor hun og Mikael havde siddet før, hvorefter hun gik hjem. Han var ikke kommet tilbage endnu.

Lisbeth gik op til kirken. Stadig ikke nogen Mikael. Hun stod tvivlrådig et øjeblik og overvejede, hvad hun skulle gøre. Så gik hun tilbage til sin motorcykel, fandt en lommelygte i sadeltasken og begyndte atter at gå hen langs vandet. Det tog hende et stykke tid at bane sig vej ad den næsten tilgroede sti og derefter finde stien ud til Gottfrieds sommerhus. Det dukkede pludselig op af mørket bag nogle træer, da hun næsten var fremme. Mikael var ikke at se ude på forverandaen, og døren var låst.

Hun var begyndt at gå tilbage mod landsbyen, da hun standsede og gik tilbage og ud på odden. Pludselig så hun Mikaels silhuet i mørket ude på bådebroen, hvor Harriet Vanger havde druknet sin far. Hun drog et lettelsens suk.

Han hørte hende, da hun kom ud på bådebroen, og vendte sig om. Hun satte sig ved siden af ham uden at sige noget. Til sidst brød han tavsheden.

"Jeg er ked af det, men jeg var nødt til at være i fred et øjeblik."

"Jeg ved det."

Hun tændte to cigaretter og gav ham den ene. Mikael kiggede på hende. Lisbeth var det mest asociale menneske, han nogensinde havde mødt. Hun plejede at ignorere ethvert forsøg fra hans side på at tale om noget personligt og havde aldrig reageret på nogen sympatitilkendegivelse. Hun havde reddet hans liv, og nu havde hun begivet sig ud midt om natten for at finde ham. Han lagde en arm om hende.

"Nu ved jeg, hvad min pris er. Vi har svigtet de piger," sagde han. "De vil dysse hele historien ned, og alt nede i Martins kælder vil forsvinde."

Lisbeth svarede ikke.

"Erika havde ret," fortsatte han. "Jeg ville have gjort mere gavn, hvis jeg var taget til Spanien og havde bollet med nogle señoritaer i en måned og derefter var taget hjem og havde kastet mig over Wennerström. Nu har jeg forspildt flere måneder til ingen verdens nytte."

"Hvis du var taget til Spanien, ville Martin Vanger stadig have været i gang i sin kælder."

Tavshed. De blev siddende sammen i lang tid, før han rejste sig og foreslog, at de gik hjem.

Mikael faldt i søvn før Lisbeth. Hun lå vågen og lyttede til hans åndedræt. Lidt efter gik hun ud i køkkenet og lavede kaffe og sad i mørket på slagbænken og røg cigaretter, mens hun brød sin hjerne. At Vanger og Frode ville narre Mikael, tog hun for givet. Det lå i deres natur. Men det var Mikaels problem og ikke hendes. Eller var det?

Til sidst tog hun en beslutning. Hun skoddede smøgen og gik ind til Mikael, tændte sengelampen og ruskede ham vågen. Klokken var halv tre om morgenen.

"Hvad?"

"Jeg har et spørgsmål. Sæt dig op."

Mikael satte sig op og kiggede søvndrukkent på hende.

"Da du blev sigtet – hvorfor forsvarede du dig ikke?"

Mikael rystede på hovedet og mødte hendes blik. Han skævede til uret.

"Det er en lang historie, Lisbeth."

"Fortæl. Jeg har tid nok."

Han sad tavs i lang tid og overvejede, hvad han skulle sige. Til sidst bestemte han sig for at sige sandheden.

"Jeg havde ikke noget forsvar. Indholdet i artiklen var urigtigt."

"Da jeg hackede mig ind på din computer og læste din korrespondance med Erika Berger, var der masser af henvisninger til Wennerström-sagen, men I diskuterede hele tiden praktiske detaljer om retssagen og ikke noget om, hvad der egentlig foregik. Fortæl, hvad der gik galt."

"Lisbeth, jeg kan ikke lække den rigtige historie. Jeg lod mig i dén grad tage ved næsen. Jeg og Erika er enige om, at det ville skade vores troværdighed endnu mere, hvis vi prøvede at fortælle, hvad der virkelig skete."

"Hallo, *Kalle Blomkvist!* I går eftermiddags sad du og prækede noget om venskab og tillid, og guderne må vide hvad. Jeg har ikke tænkt mig at lægge historien ud på nettet."

MIKAEL PROTESTEREDE ET par gange. Han mindede Lisbeth om, at det var midt om natten, og påstod, at han ikke orkede at tænke på det. Hun blev stædigt siddende, til han gav sig. Han gik på toilettet, pjaskede noget vand i ansigtet og satte kaffe over. Så vendte han tilbage til sengen og fortalte, hvordan hans gamle skolekammerat Robert Lindberg havde vakt hans nysgerrighed i en gul Mälar-30 i lystbådehavnen i Arholma to år tidligere.

"Og du mener, at din kammerat løj?"

"Nej, overhovedet ikke. Han fortalte, hvad han vidste, og jeg kunne verificere hvert et ord i dokumenter fra revisionen af SIB. Jeg rejste sågar til Polen og fotograferede det blikskur, hvor det store Minos-firma havde slået sine folder. Og jeg interviewede flere af de personer, der havde været ansat i virksomheden. Alle bekræftede det."

"Så forstår jeg ikke problemet."

Mikael sukkede. Det varede lidt, før han atter sagde noget.

"Jeg havde en fandens god historie. Jeg havde endnu ikke konfronteret Wennerström selv, men historien var vandtæt, og hvis jeg havde ladet den trykke på dét tidspunkt, kunne jeg virkelig have rystet ham. Der ville formentlig ikke være blevet rejst tiltale for bedrageri – transaktionen var jo allerede godkendt af rigsrevisionen – men jeg ville have skadet hans omdømme."

"Hvad var det, der gik galt?"

"På et eller andet tidspunkt undervejs havde nogen fået færten af, hvad jeg havde gang i, og Wennerström blev opmærksom på min eksistens. Og lige pludselig begyndte der at ske en fandens masse underlige ting. Først fik jeg trusler. Anonyme telefonsamtaler, der ikke kunne spores. Erika modtog også trusler. Det sædvanlige pis a la 'drop sagen, eller vi sømmer dine patter fast til en ladedør' og så videre. Hun blev selvsagt pissesur."

Han tog en af Lisbeths smøger.

"Derefter skete der noget meget ubehageligt. En dag, da jeg forlod redaktionen sent om aftenen, blev jeg overfaldet af to mænd, der uden videre gik hen til mig og gav mig nogle knytnæveslag. Jeg var helt uforberedt og fik en blodtud og gik i gulvet. Jeg kunne ikke identificere dem, men den ene lignede en rocker."

"Okay."

"Al denne opmærksomhed havde selvfølgelig kun den virkning, at Erika blev edderspændt tosset, og jeg blev stædig. Vi skærpede sikkerheden på *Millennium*, men problemet var bare, at chikanerierne overhovedet ikke stod i forhold til indholdet i hele historien. Vi fattede ikke, hvorfor alt det her skete."

"Men den historie, du offentliggjorde, var noget helt andet."

"Netop. Lige pludselig havde vi et gennembrud. Vi fik en kilde, en såkaldt *deep throat* inden for Wennerströms egen kreds. Denne kilde var bogstavelig talt dødsensangst, og vi kunne kun mødes med ham på anonyme hotelværelser. Han fortalte, at pengene fra Minos-foretagendet var blevet brugt til våbenhandler i krigen i Jugoslavien. Wennerström havde lavet forretninger med Ustasja, og ikke nok med det: Han kunne give os kopier af skriftlige dokumenter som bevis."

"Og I troede ham?"

"Han var dygtig. Han gav os også informationer, der førte os til endnu en kilde, som kunne bekræfte historien. Vi fik oven i købet et billede, der viste, hvordan en af Wennerströms nærmeste medarbejdere gav hånd med køberen. Det var et detaljeret bevismateriale, og alting så ud til at kunne verificeres, så vi lod det gå i trykken."

"Og det var forfalsket."

"DET VAR FORFALSKET fra først til sidst," bekræftede Mikael. "Dokumenterne var dygtige forfalskninger. Wennerströms advokat kunne faktisk bevise, at billedet af Wennerströms håndlanger og Ustasja-lederen var en montage – et sammenklip af to forskellige billeder, der var blevet fremstillet i PhotoShop."

"Fascinerende," sagde Lisbeth nøgternt og nikkede hen for sig.

"Ja, ikke? Bagefter var det let at se, hvordan vi var blevet manipuleret. Vores oprindelige historie ville have skadet Wennerström, og nu druknede den i et falsum – den værste brøler, jeg nogensinde har hørt om i branchen. Vi offentliggjorde en historie, som Wennerström kunne optrævle bid for bid og dermed bevise sin uskyld. Og det var satans dygtigt gjort."

"I kunne ikke bakke ud og fortælle sandheden. I havde ingen beviser overhovedet på, at Wennerström selv havde lagt fælden."

"Det var værre end som så. Hvis vi havde forsøgt at fortælle sandheden og været tåbelige nok til at beskylde Wennerström for at have ført os på vildspor, var der ganske enkelt ingen, der ville have troet os. Det ville have lignet et desperat forsøg på at lægge skylden på en pletfri industrileder. Vi ville være fremstået som notoriske konspirationsteoretikere og idioter."

"Jeg er helt med."

"Wennerström havde dobbeltgarderet sig. Hvis fupnummeret var kommet for en dag, kunne han bare påstå, at det var en af hans fjender, der ville skandalisere ham. Og vi på *Millennium* ville alligevel have mistet troværdighed, fordi vi var hoppet på en løgnehistorie."

"Så du valgte ikke at forsvare dig og gå i fængsel."

"Jeg fortjente straffen," sagde Mikael med en vis bitterhed. "Jeg havde gjort mig skyldig i ærekrænkelse. Så nu ved du det. Må jeg godt sove nu?"

MIKAEL SLUKKEDE LYSET og lukkede øjnene. Lisbeth lagde sig ved siden af. Hun lå tavs et stykke tid.

"Wennerström er en gangster."

"Ja, det ved jeg."

"Nej, jeg mener, at jeg *ved*, han er en gangster. Han beskæftiger sig med alt fra den russiske mafia til colombianske narkokarteller."

"Hvad snakker du om?"

"Da jeg afleverede min rapport til Frode, gav han mig en tillægsopgave. Han bad mig finde ud af, hvad der i virkeligheden skete under retssagen. Jeg var lige gået i gang med det, da han ringede til Armanskij og afbestilte jobbet."

"Jaså."

"Jeg går ud fra, at de droppede undersøgelsen, da du accepterede Henrik Vangers tilbud. Det var ikke interessant mere."

"Og?"

"Tja, jeg er ikke typen, der stopper på halvvejen. Jeg havde nogle uger ... fri i foråret, hvor Armanskij ikke havde noget arbejde til mig, så jeg begyndte at grave i Wennerström-sagen bare for fornøjelsens skyld."

Mikael satte sig op, tændte lyset og kiggede på Lisbeth. Han mødte hendes store øjne. Hun så faktisk skyldbevidst ud.

"Fandt du ud af noget?"

"Jeg har hele hans harddisk på min computer. Hvis du er interesseret, kan jeg give dig alle de beviser, du vil have, på, at han er en gemen gangster."

KAPITEL 28

Tirsdag den 29. juli – fredag den 24. oktober

Mikael havde hængt over hendes computerudskrifter i tre dage – hele kasser fulde af papirer. Problemet var, at detaljerne hele tiden ændrede sig. En optionsforretning i London. En valutahandel i Paris via fuldmagt. Et skuffeselskab i Gibraltar. En pludselig fordobling af indeståendet på en konto i Chase Manhattan Bank i New York.

Og så var der alle de uafklarede ting: et handelsselskab med 200.000 kroner på en urørt konto, oprettet fem år tidligere i Santiago, Chile – et af hen ved tredive lignende firmaer i tolv forskellige lande – og ikke den mindste oplysning om, hvad firmaet beskæftigede sig med. Et hvilende aktieselskab? *Mens det ventede på hvad?* Et stråselskab for en anden virksomhed? Computeren gav ikke svar på, hvad Wennerströms planer var, men de var måske så indlysende for ham selv, at de aldrig blev formuleret i et elektronisk dokument.

Salander var overbevist om, at de fleste af den slags spørgsmål aldrig ville blive besvaret. De kunne se budskabet, men uden en nøgle ville de ikke kunne afkode betydningen. Wennerströms imperium var som et løg, bestående af lag på lag af skræller; en labyrint af firmaer, der ejede hinanden. Selskaber, konti, fonde, værdipapirer. De var sikre på, at ingen – end ikke Wennerström selv – kunne have et totalt overblik. Wennerströms imperium levede sit eget liv.

Der var dog et mønster, eller i det mindste noget, der lignede et mønster: en labyrint af virksomheder, der ejede hinanden. Værdien af Wennerströms imperium blev anslået til at ligge et sted mellem 100 og 400 milliarder kroner – i sig selv et helt vanvittigt beløb – afhængigt af, hvem man spurgte, og hvordan man foretog beregningen. Men hvis de forskellige firmaer ejer hinandens aktiver, hvordan beregner man så værdien af den enkelte virksomhed? spurgte Lisbeth.

Mikael kiggede på hende med et plaget ansigtsudtryk.

"Alt det dér overstiger min fatteevne," svarede han og begyndte at sortere diverse kontoudtog.

DE HAVDE FORLADT Hedeby-øen i al hast tidligt om morgenen, efter at Lisbeth Salander havde ladet den bombe springe, som nu optog hvert minut af Mikaels vågne tid. De var kørt direkte hjem til Lisbeth og havde tilbragt to døgn ved hendes computer, mens hun guidede ham gennem Wennerströms univers. Han havde mange spørgsmål. Et af dem stillede han af ren nysgerrighed.

"Lisbeth, hvordan kan du praktisk taget styre hans computer?"

"Ved hjælp af en lille opfindelse, min kollega Plague har gjort. Wennerström har en bærbar IBM, som han arbejder på både hjemme og på sit kontor. Det betyder, at al information befinder sig på én og samme harddisk. Han har bredbåndsforbindelse derhjemme, og Plague har opfundet en slags sniffer, som man kobler på selve bredbåndskablet, og som jeg tester for ham; alt, hvad Wennerström ser, bliver registreret af snifferen, der sender informationen videre til en server."

"Jamen har han da ikke nogen firewall?"

Lisbeth smilede.

"Jo, vist har han en firewall, men pointen er, at snifferen også fungerer som en slags firewall. Det tager et stykke tid at hacke computeren på denne måde. Lad os for eksempel sige, at Wennerström modtager en e-mail: Den går først til Plagues sniffer og kan læses af os, før den overhovedet er trængt igennem hans firewall. Men det smarte er, at mailen skrives om undervejs og tilføjes en lille kildekode på nogle få byte. Dette gentages, hver gang han downloader noget på sin computer. Billeder er endnu bedre. Han surfer rigtig meget på nettet. Hver gang han henter et pornobillede eller åbner en ny hjemmeside, tilføjer vi endnu en række kildekoder. Efter et stykke tid – det kan være nogle timer eller et par dage afhængigt af, hvor meget han bruger computeren – har Wennerström downloadet et helt program på omkring tre megabyte, hvor hver stump føjes til den foregående."

"Og?"

"Når de sidste stumper er på plads, integreres programmet med hans internetprogram. Han oplever det, som om hans computer går i baglås, hvorefter han bliver nødt til at genstarte den. Ved genstarten installeres en helt nyt software. Han bruger Microsoft Explorer. Næste gang han åbner Explorer, åbner han i virkeligheden et helt andet program, der ligger gemt på hans desktop og ligner og fungerer som Explorer, men som også foretager sig en masse andre ting. Først overtager det kontrollen med hans firewall og sørger for, at alting tilsyneladende fungerer. Derpå begynder det at scanne computeren og videresender brudstykker af information, hver gang han klikker på musen under surfingen. Efter et stykke tid – igen afhængigt af, hvor meget han surfer – har vi akkumuleret et komplet spejl af hans harddisk på vores server. Herefter er der klar bane for en HT."

"En HT?"

"Undskyld, men Plague kalder det for HT, der er en forkortelse for *hostile takeover*."

"Javel ja."

"Og nu kommer vi til det rigtig smarte. Når overtagelsen er klar, har Wennerström to komplette harddiske, en på sin egen maskine og en på vores server. Næste gang han starter sin computer, starter han i virkeligheden den spejlede computer. Han arbejder ikke længere på sin egen computer, men på vores server. Hans computer bliver en anelse langsommere, men det kan knap nok registreres, og når jeg er koblet på serveren, kan jeg tappe hans computer uden tidsforsinkelse. Hver gang Wennerström trykker på en tast, ser jeg det på min."

"Jeg formoder, at din kammerat også er hacker."

"Det var ham, der fiksede aflytningen i London. Han er temmelig socialt handicappet og kommer aldrig ud blandt mennesker, men på nettet er han en legende."

"Okay," sagde Mikael og smilede udmattet. "Spørgsmål nummer to: Hvorfor fortalte du ikke om Wennerström noget før?"

"Du har aldrig spurgt mig."

"Og hvis jeg aldrig havde spurgt dig – for slet ikke at tale om, at jeg aldrig havde mødt dig – ville du have siddet med din viden om, at Wennerström er gangster, mens *Millennium* gik konkurs."

"Der var ingen, der havde bedt mig afsløre Wennerström," svarede Lisbeth snusfornuftigt.

"Men hvis de havde?"

"Jamen nu har jeg jo fortalt det," svarede hun forsvarsberedt.

Mikael lod emnet falde.

MIKAEL VAR HELT opslugt af det, der lå på Wennerströms computer. Lisbeth havde overført hele harddiskens indhold – godt fem gigabyte – til en masse cd'er og var efterhånden nærmest flyttet ind hos Mikael. Hun ventede tålmodigt og besvarede de spørgsmål, han overdængede hende med.

"Jeg fatter ikke, hvordan han kan være så himmelråbende stupid at samle alt materiale om sine lyssky affærer på en harddisk," sagde Mikael. "Hvis politiet fik fingre i det ..."

"Folk er irrationelle. Mit gæt er, at han simpelthen ikke tror, politiet nogensinde kunne finde på at beslaglægge hans computer."

"Hævet over enhver mistanke, med andre ord. Jeg er enig med dig i, at han er en arrogant skid, men han må da være omgivet af sikkerhedsrådgivere, der fortæller, hvordan han skal håndtere sin computer. Der er oplysninger i computeren helt tilbage fra 1993."

"Selve computeren er ikke mere end et år gammel, men han ser ud til at have overført al gammel korrespondance og den slags til harddisken i stedet for at gemme det på cd'er. Men han bruger i det mindste et krypteringsprogram."

"Som er fuldstændig værdiløst, hvis du befinder dig inde i hans computer og aflæser alle passwords, hver gang han indskriver dem."

Da de havde været i Stockholm i fire dage, ringede Christer Malm pludselig til Mikaels mobil og vækkede ham klokken tre om natten.

"Henry Cortez var i byen med en veninde her til aften."

"Jaså," svarede Mikael søvndrukkent.

"På hjemvejen var de et smut inde i baren på Hovedbanegården."

"Ikke just noget velegnet sted at forføre nogen."

"Hør nu bare efter. Janne Dahlman har ferie i øjeblikket. Pludselig så Henry ham ved et bord sammen med en anden mand."

"Og?"

"Henry genkendte hans ledsager. Det var Krister Söder."

"Navnet forekommer mig bekendt, men ..."

"Han arbejder for *Finansmagasinet Monopol*, der ejes af Wennerströmgruppen," fortsatte Malm.

Mikael satte sig op i sengen.

"Er du der endnu?"

"Ja, jeg er her endnu. Men det dér behøver ikke betyde noget. Söder er en ganske almindelig journalist og muligvis en gammel ven af Dahlman."

"Javel, jeg er måske paranoid, men for tre måneder siden købte *Millennium* en reportage af en freelancer. Ugen før vi gik i trykken, kom Söder ud med en næsten identisk afsløring. Det var den samme historie og handlede om en mobiltelefonproducent, der havde mørklagt en rapport om, at de gør brug af en forkert komponent, der kan forårsage kortslutning."

"Jeg kan se, hvor du vil hen, men det er den slags, der sker. Har du talt med Erika?"

"Nej, hun er stadig på ferie og kommer først hjem i næste uge."

"Lad være med at foretage dig noget. Jeg ringer tilbage senere," sagde Mikael og slukkede for mobilen.

"Problemer?" spurgte Lisbeth.

"*Millennium*," sagde Mikael. "Jeg skal lige ud en tur. Vil du med?"

Redaktionen lå øde hen klokken fire om morgenen. Det tog Lisbeth Salander omkring tre minutter at knække password-koden til Janne Dahlmans computer og derefter to minutter at overføre indholdet til Mikaels iBook.

Hovedparten af e-mailene befandt sig dog i Janne Dahlmans private bærbare computer, som de ikke havde adgang til. Men via hans stationære arbejdscomputer på *Millennium* fandt Lisbeth Salander ud af, at Dahlman ud over sin millennium.se-adresse havde en privat hotmail-adresse. Det tog hende seks minutter at hacke sig ind på adressen og downloade hans korrespondance fra det sidste år. Fem minutter senere havde Mikael belæg for, at Janne Dahlman både havde lækket information om situationen på *Millennium* og holdt redaktøren på *Finansmagasinet Monopol* opdateret om, hvilke artikler Erika Berger havde i støbeskeen til kommende numre. Spionagen havde mindst stået på siden sidste efterår.

De slukkede for computerne og tog tilbage til Mikaels lejlighed og sov et par timer. Han ringede til Christer Malm ved titiden næste formiddag.

"Jeg kan bevise, at Dahlman arbejder for Wennerström."

"Jeg tænkte det nok. Okay, jeg fyrer røvhullet i dag."

"Lad være med det. Du skal overhovedet ikke foretage dig noget."

"Hvorfor ikke?"

"Christer, stol på mig. Hvor længe har Dahlman ferie?"

"Han er tilbage på kontoret på mandag."

"Hvor mange er I på redaktionen i dag?"

"Tja, her er halvtomt."

"Gider du indkalde til møde klokken to? Du skal ikke sige, hvad det handler om. Jeg kommer derhen."

I alt seks personer bænkede sig ved konferencebordet foran Mikael. Christer Malm så træt ud. Henry Cortez så nyforelsket ud på en måde, man kun ser hos fireogtyveårige. Monika Nilsson så forventningsfuld ud. Christer Malm havde ikke sagt et ord om, hvad mødet skulle handle om, men hun havde været i firmaet tilstrækkelig længe til at vide, at der var noget under opsejling, og hun var irriteret over at være blevet holdt uden for *the information loop*. Den eneste, der så ud, som hun plejede, var den deltidsansatte Ingela Oskarsson, der arbejdede to dage om ugen med administration og abonnementregistrering, og som ikke havde set virkelig afstresset ud, siden hun blev mor to år tidligere. De to andre deltidsansatte var freelancejournalisten Lotta Karim, der havde en lignende kontrakt som Henry Cortez og netop var vendt tilbage efter ferien. Det var også lykkedes Christer at hive Sonny Magnusson ind på trods af dennes ferie.

Mikael begyndte med at hilse på alle og undskylde sit fravær i indeværende år.

"Det, vi skal diskutere i dag, har hverken jeg eller Christer nået at vende med Erika, men jeg kan forsikre jer om, at jeg også taler på hendes vegne. I dag skal vi afgøre *Millenniums* fremtid."

Han holdt inde og lod ordene synke til bunds. Der var ingen, som stillede spørgsmål.

"Det sidste år har været svært. Det overrasker mig, at ingen af jer er kommet på bedre tanker og har søgt et andet job. Jeg må gå ud fra, at I enten har knald i låget eller er ualmindeligt loyale og af en eller anden grund kan lide at arbejde på netop dette tidsskrift. Jeg vil derfor lægge kortene på bordet og bede jer om en sidste indsats."

"En sidste indsats?" sagde Monika Nilsson. "Det lyder, som om du har tænkt dig at afvikle bladet."

"Lige netop," svarede Mikael. "Efter ferien vil Erika indkalde os alle til et ubehageligt redaktionsmøde, hvor hun vil meddele, at *Millennium* drejer nøglen om til jul, og at I alle får jeres opsigelse."

Nu spredte der sig en vis uro i forsamlingen. Selv Christer Malm troede et kort øjeblik, at det var Mikaels alvor. Så bemærkede alle hans smørrede grin.

"Det, I skal gøre her i efteråret, er at spille dobbeltspil. Det forholder sig nemlig sådan, at vores kære redaktionssekretær Janne Dahlman har en ekstratjans som informatør for Hans-Erik Wennerström. Fjenden er med andre ord hele tiden grundigt informeret om, hvad der foregår på redaktionen, og det forklarer en hel del af den modgang, vi er rendt ind i det seneste år. Ikke mindst du, Sonny, der har måttet se på, at flere trofaste annoncører pludselig er faldet fra."

"Det overrasker mig eddermaneme ikke," sagde Monika Nilsson.

Janne Dahlman havde aldrig været specielt populær på redaktionen, og afsløringen kom tydeligvis ikke som noget chok for nogen. Mikael afbrød den mumlende snak.

"Når jeg fortæller jer det her, skyldes det, at jeg har absolut tillid til jer. Jeg har arbejdet sammen med jer i flere år, og jeg ved, I har noget mellem ørerne. Derfor ved jeg også, at I vil spille med på det, der kommer til at ske til efteråret. Det er overordentlig vigtigt at få Wennerström til at tro, at *Millennium* er ved at kollapse, og det bliver jeres opgave at få ham til at tro det."

"Hvordan er vores situation egentlig?" spurgte Henry Cortez.

"Det forholder sig som følger: Jeg ved, at det har været en hård tid for alle, og vi er ikke nået i havn endnu. Ifølge al sund fornuft burde *Millennium* stå med det ene ben i graven, men I har mit ord på, at vi nok skal overleve. Vi står stærkere i dag, end vi gjorde for et år siden. Når det her møde er overstået, vil jeg forsvinde igen i godt to måneder og vende tilbage sidst i oktober. Til den tid vil vi få skovlen under Hans-Erik Wennerström."

"Hvordan?" spurgte Cortez.

"Beklager, men det kan jeg ikke fortælle jer nu. Jeg vil skrive en ny historie om Wennerström, og denne gang gør vi det rigtigt. Derefter kan vi gøre klar til en fed julefrokost her på bladet. Menuen vil stå på helstegt Wennerström til hovedret og flamberede kritikere til dessert."

Pludselig var stemningen munter. Mikael spekulerede på, hvordan han ville have haft det, hvis han havde siddet ved konferencebordet og lyttet til sig selv. Ville han have været skeptisk? Ja, sandsynligvis. Men han havde åbenbart stadig de ansattes tillid. Han løftede hånden igen.

"For at det her skal lykkes, er det som sagt vigtigt, at Wennerström tror, *Millennium* synger på sidste vers. Han skal ikke have mulighed for at indlede en eller anden modkampagne eller skaffe beviser af vejen i sidste øjeblik. Vi vil derfor begynde med at opstille nogle retningslinjer for, hvordan I skal gebærde jer i løbet af efteråret. For det første er det vigtigt, at intet af det, vi diskuterer i dag, bliver nedfældet på papir eller diskuteret på e-mail eller med nogen uden for dette lokale. Vi ved ikke, hvor meget Dahlman render og snuser i vores computere, men jeg er blevet gjort bekendt med, at det åbenbart er temmelig enkelt at få adgang til medarbejdernes private e-mails. Ergo holder vi os til mundtlig kommunikation. Hvis I i de kommende uger får brug for at snakke om det her, så skal I henvende jer til Christer og aftale et møde hjemme hos ham. Og det skal ske yderst diskret."

Mikael skrev *ingen e-mails* på et whiteboard.

"For det andet skal I blive uvenner. Jeg vil bede jer begynde at hakke på mig, hver gang Janne Dahlman er i nærheden. I skal ikke overdrive, men bare lufte jeres naturlige, indestængte perfiditet. Og Christer, du og Erika skal ryge alvorligt i totterne på hinanden. Brug fantasien og hold årsagen hemmelig, men få det til at se ud, som om tidsskriftet er ved at gå op i limningen, og at alle er uvenner med alle."

Han skrev *vær perfid* på tavlen.

"For det tredje: Når Erika kommer hjem, skal du, Christer, informere hende om, hvad vi har gang i. Det bliver så hendes opgave at sørge for, at Janne Dahlman tror, vores aftale med Vangerkoncernen – som holder os oven vande i øjeblikket – er røget i vasken, fordi Henrik Vanger er alvorligt syg, og Martin Vanger har kørt sig ihjel."

Han skrev ordet *misinformation.*

"Men aftalen er da god nok, ikke?" spurgte Monika Nilsson.

"Tro mig," sagde Mikael med et anstrøg af bitterhed. "Vangerkoncernen vil gå endog meget langt for at sikre *Millennium*s overlevelse. Om nogle uger – lad os sige i slutningen af august – vil Erika indkalde til et møde og varsle jeres opsigelse. Det er vigtigt, at I holder hovedet koldt og husker på, at det er på skrømt, og at den eneste, der forsvinder herfra, er Janne Dahlman. Men spil med hele tiden. Begynd at snakke om, at I har søgt nyt arbejde, og hvor pinligt det er at have *Millennium* stående på sit CV og så videre."

"Og du tror, dette komediespil vil redde *Millennium*?" spurgte Sonny Magnusson.

"Jeg ikke bare tror det, jeg *ved* det. Og Sonny, jeg vil bede dig udfærdige en falsk månedsrapport, der viser, at annonceindtægterne har været for nedadgående de sidste måneder, og at antallet af abonnementer også daler."

"Det lyder sgu da fedt nok," sagde Monika. "Skal vi holde rapporten internt på redaktionen, eller skal vi lække den til andre medier?"

"Hold den internt. Hvis historien dukker op andre steder, ved vi, hvem der har lækket den. Hvis der om nogle måneder skulle være nogen, der spørger, kan vi bare svare, at – hvad? Det dér må vist være nogle løse rygter, og det har aldrig været på tale at nedlægge *Millennium*. Det bedste, der kan ske, er, at Dahlman tipser medierne. Så kan han selv stå der som en idiot bagefter. Hvis I kan give Dahlman et tip om en eller anden troværdig, men totalt idiotisk historie, så er det bare fint."

De brugte to timer på at brygge et scenarie sammen og fordele rollerne i skuespillet.

EFTER MØDET TOG Mikael og Christer Malm hen og drak kaffe på Java ved Hornsgatan.

"Christer, det er uhyre vigtigt, at du får fat i Erika allerede i Arlanda og sætter hende ind i situationen. Du er nødt til at overbevise hende om, at hun skal spille med. Hvis jeg kender hende ret, vil hun få lyst til at gå direkte i flæsket på Dahlman – det må ikke ske. Wennerström må under ingen omstændigheder få færten af noget og kunne nå at skaffe bevismateriale af vejen."

"Okay."

"Og sørg for, at Erika holder sig fra enhver form for e-mail, indtil hun har fået installeret krypteringsprogrammet PGP og lært at bruge det. Efter al sandsynlighed kan Wennerström via Dahlman læse alt, vi mailer til hinanden. Du og alle andre på redaktionen skal også installere PGP. Men lad det foregå helt naturligt. Du vil få et navn på en konsulent, du skal kontakte, og som vil kigge på det interne netværk og alle kontorets computere. Lad ham installere softwaret, som om der er tale om en selvfølgelig service."

"Jeg skal gøre mit bedste. Men Mikael – hvad har du egentlig gang i?"

"Wennerström. Jeg har tænkt mig at sømme ham fast til en ladeport."

"Hvabehar?"

"Nå ja, undskyld. Foreløbig er det min hemmelighed. Men lad mig sige så meget, at jeg har oplysninger, der vil få vores tidligere afsløring til at ligne en Disney-familieforestilling."

Christer Malm så trist ud.

"Jeg har altid stolet på dig, Mikael. Betyder det her, at du ikke stoler på mig?"

Mikael lo.

"Nej, men lige nu foretager jeg mig noget temmelig kriminelt, der kan give mig to års fængsel. Det er, om jeg så må sige, min måde at lave research på, der er en anelse tvivlsom ... Jeg følger sådan cirka samme legitime spilleregler som Wennerström. Jeg ønsker ikke, at du eller Erika eller nogen anden på *Millennium* skal være indblandet på nogen måde."

"Du har en vis evne til at forurolige mig."

"Tag det roligt. Og du kan fortælle Erika, at det bliver en stor historie. Meget stor."

"Erika vil spørge, hvad du har gang i ..."

Mikael tænkte sig om et øjeblik, hvorefter han smilede.

"Du kan hilse hende og fortælle, at hun i foråret, da hun skrev kontrakt med Henrik Vanger bag ryggen på mig, gjorde det helt klart, at jeg lige nu bare er en almindelig, dødelig freelancer, der ikke længere sidder i bestyrelsen og ikke har nogen indflydelse på *Millennium*s politik. Det må betyde, at jeg ikke længere har pligt til at holde hende informeret. Men jeg lover, at hvis hun opfører sig pænt, skal hun nok få førsteret til historien."

Christer Malm begyndte pludselig at grine.

"Hun bliver rasende," sagde han muntert.

MIKAEL VIDSTE, AT han ikke havde været helt ærlig over for Christer. Han undgik helt bevidst Erika. Det naturlige havde været straks at kontakte hende og indvie hende i den viden, han var kommet i besiddelse af. Men han ville ikke tale med hende. Han havde stået utallige gange med mobiltelefonen i hånden og var begyndt at taste hendes nummer. Hver gang havde han fortrudt.

Han var klar over, hvad der var problemet. Han kunne ikke se hende i øjnene.

Det *cover up*, han havde bidraget til i Hedestad, var journalistisk utilgiveligt. Han havde ingen anelse om, hvordan han skulle forklare hende det uden at lyve, og var der noget, han aldrig nogensinde ville gøre, så var det at lyve for Erika Berger.

Og først og fremmest magtede han ikke at kaste sig ud i en sådan forklaring samtidig med, at han gik i kødet på Wennerström. Derfor udsatte han konfrontationen, slukkede for sin mobil og undlod at tale med hende. Han vidste udmærket, at det bare var en midlertidig udsættelse af det uundgåelige.

LIGE EFTER REDAKTIONSMØDET flyttede Mikael ud til sit sommerhus i Sandhamn, hvor han ikke havde været i mere end et år. Han medbragte to kasser med udprintet materiale samt de cd'er, Lisbeth Salander havde givet ham. Han indkøbte et større forråd af madvarer, låste sig ind, åbnede sin iBook og begyndte at skrive. Hver dag gik han sig en kort tur og købte aviser. Der var stadig masser af sejlbåde i lystbådehavnen, og unge mennesker, der havde lånt farmands båd, sad som sædvanlig i Dykkerbaren og drak sig kanonstive. Mikael lagde dårlig nok mærke til sine omgivelser. Han sad praktisk taget foran computeren, fra han slog øjnene op om morgenen, til han gik i brædderne om aftenen.

Krypteret e-mail fra chefredaktør erika.berger@millennium.se til ansvarshavende redaktør på orlov mikael.blomkvist@millennium.se:

> Mikael, jeg er nødt til at vide, hvad der foregår. For pokker, jeg kommer hjem fra ferie til et totalt kaos. Nyheden om Janne Dahlman og det dér dobbeltspil, du har fundet på. Martin Vanger er død. Harriet Vanger

lever. Hvad foregår der oppe i Hedeby? Hvor er du? Har du fået fingre i en historie? Hvorfor tager du ikke din mobil? E.
PS. Jeg forstod det lille hib, som Christer viderebragte med stor fryd. Du kan vente dig, kan du! Er du vred på mig for alvor?

Fra mikael.blomkvist@millennium.se
Til erika.berger@millennium.se:

Hej, Ricky. Gudfader, nej, jeg er ikke vred. Tilgiv mig, at jeg ikke har nået at holde dig opdateret, men de sidste måneder i mit liv har været en veritabel rutsjebanetur. Jeg vil fortælle det hele, når vi mødes, men ikke via e-mail. Lige nu er jeg i Sandhamn. Der er en historie, men det er ikke Harriet Vangers historie. Jeg vil sidde limet til min pind her i den nærmeste fremtid, men så skulle det også være overstået. Stol på mig. Kys og knus. M.

Fra erika.berger@millennium.se
Til mikael.blomkvist@millennium.se:

Sandhamn? Jeg kommer og besøger dig med det samme.

Fra mikael.blomkvist@millennium.se
Til erika.berger@millennium.se:

Ikke lige nu. Vent et par uger, eller i det mindste til jeg har fået styr på reportagen. Desuden venter jeg en anden gæst.

Fra erika.berger@millennium.se
Til mikael.blomkvist@millennium.se:

I så fald holder jeg mig naturligvis væk, men jeg er nødt til at vide, hvad der foregår. Henrik Vanger har overtaget direktørposten igen og besvarer ikke mine opringninger. Hvis aftalen med Vanger er røget i vasken, så vil jeg vide det. Lige nu aner jeg ikke, hvad jeg skal stille op. Jeg er nødt til at vide, om bladet overlever eller ej. Ricky.
PS. Hvem er hun?

Fra mikael.blomkvist@millennium.se
Til erika.berger@millennium.se:

> For det første: Du kan være helt overbevist om, at Henrik ikke trækker sig, men han har haft et alvorligt hjerteanfald og arbejder kun en smule hver dag, og jeg gætter på, at kaosset efter Martins død og Harriets genopstandelse tager alle hans kræfter.
> For det andet: *Millennium* vil overleve. Jeg arbejder på vores livs vigtigste reportage, og når vi udsender den, betyder det dødsstødet for Wennerström.
> For det tredje: Lige nu er der vendt op og ned på min tilværelse, men hvad angår dig og mig og *Millennium*, så har intet ændret sig. Stol på mig. Kys, Mikael.
> PS. Jeg vil præsentere jer for hinanden ved først givne lejlighed. Hun vil give dig noget at tænke over.

DA LISBETH SALANDER kom ud til Sandhamn, mødte hun en ubarberet og huløjet Mikael, der gav hende et hurtigt knus og bad hende sætte kaffe over og vente, mens han skrev et kapitel færdigt.

Lisbeth så sig om i hans sommerhus og følte sig næsten øjeblikkelig hjemme. Huset var opført direkte på en bådebro med vandet to meter fra hoveddøren. Det var kun 6x5 meter, men der var så højt til loftet, at der var plads til en hems, som man kom op til ad en vindeltrappe. Hun kunne stå oprejst deroppe, hvorimod Mikael måtte bukke sig nogle centimeter. Hun inspicerede sengen og kunne konstatere, at den var bred nok til dem begge.

Huset havde et stort vindue ud mod vandet lige ved siden af hoveddøren. Foran vinduet stod Mikaels spisebord, der også gjorde det ud for arbejdsbord. På væggen ved siden af hang en reol med en cd-afspiller og en stor samling Elvis Presley og heavy rock, hvilket ikke just var Lisbeths foretrukne musik.

I et hjørne stod der en fedtstenskakkelovn med glaslåge. Derudover bestod møblementet kun af et stort, indbygget klædeskab og et køkkenbord, der også fungerede som badeniche, bag et bruseforhæng. Ved køkkenbordet var der et lille vindue ud mod siden af huset. Under vindeltrappen havde han indrettet et lille rum med et formuldningstoilet. Hele stuen var indrettet som kahytten i en båd med små opfindsomme opbevaringsrum.

I sin PU om Mikael Blomkvist havde hun skrevet, at han selv havde renoveret og indrettet sommerhuset – en oplysning, hun havde fra en af hans bekendte, der havde sendt ham en e-mail efter et besøg i Sandhamn, og som havde været imponeret af hans praktiske håndelag. Der var rent og ryddeligt og enkelt, næsten spartansk. Hun forstod, hvorfor han elskede sommerhuset i Sandhamn så meget.

Efter to timer var det lykkedes hende at distrahere Mikael så meget, at han frustreret slukkede for computeren, barberede sig og tog hende med på en rundvisning i Sandhamn. Det regnede og blæste, og de endte hurtigt henne på kroen. Mikael fortalte, hvad han havde skrevet, og Lisbeth gav ham en cd med opdateringer fra Wennerströms computer.

Bagefter hev hun ham med op på hemsen, hvor det lykkedes hende at få tøjet af ham og distrahere ham lidt mere. Hun vågnede sent på natten og opdagede, at hun var alene i sengen. Hun kiggede ned i stuen og så ham sidde bøjet over sin computer. Hun lå længe med hovedet hvilende i hånden og betragtede ham. Han virkede lykkelig, og selv følte hun sig pludselig besynderligt tilfreds med tilværelsen.

LISBETH BLEV KUN i fem dage, hvorefter hun vendte tilbage til Stockholm til et job, som Dragan Armanskij desperat havde ringet om. Hun brugte elleve dage på opgaven, afrapporterede og tog ud til Sandhamn igen. Stakken af udprintede sider ved siden af Mikaels iBook var vokset.

Denne gang blev hun i fire uger, og de fandt ind i en daglig rytme. De stod op klokken otte, spiste morgenmad og hyggede sig en times tid. Derefter arbejdede Mikael intensivt til sent om eftermiddagen, hvor de gik en tur og snakkede sammen. Lisbeth tilbragte det meste af dagen i sengen, hvor hun enten læste bøger eller surfede på nettet via Mikaels ADSL-forbindelse. Hun undgik at forstyrre Mikael i løbet af dagen. De spiste aftensmad temmelig sent, og først derefter tog Lisbeth initiativet og tvang ham med op på hemsen, hvor hun sørgede for, at han viede hende al tænkelig opmærksomhed.

Lisbeth oplevede det som den første ferie i sit liv.

Krypteret e-mail fra erika.berger@millennium.se
Til mikael.blomkvist@millennium.se:

> Hej, M. Nu er det helt officielt. Janne Dahlman har sagt op og begynder på *Finansmagasinet Monopol* om tre uger. Jeg lod dig få din vilje og har ikke sagt noget, og alle går rundt og spiller komedie. E.
> PS. Alle ser i hvert fald ud til at more sig. Henry og Lotta havde et skænderi for et par dage siden, hvor de smed ting i hovedet på hinanden. De har været så grove over for Dahlman, at jeg ikke fatter, hvordan han kan undgå at se, at de gør grin med ham.

Fra mikael.blomkvist@millennium.se
Til erika.berger@millennium.se:

> Ønsk ham held og lykke, og lad ham skride. Men lås arvesølvet inde. Kys & kram. M.

Fra erika.berger@millennium.se
Til mikael.blomkvist@millennium.se:

> Jeg står uden redaktionssekretær de sidste to uger, inden vi går i trykken, og min opsøgende journalist sidder i Sandhamn og nægter at tale med mig. Micke, jeg er segnefærdig. Kommer du ikke herind? Erika.

Fra mikael.blomkvist@millennium.se
Til erika.berger@millennium.se:

> Hold ud et par uger mere, så er den hjemme. Og begynd at indstille dig på, at decembernummeret bliver anderledes end noget andet, vi har lavet. Min artikel kommer til at fylde omkring 40 sider. M.

Fra erika.berger@millennium.se
Til mikael.blomkvist@millennium.se:

40 SIDER!!! Sig mig ... rabler det for dig?!

Fra mikael.blomkvist@millennium.se
Til erika.berger@millennium.se:

Det bliver et temanummer, og jeg har brug for tre uger mere. Jeg vil bede dig gøre følgende: (1) Få indregistreret et forlag med navnet *Millennium*, (2) skaf et ISBN-nummer, (3) bed Christer kreere et flot logo til vores nye bogforlag, og (4) find et godt trykkeri, der kan lave en pocketudgave hurtigt og billigt. Og for resten: Vi får brug for kapital til at trykke vores første bog. Kys, Mikael.

Fra erika.berger@millennium.se
Til mikael.blomkvist@millennium.se:

Temanummer. Bogforlag. Kapital. Javel, hr. kaptajn. Er der ellers andet, jeg kan gøre for den herre? Danse nøgen på Rådhuspladsen? E.
PS. Jeg antager, at du ved, hvad du gør. Men hvad stiller jeg op med Dahlman?

Fra mikael.blomkvist@millennium.se
Til erika.berger@millennium.se:

Du skal ikke foretage dig noget med Dahlman. Lad ham gå. *Monopol* kommer ikke til at overleve ret længe. Fremskaf noget mere freelancemateriale til denne måneds nummer. Og ansæt en ny redaktionssekretær, for pokker. M.
PS. Jeg ville elske at se dig nøgen på Rådhuspladsen.

Fra erika.berger@millennium.se
Til mikael.blomkvist@millennium.se:

Rådhuspladsen – glem det! Men vi har altid været fælles om at ansætte folk. Ricky.

Fra mikael.blomkvist@millennium.se
Til erika.berger@millennium.se:

Og vi har altid været enige om, hvem vi ville ansætte. Det er vi også denne gang, uanset hvem du vælger. Vi vil spidde Wennerström, det er det, hele historien handler om. Lad mig nu bare få fred til at gøre det færdigt. M.

I BEGYNDELSEN AF oktober læste Lisbeth Salander en notits, hun havde fundet i *Hedestads-Kurirens* netudgave, og som hun gjorde Mikael opmærksom på. Isabella Vanger var afgået ved døden efter kort tids sygdom. Hun efterlod sig sin nylig genopståede datter Harriet Vanger.

Krypteret e-mail fra erika.berger@millennium.se
Til mikael.blomkvist@millennium.se:

Hej Mikael.
Harriet Vanger besøgte mig på redaktionen i dag. Hun ringede, fem minutter før hun arriverede, og jeg var helt uforberedt. En smuk kvinde i elegant tøj og med et køligt blik.
Hun kom for at meddele, at hun træder ind efter Martin Vanger som Henriks repræsentant i bestyrelsen. Hun var høflig og venlig og forsikrede mig om, at Vangerkoncernen ikke havde tænkt sig at trække sig ud af aftalen, og at familien tværtimod bakkede helt op om Henriks forpligtelser over for tidsskriftet. Hun bad om en rundvisning på redaktionen og ville vide, hvordan jeg oplevede situationen.
Jeg sagde det, som det var. At det føles, som om jeg ikke har fast grund under fødderne, at du har forbudt mig at besøge dig i Sandhamn, og at jeg ikke ved, hvad du arbejder med, bortset fra, at du tror, du vil få skovlen under Wennerström. (Det mente jeg godt, jeg kunne fortælle. Hun sidder trods alt i vores bestyrelse). Hun løftede et øjenbryn og smilede og spurgte, om jeg tvivlede på, det ville lykkes for dig. Hvad svarer man på den slags? Jeg sagde, jeg ville være betragteligt roligere, hvis jeg vidste, hvad der foregik. For fanden, selvfølgelig stoler jeg på dig, men du driver mig til vanvid.
Jeg spurgte, om hun vidste, hvad du har gang i. Det benægtede hun, men hun sagde, det var hendes indtryk, at du var yderst fornuftig og innovativt tænkende (hendes ordvalg).
Jeg sagde også, jeg var klar over, at der var sket noget dramatisk

oppe i Hedestad, og at jeg var syg efter at høre hele hendes historie. Jeg følte mig ganske enkelt som en idiot. Hun svarede med et modspørgsmål og ville vide, om du virkelig ikke havde fortalt mig noget. Hun sagde, hun havde forstået det sådan, at du og jeg havde et specielt forhold, og at du sikkert ville orientere mig, når du fik lidt tid tilovers. Derefter spurgte hun, om hun kunne stole på mig. Hvad skulle jeg svare? Hun sidder i *Millenniums* bestyrelse, og du har ladt mig i stikken uden noget at forhandle med.

Og så sagde hun noget mærkeligt. Hun bad mig om ikke at dømme hverken dig eller hende for hårdt. Hun hævdede, at hun stod i taknemmelighedsgæld til dig og inderligt ville ønske, at hun og jeg også kunne blive venner. Dernæst lovede hun at fortælle mig hele historien ved lejlighed, hvis du ikke magtede det. Hun gik for en halv time siden, og jeg er totalt forvirret. Jeg tror nok, jeg kan lide hende, men jeg ved ikke, om jeg kan stole på hende. Erika

PS. Jeg savner dig. Jeg har en følelse af, at der skete noget væmmeligt i Hedestad. Christer siger, du har et mystisk mærke – efter et kvælningsforsøg? – på halsen.

Fra mikael.blomkvist@millennium.se
Til erika.berger@millennium.se:

Hej, Ricky. Harriets historie er så gruopvækkende, at du ikke gør dig nogen forestillinger om det. Det vil være fint, hvis hun selv fortæller dig den. Jeg orker næsten ikke at tænke på det.

Indtil videre siger jeg god for, at du kan stole på Harriet Vanger. Og det er sandt, at hun står i taknemmelighedsgæld til mig, og tro mig – hun vil aldrig gøre noget for at skade *Millennium*. Bliv hendes ven, hvis du kan lide hende, og drop det, hvis du ikke kan lide hende. Men hun fortjener respekt. Hun er en kvinde med en tung bagage, og jeg nærer stor sympati for hende. M.

Dagen efter modtog Mikael endnu en mail.

Fra harriet.vanger@vangerindustries.com
Til mikael.blomkvist@millennium.se

Kære Mikael. I flere uger har jeg prøvet at finde tid til at kontakte dig, men det virker, som om timerne ikke slår til. Du forsvandt så hurtigt fra Hedeby, at jeg ikke nåede at besøge dig og sige farvel.
Ugerne, siden jeg vendte tilbage til Sverige, har været fulde af forvirrende indtryk og hårdt arbejde. Vangerkoncernen er ét kaos, og sammen med Henrik har jeg knoklet med at få styr på forretningerne. Jeg overtager Henriks plads i *Millenniums* bestyrelse og var inde på redaktionen i går. Henrik har sat mig grundigt ind i din og tidsskriftets situation.
Jeg håber, du kan acceptere, at jeg sådan bare dukker op. Hvis du ikke vil have mig (eller nogen anden fra familien) siddende i bestyrelsen, så har du min fulde forståelse, men jeg kan forsikre dig om, at jeg vil gøre alt for at bistå *Millennium*. Jeg står i dyb gæld til dig, og du skal vide, at mine hensigter altid vil være de bedste. Jeg traf din gode ven Erika Berger. Jeg ved ikke helt, hvad hun syntes om mig, og det overraskede mig at høre, at du ikke har fortalt hende, hvad der skete.
Jeg vil meget gerne være din ven, hvis du da overhovedet orker at have noget at gøre med familien Vanger fremover. Bedste hilsner, Harriet
PS. Jeg kunne forstå på Erika, at du har tænkt dig at gå i kødet på Wennerström igen. Dirch Frode har fortalt, hvordan Henrik narrede dig. Hvad kan jeg sige? Jeg beklager det meget, og hvis der er noget, jeg kan gøre, må du endelig lade mig det vide.

Fra mikael.blomkvist@millennium.se
Til harriet.vanger@vangerindustries.com:

Kære Harriet. Ja, jeg forsvandt i al hast fra Hedeby og arbejder nu med det, jeg i virkeligheden burde have brugt min energi på i år. Du vil blive informeret i god tid, før artiklen går i trykken, men jeg tør vist godt vove den påstand, at det sidste års problemer snart vil være løst.
Jeg håber, du og Erika bliver venner, og jeg har selvfølgelig intet imod at have dig i *Millenniums* bestyrelse. Jeg skal nok fortælle Erika, hvad der er sket, men lige nu har jeg hverken kræfter eller tid og har brug for at få det hele lidt på afstand.
Lad os holde kontakten. Hilsen Mikael

Lisbeth viede ikke Mikaels skriverier den store interesse. Hun kiggede op fra sin bog, da Mikael sagde noget, som hun først ikke opfattede.

"Undskyld. Jeg talte højt med mig selv. Jeg sagde, at det her er groft."

"Hvad er groft?"

"Wennerström havde en affære med en toogtyveårig servitrice, som han gjorde gravid. Har du ikke læst hans korrespondance med advokaten?"

"Sødeste Mikael – der ligger ti års brevveksling, e-mails, aftaler, elektroniske fly- og hotelbookninger, og guderne må vide hvad, på den harddisk. Jeg er ikke så fascineret af Wennerström, at jeg gider konsumere seks gigabyte nonsens. Jeg har læst en brøkdel – mest for at tilfredsstille min nysgerrighed – og kan konstatere, at manden er en skide gangster."

"Okay. Han gjorde hende gravid i 1997. Da hun ville have kompensation, fik hans advokat nogen til at overtale hende til at få en abort. Jeg formoder, hensigten var at tilbyde hende nogle penge, men hun var ikke interesseret. Man gik nu over til andre overtalelsesmetoder, og gorillaen holdt hende nede under vandet i et badekar, til hun indvilligede i at lade Wennerström i fred. Og dette skriver Wennerströms nar af en advokat i en mail – okay, den er krypteret, men alligevel ... Mage til tumper!"

"Hvordan gik det med pigen?"

"Hun fik foretaget abort, og Wennerström var tilfreds."

Lisbeth Salander sagde ikke noget i ti minutter. Hendes øjne var pludselig blevet sorte.

"Endnu en mand, der hader kvinder," mumlede hun til sidst. Mikael hørte hende ikke.

Hun lånte cd'erne og tilbragte de følgende dage med nøje at gennemlæse Wennerströms e-mails og andre dokumenter. Mens Mikael arbejdede videre, sad Lisbeth oppe på hemsen med sin PowerBook på skødet og grublede over Wennerströms besynderlige imperium.

Hun havde fået en underlig tanke, som hun pludselig ikke kunne slippe. Mere end noget andet undrede hun sig over, at hun ikke var kommet på den noget før.

I SLUTNINGEN AF oktober printede Mikael den sidste side ud og slukkede computeren allerede klokken elleve om formiddagen. Uden et ord gik han op på hemsen og rakte Lisbeth en stor stak papirer, hvorefter han faldt i søvn. Hun vækkede ham om aftenen og kommenterede artiklen.

Lidt over to om natten lavede Mikael en sidste backup på sin artikel.

Næste dag satte han skodder for vinduerne i sommerhuset og låste. Lisbeths ferie var slut, og de fulgtes ind til Stockholm.

FØR DE NÅEDE Stockholm, var der et prekært spørgsmål, som Mikael var nødt til at drøfte med Lisbeth. Han bragte emnet på bane, mens de indtog deres papkruskaffe på Vaxholmsbåden.

"Vi skal være helt enige om, hvad jeg fortæller Erika. Hun vil pure nægte at offentliggøre det her, hvis jeg ikke kan forklare, hvordan jeg har fået fingre i materialet."

Erika Berger. Mikaels mangeårige elskerinde og chefredaktør. Lisbeth havde aldrig mødt hende og var heller ikke sikker på, hun havde lyst til det. Hun føltes som et diffust, forstyrrende element i tilværelsen.

"Hvad ved hun om mig?"

"Ingenting." Han sukkede. "Faktum er, at jeg har undgået Erika lige siden i sommer. Jeg har ikke kunnet fortælle, hvad der skete i Hedestad, fordi jeg skammer mig som ind i helvede. Hun er enormt frustreret over, at jeg har givet hende så sparsomme oplysninger. Hun ved selvfølgelig, at jeg har siddet ude i Sandhamn og skrevet denne artikel, men hun ved ikke, hvad den indeholder."

"Hmm."

"Om et par timer får hun manuskriptet, hvorefter hun vil underkaste mig et tredjegradsforhør. Spørgsmålet er, hvad jeg skal sige til hende."

"Hvad har du tænkt dig at sige?"

"Jeg vil fortælle sandheden."

Lisbeth rynkede brynene.

"Lisbeth, Erika og jeg skændes næsten altid. Det er ligesom en del af vores jargon. Men vi stoler ubetinget på hinanden. Hun er helt igennem pålidelig, og du er en kilde. Hun ville hellere dø end afsløre dig."

"Hvor mange flere bliver du nødt til at fortælle det?"

"Ingen overhovedet. Det vil følge mig og Erika i graven, men jeg vil ikke røbe din hemmelighed over for hende, hvis du siger nej. Jeg har derimod ikke i sinde at lyve for Erika og opfinde en eller anden ikkeeksisterende kilde."

Lisbeth overvejede sagen, lige til de lagde til kaj neden for Grand Hotel. Konsekvensanalyse. Til sidst gav hun modvilligt Mikael tilladelse til at præsentere hende for Erika. Han tændte for mobilen og ringede.

ERIKA BERGER MODTOG samtalen fra Mikael midt i et frokostmøde med Malin Eriksson, som hun overvejede at ansætte som redaktionssekretær. Malin var niogtyve og havde arbejdet i skiftende vikariater i fem år. Hun havde aldrig haft en fast stilling og var begyndt at tvivle på, at hun nogensinde fik en. Stillingen havde ikke været annonceret, og Erika havde fået et tip om Malin Eriksson gennem en gammel bekendt på et ugeblad. Hun havde ringet til hende selv samme dag, som hendes seneste vikariat ophørte, og spurgt, om hun var interesseret i at arbejde for *Millennium.*

"Det er et vikariat på tre måneder," sagde Erika, "men hvis det går godt, taler vi måske om en fastansættelse."

"Jeg har hørt rygter om, at *Millennium* snart drejer nøglen om."

Erika Berger smilede.

"Du skal ikke tro på rygter."

"Denne Dahlman, som jeg skal efterfølge ..." Malin Eriksson tøvede. "Han begynder på et tidsskrift, der er ejet af Hans-Erik Wennerström ..."

Erika nikkede. "Det er vist næppe nogen branchehemmelighed, at vi er i konflikt med Wennerström. Han bryder sig ikke om mennesker, der er ansat på *Millennium.*"

"Så hvis jeg siger ja til jobbet, vil jeg også havne i den kategori?"

"Det er overordentlig sandsynligt, ja."

"Men Dahlman blev ansat på *Finansmagasinet*?"

"Lad os sige det sådan, at det er Wennerströms måde at betale for diverse tjenester, Dahlman har ydet. Er du stadig interesseret?"

Malin Eriksson spekulerede et øjeblik, hvorefter hun nikkede.

"Hvornår skal jeg begynde?"

I samme øjeblik ringede Mikael og afbrød ansættelsessamtalen.

ERIKA ÅBNEDE DØREN til Mikaels lejlighed med sin egen nøgle. Det var første gang siden hans korte besøg på redaktionen ved midsommer, at hun mødte ham ansigt til ansigt. Hun gik ind i stuen og fik øje på en nærmest anorektisk mager pige, der sad i sofaen med fødderne oppe på bordet og var iført en slidt læderjakke. Lige først troede hun, pigen var omkring de femten, men det var, før hun så hendes øjne. Hun gloede fortsat på åbenbaringen, da Mikael dukkede op med kaffe og wienerbrød.

Mikael og Erika studerede hinanden.

"Undskyld, at jeg har været så umulig," sagde Mikael.

Erika lagde hovedet på skrå. Der var noget forandret ved Mikael. Han så udslidt ud og var mere mager, end hun huskede ham. Hans blik var skamfuldt, og et kort øjeblik undgik han at møde hendes øjne. Hun skævede til hans hals og så en afbleget, men dog tydelig stribe.

"Jeg har undgået dig. Det er en meget lang historie, og jeg er ikke stolt over min rolle i den, men det kan vi vende tilbage til ... Lige nu vil jeg godt præsentere dig for den unge dame her. Erika, dette er Lisbeth Salander. Lisbeth, Erika Berger er chefredaktør på *Millennium* og min bedste ven."

Lisbeth studerede hendes elegante tøj og selvsikre optræden og blev allerede efter ti sekunder enig med sig selv om, at Erika Berger efter al sandsynlighed ikke ville blive hendes slyngveninde.

MØDET VAREDE I fem timer. Erika måtte ringe to gange og aflyse andre møder. Hun brugte en time på at læse uddrag af det manuskript, Mikael havde overrakt hende. Hun havde tusind spørgsmål, men var klar over, at det ville tage uger at få svar på dem. Det, der talte, var det manuskript, hun til sidst lagde fra sig. Hvis blot brøkdelen af disse påstande var korrekte, var der opstået en helt ny situation.

Erika kiggede på Mikael. Hun havde aldrig tvivlet på, at han var et ærligt menneske, men et kort øjeblik følte hun sig svimmel og spekulerede på, om hele Wennerström-affæren havde fået det til at rable for ham – om alt dette blot var et fantasifoster. Netop da stillede Mikael to kasser med udprintet kildemateriale foran hende. Erika blev bleg. Og selvfølgelig ville hun vide, hvordan han var kommet i besiddelse af materialet.

Det tog et godt stykke tid at overbevise hende om, at den besynderlige pige, der indtil nu ikke havde mælet et ord, havde uhindret adgang til Hans-Erik Wennerströms computer. Og ikke kun hans – hun havde også hacket sig ind på flere af hans advokaters og nærmeste medarbejderes computere.

Erikas spontane reaktion var, at de ikke kunne bruge materialet, da det var tilvejebragt med ulovlige metoder.

Men selvfølgelig kunne de bruge det. Mikael påpegede, at de ikke havde pligt til at redegøre for, hvordan de havde fået fat i materialet. For den sags skyld kunne de have haft en kilde, der havde lovlig adgang til Wennerströms computer, og som havde kopieret hans harddisk over på nogle cd'er.

Omsider gik det op for Erika, hvilket våben hun havde fået i hænde. Hun følte sig udmattet og havde stadig en masse spørgsmål, men vidste ikke, hvor hun skulle begynde. Til sidst lænede hun sig tilbage i sofaen og slog ud med armene.

"Mikael, hvad var det, der skete oppe i Hedestad?"

Lisbeth Salander blev øjeblikkelig vagtsom. Mikael tav i lang tid. Han svarede med et spørgsmål.

"Hvordan kommer du ud af det med Harriet Vanger?"

"Udmærket. Tror jeg. Jeg har mødt hende to gange. Jeg og Christer tog op til et bestyrelsesmøde i Hedestad i sidste uge. Vi drak vin og blev fulde."

"Og hvordan gik bestyrelsesmødet?"

"Hun holder sit ord."

"Ricky, jeg ved, hvor frustreret du er over, at jeg har stukket halen mellem benene og fundet på undskyldninger for at slippe for at fortælle noget. Vi to har aldrig haft hemmeligheder for hinanden, og lige pludselig er der et halvt år af mit liv, som jeg ... ikke magter at redegøre for."

Erika mødte Mikaels blik. Hun kendte ham ud og ind, men det, hun læste i hans øjne, var noget, hun aldrig havde set før. Han så tryglende ud. Han bønfaldt hende om ikke at spørge. Hun åbnede munden og så hjælpeløst på ham. Lisbeth Salander iagttog deres tavse kommunikation med et neutralt blik. Hun holdt sig uden for samtalen.

"Var det så slemt?"

"Det var værre. Jeg har frygtet den her samtale. Jeg lover at fortælle dig det hele, men nu har jeg brugt flere måneder på at fortrænge oplevelsen, mens jeg har ladet mig opsluge af Wennerström ... Jeg er ganske enkelt ikke parat endnu. Jeg ville være glad, hvis Harriet fortalte det i stedet."

"Hvad er det for nogle mærker, du har på halsen?"

"Lisbeth reddede mit liv deroppe. Hvis det ikke var for hende, havde jeg været død nu."

Erika spærrede øjnene op. Hun kiggede på pigen i læderjakken.

"Og nu er du nødt til at lave en aftale med hende. Hun er vores kilde."

Erika Berger forholdt sig tavs i lang tid, mens hun overvejede situationen. Så gjorde hun noget, der forbløffede Mikael og chokerede Lisbeth og faktisk overraskede hende selv. Mens hun havde siddet ved Mikaels sofabord, havde hun hele tiden mærket Lisbeth Salanders blik. En fåmælt pige med fjendtlige vibrationer.

Erika rejste sig, gik rundt om bordet og slog armene om Lisbeth Salander. Lisbeth vred sig som en orm, der er ved at blive trukket på krogen.

KAPITEL 29

Lørdag den 1. november – tirsdag den 25. november

LISBETH SALANDER SURFEDE i Hans-Erik Wennerströms cyberimperium. Hun havde siddet fikseret ved skærmen i godt elleve timer. Det indfald, der havde materialiseret sig i en eller anden uudforsket afkrog af hendes hjerne den sidste uge i Sandhamn, var vokset og holdt hende manisk beskæftiget. I fire uger havde hun isoleret sig i sin lejlighed og ignoreret alle opringninger fra Dragan Armanskij. Hun havde tilbragt tolv-femten timer i døgnet foran computerskærmen, og i de øvrige vågne timer havde hun grublet over det samme problem.

I den forløbne måned havde hun kun haft sporadisk kontakt med Mikael; han var lige så besat og optaget af sit arbejde på *Millenniums* redaktion. De havde konfereret over telefonen et par gange om ugen, og hun havde holdt ham løbende informeret om Wennerströms korrespondance og andre forehavender.

For hundrede syttende gang gennemgik hun hver en detalje. Hun var ikke bange for, at hun havde overset noget, men hun var ikke sikker på, at hun helt havde forstået, hvordan alle de indviklede enkeltdele hang sammen.

WENNERSTRÖMS OMDISKUTEREDE IMPERIUM var som en levende, uformelig og pulserende organisme, der konstant skiftede form. Det bestod af optioner, obligationer, aktier, medejerskaber, lånerenter, indlånsrenter, pantebreve, konti, valutaoverførsler og tusind andre bestanddele. En eventyrlig stor del af aktiverne var placeret i skuffeselskaber, der ejede hinanden. Visse mere vidtløftige økonomer anslog værdien af Wennerstroem Group til over 900 milliarder kroner. Det var bluff – eller i det mindste et voldsomt overdrevent tal. Men Wennerström var dog ikke noget fattiglem. Lisbeth Salander anslog værdien af de reelle aktiver til at beløbe sig til et sted mellem 90 og 100 milliarder, hvilket ikke var noget at kimse ad. En seriøs revision af hele koncernen ville tage flere år. Sammenlagt havde Salander identificeret hen ved tre tusind separate konti og bankaktiver over hele verden. Wennerströms svindelnumre var af et sådant omfang, at der ikke længere var tale om kriminalitet, men om forretninger.

Den wennerströmske organisme havde dog også elementer med substans. Tre aktiver dukkede ustandselig op i hierarkiet. De faste svenske aktiver var uantastelige, autentiske og tilgængelige for offentlig granskning af regnskaber og revision. Den amerikanske virksomhed var solid, og en bank i New York udgjorde basen for alle bevægelige likvider. Den interessante historie handlede om alle skuffeselskaberne på steder som Gibraltar, Cypern og Macao. Wennerströmkoncernen var som en blandet landhandel for illegal våbenhandel, hvidvaskning af penge for suspekte foretagender i Colombia og højst uortodokse forretninger i Rusland.

En anonym konto på Cayman-øerne indtog en særstilling: Den blev styret af Wennerström personlig, men var holdt uden for koncernregnskabet. Omkring en tiendedel promille af profitten fra hver eneste af Wennerströms forretninger blev i en jævn strøm overført til Cayman-øerne via skuffeselskaber.

Salander arbejdede i en nærmest hypnotisk tilstand. Konti – *klik* – e-mails – *klik* – statusopgørelser – *klik.* Hun noterede sig de seneste pengeoverførsler. Hun fulgte sporet fra en lille transaktion i Japan til Singapore og videre via Luxemburg til Cayman-øerne. Hun forstod, hvordan det fungerede. Hun var som en del af bevægelserne i cyberspace. Små forandringer. De seneste e-mails. Klokken ti om aftenen var der afsendt en enkelt mail af relativt perifer interesse. Krypteringsprogrammet PGP gik i gang, *knitre, knitre* – lidt af en vittighed for den, der allerede befandt sig inde i hans computer og kunne læse beskeden som normaltekst:

Berger er holdt op med at brokke sig over manglende annoncer. Har hun givet op, eller har hun noget i ærmet? Din kilde på redaktionen forsikrede jo, at de hænger i en tynd tråd, men det ser ud til, at de lige har ansat en ny medarbejder. Find ud af, hvad der foregår. Blomkvist har skrevet som en gal ude i Sandhamn de seneste uger, men ingen ved, hvad han skriver. Han har været inde på redaktionen de sidste dage. Kan du fikse et prøvetryk af næste nummer? HEW

Ikke noget dramatisk. Lad ham spekulere. *Du er allerede færdig, stodder.*

Klokken halv seks om morgenen slukkede hun for computeren og åbnede en ny pakke cigaretter. Hun havde drukket fire, nej, fem colaer i løbet af natten og hentede den sjette og satte sig i sofaen. Hun var kun iført trusser og en forvasket, camouflagemønstret reklame-T-shirt for *Soldier of Fortune Magazine* med teksten *Kill them all and let God sort them out.* Hun opdagede, at hun frøs, og rakte ud efter et tæppe, som hun svøbte om sig.

Hun følte sig høj, som om hun havde indtaget et eller andet upassende og formodentlig ulovligt stof. Hun fæstede blikket på en gadelygte uden for vinduet og sad helt stille, mens hjernen arbejdede på højtryk. Mor – *klik* – søster – *klik* – Mimmi – *klik* – Holger Palmgren. *Evil Fingers.* Og Armanskij. Jobbet. Harriet Vanger. *Klik.* Martin Vanger. *Klik.* Golfkøllen. *Klik.* Advokat Nils Bjurman. *Klik.* Hver eneste skide detalje, som hun ikke kunne glemme, om hun så prøvede.

Hun spekulerede på, om Bjurman nogensinde igen ville tage tøjet af for øjnene af en kvinde, og hvordan han i givet fald ville forklare tatoveringen på sin mave. Og hvordan han skulle undgå at tage tøjet af, næste gang han var hos lægen.

Og Mikael Blomkvist. *Klik.*

Hun opfattede ham som et godt menneske, muligvis med et til tider lige lovlig dominerende duksedreng-kompleks. Og desværre uudholdeligt naiv, hvad angik visse elementære moralske spørgsmål. Han var en overbærende og tilgivende natur, der søgte forklaringer på og psykologiske undskyldninger for menneskers handlinger, og som aldrig ville kunne fatte, at verdens rovdyr kun forstår ét sprog. Hun følte næsten et ubehageligt beskytterinstinkt, når hun tænkte på ham.

Hun vidste ikke, hvornår hun var faldet i søvn, men vågnede

klokken ni om morgenen med hold i nakken og hovedet hvilende op ad væggen bag sofaen. Hun vaklede ind i soveværelset og faldt i søvn igen.

DET VAR UDEN tvivl deres livs vigtigste reportage. Erika Berger var for første gang i halvandet år lykkelig på den måde, som kun en redaktør med et megascoop i baghånden kan være. Hun og Mikael var i færd med at finpudse artiklen en sidste gang, da Lisbeth Salander ringede til hans mobil.

"Jeg glemte at fortælle, at Wennerström begynder at blive urolig efter alt dit skriveri den sidste tid og har bestilt et prøvetryk af næste nummer."

"Hvordan ved du ... nej, glem det. Ved du, hvordan han vil bære sig ad med det?"

"Niks, men jeg har et logisk gæt."

Mikael tænkte sig om et øjeblik. "Trykkeriet!" udbrød han.

Erika hævede øjenbrynene.

"Hvis I ikke lækker noget fra redaktionen, er der ikke så mange andre muligheder. Medmindre da at en af hans gorillaer har i sinde at aflægge jer et natligt besøg."

Mikael vendte sig om mod Erika. "Find et nyt trykkeri til decembernummeret. Med det samme. Og ring til Dragan Armanskij – jeg vil have posteret nattevagter her i den kommende uge." Så henvendte han sig atter til Lisbeth. "Tak, Sally."

"Hvad er det værd?"

"Hvad mener du?"

"Hvad er tippet værd?"

"Hvad vil du have?"

"Det vil jeg diskutere over en kop kaffe. Med det samme."

DE MØDTES PÅ *Kaffebar* på Hornsgatan. Salander så så alvorlig ud, da Mikael tog plads på taburetten ved siden af hende, at han følte et jag af bekymring. Hun gik som sædvanlig lige til sagen.

"Jeg har brug for at låne nogle penge."

Mikael sendte hende et af sine mest enfoldige smil og fandt sin tegnebog frem.

"Fint nok. Hvor mange?"

"120.000."

"Ups." Han lagde tegnebogen tilbage i lommen. "Så mange penge har jeg ikke på mig."

"Jeg laver ikke sjov. Jeg har brug for at låne 120.000 kroner i – skal vi sige seks uger. Jeg har chancen for at foretage en investering, men jeg har ingen at henvende mig til. Du har omkring 140.000 på din konto lige nu, og du skal nok få dem tilbage."

Mikael undlod at kommentere det faktum, at Lisbeth Salander havde omgået bankens sikkerhedssystem og fundet ud af, hvor mange penge han havde på kontoen. Han brugte netbank, så forklaringen var indlysende.

"Du behøver ikke låne penge af mig," svarede han. "Vi har endnu ikke diskuteret din andel, men den skulle nok kunne dække det, du godt vil låne."

"Andel?"

"Sally, jeg har et afsindigt stort honorar at indkassere hos Henrik Vanger ved årsskiftet. Hvis det ikke var for dig, ville jeg have været død og *Millennium* bukket under. Jeg har tænkt mig at dele honoraret med dig. Fifty-fifty."

Lisbeth Salander kiggede undersøgende på ham. Hun havde fået en rynke i panden. Mikael var begyndt at vænne sig til hendes lange pauser. Omsider rystede hun på hovedet.

"Jeg vil ikke have dine penge."

"Jamen ..."

"Jeg vil ikke have en eneste krone af dig." Hun smilede pludselig sit skæve smil. "Medmindre de kommer i form af gaver til min fødselsdag."

"Det slår mig lige, at jeg aldrig har fået at vide, hvornår du har fødselsdag."

"Det er dig, der er journalist, så prøv at finde ud af det."

"Helt ærlig, Sally. Det med at dele pengene er mit alvor."

"Det er også mit alvor, når jeg siger, jeg ikke vil have dine penge. Jeg vil låne 120.000, og jeg skal bruge pengene i morgen."

Mikael sad tavs et stykke tid. *Hun spørger ikke engang, hvor stor hendes andel er.* "Sally, jeg vil godt gå med dig hen i banken i dag og hæve de penge, du vil låne, men ved årsskiftet skal vi have os en ny snak om din andel." Han løftede afværgende hånden. "Hvornår har du for resten fødselsdag?"

"Valborgsaften," svarede hun. "Meget passende, ikke? Så render jeg rundt med en kost mellem benene."

HUN LANDEDE I Zürich halv otte om aftenen og tog en taxa til Hotel Matterhorn. Hun havde reserveret værelse under navnet Irene Nesser og legitimerede sig med et norsk pas i dette navn. Irene Nesser havde blondt, skulderlangt hår. Lisbeth havde købt parykken i Stockholm og brugt 10.000 af lånet fra Mikael til at købe to pas gennem en af de obskure kontakter i Plagues internationale netværk.

Hun gik straks op på sit værelse, låste døren og klædte sig af. Hun lagde sig på sengen og kiggede op i loftet i værelset, der kostede 1.600 kroner pr. nat. Hun følte sig tom indeni. Hun havde allerede brugt halvdelen af det beløb, hun havde lånt af Mikael, og selvom hun havde hævet hver en krone af sin opsparing, kørte hun på et stramt budget. Hun skubbede tankerne fra sig og faldt næsten omgående i søvn.

Hun vågnede lidt over fem om morgenen. Det første, hun gjorde, var at tage et bad og derefter omhyggeligt maskere tatoveringen på sin hals med et tykt lag hudfarvet creme og pudder. Hendes andet punkt på tjeklisten var at bestille tid halv syv om morgenen på en skønhedssalon i foyeren på et væsentlig dyrere hotel. Hun købte endnu en blond paryk, denne gang med pagehår, hvorefter hun fik manicure med kunstige røde negle over sine egne nedbidte stumper, kunstige øjenvipper, mere pudder, rouge og endelig læbestift og diverse andet klisterstads. Pris godt 8.000 kroner.

Hun betalte med et kreditkort tilhørende en Monica Sholes og fremviste et engelsk pas med samme navn, som kunne bestyrke hendes identitet.

Næste stop var *Camille's House of Fashion* 150 meter nede ad gaden. Efter en time kom hun ud iført sorte støvler, sorte strømpebukser, kakifarvet nederdel med matchende skjortebluse, taljelang jakke og baskerhue. Alt var dyre mærkevarer. Hun havde ladet en ekspedient vælge tøjet. Hun havde endog købt sig en eksklusiv dokumentmappe i læder plus en lille Samsonite-rejsetaske. Kronen på værket var et par diskrete øreringe og en enkel guldkæde om halsen. Kreditkortet var blevet debiteret med endnu 44.000 kroner.

For første gang i sit liv havde Lisbeth Salander desuden en barm, som – da hun kiggede sig i spejlet – fik hende til at snappe efter vejret. Barmen var lige så falsk som Monica Sholes' identitet. Den var fremstillet af latex og købt i en forretning i København, der forhandlede udstyr til transvestitter.

Nu var hun kampklar.

Lidt over ni gik hun de to gader hen til det traditionsrige Hotel Zimmertal, hvor hun havde reserveret et værelse under navnet Monica Sholes. Hun gav, hvad der svarede til 100 kroner, i drikkepenge til piccoloen, der bar hendes nyindkøbte rejsetaske, som indeholdt hendes sportstaske, op på værelset. Suiten var lille og kostede kun kr. 22.000 pr. døgn. Hun havde bestilt én overnatning. Da hun var blevet alene, kiggede hun sig omkring. Fra vinduet havde hun en storslået udsigt over Zürich See, men den interesserede hende ikke det fjerneste. Derimod brugte hun næsten fem minutter på med store øjne at studere sig selv i spejlet. Hun så et vildfremmed menneske. Storbarmede Monica Sholes med det blonde pagehår havde mere makeup på, end Lisbeth brugte på en hel måned. Det så ... anderledes ud.

Halv ti spiste hun endelig morgenmad i hotellets bar: to kopper kaffe og en bolle med syltetøj til den nette pris af 210 kroner. *Havde folk her knald i låget?*

LIDT I TI satte Monica Sholes kaffekoppen fra sig, tændte for sin mobiltelefon og tastede et nummer til en modemforbindelse på Hawaii. Efter tre ringetoner lød en anden tone, der indikerede, at modemet var klar. Monica Sholes svarede ved at taste en sekscifret kode på sin mobil og SMS'e en besked, der indeholdt instruktion om at starte et program, som Lisbeth Salander havde konstrueret specielt til dette formål.

I Honolulu vågnede programmet til live på en anonym hjemmeside på en server, der formelt befandt sig på universitetet. Programmet var enkelt. Dets eneste funktion var at sende instrukser om at starte et andet program i en anden server, der i dette tilfælde var en helt almindelig kommerciel hjemmeside, som tilbød internettjenester i Holland. Dette program havde på sin side til opgave at finde frem til den spejlede harddisk, der tilhørte Hans-Erik Wennerström, og tage kommandoen over det program, som viste indeståendet på hans godt tre tusind bankkonti rundt om i verden.

Der var kun én konto, der havde Lisbeth Salanders interesse. Hun havde bemærket, at Wennerström tjekkede kontoen et par gange om ugen. Hvis han startede sin computer og gik ind på lige præcis denne fil, ville alting se normalt ud. Programmet rapporterede om små forandringer, der var forventelige set ud fra de normale udsving, der havde fundet sted inden for det sidste halve år. Hvis Wennerström inden for de nærmeste 48 timer gik ind og gav ordre til en pengeudbetaling eller overførsel til en anden konto, ville programmet tjenstvilligt melde tilbage, at ordren var udført. I virkeligheden ville transaktionen kun være foregået på den spejlede harddisk i Holland.

Monica Sholes slukkede for mobiltelefonen, straks hun hørte de fire korte biplyde, der bekræftede, at programmet var gået i gang.

HUN FORLOD ZIMMERTAL og gik tværs over gaden til Bank Hauser General, hvor hun havde aftalt et møde med direktør Wagner klokken 10.00. Hun indfandt sig tre minutter for tidligt og brugte ventetiden på at posere foran overvågningskameraet, der tog et billede af hende, da hun gik hen til afdelingen med kontorer til diskrete, private konsultationer.

"Jeg har brug for hjælp med en række transaktioner," sagde Monica Sholes på uklanderligt Oxford-engelsk. Da hun åbnede sin dokumentmappe, sørgede hun for at tabe en reklamekuglepen, der viste, at hun boede på Hotel Zimmertal, og som direktør Wagner høfligt samlede op for hende. Hun sendte ham et skælmsk smil og skrev sit kontonummer på blokken på bordet foran hende.

Direktør Wagner kastede et blik på hende og kategoriserede

hende som forkælet rigmandsdatter.

"Det drejer sig om en række konti i Bank of Kroenenfeld på Cayman-øerne. Automatisk overførsel med fortløbende clearingskoder."

"*Fräulein* Sholes, jeg går ud fra, at De har adgang til samtlige clearingskoder?" sagde han.

"*Aber natürlich,*" svarede hun med så kraftig accent, at det var tydeligt, at hun kun havde lidt elendigt skoletysk i bagagen.

Hun begyndte at remse sekstencifrede nummerserier op uden én eneste gang at støtte sig til noget papir. Direktør Wagner var klar over, at det ville blive en træls formiddag, men eftersom han scorede fire procent af overførslerne, var han villig til at springe frokosten over.

DET TOG LÆNGERE tid, end hun havde regnet med. Først lidt over tolv middag - og noget efter tidsplanen - forlod Monica Sholes Bank Hauser General og gik tilbage til Hotel Zimmertal. Hun lod sig se i receptionen, før hun gik op på sit værelse og tog sit nyindkøbte tøj af. Hun beholdt latexbrysterne på, men udskiftede pagehåret med Irene Nessers lyse, skulderlange hår. Hun iklædte sig noget mere hjemmevant: støvler med ekstra høje hæle, sorte bukser, en prunkløs bluse og en nydelig sort læderjakke fra Malungsboden i Stockholm. Hun studerede sig selv i spejlet. Hun så på ingen måde uplejet ud, men var ikke længere nogen rig arving. Før Irene Nesser forlod værelset, tog hun nogle af obligationerne fra og lagde i en tynd mappe.

Fem minutter over et - nogle minutter forsinket - gik hun ind i Bank Dorffmann, som lå cirka 70 meter fra Bank Hauser General. Irene Nesser havde en aftale med direktør Hasselmann og undskyldte forsinkelsen. Hun talte uklanderligt tysk med norsk accent.

"Helt i orden, *Fräulein,*" svarede direktør Hasselmann. "Hvad kan jeg stå til tjeneste med?"

"Jeg ønsker at åbne en konto. Jeg har nogle obligationer, jeg godt vil omsætte."

Irene Nesser anbragte mappen på bordet foran ham.

Direktør Hasselmann skimmede indholdet, først hurtigt og

derefter langsommere. Han løftede et øjenbryn og smilede høfligt.

Hun åbnede fem nummerkonti, som hun kunne håndtere via internettet, og som var ejet af et helt igennem anonymt skuffeselskab i Gibraltar, som en lokal mægler havde etableret for hende formedelst 50.000 af de penge, hun havde lånt af Mikael. Hun omsatte halvtreds obligationer til penge, som hun satte ind på kontiene. Hver obligation havde en værdi af en million kroner.

HENDES BESØG I Bank Dorffmann trak ud, så hun kom yderligere bagud i tidsplanen. Hun havde ikke mulighed for at ordne sine sidste transaktioner, inden bankerne lukkede. Irene Nesser tog derfor tilbage til Hotel Matterhorn, hvor hun tilbragte en time i baren og sikrede sig, at man lagde mærke til hende. Derefter simulerede hun hovedpine og trak sig tilbage. Hun købte nogle hovedpinepiller i receptionen, bestilte vækning klokken otte næste morgen og gik op på sit værelse.

Klokken var næsten fem, og alle banker i Europa havde lukket. Bankerne på det amerikanske kontinent havde derimod stadig åbent. Hun tændte for sin PowerBook og koblede sig på nettet via sin mobiltelefon. Hun brugte en time på at tømme de nummerkonti, hun havde åbnet i Bank Dorffmann tidligere på dagen.

Pengene blev delt op i mindre beløb og brugt til at betale fakturaer for et større antal fiktive firmaer rundt om i verden. Da hun var færdig, var pengene sjovt nok ført tilbage til Bank of Kroenenfeld på Cayman-øerne, men nu til en ganske anden konto, end de var udgået fra om formiddagen.

Irene Nesser mente, at denne første portion nu var sikret og praktisk taget umulig at spore. Hun foretog endnu en udbetaling fra kontoen: Godt en million kroner blev indsat på en konto, der refererede til et kreditkort, hun havde i tegnebogen. Kontoen var ejet af et anonymt foretagende med navnet *Wasp Enterprises*, der var indregistreret i Gibraltar.

NOGLE MINUTTER SENERE forlod en pige med blondt pagehår Hotel Matterhorn ad en sidedør i baren. Monica Sholes spadserede hen til Hotel Zimmertal, nikkede høfligt til receptionisten og tog elevatoren op til sit værelse.

Derefter gav hun sig god tid med at iføre sig Monica Sholes' kampuniform, friske op på sin makeup og lægge et ekstra lag hudcreme over tatoveringen, før hun gik ned i hotelrestauranten og indtog en vanvittigt lækker fiskeret. Hun bestilte en flaske af en årgangsvin, hun aldrig havde så meget som hørt om, men som kostede 1.200 kroner, drak et enkelt glas og lod resten stå, da hun rykkede over i hotelbaren. Hun lagde godt 500 kroner i drikkepenge, hvilket fik personalet til at lægge mærke til hende.

De næste tre timer lod hun sig lægge an på af en beruset ung italiener med et adeligt navn, som hun ikke gad prøve at huske. De delte to flasker champagne, hvoraf hun konsumerede et glas eller to.

Ved ellevetiden lænede hendes stærkt berusede kavaler sig frem og klemte hende ugenert på brystet. Hun trak tilfreds hans hånd ned på bardisken: Han syntes ikke at have lagt mærke til, at han havde krammet noget blødt latex. Indimellem var de temmelig højrøstede og vakte en vis irritation hos de andre gæster. Da Monica Sholes lidt før midnat bemærkede, at en vagt begyndte at sende dem skulende blikke, hjalp hun sin italienske ven op på hans værelse.

Mens han var ude på toilettet, skænkede hun et glas rødvin op til dem hver. Hun åbnede et sammenfoldet stykke papir og krydrede italienerens vin med en pulveriseret Rohypnol. Inden der var gået et minut, efter at hun havde skålet med ham, gik han ud som et lys på sengen. Hun løsnede hans slips, trak hans sko af og lagde et tæppe over ham. Hun vaskede og tørrede glassene ude på badeværelset, før hun forlod værelset.

NÆSTE MORGEN SPISTE Monica Sholes morgenmad på sit værelse klokken seks, lagde rigeligt med drikkepenge og checkede ud fra Hotel Zimmertal inden syv. Før hun forlod værelset, brugte hun fem minutter på at tørre fingeraftryk af dørhåndtag, skabe, håndvask, telefonrør og andre genstande på værelset, som hun havde rørt ved.

Irene Nesser checkede ud fra Hotel Matterhorn klokken halv ni, kort tid efter telefonvækningen. Hun tog en taxa til hovedbanegården, hvor hun låste sine tasker inde i en boks. De følgende timer brugte hun til at besøge ni banker, hvor hun solgte ud af nogle af obligationerne fra Cayman-øerne. Klokken tre om eftermiddagen havde hun omsat omkring 10 procent af obligationerne til penge, som hun havde overført til nogle og tredive nummerkonti. De resterende obligationer buntede hun sammen og deponerede i en bankboks.

Irene Nesser ville få brug for at rejse flere gange til Zürich, men det hastede ikke.

KLOKKEN HALV FEM om eftermiddagen tog Irene Nesser en taxa til lufthavnen, hvor hun gik ind på dametoilettet og klippede Monica Sholes' pas og kreditkort i bittesmå stykker, som hun skyllede ud i toilettet. Saksen smed hun i en papirkurv. Efter 11. september 2001 var det uklogt at vække opmærksomhed ved at medbringe skarpe genstande i håndbagagen.

Irene Nesser tog Flight GD890 med Lufthansa til Gardermoen og videre derfra med bus til hovedbanegården i Oslo, hvor hun gik ind på dametoilettet og sorterede sit tøj. Hun anbragte alle genstande, der tilhørte Monica Sholes-figuren – parykken med pagehår og mærkevaretøjet – i tre plasticposer, som hun smed ned i forskellige affaldsspande i nærheden af stationen. Den tomme Samsonite-taske stillede hun i en ulåst boks. Guldkæden og øreringene var designersmykker, der kunne spores, og de forsvandt ned i en afløbsrist.

Efter en vis angstfyldt tøven besluttede Irene Nesser sig for at beholde de falske latexbryster.

Nu begyndte hun at komme i tidnød og slugte en burger på McDonald's, mens hun flyttede indholdet i den eksklusive lædermappe over i sin sportstaske. Da hun gik, lod hun den tomme dokumentmappe blive stående under bordet. Hun købte et krus *tag med*-caffe latte i en kiosk og løb hen til nattoget til Stockholm. Hun nåede frem, netop som de skulle til at lukke dørene. Hun havde reserveret en single sovekupé.

Da hun havde låst kupédøren, følte hun, hvordan adrenalinet

for første gang i to døgn faldt til normalt niveau. Hun åbnede vinduet, trodsede rygeforbuddet og tændte sig en smøg, hvorefter hun stod og drak kaffen i små slurke, mens toget trillede ud af Oslo.

Hun gennemgik sin tjekliste i hovedet for at forvisse sig om, at der ikke var nogen detaljer, hun havde overset. Et øjeblik efter rynkede hun brynene og mærkede efter i jakkelommerne. Hun hev reklamekuglepennen fra Hotel Zimmertal op og studerede den tankefuldt, før hun lod den falde ud ad vinduessprækken.

Et kvarter efter krøb hun i seng og faldt næsten omgående i søvn.

EPILOG: REVISIONSPÅTEGNING

Torsdag den 27. november – tirsdag den 30. december

MILLENNIUMS TEMANUMMER OM Hans-Erik Wennerström lagde beslag på hele seksogfyrre sider af tidsskriftet og detonerede som en tidsindstillet bombe den sidste uge i november. Både Mikael Blomkvist og Erika Berger stod anført som forfattere af artiklen. De første timer vidste medierne ikke, hvordan de skulle håndtere den sensationelle historie; en lignende artikel året før havde resulteret i, at Mikael Blomkvist var blevet idømt fængselsstraf for bagvaskelse og tilsyneladende blevet fyret fra tidsskriftet *Millennium*. Hans troværdighed blev således anset for at være temmelig lille. Nu var samme tidsskrift tilbage med en ny historie, skrevet af samme journalist, og som indeholdt betydeligt grovere påstande end den artikel, der havde sendt ham i retten. Indholdet var sine steder så absurd, at det trodsede enhver sund fornuft. Medie-Sverige afventede mistroisk begivenhedernes gang.

Men om aftenen havde Hende fra TV4 et elleve minutter langt indslag, hvor hun opridsede hovedpunkterne i Blomkvists anklager. Erika Berger havde spist frokost med hende et par dage tidligere og givet hende en eksklusiv forhåndsomtale.

TV4's brutale profilering udklassede de statsejede nyhedsmedier, som først hægtede sig på i 21-udsendelserne. På samme tidspunkt udsendte også Ritzau et første telegram med den forsigtige overskrift *Dømt journalist anklager finansmand for grov kriminalitet.* Telegrammet var et kort resumé af TV4-indslaget, men at Ritzau overhovedet tog emnet op, udløste en febrilsk aktivitet på den konservative morgenavis og en snes større provinsdagblade, så man kunne nå at få nyheden med, før aviserne gik i trykken. Indtil da havde omtalte aviser været mest tilbøjelige til at ignorere *Millenniums* påstande.

Den liberale morgenavis havde kommenteret *Millenniums* scoop i form af en lederartikel, forfattet af chefredaktøren personlig, tidligere på eftermiddagen. Chefredaktøren havde derefter deltaget i et middagsselskab, mens TV4-nyhederne gik i æteren, og redaktionssekretærens febrilske opringninger om, at "der måske var noget" i Blomkvists påstande, havde han affærdiget med den senere ofte citerede udtalelse: "Vrøvl! Det ville vores erhvervsjournalister have fundet ud af for længe siden." Som følge heraf var den liberale chefredaktørs leder den eneste mediestemme i landet, der fuldstændigt slagtede *Millenniums* påstande. Lederen indeholdt ord som *personforfølgelse, kriminel sladderjournalistik* og krav om *forbud mod tilsvining af hæderlige borgere.* Det var dog det eneste indlæg, chefredaktøren bidrog med i debatten.

Om natten var *Millenniums* redaktion fuldt bemandet. Efter planerne skulle kun Erika Berger og den nytiltrådte redaktionssekretær Malin Eriksson blive hængende for at tage imod eventuelle opringninger. Klokken ti om aftenen var samtlige medarbejdere der imidlertid stadig, og de havde desuden fået selskab af ikke mindre end fire tidligere ansatte og en halv snes freelancere. Ved midnat trak Christer Malm en flaske boblevand op. Det skete, efter at en gammel bekendt havde sendt et prøvetryk af det ene formiddagsblad, der viede seksten sider til Wennerström-sagen under overskriften *Finansmafiaen.* Da formiddagsaviserne udkom næste dag, begyndte en mediestorm af sjældent set omfang.

Redaktionssekretær Malin Eriksson blev enig med sig selv om, at hun ville komme til at trives på *Millennium.*

I den følgende uge skælvede børs-Sverige, da Finanstilsynet begyndte at efterforske sagen, anklagemyndigheden blev koblet på, og der udbrød en panikslagen salgsaktivitet. To dage efter afsløringen forvandlede Wennerström-affæren sig til et regeringsanliggende, der fik erhvervsministeren til at træde frem og udtale sig.

Stormen indebar ikke, at medierne slugte *Millenniums* afsløringer uden at stille kritiske spørgsmål – dertil var påstandene alt for grove – men til forskel fra den første Wennerström-affære kunne *Millennium* denne gang fremlægge et ualmindeligt overbevisende bevismateriale: Wennerströms egne e-mails og kopier af indholdet i hans computer, der rummede statusopgørelser fra hemmelige bankkonti på Cayman-øerne og en række andre lande, hemmelige aftaler og andre tåbeligheder, som en mere forsigtig gangster ikke for sin død ville have opbevaret på en harddisk. Det stod snart klart, at hvis *Millennium*s påstande holdt helt frem til landsretten – og alle var enige om, at sagen ville ende der før eller senere – så var det uden sammenligning den største boble i den svenske finansverden, der var bristet siden Kreuger-krakket i 1932. Wennerström-sagen fik alle Gotabank-skandaler og Trustor-bedragerier til at blegne. Det var svindel i en så stor målestok, at ingen overhovedet turde gisne om, hvor mange enkelte lovovertrædelser der var tale om.

For første gang i svensk erhvervsjournalistik brugte man ord som organiseret kriminalitet, mafiametoder og gangstervælde. Wennerström og hans nærmeste kreds af unge børsmæglere, medejere og Armani-klædte advokater blev fremstillet på samme måde, som når det drejede sig om bankrøverbander og narkohajer.

UNDER DE FØRSTE døgns mediestorm gjorde Mikael sig usynlig. Han svarede ikke på mails og kunne ikke træffes på telefonen. Alle redaktionelle kommentarer blev leveret af Erika, der spandt som en kat, når hun blev interviewet af landsdækkende svenske medier og indflydelsesrige lokalaviser samt efterhånden også af et stigende antal udenlandske medier. Hver gang hun fik spørgsmålet om, hvordan *Millennium* var kommet i besiddelse af denne højst private og interne dokumentation, svarede hun med et kryptisk smil, der hurtigt forvandledes til et røgslør: "Vi kan naturligvis ikke afsløre vores kilde."

Når hun fik spørgsmål om, hvorfor det foregående års afsløring af Wennerström var blevet sådan en fiasko, blev hun endnu mere kryptisk. Hun løj aldrig, men hun sagde måske ikke altid hele sandheden. *Off the record*, og når hun ikke havde en mikrofon stukket i hovedet, undslap der hende nogle gådefulde hints, der – når de blev rystet sammen – førte til forhastede konklusioner. Dette affødte et rygte, der snart fik legendariske proportioner, og som ville vide, at Mikael Blomkvist ikke havde forsvaret sig i retten, men frivilligt ladet sig idømme fængselsstraf og store bøder, fordi hans dokumentation ellers uundgåeligt ville have ført til, at hans kilde var blevet identificeret. Han blev sammenlignet med amerikanske medieforbilleder, der hellere går i fængsel end afslører en kilde, og beskrevet som en helt i så overdrevent smigrende vendinger, at han blev flov. Men det var ikke det rette tidspunkt at dementere misforståelsen.

Én ting var alle enige om: Den person, der havde udleveret dokumentationen, måtte være nogen i Wennerströms inderkreds. Dette affødte en langtrukken sidedebat om, hvem der var *the Deep Throat* – medarbejdere, der kunne have grund til utilfredshed, advokater og sågar Wennerströms kokainafhængige datter samt andre familiemedlemmer blev fremstillet som mulige kandidater. Hverken Mikael Blomkvist eller Erika Berger sagde noget og kommenterede aldrig emnet.

Erika smilede fornøjet og vidste, de havde vundet slaget, da det ene formiddagsblad på mediestormens tredje dag havde overskriften *Millenniums revanche* på forsiden. Artiklen var et indsmigrende portræt af tidsskriftet og dets medarbejdere og tillige illustreret med et overordentligt fordelagtigt billede af Erika Berger. Hun blev kaldt den opsøgende journalistiks dronning. Den slags gav point i sladderspalternes hierarki, og man talte om at tildele hende Den Store Journalistpris.

FEM DAGE EFTER, at *Millennium* havde affyret den første bredside, var Mikaels bog *Mafiaens bankier* at finde i boghandlerne. Bogen var blevet skrevet i de hektiske dage i Sandhamn i september og oktober og i al hast og største hemmelighed trykt hos Hallvigs Reklametrykkeri. Det var den første udgivelse på et helt nyt forlag med *Millenniums* eget logo. Dedikationen var kryptisk: *Til Sally, der viste mig fordelene ved golf.*

Det var en mursten på 615 sider i pocketformat. Det lille oplag på to tusind eksemplarer nærmest garanterede, at det ville blive en underskudsforretning, men oplaget blev faktisk udsolgt allerede efter et par dage, og Erika Berger bestilte straks endnu ti tusind eksemplarer.

Anmelderne kunne konstatere, at Mikael Blomkvist denne gang i hvert fald ikke havde tænkt sig at spare på krudtet, hvad angik at offentliggøre udførlige kildehenvisninger. To tredjedele af bogen bestod af bilag, der var direkte afskrifter af indholdet i Wennerströms computer. Samtidig med bogens udgivelse offentliggjorde *Millennium* på deres hjemmeside diverse kildemateriale fra Wennerströms harddisk som PDF-filer, der kunne downloades, hvorefter hvem som helst med interesse for sagen frit kunne studere dokumenterne.

Mikaels besynderlige fravær var et led i den mediestrategi, han og Erika havde brygget sammen. Hver eneste avis i landet forsøgte at få fat i ham. Først da bogen udkom, trådte Mikael frem i et eksklusivt interview med Hende fra TV4, som dermed endnu en gang udklassede de statsejede tv-kanaler. Der var dog ikke tale om nogen vennetjeneste, og spørgsmålene var alt andet end ukritiske.

Mikael var specielt tilfreds med ét replikskifte, da han efterfølgende kiggede på videooptagelsen af sin tv-optræden. Interviewet blev sendt live, mens Stockholmsbørsen befandt sig i frit fald, og gulddrengene truede med at kaste sig ud fra diverse vinduer. Han havde fået spørgsmålet om, hvilket ansvar *Millennium* havde for, at Sveriges økonomi nu var ved at kuldsejle.

"Påstanden om, at Sveriges økonomi er i færd med at kuldsejle, er det rene nonsens," havde Mikael lynhurtigt repliceret.

Hende fra TV4 havde set desorienteret ud. Svaret havde ikke fulgt den skabelon, hun havde ventet, og hun var pludselig blevet nødt til at improvisere. Mikael fik det opfølgende spørgsmål, han havde håbet på: "Lige nu oplever vi det største enkeltstående skred i svensk børshistorie – og det mener du er nonsens?"

"Du må skelne mellem to ting: svensk økonomi og det svenske børsmarked. Svensk økonomi er summen af alle varer og tjenester, der produceres i dette land hver dag. Det er telefoner fra Ericsson, biler fra Volvo, kyllinger fra Scan og lastbiltransporter fra Kiruna til Skövde. Det er svensk økonomi, og den er nøjagtig lige så stærk eller svag i dag, som den var for en uge siden."

Han gjorde en kunstpause og drak en slurk vand.

"Børsen er noget ganske andet. Der er ingen økonomi og ingen produktion af varer og tjenester. Der er kun fantasier, hvor man fra time til time beslutter, at nu er denne eller hin virksomhed så og så mange milliarder mere eller mindre værd. Det har ikke en disse med virkeligheden eller med svensk økonomi at gøre."

"Så du mener, det ikke spiller nogen rolle, at børsen krakker?"

"Næ, det spiller overhovedet ingen rolle," svarede Mikael med en stemme så træt og opgivende, at han fremstod som et orakel. Replikken skulle blive citeret adskillige gange det kommende år. Han fortsatte:

"Det betyder kun, at en masse storspekulanter nu er i gang med at overflytte deres aktieposter fra svenske til tyske virksomheder. Det er med andre ord de guldrandede børsdrenge, pressen burde have nok hår på brystet til at udpege og hænge ud som landsforrædere. Det er dem, der systematisk og muligvis helt bevidst skader svensk økonomi for at tilfredsstille deres klienters profitbegær."

Derefter begik Hende fra TV4 den fejl at stille præcis det spørgsmål, Mikael ønskede sig.

"Du mener altså, at medierne ikke har et ansvar her?"

"Nej, medierne har i allerhøjeste grad et ansvar. I mindst tyve år har en lang række erhvervsjournalister undladt at granske Hans-Erik Wennerström. De har tværtimod hjulpet til med at opbygge hans prestige gennem tåbelige og idealiserende portrætter. Hvis de havde passet deres arbejde de sidste tyve år, ville vi ikke befinde os i denne situation i dag."

TV-INTERVIEWET BLEV et vendepunkt. Bagefter var Erika Berger overbevist om, at det først var i dét øjeblik, hvor Mikael sad for åben skærm og roligt forsvarede sine påstande, at medie-Sverige – på trods af, at *Millennium* havde været på alles læber i en uges tid – blev klar over, at historien virkelig holdt vand, og at tidsskriftets utrolige påstande faktisk var sande. Hele hans attitude havde rettet kursen ind.

Efter interviewet gled Wennerström-affæren umærkeligt fra erhvervsredaktionernes skriveborde og hen på kriminalreporternes. Det markerede en nytænkning på avisredaktionerne. Tidligere havde almindelige kriminalreportere sjældent eller aldrig skrevet om økonomisk kriminalitet, medmindre det da handlede om den russiske mafia eller jugoslaviske cigaretsmuglere. Kriminalreportere forventedes ikke at kulegrave komplicerede børstransaktioner. Et formiddagsblad tog sågar Mikael på ordet og fyldte to midtersider med fotos af nogle af finanshusenes vigtigste mæglere, der lige nu var i gang med at købe tyske værdipapirer. Overskriften lød *De sælger deres land.* Samtlige mæglere fik tilbudt at kommentere påstanden, og alle afslog. Men aktiehandlen faldt betænkeligt den dag, og nogle mæglere, der ønskede at fremstå som progressive patrioter, begyndte at gå imod strømmen. Mikael skreg af grin.

Presset blev så stort, at alvorstunge mænd i mørke jakkesæt lagde panderne i bekymrede folder og overtrådte den vigtigste regel i det eksklusive selskab, der udgjorde finans-Sveriges inderste cirkler – de udtalte sig om en kollega. Lige pludselig sad pensionerede Volvo-chefer, industriledere og bankdirektører i fjernsynet og besvarede spørgsmål for at begrænse skaden. Alle var klar over situationens alvor, og det handlede om hurtigst muligt at distancere sig fra Wennerstroem Group og skaffe sig af med eventuelle aktieposter i koncernen. Wennerström (tilkendegav de i kor) var vistnok og trods alt ikke en rigtig industrimand og var aldrig blevet rigtigt accepteret i *klubben.* En gjorde opmærksom på, at han i bund og grund var en jævn arbejderknægt fra Norrland, hvis succes var steget ham til hovedet. En anden beskrev hans gebærden som *en personlig tragedie.* Andre opdagede, at de i mange år havde haft deres tvivl om Wennerström – han var en pralhals og havde diverse andre fejl.

I de følgende uger – i takt med, at *Millenniums* dokumentation blev analyseret og stykket sammen – blev Wennerströms imperium af obskure firmaer sat i forbindelse med kernen af den internationale mafia, der omfattede alt fra illegal våbenhandel og hvidvaskning af penge for sydamerikanske narkokarteller til prostitution i New York – ja, han var også indirekte involveret i sexhandel med børn i Mexico. Et af Wennerströms firmaer, der var indregistreret på Cypern, vakte voldsom opstandelse, da det blev afsløret, at det havde forsøgt at købe beriget uran på det sorte marked i Ukraine. Wennerströms uudtømmelige forråd af obskure skuffeselskaber syntes at dukke op overalt i suspekte sammenhænge.

Efter Erikas mening var bogen om Wennerström det bedste, Mikael nogensinde havde skrevet. Rent stilistisk var kvaliteten ujævn, og sproget var sine steder temmelig dårligt – der havde ikke været tid til virkelig finpudsning – men Mikael tog revanche, og hele bogen var besjælet af et inderligt raseri, som ingen læser kunne undgå at fornemme.

HELT TILFÆLDIGT LØB Mikael på sin ærkefjende, den tidligere erhvervsjournalist William Borg. De rendte ind i hinanden uden for Kvarnen, hvor Mikael, Erika og Christer sammen med tidsskriftets øvrige medarbejdere ville fejre luciaaftenen og drikke sig sanseløst berusede på firmaets regning. Borg fulgtes med en skidefuld pige på Lisbeth Salanders alder.

Mikael standsede brat op. William Borg havde altid fået de værste sider frem i ham, og han måtte lægge bånd på sig selv for ikke at sige eller gøre noget upassende. I stedet stod han og Borg tavst og målte hinanden.

Mikaels afsky for Borg var til at tage og føle på. Erika afværgede et machosammenstød ved at tage Mikael under armen og føre ham ind til baren.

Mikael besluttede, at han ved lejlighed ville bede Lisbeth lave en af sine dybdeborende PU'er på Borg. Bare for princippets skyld.

UNDER HELE MEDIESTORMEN var dramaets hovedperson, finansmanden Hans-Erik Wennerström, stort set usynlig. Den dag, *Millenniums* artikel blev offentliggjort, havde finansmanden kommenteret den på et pressemøde, der allerede var arrangeret, om end i en helt anden anledning. Wennerström erklærede, at beskyldningerne intet havde på sig, og at det bevismateriale, der blev henvist til, var et falsum. Han gjorde opmærksom på, at samme journalist et år tidligere var blevet dømt for bagvaskelse.

Derpå var det udelukkende Wennerströms advokater, der svarede på massemediernes spørgsmål. To dage efter, at Mikaels bog var udkommet, begyndte der at cirkulere et vedholdende rygte om, at Wennerström havde forladt Sverige. Formiddagspressen brugte ordet "flugt" i deres overskrifter. Da Finanstilsynet i den anden uge prøvede at få officiel kontakt med Wennerström, kom det for en dag, at denne ikke befandt sig i landet. I midten af december bekræftede politiet, at Wennerström var efterlyst, og dagen før nytårsaften blev der udsendt en formel efterlysning via Interpol. Samme dag blev en af Wennerströms nærmeste rådgivere pågrebet i Arlanda, da han skulle til at stige om bord på et fly til London.

Flere uger senere rapporterede en svensk turist, at han havde set Hans-Erik Wennerström sætte sig ind i en bil i Bridgetown, hovedstaden på Barbados i Vestindien. Som bevis på sin påstand vedlagde turisten et fotografi, der var taget på relativ lang afstand og viste en hvid mand iført solbriller, åbentstående hvid skjorte og lyse bukser. Manden kunne ikke identificeres med sikkerhed, men ikke desto mindre sendte formiddagsbladene reportere af sted i et frugtesløst forsøg på at spore Wennerström på De Caribiske Øer. Det var den første i en lang række af "observationer" af den flygtende milliardær.

Et halvt år efter kunne man indstille jagten. Hans-Erik Wennerström blev fundet død i en lejlighed i Marbella i Spanien, hvor han boede under navnet Victor Fleming. Han var blevet skudt i hovedet med tre skud på klos hold. Det spanske politi arbejdede ud fra den teori, at han havde overrasket en indbrudstyv.

WENNERSTRÖMS DØD KOM ikke som nogen overraskelse for Lisbeth Salander. Hun havde med god grund mistanke om, at hans bortgang havde noget at gøre med, at han ikke længere havde adgang til pengene i en vis bank på Cayman-øerne, som han skulle bruge for at indfri visse colombianske gældsposter.

Hvis nogen havde gidet ulejlige sig med at bede om Lisbeth Salanders hjælp med at spore Wennerström, så ville hun have kunnet redegøre for hans færden praktisk taget fra dag til dag. Via internettet havde hun fulgt hans desperate flugt gennem en halv snes lande og iagttaget den voksende panik i hans e-mails, hver gang han koblede sin bærbare på et eller andet sted. Men end ikke Mikael troede, at den flygtende eksmilliardær var så stupid, at han slæbte den samme computer med sig, der var blevet infiltreret så godt og grundigt.

Efter et halvt år var Lisbeth blevet træt af at følge Wennerström. Det tilbageværende spørgsmål var, hvor langt hendes eget engagement strakte sig. Wennerström var ubetvivleligt en bandit af dimensioner, men han var ikke hendes personlige fjende, og hun havde ikke nogen speciel interesse i at få ham knaldet. Hun kunne tippe Mikael, men han ville formentlig bare skrive en eller anden artikel. Hun kunne tippe politiet, men sandsynligheden for, at Wennerström ville blive advaret og nå at forsvinde, var relativt stor. For øvrigt talte hun af princip ikke med politiet.

Men der var andre gældsposter, der ikke var indfriet. Hun tænkte på den gravide, toogtyveårige servitrice, der havde fået hovedet presset ned under vandet i sit badekar.

Fire dage før Wennerström blev fundet død, havde hun besluttet sig. Hun havde tændt for sin mobiltelefon og ringet til en advokat i Miami, Florida, der tilsyneladende var en af de personer, som Wennerström først og fremmest gemte sig for. Hun havde talt med en sekretær og bedt hende videregive en kryptisk besked: navnet Wennerström og en adresse i Marbella. Intet andet.

Hun slukkede for fjernsynet midt inde i den dramatiske melding om Wennerströms død. Hun tændte for kaffemaskinen og smurte sig en leverpostejsmad med agurk.

Mens Erika Berger og Christer Malm tog sig af juleforberedelserne, sad Mikael i Erikas lænestol og drak gløgg og kiggede på. Samtlige medarbejdere plus en række faste freelancere fik en julegave – dette år en skuldertaske med *Millenniums* logo. Da de havde pakket gaverne ind, satte de sig til at skrive og frankere godt og vel to hundrede julekort til trykkerier, fotografer og kolleger i branchen.

Mikael prøvede virkelig at modstå fristelsen, men til sidst kunne han ikke længere dy sig. Han tog et julekort og skrev følgende: *Glædelig jul og godt nytår. Tak for en fremragende indsats i året, der gik.*

Han underskrev kortet og adresserede det til Janne Dahlman, c/o redaktionen på *Finansmagasinet Monopol.*

Da Mikael kom hjem om aftenen, havde han selv fået en postanvisning på en pakke. Han hentede julegaven næste morgen og åbnede den, da han var kommet ind på redaktionen. Pakken indeholdt en myggestift og en kvart flaske Reimersholm-snaps. Mikael åbnede kortet og læste: *Hvis du ikke har andet for, så vil jeg ankre op ved Arholma midsommeraften.* Det var underskrevet af hans gamle skolekammerat Robert Lindberg.

NORMALT PLEJEDE MILLENNIUM at holde lukket ugen før jul og frem til nytår. Dette år kom der slinger i valsen. Presset på den lille redaktion havde været enormt, og de blev stadig hver dag ringet op af journalister fra hele kloden. Det var blevet lillejuleaften, da Mikael nærmest ved et tilfælde faldt over en artikel i *Financial Times*, der refererede fra den internationale bankkommission, der i al hast var trådt sammen for at kulegrave Wennerströms imperium. Ifølge artiklen arbejdede kommissionen ud fra den hypotese, at Wennerström sandsynligvis i sidste øjeblik var blevet advaret om den forestående afsløring.

Hans konti i Bank of Kroenenfeld på Cayman-øerne med et indestående på 260 millioner amerikanske dollars – knap to milliarder svenske kroner – var nemlig blevet tømt dagen før udgivelsen af *Millenniums* decembernummer.

Pengene havde været anbragt på en række konti, som kun Wennerström havde personlig adgang til. Han var ikke engang nødt til at indfinde sig i banken – han behøvede blot oplyse nogle clearingskoder for at kunne overføre pengene til en hvilken som helst bank i verden. Pengene var blevet overført til Schweiz, hvor en kvindelig medhjælper havde omsat beløbet til anonyme obligationer. Alle clearingskoder havde været korrekte.

Europol havde udsendt en international efterlysning af den ukendte kvinde, der havde benyttet sig af et stjålet engelsk pas lydende på navnet Monica Sholes, og som efter sigende havde levet i sus og dus på et af Zürichs dyreste hoteller. Et forholdsvis skarpt billede – i betragtning af, at det var taget af et overvågningskamera – viste en lille kvinde med blondt pagehår, bred mund, stor barm, eksklusivt designertøj og guldsmykker.

Mikael studerede billedet, først overfladisk og derpå med stigende undren. Lidt efter fandt han et forstørrelsesglas i sin skrivebordsskuffe og forsøgte at udskille ansigtets detaljer.

Til sidst lagde han avisen fra sig og blev siddende målløs i flere minutter. Så begyndte han at grine så hysterisk, at Christer Malm stak hovedet indenfor og spurgte, hvad der foregik. Mikael viftede afværgende med hånden.

OM FORMIDDAGEN JULEAFTEN kørte Mikael til Årsta og besøgte sin ekskone og datteren Pernilla for at udveksle julegaver. Pernilla fik en computer, hun havde ønsket sig, og som Mikael og Monica havde købt sammen. Mikael fik et slips af Monica og af sin datter en krimi af Åke Edwardson. Til forskel fra julen før var de nu oprømte på grund af al medieopmærksomheden omkring *Millennium*.

De spiste frokost sammen, og Mikael skævede til Pernilla. Han havde ikke set sin datter, siden hun pludselig var dukket op i Hedestad. Det gik op for ham, at han aldrig havde fået diskuteret hendes sværmeri for sekten i Skellefteå med hendes mor. Og han kunne heller ikke fortælle, at det var datterens bibelkundskab, der omsider havde sat ham på sporet af Harriet Vangers forsvinden. Han havde ikke talt med sin datter siden da og følte et stik af dårlig samvittighed.

Han var ikke nogen god far.

Han kyssede sin datter farvel efter frokosten og mødtes med Lisbeth ved Slussen og tog ud til Sandhamn. De havde praktisk taget ikke set hinanden, siden *Millennium* lod bomben springe. De ankom sent juleaften og blev der i juledagene.

MIKAEL VAR SOM altid underholdende at være sammen med, men Lisbeth Salander havde en ubehagelig fornemmelse af, at han så på hende med et yderst underligt blik, da hun tilbagebetalte lånet med en check på 120.000 kroner. Men han sagde ikke noget.

De spadserede ned til Trovill og tilbage (hvilket Lisbeth opfattede som spild af tid), spiste julemiddag på kroen og trak sig tilbage til Mikaels hytte, hvor de tændte ild i fedtstenskaminen, satte en Elvis-cd på og gav sig hen til hæmningsløs sex. Når Lisbeth indimellem kom op til overfladen, prøvede hun at få styr på sine følelser.

Hun havde ingen problemer med Mikael som elsker. De hyggede sig i sengen. De var i dén grad fysiske sammen. Og han prøvede aldrig at dressere hende.

Hendes problem var, at hun ikke kunne tolke sine følelser for Mikael. Ikke siden længe før puberteten havde hun sænket paraderne og sluppet et andet menneske ind på livet af sig, som hun havde gjort med Mikael Blomkvist. Han havde en irriterende evne til at trænge igennem hendes forsvarsværker og lokke hende til gang på gang at tale om personlige forhold og intime følelser. Selvom hun var klog nok til at ignorere de fleste af hans spørgsmål, så fortalte hun om sig selv på en måde, som hun ikke engang under dødstrusler ville drømme om over for noget andet menneske. Det skræmte hende og fik hende til at føle sig nøgen og overladt til hans forgodtbefindende.

På samme tid – når hun så på hans sovende skikkelse og lyttede til hans snorken – følte hun, at hun aldrig før i sit liv havde stolet så betingelsesløst på et andet menneske. Hun var helt overbevist om, at Mikael aldrig ville udnytte sin viden om hende for at skade hende. Det lå ikke i hans natur.

Det eneste, de aldrig diskuterede, var deres forhold til hinanden. Hun turde ikke, og Mikael bragte det aldrig på bane.

På et tidspunkt anden juledag gik der noget op for hende, og det fyldte hende med forfærdelse. Hun fattede ikke, hvordan det var gået til, eller hvordan hun skulle håndtere det. Hun var forelsket for første gang i sit femogtyveårige liv.

At han var næsten dobbelt så gammel som hende, bekymrede

hende ikke. Heller ikke, at han lige nu var en af Sveriges mest omtalte personer, der oven i købet havde været på forsiden af *Newsweek* – alt det var ren tv-serie. Nej, Mikael Blomkvist var ikke nogen erotisk fantasi eller dagdrøm. Det måtte høre op, og det kunne ikke fungere. Hvad skulle han med hende? Hun var muligvis et tidsfordriv, mens han ventede på en, hvis liv ikke var helt til rotterne.

Pludselig forstod hun, at kærlighed var en kraft, der kunne få hjertet til at briste.

Da Mikael vågnede sent på formiddagen, havde hun lavet kaffe og sat morgenmad frem. Han satte sig til bords og fornemmede med det samme, at noget havde forandret sig – hun var lidt mere reserveret. Da han spurgte hende, om der var noget galt, så hun bare uforstående ud.

TREDJE JULEDAG TOG Mikael toget op til Hedestad. Han var iført varmt tøj og fornuftige vintersko, da Dirch Frode hentede ham på stationen og forsigtigt lykønskede ham med succesen i medierne. Det var første gang siden august, at han besøgte Hedestad, og det var næsten på dagen et år siden, han ankom første gang. De gav hånd og udvekslede høfligheder, men der var så meget uudtalt mellem dem, og Mikael følte sig dårligt tilpas.

Alting var forberedt, og overdragelsesforretningen hos Dirch Frode tog kun nogle minutter. Frode havde tilbudt at overføre pengene til en bekvem udenlandsk konto, men Mikael insisterede på, at honoraret skulle indbetales til hans firma som "hvide penge".

"Jeg kan ikke tillade mig at modtage nogen anden form for betaling," meddelte han studst Frode.

Besøget handlede ikke kun om penge. Mikael havde efterladt både tøj, bøger og diverse personlige ejendele, da han og Lisbeth i al hast havde forladt Hedeby.

Henrik Vanger skrantede stadig efter sit hjerteanfald, men var nu udskrevet fra hospitalet og flyttet hjem. Han havde en privatansat sygeplejerske boende, der så til, at han ikke gik for lange ture, brugte trappen eller diskuterede ting, der kunne gøre han oprørt. I juledagene havde han desuden fået en mild forkølelse og var omgående beordret sengeleje.

"Og så koster hun en hulens masse penge," klagede Henrik Vanger.

Denne oplysning kunne ikke få Mikaels pis i kog. Den gamle skulle vist nok have råd til den udgift med tanke på, hvor mange skattekroner han havde unddraget sig i sit liv. Henrik Vanger betragtede ham surmulende et stykke tid, hvorefter han begyndte at grine.

"For fanden, mand. Du er sgu hver en krone værd. Jeg vidste det."

"Hvis jeg skal være helt ærlig, troede jeg ikke, jeg nogensinde ville løse gåden."

"Jeg har ikke tænkt mig at takke dig," sagde Henrik Vanger.

"Det havde jeg heller ikke ventet," svarede Mikael.

"Du har fået det godt betalt."

"Jeg skal ikke klage."

"Du udførte et stykke arbejde for mig, og lønnen må være tak nok."

"Jeg er kun kommet for at sige, at jeg betragter opgaven som afsluttet."

Henrik Vanger skar en grimasse. "Du har ikke afsluttet opgaven," sagde han.

"Det ved jeg."

"Du har ikke skrevet familien Vangers slægtshistorie, som vi havde aftalt."

"Nej, og jeg agter ikke at skrive den."

De sad tavse lidt og overvejede kontraktbruddet. Så fortsatte Mikael:

"Jeg kan ikke skrive historien. Jeg kan ikke fortælle om familien Vanger og forsætligt udelade de mest centrale begivenheder de seneste årtier – om Harriet og hendes far og bror og alle mordene. Hvordan skulle jeg kunne skrive et kapitel om Martins tid som administrerende direktør og lade, som om jeg ikke ved, hvad der befinder sig i hans kælder? Men jeg kan heller ikke skrive historien uden endnu en gang at ødelægge Harriets liv."

"Jeg forstår dit dilemma, og jeg er taknemmelig for det valg, du har truffet."

"Ergo dropper jeg historien."

Henrik Vanger nikkede.

"Til lykke. Det lykkedes dig at korrumpere mig. Jeg vil destruere alle noter og båndoptagelser med dig."

"Jeg synes ikke, du er blevet korrumperet," sagde Henrik Vanger.

"Sådan føles det, og derfor er det formodentlig tilfældet."

"Du kunne vælge mellem at være journalist og menneske. Jeg er temmelig sikker på, at jeg ikke havde kunnet købe din tavshed, og at du havde valgt journalistrollen og hængt os ud, hvis Harriet havde gjort sig skyldig i noget, eller du havde opfattet mig som et røvhul."

Mikael sagde ikke noget. Henrik kiggede på ham.

"Vi har indviet Cecilia i hele historien. Jeg og Dirch Frode har ikke lang tid igen, og Harriet vil få brug for støtte fra familien. Cecilia vil gå aktivt ind i bestyrelsen, og det bliver hende og Harriet, der kommer til at lede koncernen fremover."

"Hvordan tog Cecilia det?"

"Hun blev naturligvis chokeret. Hun rejste til udlandet et stykke tid. På et tidspunkt frygtede jeg, at hun ikke ville vende tilbage."

"Men det gjorde hun."

"Martin var en af de få i familien, som Cecilia altid var kommet godt ud af det med. Det var hårdt for hende at høre sandheden om ham. Og nu ved Cecilia også, hvad du har gjort for familien."

Mikael trak på skuldrene.

"Tak, Mikael," sagde Henrik Vanger.

Mikael trak igen på skuldrene.

"For øvrigt ville jeg ikke orke at skrive historien," sagde han. "Familien Vanger hænger mig ud af halsen."

Det tyggede de på et øjebik, hvorefter Mikael skiftede emne.

"Hvordan føles det at være boss igen efter femogtyve år?"

"Det er jo kun midlertidigt, men ... Jeg ville ønske, jeg var yngre. Lige nu arbejder jeg kun tre timer om dagen. Alle møder foregår her i dette værelse, og Dirch Frode er genindtrådt som min stedfortræder, hvis nogen stiller sig på bagbenene."

"Ja, man kan jo frygte den yngre generation. Det tog mig et stykke tid at regne ud, at Frode ikke kun var en simpel økonomisk rådgiver, men også en person, der løser mere komplicerede problemer for dig."

"Netop. Men alle beslutninger bliver taget sammen med Harriet, og det er hende, der laver fodarbejdet."

"Hvordan har hun det?" spurgte Mikael.

"Hun har arvet både sin brors og sin mors anparter. Sammen kontrollerer vi godt 33 procent af koncernen."

"Er det nok?"

"Det ved jeg ikke. Birger stritter imod og prøver at spænde ben for hende. Alexander har pludselig indset, at han har en chance for at blive betydningsfuld, og har allieret sig med Birger. Min bror Harald har kræft og vil ikke leve længe. Han har den eneste større aktiepost på 7 procent, som børnene arver. Cecilia og Anita vil alliere sig med Harriet."

"Hvorefter I sidder inde med over 40 procent."

"Vi har aldrig før haft en sådan stemmemajoritet i familien. Og eftersom de fleste med en eller to procent vil stemme på os, betyder det, at Harriet overtager min post som administrerende direktør til februar."

"Det vil ikke gøre hende lykkelig."

"Nej, men det er nødvendigt. Vi skal have nye samarbejdspartnere og nyt blod. Måske kan vi også indgå samarbejde med hendes egen koncern i Australien. Mulighederne er mange."

"Hvor er Harriet nu?"

"Du har uheldet med dig. Hun er i London, men vil meget gerne mødes med dig."

"Jeg møder hende på bestyrelsesmødet i januar, hvis hun træder ind i stedet for dig."

"Ja."

"Fortæl hende, at jeg aldrig vil diskutere det, der skete dengang, med andre end Erika Berger."

"Det ved jeg, og det ved Harriet også. Du er et menneske med moral."

"Men du kan også hilse og fortælle, at alt, hvad hun foretager sig fra og med nu, kan ende på forsiden, hvis hun ikke tager sig i agt. Vangerkoncernen har samme bevågenhed som alle andre."

"Jeg skal nok advare hende."

Mikael forlod Henrik Vanger, da denne lidt efter døsede hen. Han pakkede sine ejendele i to tasker. Da han for sidste gang lukkede døren til gæstehytten, tøvede han et kort øjeblik, hvorefter han gik over til Cecilia Vanger og bankede på. Hun var ikke hjemme. Han fandt sin lommebog frem, rev en side ud og skrev: *Tilgiv mig. Jeg ønsker dig alt godt.* Han smed sedlen og sit visitkort ind ad brevsprækken. Martin Vangers villa stod tom. En elektrisk lysestage var tændt i køkkenvinduet.

Han tog aftentoget tilbage til Stockholm.

MELLEM JUL OG NYTÅR koblede Lisbeth Salander omverdenen ude. Hun tog ikke telefonen og åbnede ikke sin computer. Hun brugte to dage på at vaske tøj, gøre rent og rydde op i lejligheden. Gamle pizzakartoner og aviser blev stablet og smidt ud. Sammenlagt slæbte hun seks sorte affaldssække og hen ved tyve poser med aviser ud. Det føltes, som om hun havde tænkt sig at begynde på et nyt liv. Hun overvejede at få en ny lejlighed – hvis hun ellers fandt noget passende – men indtil da skulle hendes gamle hjem være mere skinnende rent, end hun kunne mindes, at det nogensinde havde været.

Derefter sad hun som lammet og grublede. Hun havde aldrig tidligere i sit liv følt en sådan længsel. Hun ønskede, at Mikael skulle ringe på hendes dør og ... hvad? Tage hende i sine arme? Lidenskabeligt trække hende med ind i soveværelset og flå hendes tøj af? Nej, i virkeligheden havde hun bare lyst til at være sammen med ham. Hun ønskede at høre ham sige, at han kunne lide hende, som hun var. At hun var noget specielt i hans verden og hans liv. Hun ønskede, at han skulle vise hende et tegn på kærlighed, ikke bare venskab og kammeratskab. *Det er ved at rable for mig,* tænkte hun.

Hun tvivlede på sig selv. Mikael levede i en verden, der var befolket af mennesker med respektable job, velordnede liv og masser af voksenpoint. Hans bekendte foretog sig ting, kom i fjernsynet og skabte overskrifter. *Hvad skal du med mig?* Lisbeth Salanders største skræk – så stor og overvældende, at den lignede en fobi – var, at folk skulle grine ad hende følelser. Og lige pludselig syntes hele hendes møjsommeligt oparbejdede selvfølelse at krakelere.

Og så bestemte hun sig. Det tog hende flere timer at mobilisere det fornødne mod, men hun var nødt til at se ham og fortælle, hvad hun følte.

Alt andet var uudholdeligt.

Hun havde brug for et påskud til at opsøge ham. Hun havde ikke givet ham nogen julegave, men vidste, hvad hun skulle købe. Hos en marskandiser havde hun set nogle reklameskilte fra halvtredserne med påtrykte figurer. Et af blikskiltene forestillede Elvis Presley med guitar ved hoften og en taleboble med ordene *Heartbreak Hotel*. Hun havde ikke den fjerneste sans for indretning, men selv hun vidste, at skiltet ville passe perfekt til sommerhuset i Sandhamn. Det kostede 780 kroner, og hun pruttede af princip prisen ned til 700. Hun fik skiltet pakket ind, tog det under armen og begav sig hen mod hans lejlighed på Bellmansgatan.

På Hornsgatan kastede hun tilfældigvis et blik hen mod *Kaffebar* og så pludselig Mikael komme ud med Erika Berger på slæb. Han sagde et eller andet, og Erika lo, lagde armen om hans liv og kyssede ham på kinden. De forsvandt ned ad Brännkyrkagatan mod Bellmansgatan. Deres kropssprog var ikke til at misforstå – det var tydeligt, hvad der ventede.

Smerten var så øjeblikkelig og overvældende, at Lisbeth standsede midt i et skridt, ude af stand til at bevæge sig. Noget i hende ønskede at styrte efter dem. Hun ville kløve Erika Bergers hoved med blikskiltets skarpe kant. Hun foretog sig ingenting, mens tankerne brusede gennem hendes hoved. *Konsekvensanalyse.* Til sidst faldt hun til ro.

Salander, du er sgu da bare pinlig, sagde hun højt til sig selv.

Hun drejede om på hælen og gik hjem til sin rengjorte lejlighed. Da hun passerede Zinkensdamm, begyndte det at sne. Hun smed Elvis i en skraldespand.